W0361633

Descobreix

www.bauladigital.cat

Multiplataforma > Tots els sistemes operatius > *Online, offline*

Llicència d'activació

Lengua Castellana y Literatura 2n Batx

5vZHa23

Segueix aquests passos senzills i podràs disposar dels teus recursos digitals

1 Visita **www.bauladigital.cat** i introdueix les dades que et sol·licita la plataforma des de **Registra't aquí.**

2 Escriu, si ho desitges, el nom del teu col·legi.

3 **Comença aquí i ara.**
Escriu la llicència d'activació que hi ha a l'anvers d'aquest full i fes clic a **Activar.**

Durant tot el procés, caldrà prestar atenció a les polítiques de privacitat i altres avisos legals proporcionats per Baula.

> **Des de la plataforma, també hi ha disponible la versió *offline* per a ordinador:** Versión de Escritorio

> **Per accedir als recursos digitals des de la teva tauleta pots descarregar-te l'aplicació Edelvives_texto disponible als diferents *stores*:** Descárgalo en el App Store · Disponible en Windows Store · Android app on Google play · Disponible en Chrome Web Store

Consulta els requisits mínims a www.bauladigital.cat

És important que el registre es faci prèviament des del web.

Necessites ajuda?

Tria el camí:

- Contacta amb Suport tècnic a través de la pàgina **www.bauladigital.com**
- Descarrega't els tutorials en PDF que trobaràs a la Zona de descàrrega del nostre Suport tècnic.
- Escriu un correu a **digital@grupoedelvives.com**
- Truca al **900 622 192.**

BACHILLERATO 2

Lengua Castellana y Literatura

TEORÍA

AUTORES
José Juan Berbel Rodríguez
Gabriel Maldonado Palmero
Inmaculada del Pino Medina
María Esperanza Sánchez Vázquez

REVISORAS TÉCNICAS
Carmen Chirivella Osma
María Ángeles Bazalo Miguel

El 0,7 % de la venta de este libro se destina a proyectos de desarrollo de la ONGD SED (www.sed-ongd.org).

BACHILLERATO

09 LA NOVELA Y EL ENSAYO HASTA 1936

10 EL TEATRO HASTA 1936

11 LA POESÍA DESDE 1936

12 EL TEATRO DESDE 1936

13 LA NOVELA Y EL ENSAYO DESDE 1936

14 POESÍA Y NARRATIVA DEL SIGLO XX EN HISPANOAMÉRICA

VOLUMEN DE **TEORÍA**

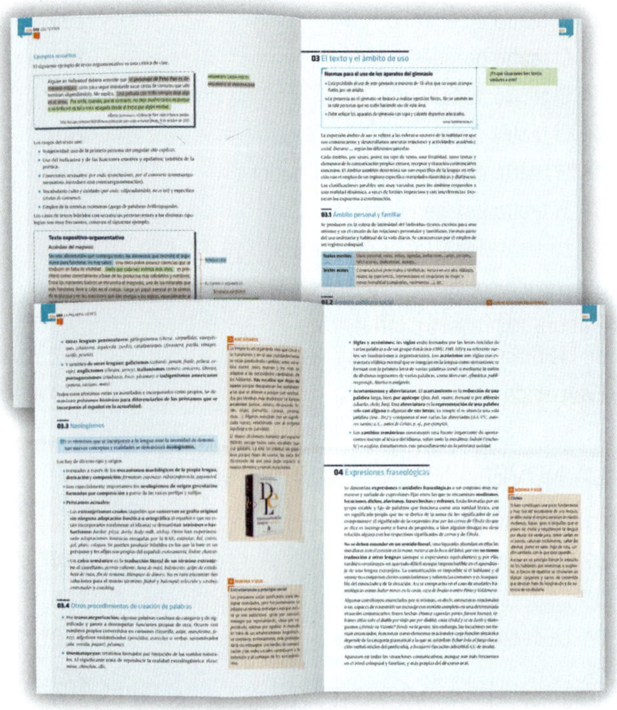

LENGUA

La explicación teórica de las lenguas, de la gramática (actualizada según la *Nueva gramática de la lengua española)* y de las propiedades textuales se realiza reflexionando a partir de textos diversos, relacionando los contenidos con los distintos ámbitos del uso de la lengua. La reflexión también se hace desde el error para llegar al uso correcto de la lengua.

LITERATURA

Los contenidos se explican de forma clara y sencilla, con presentaciones esquemáticas y visuales.

Los textos apoyan la explicación y sirven de punto de partida para reflexionar y relacionar los contenidos con otras épocas y con la realidad del alumno.

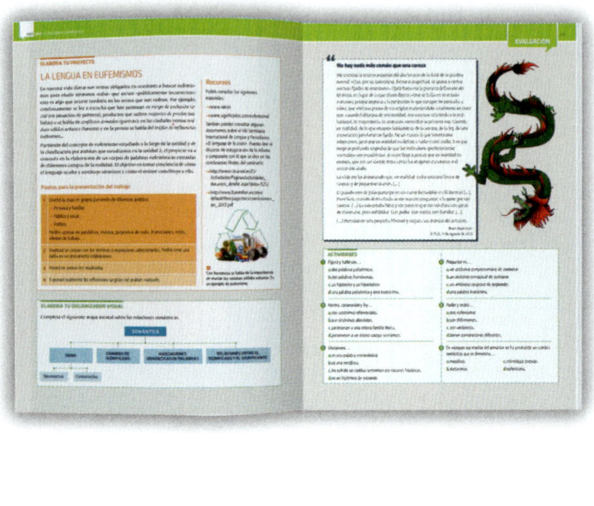

ACTIVIDADES

Cada unidad finaliza con una doble página de trabajo dividida en tres partes:

- **Elabora tu proyecto:** propuesta de ampliación de algún contenido de la unidad que se puede trabajar de forma cooperativa.
- **Elabora tu organizador visual:** propuesta para la elaboración de la síntesis de los contenidos. Aparece resuelta en el volumen de práctica.
- **Evaluación**

VOLUMEN DE **PRÁCTICA**

ESQUEMA DE LA UNIDAD

Síntesis de los contenidos de la unidad de forma visual, que se podrá ampliar.

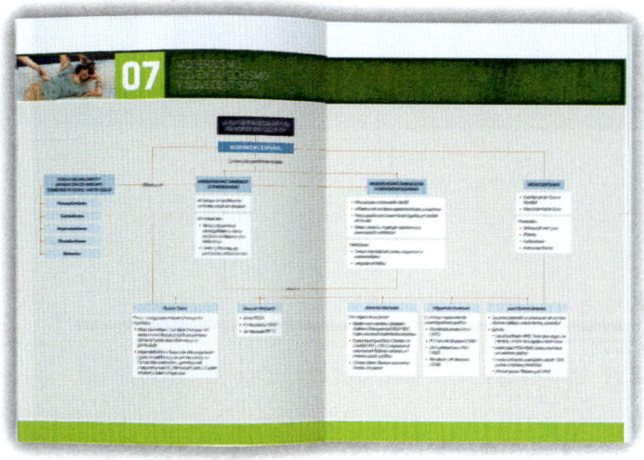

ACTIVIDADES Y EVALUACIÓN

La reflexión, el trabajo y la recapitulación de los contenidos de lengua y de literatura se realiza con baterías de actividades y textos, relacionando los bloques de contenido, los temas y las épocas.

Diario de aprendizaje: tras la evaluación, pregunta para la reflexión del alumno sobre su proceso de aprendizaje.

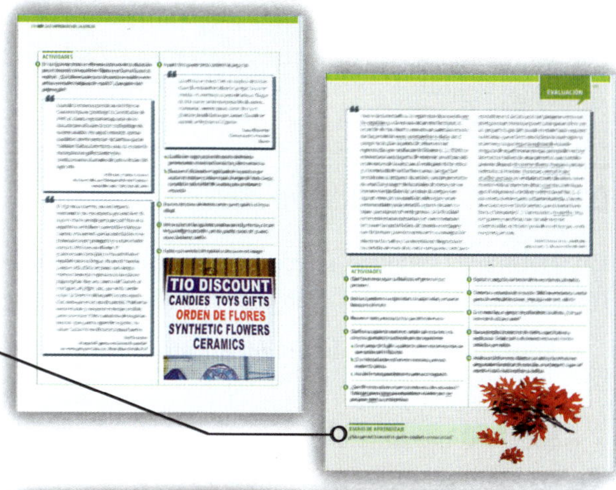

CUADERNO DE DESTREZAS

Con un enfoque comunicativo, se proponen prácticas distribuidas según los ámbitos de uso. Partiendo del análisis de las diferentes situaciones comunicativas, de los elementos de la comunicación y de los géneros textuales, se analizan y producen textos escritos y orales de cada uno de estos ámbitos, aplicando los conocimientos que se han adquirido sobre el funcionamiento de la lengua.

Para elaborar estos y otros textos, el alumno cuenta con una explicación completa y útil sobre cómo realizar los trabajos monográficos y las exposiciones orales durante el curso y su futura vida académica. Se incide en la aplicación de las nuevas tecnologías y de los aspectos extra textuales. El alumno cuenta con rúbricas para la autoevaluación escrita y oral.

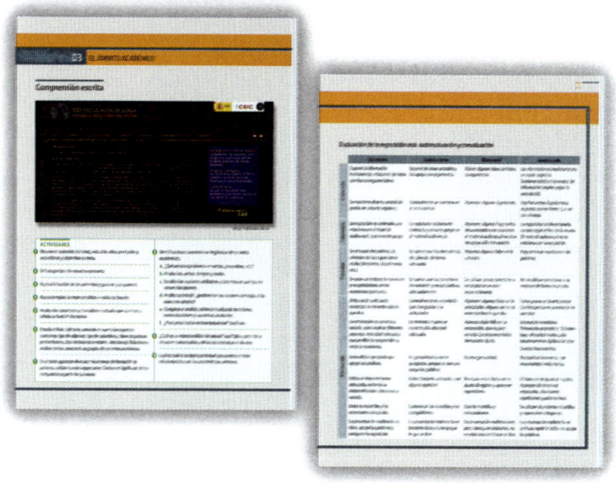

01 LAS VARIEDADES DE LA LENGUA

01 El español actual en España

Las variedades del español actual están definidas por factores geográficos, socioculturales y referenciales (dependientes de la situación y el contexto), lo que determina las variedades diatópicas, diastráticas y diafásicas, respectivamente.

01.1 Variedades diatópicas

Las diatópicas son las variedades **geográficas** de una lengua. En España se distinguen dos variedades diatópicas fundamentales del español:

- **Septentrional:** hablada en el norte y el centro peninsulares (incluyendo zonas bilingües).
- **Meridional:** con dialectos (o subdialectos) como el andaluz, hablado en el sur, y el canario en las Islas Canarias.

> El español de América procede de la variedad meridional, dado que la colonización de este territorio fue realizada en gran parte por andaluces.

<table>
<tr><th colspan="3">Rasgos de la zona septentrional</th></tr>
<tr>
<td rowspan="4">Presentan sobre todo diferencias en la entonación y la fonética. Sus rasgos comunes son:
• Entonaciones características, sobre todo en las zonas gallega, asturleonesa y asturiana, donde las subidas y bajadas tonales son muy pronunciadas.
• Pronunciación de la -d implosiva como [θ] (Valladoliz, Madriz) o incluso pérdida de la misma (Madrí).
• Pronunciación de [θ] por [k] en el grupo /kt/: aspezto.
• Pronunciación de la x seguida de consonante como [s]: esceso.
• Extensión progresiva del yeísmo.</td>
<td rowspan="2">En la zona asturleonesa:
• Cierre de vocales finales -e, -o en -i, -u: hielu.
• Diminutivo en -in, -ino, -ina: guapino.
• Uso del artículo delante del posesivo: el mi muchachu.
• Preferencia por el pretérito perfecto simple en lugar del compuesto: fuiste por has ido.</td>
<td>En la zona riojana y navarra:
• Uso del condicional (desinencia -ría) en lugar del imperfecto de subjuntivo (desinencia -ra): Si tendría, daría.</td>
</tr>
<tr>
<td>En la zona gallega:
• Sufijo -iño: pobriño.
• Vocales -e y -o finales con pronunciación más cerrada que en castellano.</td>
</tr>
<tr>
<td rowspan="2">En la zona aragonesa:
• Uso del diminutivo -ico (ratico, mañico) y su variante en -iquio, -iquia: mociquio.
• Cambio de acentuación de palabras esdrújulas a llanas: pajáros.
• Uso inmoderado de pues en expresiones exclamativas, interrogativas o mixtas: ¿Ha venido tu hermano, pues?</td>
<td>En la zona catalana y valenciana:
• Articulación de la -d final próxima a la -t: verdat.
• Anteposición del artículo al nombre propio por influencia del catalán: La Montse.</td>
</tr>
<tr>
<td>En la zona del centro de Castilla:
• Laísmo, leísmo.
• Supresión de la -d- en participios en -ado: terminao.</td>
</tr>
</table>

Algunos rasgos comunes de la zona meridional
• Yeísmo (articulación de /y/ por /l̬/): *yave.*
• Aspiración de la /-s/ implosiva: *mahcar* por *mascar, doh* por *dos* y, en ocasiones, la consiguiente abertura de la vocal precedente.
• Aspiración o asimilación de /-s/ y /-z/ finales de sílaba: [mǫkka] por *mosca.*
• Pérdida de la *-d-* intervocálica: *dao.*
• Confusión entre /l/ y /r/: *saltén.*
• Aspiración de /x/: *hamón* por *jamón.*

Además de las variedades septentrionales y meridionales, encontramos las **hablas de tránsito: extremeño, riojano y murciano,** que participan por un lado de los rasgos del castellano y por otro de los dialectos y lenguas vecinas.

GLOSARIO

Epéntesis: figura de dicción que consiste en la inclusión de un sonido dentro de un vocablo.

El extremeño
• Comprende las provincias de Cáceres (con influencia leonesa) y Badajoz (con algunos rasgos andaluces).
• Es común la aspiración de la *f-* inicial: *jumo.*
• Rasgos **leoneses:** conservación de la *g-/j-* seguida de palatal *(gierno),* la epéntesis de *-i-* en la terminación (*matancia* por *matanza*) o el cierre de las vocales finales *-o, -e* en *-u, -i.*
• Coincide con el **andaluz** en el yeísmo y la aspiración de la [x] (*g, j* en la grafía): *trabaho.*
El riojano
• Se localiza en un pequeño reducto entre Navarra, Aragón y el norte de Castilla, una zona fuertemente castellanizada que conserva antiguos rasgos dialectales.
• De su contacto con el aragonés deriva la conservación de los grupos iniciales con *-l (plegar, flama)* o del grupo *-ns-* (*ansa* por *asa*).
• Del navarro proviene la desaparición de la *-d-* en el grupo *-ndr:* [tenȓá].
• El léxico recibe influencias aragonesas y navarras: *arguellar* ('enfermar'), *gardacho* ('lagarto'), *jauto* ('soso, insípido').
El murciano
Hablado en el extremo suroriental de la Península (Murcia, Albacete y parte de Alicante), recibe influencias castellanas y aragonesas, y muestra, asimismo, rasgos valencianos y andaluces.
• Rasgos **aragoneses:** la conservación del grupo *-ns* (*ansa* por *asa*) o la palatalización de la *l- (lluego).*
• Rasgos **meridionales:** aspiración de la *-s* final y seseo. En ocasiones la pérdida de la *-s* tiene consecuencias en el timbre vocálico de manera análoga a lo que ocurre en el andaluz.
• **Del valenciano y el catalán:** voces como *yayo* ('abuelo') o *chitar* ('acostarse').
• La [ĉ] *(ch)* murciana es tensa y típica del **panocho,** habla de la huerta murciana.

Fuera del territorio español, existen otras variedades diatópicas correspondientes al español hablado en otros continentes, como se verá después.

01.2 Variedades diastráticas

La gramática y su aplicación adecuada sirven para ordenar las ideas y construirlas de forma más inteligible. La ortografía y la sintaxis son la ropa que se ponen nuestros argumentos para salir a la calle. Con ella nos observan los demás y con ella se hacen una idea de cómo somos. [...] Esa misma persona que descuida su aspecto ortográfico no habría asistido nunca a un estreno en el Palau de la Música vestida con la ropa de hacer gimnasia, ni explicaría luego que no le dio tiempo a cambiarse y que se estaba dejando llevar por la prisa y por su corazón de deportista. Todavía la imagen física provoca más preocupación y despierta mayor interés que el ropaje intelectual.

Alex Grijelmo
«El abecé del candidato»
elpais.com, 17 de mayo de 2015

El hablante al que se refiere el autor, ¿crees que es culto? ¿A qué hace referencia la metáfora *la ropa que se ponen nuestros argumentos para salir a la calle*?

Las **variedades diastráticas** dependen de la clase social o el nivel cultural asociado a ella y se corresponden con los diversos **niveles de la lengua.** Partiendo de la norma del español estándar, se distinguen estos niveles:

Nivel culto

Marcado por la norma, corresponde a hablantes de alto nivel cultural. Es propio del lenguaje escrito de textos literarios y científico-técnicos; también puede darse en la lengua oral (conferencias, entrevistas de trabajo, etc.).

Nivel coloquial

Es el empleado en la vida cotidiana por los hablantes. Puede ser oral o escrito y suele tener un alto grado de improvisación.

Nivel vulgar

Es usado por hablantes que desconocen las normas y cometen incorrecciones: los llamados vulgarismos. Un rasgo común a estos hablantes es su dificultad para adaptarse a las diferentes situaciones comunicativas.

01.3 Variedades diafásicas

Los **registros** (o variedades diafásicas) son las variedades de la lengua que **dependen de la situación comunicativa.** Así, se encuentran los siguientes registros:

- **Registro formal:** es propio de situaciones artificiales donde los interlocutores carecen de confianza y cuyas relaciones están sujetas a normas impuestas por los usos sociales.
- **Registro informal o coloquial:** usado en ambientes distendidos entre amigos y personas de confianza.
- **Registro familiar:** propio de la intimidad familiar, utiliza expresiones afectivas y términos coloquiales.
- **Registro vulgar:** es el utilizado por hablantes con un bajo nivel cultural que no conocen otro uso de la lengua.

> LAS JERGAS

Las **jergas** son las variedades asociadas a **grupos sociales concretos.** Se distinguen dos tipos de jergas:

- **Profesionales,** como las de los médicos, abogados...
- **Sociales,** como las de los jóvenes, los estudiantes, la jerga familiar o la del hampa (grupos marginales).

EJEMPLO

Los enunciados *Estoy harto de oír sandeces* y *Uno está harto de oír chorradas* se emitirían en situaciones comunicativas diferentes (formal/informal).

Rasgos del registro informal o coloquial

Nivel fónico	
• Tendencia al yeísmo. • Relajación de la *-d-* intervocálica o pérdida de la misma: *perdío.*	• Relajación o pérdida de las vocales: *pa* por *para.* • Apócope de palabras: *profe, mates.*
Nivel morfosintáctico	
• Confusión de las perífrasis verbales modales de posibilidad y de obligación: *deber de* + infinitivo y *deber* + infinitivo. • Abundancia de locuciones prepositivas, adverbiales, conjuntivas y verbales: *enfrente de, de puntillas, con el objeto de que, echar a perder...* • Ordenación menos pensada, más espontánea y subjetiva de los elementos oracionales.	• Uso de la 2.ª persona del singular para indicar impersonalidad: *Cuando llevas mucho tiempo allí, te aburres un montón.* • Desaparición del futuro de subjuntivo *(viviere)*, relegado al lenguaje jurídico. • Disminución considerable del uso del relativo *cuyo: La cabeza de la que caen unos rizos* (cuyos rizos caen) *ocupa parte de la foto.*
Nivel léxico-semántico	
• Importante introducción de neologismos procedentes fundamentalmente de las nuevas tecnologías: *software, megabyte, e-learning...*	• Incorporación de anglicismos: *coach, spoiler, short...* • Aumento del uso de siglas y acrónimos: ESO, BOE, TIC.

En todas las variedades es evidente, además, la influencia de los medios de comunicación y las nuevas tecnologías, así como el aporte de neologismos, fundamentalmente anglicismos, relacionados en muchos casos con las nuevas tecnologías.

Discordancias entre norma y uso en el español actual

En ocasiones, voces y usos del registro vulgar pueden ser empleados en un registro familiar o coloquial independientemente del nivel cultural del hablante. Así, se ha de considerar en el español actual la existencia de una serie de **discordancias entre el uso y la norma** (sobre todo en la lengua oral) que constituyen incorrecciones lingüísticas, cuando no vulgarismos, ante los cuales hay que tomar conciencia lingüística:

- Empleo de relativos. Omisión de preposiciones cuando las requiere el antecedente: **esas personas que las tuvieron que sacar* (por *a las que tuvieron que sacar*); y uso incorrecto de *cuyo: la vecina *que su padre es médico* (por *cuyo*).
- Falta de concordancia: **Teníamos una peña que venían a trabajar;* o duplicación: **Tienen un coche que lo conducen a toda velocidad.*
- Leísmo, laísmo, loísmo. Uso de *le* como CD (cuando no es CD de persona masculino singular, variante aceptada por la RAE) y *la, lo* como CI: *Le veía, *Le tengo bien aprendido, *Le besé en la mejilla* (a ella).
- **Detrás mío, *delante tuya* por *detrás de mí, delante de ti.*
- Queísmo/dequeísmo. Ausencia de preposición cuando se requiere (queísmo) y presencia cuando no es necesaria: **Me acuerdo que...* (de que), **Opino de que...*
- **Este agua* y construcciones afines. Uso incorrecto del demostrativo y otros determinantes ante sustantivos femeninos que comienzan por *a-* o *ha-* tónicas.
- Empleo del infinitivo con valor imperativo en oraciones afirmativas imperativas: **Trabajar, *Estudiar.* Con verbos pronominales, da lugar a otro vulgarismo: **Saliros, *Comeros todo.*
- Falsas concordancias en oraciones impersonales con *haber: *Habían muchas fiestas.*
- Uso incorrecto del gerundio cuando no expresa simultaneidad: *La víctima fue atropellada, muriendo días después.*
- Uso de *tú *amastes* por *tú amaste.*
- Confusiones de parónimos: *infligir/infringir; ostentar/sustentar; infectar/infestar; aptitud/actitud (Procura no *infligir las leyes* en lugar de *Procura no infringir las leyes).*

02 El español en el mundo

Según el Instituto Cervantes, **el español es hablado** actualmente **por más de 540 millones de personas** y es **uno de los idiomas más estudiados como lengua extranjera** (aproximadamente por unos 20 millones de estudiantes). Son muchos los hablantes del español repartidos por todo el mundo: América central y meridional, EE. UU., el norte de África y Filipinas... No en todos estos lugares es lengua oficial, pero se estudia como segunda lengua en muchos países.

Estados Unidos

La colonización está en el origen del uso del español en EE. UU. Aunque el inglés es la lengua oficial, el español es la segunda más hablada. La presencia de una importante población hispana ha favorecido su extensión y su uso incluso en el terreno político, donde mítines y discursos buscan votos dentro del electorado hispano. Los últimos estudios prevén una situación futura de bilingüismo en EE. UU., como ya sucede en Puerto Rico, por ejemplo. Las migraciones de población hispana hacia Los Ángeles, Nueva Jersey y Nueva York parecen apoyar esta previsión.

Según el Instituto Cervantes, si el número de hispanohablantes crece como hasta ahora, en 2050 EE. UU. será el primer país en número de hispanohablantes del mundo.

En este marco, surge el ***espanglish,*** mezcla de español e inglés, o español plagado de anglicismos incorporados al idioma sin control. Se trata de una **situación de diglosia:** tanto en la calle como en el trabajo, los inmigrantes hispanohablantes emplean la lengua de prestigio, el inglés, mientras que en el ámbito familiar utilizan el español. La interacción entre ambas lenguas provoca situaciones de confusión y mezcla, de donde surge el *espanglish.* Este fenómeno también se produce en Gibraltar, perteneciente al Reino Unido.

Cartel de la película *Spanglish* (2004)

Hispanoamérica

Se puede afirmar que existen en el español americano básicamente cinco núcleos dialectales establecidos en función de las zonas lingüísticas dominantes: zona caribeña, mexicana-centroamericana, andina, chilena y rioplatense. Las diferencias nacionales, diatópicas y diastráticas lo convierten en una lengua carente de uniformidad, cuyas diferencias son más patentes en las capas populares y rurales. Pese a ello, dentro de la denominación ***español de América*** se engloban países cuyas diferencias y matices (mexicano, peruano, argentino, chileno…) no son tan grandes como para romper la conciencia de comunidad lingüística. Es una lengua rica en variantes melódicas, dado el ritmo característico que imprimen las subidas y bajadas en la entonación, probablemente heredado del sustrato precolombino: quechua, náhuatl, guaraní… Se trata, en definitiva, de una lengua de comunicación que aúna naciones independientes, en algunas de las cuales el español es lengua oficial.

El español es lengua oficial en México, Colombia, Argentina, Perú, Venezuela, Chile, Ecuador, Guatemala, Bolivia, Cuba, República Dominicana, Honduras, Paraguay, El Salvador, Nicaragua, Costa Rica, Panamá, Puerto Rico y Uruguay.

Guinea Ecuatorial

Se trata del único país africano en el que el español es lengua oficial.

Sus rasgos característicos son:

- Yeísmo.
- Seseo.
- Pérdida de [ʎ]: *botea* por *botella.*
- Pérdida de [r̄]: *caro* por *carro.*
- Pérdida de [l] en posición final: *españó.*

Naturalmente, el español ha recibido la influencia de las lenguas vernáculas habladas en Guinea Ecuatorial.

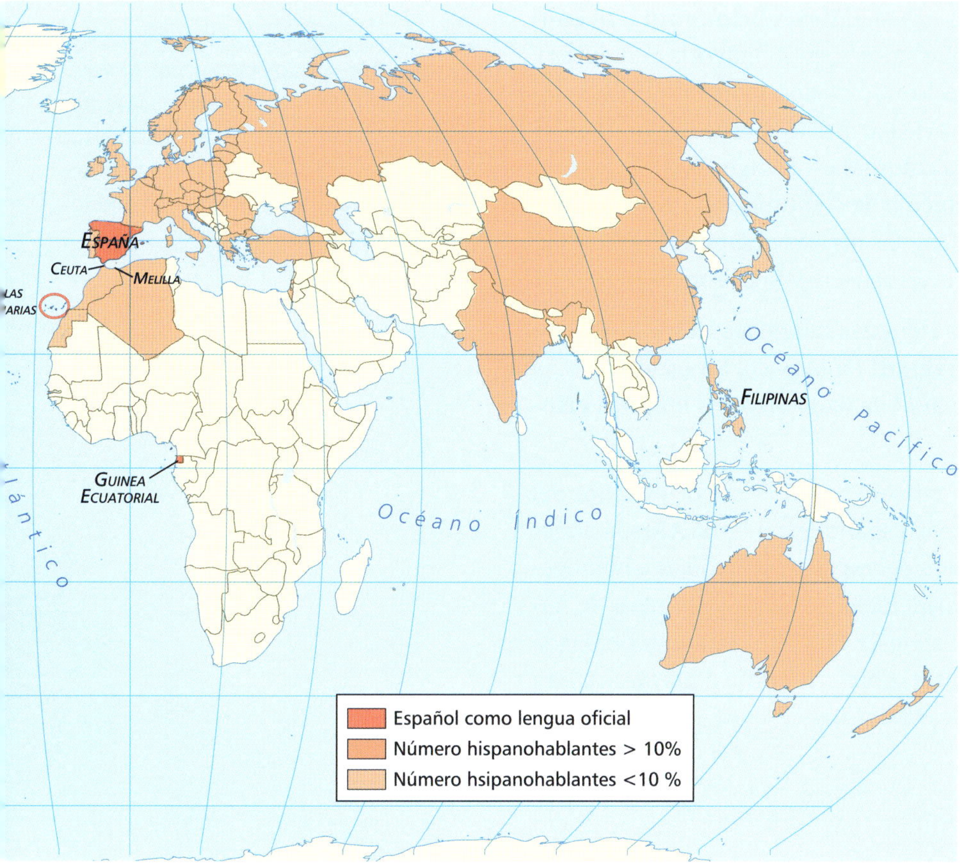

El español de Filipinas

El archipiélago de las Filipinas fue descubierto en 1521 por Magallanes y anexionado a la corona española en 1565; fue colonia española hasta 1898. Aquí el español se convirtió en lengua minoritaria de comunicación y de prestigio usada por los dirigentes, en los tribunales y como vehículo de cultura en general, pues, a diferencia de los otros territorios, el proceso de evangelización y enseñanza se llevó a cabo en las lenguas indígenas. De este contacto han quedado multitud de voces, una lengua de comunicación, el **tagalo-español,** mezcla de lenguas locales e hispanismos, y el **chabacano,** que es una lengua criolla de base española y con la estructura gramatical de las lenguas nativas, hablada en Mindanao y otras islas.

A pesar de la imposición del inglés por parte de EE. UU. (del que Filipinas se independiza en 1946) y del retroceso sufrido por el español, actualmente el español se sigue hablando.

Algunos rasgos característicos:

- La conjugación verbal se realiza mediante partículas (*tá, ya* y *de,* para presente, pasado y futuro, respectivamente), con lo que los verbos se han reducido considerablemente: *tá llorá* ('llora').
- Adjetivos invariables: *el vieja religioso.*
- Reduplicación para intensificar: *Camina poco-poco.*

El judeoespañol o sefardí

Cuando los judíos que rechazaron convertirse al cristianismo fueron expulsados de la Península en 1492, se refugiaron en el norte de África, los Balcanes y Turquía, donde continuaron usando su lengua, sus costumbres y su tradición. Conservaron romances y canciones medievales que transmitieron oralmente de generación en generación.

El sefardí tiene unas características específicas, dada su contaminación con el hebreo (ya antes de la expulsión) y su contacto con las nuevas lenguas y culturas en las que se asienta (árabe, turco, griego y rumano). Aunque es caracterizado por su arcaísmo (tanto léxico como gramatical: *só, estó, vó*) en comparación con el español general, también ha evolucionado desde su origen. Actualmente, está en decadencia y ha quedado reducido al ámbito familiar. No es oficial en ningún país, pero ha sido reconocido por Israel.

Rasgos:

- Conservación de la *f-* inicial latina o aspiración de la *h-* resultante: *ferida* por *herida, handraju* por *andrajo.*
- Distinción *b/v.*
- Peculiar seseo derivado de la simplificación de las consonantes ápico-alveolares medievales y su confusión.
- Yeísmo: *eya, llevar* por *ella, llevar.*
- A principio de palabra, la s- origina [f] o [h] aspirada ante diptongo [ué]: *esfuegra* por *suegra.*

Interior de la sinagoga de Santa María la Blanca, en Toledo.

03 El español de América

La extensión del español en América está ligada al **descubrimiento y la conquista del Nuevo Mundo** (1492). Los conquistadores, en su mayoría andaluces y canarios, llevaron la lengua a los territorios conquistados, lo que explica las semejanzas entre el español de América y la variedad meridional de España. **Desde mediados del siglo XVI, durante la época colonial** esta lengua fue creciendo y fijando sus rasgos hasta convertirse en vehículo de comunicación entre los distintos grupos dominantes. Muchas de las lenguas nativas desaparecieron; otras, en cambio, continuaron utilizándose e influyeron y enriquecieron el idioma.

Actualmente, el español es cooficial con las lenguas indígenas: con el **quechua** en Bolivia, el **guaraní** en Paraguay y el **náhuatl** en México. En otros casos, la convivencia de la lengua indígena y el español ha dado origen a **lenguas criollas** como el **papiamento** en las Antillas.

Según José Manuel Blecua, «en ningún sitio se habla el mejor español del mundo». Para Violeta Demonte, «no existe el español estándar». Afirmaciones de este tipo vienen a corroborar la extensión del español, su unidad y homogeneidad dentro de las diferencias, y la consideración de que el número de hablantes es tal que la norma no se puede circunscribir solo a la lengua hablada en España; por eso, en las últimas decisiones sobre ortografía o gramática han intervenido también las academias americanas.

> **¿MÉXICO O MÉJICO?**
>
> Para la RAE, se aceptan las dos formas, también en los derivados, aunque muestra preferencia por la grafía *x* con sonido *j* [x], pues es vestigio del antiguo castellano, conservado y usado en México y en el resto de Hispanoamérica.

03.1 Origen y desarrollo

En principio, el español que llegó a América no debió de ser muy diferente del sefardí; sin embargo, mientras este quedó aislado y tendió al arcaísmo, el americano mantuvo siempre relación con la metrópoli y fue más activo. El idioma que llegó a América había consolidado ya sus caracteres esenciales. Como **español moderno** (siglos XVI-XVII), el idioma presentaba las siguientes características:

- Confusión de las consonantes *b* y *v*.
- Confusión de las grafías *s* y *z* que, a su vez, se confundieron con *ç, ss, x* y *j*; *tuviese, deçir, teoloxía, dijera*.
- Vacilación en los grupos consonánticos latinos cultos: *efeto/efecto*.
- Fin de la aspiración de la *h*- procedente de la *f*- inicial latina.
- El artículo *la* para femenino singular sustituye a *el* en *el espada;* solo se mantiene en sustantivos que comienzan por vocal a tónica.
- Los usos de *haber (aver)* y *tener* quedaron delimitados; así el primero quedó relegado al uso de auxiliar: *ha venido*.

La gran cantidad de lenguas precolombinas existentes a la llegada de los españoles al Nuevo Mundo (unas 2000 diferentes), así como la disminución de la población indígena a causa del conflicto armado y las enfermedades, favoreció la adquisición del español como lengua vehicular y de entendimiento común. Junto a este hecho, también fue importante la política lingüística llevada a cabo, pues, si bien en un principio predominó la imposición castellanista, posteriormente Felipe II dispuso una evangelización en las lenguas aborígenes, lo que facilitó su conservación.

> Ni *footing,* ni *relax,* ni *marketing,* ni *sándwich*..., **el primer americanismo de nuestra lengua fue la palabra *canoa*.** En un fragmento del diario que relata el primer viaje a América de Cristóbal Colón, es el mismo navegante quien explica el significado del término: «Viernes 26 de octubre. [...]. Dixeron los indios que llevava que avía de ellas a Cuba andadura de día y medio con sus almadías, que son navetas de un madero adonde no llevan vela. Estas son las canoas».
>
> El **segundo vocablo taíno incorporado al castellano fue *hamaca*,** seguido de otros muchos como *patata, tomate, jaguar, chocolate*... La mayoría de estas palabras proceden de lenguas autóctonas como el náhuatl, el quechua, el aimara o el guaraní, que todavía hoy cuentan con un gran número de hablantes.
>
> «¿Cuáles fueron las primeras palabras traídas del Nuevo Mundo?» www.muyhistoria.es

Muchos de los pueblos indígenas presentaban un alto grado de desarrollo cultural, tal es el caso de los incas, los mayas y los aztecas, cuya influencia se hizo visible entonces y llega hasta nuestros días. La contaminación afectó fundamentalmente al léxico, a través de americanismos que no solo se han incorporado con gran éxito al español, sino a otras lenguas europeas, como en el caso de *chocolate.* Hay que tener en cuenta que los colonizadores entraron en contacto con una naturaleza y unas costumbres extrañas para ellos. El primer objeto que Colón avistó del nuevo mundo fue una *canoa.*

A finales del siglo XVII, el español americano se ha conformado lingüísticamente a partir de una base fonética meridional, una estructura gramatical castellana y la aportación del vocabulario indígena. Durante un largo periodo, debió de existir una lengua de supervivencia *(pidgin)* en la que el patrón nativo solapa al español, sin llegar a consolidarse como lengua materna. El mayor o menor apego a la metrópoli origina el grado de importancia del sustrato indígena y, por consiguiente, la gran diversidad dialectal del español de América. La huella indígena más antigua es el arahuaco (origen de *canoa*), hablado en las Antillas, primer territorio pisado por los conquistadores.

El empuje del elemento precolombino se ve favorecido, entre otras cosas, por la independencia de los estados americanos en el **siglo XIX** y el fin del imperio colonial en 1898, momento de la llamada crisis o desastre del 98, año en que se pierden las últimas colonias americanas: Cuba y Puerto Rico. Sin embargo, los estados independientes conservan la lengua española y la reconocen como idioma común. Así pues, factores como la desigual cultura de los colonizadores (no solo su procedencia), las diferentes lenguas indígenas, el mestizaje, las inmigraciones posteriores (italiana, por ejemplo) y la influencia creciente de EE.UU. han contribuido a la formación del español de América.

Principales zonas dialectales del español de América. Fuente: Instituto Cervantes.

03.2 Rasgos lingüísticos

Nivel fónico

- Seseo: pronunciación de [s] por [θ] ($z^{a, o, u}$, $c^{e, i}$ en la grafía). Se registra algún caso de ceceo.
- Aspiración de *j*: *muher.*
- Pérdida de vocales átonas, lo que llega a afectar a la formación silábica de la palabra: *orita* por *ahorita, balás* por *balazos.*
- Relajación y pérdida de *-d-* intervocálica; la *-d* final generalmente no se pronuncia: *verdá.*
- Relajación articulatoria de /r/ y /l/ implosivas y la consiguiente confusión: *caldo* por *cardo.*
- Yeísmo. Pronunciación de /ʎ/ *(ll)* por [y]. La especial resonancia y pronunciación vibrante de la [y] da lugar al **rehilamiento,** fenómeno fonético parecido a la articulación de las consonantes francesas *z* y *j*.
- Relajación o pérdida de *-s* final, que a veces conlleva cambios en la palabra, como diferencias de timbre (abertura de la vocal: *campọ* por *campo*) o la ausencia o presencia de *-e* final (*papele* por *papel*).

Nivel morfosintáctico

- Voseo: empleo de *vos* en lugar de *tú,* lo que afecta a las desinencias verbales: *Vos tenés.* El voseo puede ser solo pronominal *(vos tienes),* solo verbal *(tú tenés),* o forma voseante plena *(vos tenés,* como se muestra en el cuadro), que es la modalidad más habitual.
- Eliminación de *vosotros* por *ustedes* con el verbo en 3.ª persona: *Ustedes se sientan,* diferente de la solución andaluza.
- Consecuente reajuste del sistema de los posesivos: *su/suya* se prefieren solo para 'de usted', pero no para la 3.ª persona ('de él', 'de ellas', así como 'de ustedes').
- Formación de adjetivos o nombres femeninos en sustantivos sin distinción genérica: *huéspeda, estudianta, diabla...*
- Anteposición del determinante posesivo: *Diga, mi hijo.* Están extendidas la expresiones del tipo **delante suyo, *encima nuestro.*
- Adjetivos adverbializados: *Habla bonito.*
- Superlativos con *-azo: Gustan muchazo.*
- Preferencia por las formas simples del pasado: *amé* por *he amado.*
- Verbos intransitivos como reflexivos: *enfermarse, tardarse...*
- Personalización incorrecta de *haber* y *hacer: *Hubieron más personas.*
- Empleo de diminutivos: *ahorita.*
- Normal uso de los pronombres *le, lo, la* y sus plurales.
- Orden del pronombre sujeto *(¿Qué tú dices?)* en el Caribe y uso enclítico de *le* en México *(Ándele).*
- Uso de *no más* por *solamente* o con valor enfático intensivo en las formas verbales, sobre todo el imperativo: *Sigan no más.*

Nivel léxico-semántico

- Predominio de arcaísmos: *acalenturado* por *febril, apearse* por *hospedarse, bravo* por *enojado, catar* por *mirar,* etc.
- Neologismos (*sesionar* por *celebrar sesiones, vivar* por *vitorear*), sobre todo con terminación en *-ear* > *-iar* (*carniar,* 'matar reses') y *-ada* (*muchachada, paseada* por *paseo, platicada* por *charla*).
- Afronegrismos: sobre todo en las Antillas (*bongó,* 'tambor'; *mambo,* 'danza'; *burundanga,* 'revoltijo, mezcla de cosas inútiles').
- Andalucismos (*amarrar,* 'atar'; *guiso,* 'guisado'; *limosnero,* 'pordiosero'). Voces canarias (*botarate,* 'manirroto'; *cerrero,* 'tosco'; *mordida,* 'mordisco').
- Extranjerismos: italianismos *(capuchino),* galicismos *(rol)* y sobre todo anglicismos (*troque,* 'camión', de *truck*).
- Indigenismos: *chocolate, chirimoya, chile, hamaca, huracán.*

	ESPAÑOL PENINSULAR	
	Singular	**Plural**
Familiar	*Tú tienes*	*Vosotros tenéis*
Respeto y cortesía	*Usted tiene*	*Ustedes tienen*
	ESPAÑOL DE AMÉRICA	
	Singular	**Plural**
Familiar	*Vos tenés*	*Ustedes tienen*
Respeto y cortesía	*Usted tiene*	*Ustedes tienen*

04 El español en la red

Según el Instituto Cervantes, el español es hoy un vehículo de comunicación internacional muy importante. El desarrollo de las tecnologías permite la globalización de la lengua y fomenta la uniformidad dentro de la diversidad de los hispanohablantes, así como el progreso y la extensión de la misma respecto al inglés o al chino. Sin embargo, pese a la pujanza del español en ámbitos culturales, artísticos y literarios, el vocabulario propio del ámbito técnico y tecnológico no se ha desarrollado al ritmo de su equivalente en lengua inglesa.

Fenómenos lingüísticos del español en la red

La terminología de la informática se ha popularizado: convertida por los usuarios en una jerga, se ha extendido incluso en los medios de comunicación.

El vertiginoso avance de las innovaciones tecnológicas en nuestra lengua se caracteriza por:

- Adopción de préstamos ingleses con su forma original, pues la incorporación se produce de forma tan rápida que no queda tiempo para la traducción o la adaptación, al contrario de lo que ocurrió con los más antiguos *(mouse > ratón; computer > ordenador)* y en contra de la tradicional preferencia por la búsqueda de un término patrimonial.
- Extranjerismos: *hashtag* ('etiqueta').
- Desplazamientos semánticos: términos que adquieren significados nuevos, como *navegar, descargar(se), bajar(se), chatear, fichero.*
- *Ciberspanglish,* jerga de los usuarios de la red para referirse a términos informáticos en inglés traducidos a un español irreconocible. *Espanglish* en la red, sobre todo a través de los chats.
- El ciberlenguaje: el lenguaje empleado en la red, en los chats, los tuits, los SMS, los *wasaps*... Se incluyen aquí toda la serie de emoticonos (de *emoción* + *icono*) y códigos de signos para expresar sentimientos, así como la creación de neologismos *(LOL).*
- Abreviaturas o acortamiento de palabras: *dnd* (donde/dónde), *qdmos/kdamos* (quedamos), *bn* (bien), *bs* (besos).
- Simplificación de grafías: *muxo, wapa,* etc.
- Enunciados cortos exigidos por las limitaciones de los soportes: tuits y chats.
- Eliminación de tildes, mayúsculas y vocales.
- Escasez de adjetivos, adverbios, artículos y preposiciones.
- Repetición de sonidos vocálicos o consonánticos para enfatizar: *hooooola, guapasssssssss.*

El problema que este lenguaje puede acarrear al español es la pérdida de control y de corrección formal del idioma; por ello, siempre debe mantenerse en un registro informal.

> “Miles de tuiteros, famosos y desconocidos, particulares e institucionales, respondieron el pasado 16 de septiembre al llamamiento conjunto de Fundéu BBVA y Twitter para apoyar el buen uso del español en las redes con la etiqueta *#acentúate*, que desde su lanzamiento el 16 de septiembre hasta el día 20 ha obtenido casi 175 millones de impresiones en Twitter.
>
> En total, hubo en ese periodo casi 19 000 tuits con esa etiqueta, entre ellos 2 490 mensajes, 1 221 menciones y más de 13 500 retuits.
>
> jgonzalez@fundeu.es «Fundéu BBVA y Twitter promueven la ortografía en las redes sociales» www.fundeu.es, 16 de septiembre de 2015

> EL ESPAÑOL EN CIFRAS

Cerca de **470 millones** de personas lo comparten como lengua materna.

Es el **tercer idioma** usado en la ONU y el cuarto en las instituciones de la UE.

Es la **tercera lengua** más empleada en Internet y la segunda en redes como Facebook y Twitter.

Es la **séptima lengua** en artículos escritos en Internet.

Unos **20 millones** de alumnos la estudian como lengua extranjera.

La población hispana de los Estados Unidos es de **52 millones de personas,** aproximadamente.

En 2014, **el 6,7 %** de la población mundial era hispanohablante.

ELABORA TU PROYECTO

EL *ESPANGLISH*

Hemos hablado de la revolución que el *espanglish* supone para el español. Ahora toca reflexionar sobre este fenómeno lingüístico y analizar las ventajas e inconvenientes de su utilización para los usuarios, por un lado, y su repercusión en nuestro idioma, por otro. El proyecto va a consistir en la preparación de un texto argumentativo.

Pautas para la presentación del trabajo

1	Primero, deberás informarte para fundamentar tu argumentación a favor o en contra sobre las siguientes cuestiones: a. ¿El *espanglish* se puede considerar una variante del español? ¿Y una lengua? b. A tenor de lo visto en los diferentes documentos, ¿qué incidencia puede tener en el idioma?
2	Realizad un debate en clase sobre esta cuestión.
3	Os puntuaréis para decidir quién ha defendido mejor sus argumentos utilizando una forma de expresión adecuada a la situación comunicativa.

Recursos

- Significado del término según la RAE: http://dle.rae.es/?w=espanglish&m=form&o=h
- El inicio del Quijote en *espanglish:* http://www.cuadernoscervantes.com/art_40_quixote.html
- Diferentes artículos y reflexiones en la red sobre el *espanglish:*

→ http://www.elcastellano.org/ns/edicion/2002/mayo/grijel09.html Casi al final del artículo, a partir del párrafo que comienza: «El lenguaje de la clonación es por antonomasia el *spanglish* que emplean algunos hispanos en Estados Unidos. Ellos son capaces de decir *marqueta*».

→ http://www.elmundo.es/cultura/2015/03/31/55195e0022601dc1168b4571.html

→ http://www.arndigital.com/politica/opinion/240/deliveramos-groceriaswe-deliver-groceries/

→ http://www.telemundolasvegas.com/noticias/local/Espanglish-Deterioro-del-idioma--318216131.html

ELABORA TU ORGANIZADOR VISUAL

Sintetiza los contenidos de la unidad completando este mapa mental.

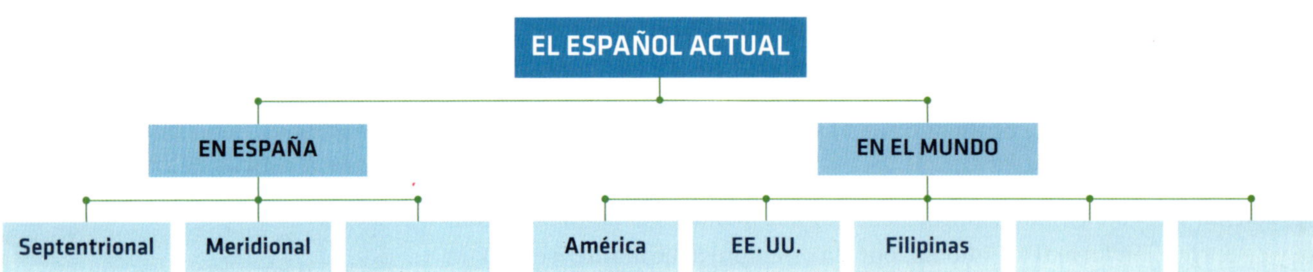

ACTIVIDADES

> Se han generado otros códigos para comunicarse. Yo no tengo miedo. Algunos sostienen que el uso frecuente de esos sistemas más simples, más esquemáticos, más burdos en algún sentido, donde se destruye un poquito la sintaxis, es peligroso. Yo pienso que no lo es en absoluto siempre y cuando, y eso es tarea de la escuela, el usuario entienda que se está manejando en varios estilos y registros. Lo importante es enseñar a distinguir registros y a ser capaz de usarlos todos. No tenemos por qué pensar que unos se van a imponer a los otros.
>
> Tereixa CONSTENLA
> «Hay algo de colonialismo en el liderazgo que quiere tener la RAE», entrevista a Violeta Demonte
> www.elpais.com, 16 de julio de 2015

1. ¿De qué habla el texto?
   - **a.** Ciberlenguaje.
   - **b.** *Espanglish.*
   - **c.** *Ciberspanglish.*
   - **d.** El español en el mundo.

2. ¿Cuál es la afirmación de la autora?
   - **a.** Estos nuevos códigos pueden suponer un peligro para el idioma.
   - **b.** Los peligros de estos códigos para el idioma estriban en un uso incorrecto e inconsciente de los mismos.
   - **c.** La escuela debe contribuir al manejo de estos códigos.
   - **d.** El peligro reside en la imposición de unos registros sobre otros.

3. ¿A qué variedad de la lengua se refiere cuando habla de «distinguir registros»?
   - **a.** Variedades diastrática y diafásica.
   - **b.** Variedad diafásica.
   - **c.** Las tres variedades: diatópica, diafásica y diastrática.
   - **d.** Variedad diatópica.

4. ¿Qué registro crees que se usa en el tipo de comunicación al que se refiere la autora?
   - **a.** Registro formal.
   - **b.** Registro informal o coloquial.
   - **c.** Registro familiar.
   - **d.** Registro vulgar.

5. ¿Cuáles son las variedades diatópicas del español?
   - **a.** Septentrional, meridional y español de América.
   - **b.** Septentrional, meridional, hablas de tránsito y español de América.
   - **c.** Septentrional, meridional, hablas de tránsito y el español hablado en otros continentes.
   - **d.** Septentrional, meridional, español de América y el espanglish.

6. ¿Qué países de América tienen el español como lengua oficial?
   - **a.** El español es lengua oficial en todos los países de América Latina, exceptuando EE. UU. y Brasil, donde la lengua oficial es el inglés.
   - **b.** México, Colombia, Argentina, Perú, Venezuela, Chile, Ecuador, Guatemala, Bolivia, Cuba, República Dominicana, Honduras, Paraguay, El Salvador, Nicaragua, Costa Rica, Panamá, Puerto Rico y Uruguay.
   - **c.** Actualmente, el español es oficial en un total de 19 países de América Central y América del Sur; algunos ejemplos son: Buenos Aires, Perú, Argentina y Colombia.
   - **d.** El español es lengua oficial en 19 países de América, como en EE. UU., Chile, Uruguay, Perú, Cuba y Brasil.

7. ¿Cuáles son los principales rasgos fonéticos del español de América?
   - **a.** Seseo, ceceo y yeísmo.
   - **b.** Seseo y yeísmo.
   - **c.** Los mismos rasgos del andaluz.
   - **d.** Seseo, yeísmo y rehilamiento.

8. ¿Qué es un arcaísmo?
   - **a.** Una palabra nueva.
   - **b.** Un indigenismo.
   - **c.** Una palabra que ha caído en desuso.
   - **d.** Una palabra antigua.

9. El español de España…
   - **a.** Es la lengua usada como norma por todos los hispanohablantes.
   - **b.** Hoy por hoy, dada la extensión y la diversidad de la lengua, no se puede afirmar que la norma lingüística sea la del español de Valladolid.
   - **c.** Es el español peninsular.
   - **d.** Es el español que engloba todas las variedades diatópicas y diastráticas del español, dentro y fuera de la Península.

02 LOS TEXTOS

01 El texto y su clasificación

LUIS DE GÓNGORA (1561-1627)

Luis de Góngora y Argote nació en Córdoba. Estudió en la Universidad de Salamanca, recibió las órdenes menores y fue canónigo de la catedral cordobesa, aunque se ganó alguna amonestación por su desinterés en lo eclesiástico y por sus aficiones mundanas (los toros, las comedias). Padeció problemas económicos y realizó numerosos viajes por España.

Tuvo relaciones conflictivas con otros poetas, especialmente con Quevedo y Lope de Vega. Por su prestigio literario, el rey lo nombró capellán real (1617); hasta 1626 vivió en la corte, donde se arruinó (por mantener una vida de lujo y su afición al juego). Murió en Córdoba.

Lengua Castellana y Literatura 1.° Bachillerato, Edelvives

CRUCEROS POR EL MEDITERRÁNEO

Itinerario | Fotos | Camarotes | La nave

El buque Alegría cuenta con 1500 cabinas, 20 ascensores y 15 cubiertas para pasajeros. Podrán degustar ricos platos en los tres restaurantes de los que dispone, tomar un aperitivo en uno de sus 10 bares [...], refrescarse en 3 piscinas diferentes (incluida una con hidromasaje), jugar en la bolera o en la zona deportiva con campos de juego y relajarse después en el *spa*.

Según tus conocimientos, ¿son textos los que acabas de leer?, ¿por qué? ¿Cómo los clasificarías?

GLOSARIO

Textos de transacción: son aquellos que persiguen la consecución de algo, como en una petición.

Textos discontinuos: no presentan párrafos y se caracterizan por romper la linealidad de la escritura.

El **texto,** como unidad máxima de comunicación oral y escrita, está compuesto por un conjunto de elementos que constituyen un todo. Ello determina la existencia de una gran variedad de textos cuya clasificación depende de la perspectiva adoptada.

Según la modalidad discursiva	Narrativos, descriptivos, dialogados, expositivos y argumentativos.
Según su ámbito de uso	Ámbito personal y familiar, público y social, académico y literario.
Según su finalidad e intención comunicativa	Informativos, instructivos y prescriptivos, estéticos, de transacción y persuasivos.
Según el medio y la situación comunicativa	Orales, impresos o electrónicos. Formales o informales.
Según el formato	Continuos o discontinuos.

02 El texto y la modalidad discursiva

Los textos suelen ser híbridos, esto es, combinan diferentes modalidades discursivas, independientemente de que predomine una sobre otra; ello da lugar a la presencia de distintas secuencias (narrativa, descriptiva...).

Los textos quedan así clasificados según sus **rasgos lingüísticos** y su estructura, lo que da lugar a las siguientes tipologías textuales.

GLOSARIO

Secuencia: unidad de composición intermedia entre la frase y el texto con una organización interna propia.

02.1 El texto narrativo

Un narrador cuenta de forma objetiva o subjetiva una historia acaecida a unos personajes en un lugar y un tiempo determinados.

Elementos fundamentales de los textos narrativos

- **Narrador:** en 1.ª persona (narrador actor) o 3.ª (historiador), el cual a su vez puede ser omnisciente (lo sabe todo) u observador. Existe también en la narrativa contemporánea un narrador en 2.ª persona que identifica narrador o personaje y narratario.
- **Personajes:** principales (protagonista y/o antagonista) o secundarios, planos (esquemáticos y previsibles) o redondos (van cambiando en la historia), simbólicos, históricos o inventados.
- **Trama:** enredo o intriga que cohesiona toda la narración.
- **Espacio:** real o ficticio, interior o exterior.
- **Tiempo:** interno (duración de la historia) y externo (época en que se sitúa la acción).
- **Estructura interna** (con final abierto o cerrado): **lineal** (planteamiento, nudo y desenlace), **cronológica** (en noticias y biografías), **discontinua**, con saltos temporales hacia atrás (analepsis o *flashback*), hacia adelante (prolepsis) o *in medias res*. **La estructura externa** puede presentarse continuada (sin apartados) o por capítulos.

Rasgos lingüísticos

- **Funciones del lenguaje:** representativa y emotiva o poética fundamentalmente, en función de la objetividad o subjetividad de lo narrado.
- **Tiempo verbal:** el tiempo característico es el pasado (pretérito perfecto simple o imperfecto, pluscuamperfecto), pero también se da el presente (narraciones de tema histórico: *Góngora nace en Córdoba*).
- **Marcadores discursivos:** *En primer lugar, el golpe fue premeditado.*
- **Deícticos,** sobre todo de tiempo y lugar, como los adverbios: *Allí trabajó durante dos años.*
- **Oraciones enunciativas:** *Existe también un narrador en 2.ª persona.*
- **Verbos:** predicativos, de acción y movimiento, pero también de lengua y entendimiento (*El Barça viene con Messi y el Madrid con Ronaldo. Él afirmaba que nunca volvería).*
- **Estilo directo e indirecto** para la presentación de los pensamientos o declaraciones de los personajes: *Muchas veces pensó que nada cambiaría.*

Géneros

Novela, cuento, poema épico, romance, fábula, mito, leyenda, tira cómica, noticia, cómic, biografía, crónica periodística, viñeta, notas, cartas, correos, textos de historia, chistes…

Ámbitos

Literario, personal y familiar, público y social, académico.

02.2 El texto descriptivo

Muestra las propiedades internas o externas de objetos, lugares o personas partiendo de la observación de la realidad. La descripción puede ser objetiva o subjetiva, lo que conllevará unos rasgos lingüísticos determinados.

RASGOS DE LOS TEXTOS DESCRIPTIVOS		
	Objetivos	**Subjetivos**
Funciones del lenguaje	Representativa.	Emotiva y poética.
Rasgos morfosintácticos	**Verbos:** tiempo presente de indicativo, predominio del verbo *ser* (inmanencia e intemporalidad).	**Verbos:** tiempo pretérito imperfecto de indicativo, verbos de estado y sentimientos.
	Sintaxis: predominan las oraciones pasivas e impersonales; la coordinación y la yuxtaposición. Frecuencia de estructuras nominales y oraciones copulativas. Abundancia de sustantivos y adjetivos.	**Sintaxis:** elaborada, con abundancia de oraciones copulativas. Predominio de sustantivos y adjetivos sobre los verbos.
	Adjetivación especificativa de relación o pertenencia.	Adjetivación explicativa y valorativa.
Rasgos léxicos	Tecnicismos.	Recursos estilísticos.
Géneros	Descripción científica, catálogo…	Descripción literaria, guía turística, reportaje…
Ámbitos	Científico, académico, público y social.	Literario, público y social.

EJEMPLO

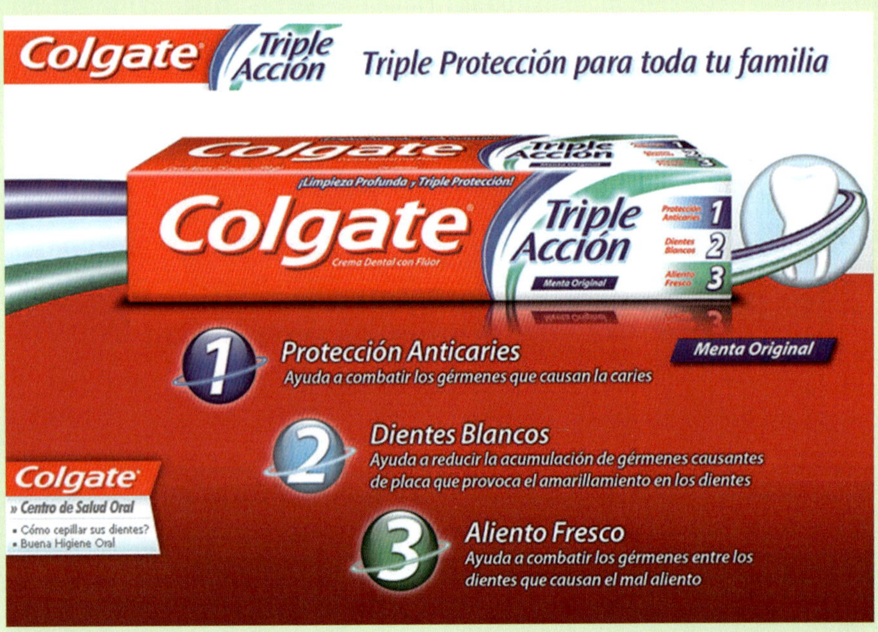

Este texto contiene una descripción objetiva, en la que se aprecia el predominio de la adjetivación especificativa: *fuertes, blancos, fresco,* como las tres cualidades del producto (numeración arábiga explícita y enfática: 1, 2, 3 = triple) y sus efectos en la salud (caries), en la estética (reduce el *amarillamiento*), y en lo social (mal aliento); así, el uso del dentífrico se asocia a una mejora en la de vida del consumidor. El elemento icónico refuerza el mensaje. Predomina la estructura nominal. Como recursos estilísticos, destacan la recurrencia *(triple acción, dientes, Colgate menta original, gérmenes)*, el paralelismo (*protección anticaries, dientes blancos, aliento fresco,* simbólicamente en verde) anáfora y paralelismo *(ayuda a)* y la rima interna *(acción-protección)*.

02.3 El texto dialogado

Es aquel en el que se produce un intercambio de información entre los interlocutores. Puede darse en estilo directo (reproduciendo literalmente las palabras del personaje, entrevistado o interlocutor) e indirecto (el narrador o emisor relata a través de verbos de comunicación lo dicho por el personaje/entrevistado, etc.); el estilo indirecto se introduce a través de una subordinada sustantiva con *que* y en él el verbo sufre cambios de tiempo y modo.

Estilo directo	**Estilo indirecto**
*Mi padre ha dicho: «**Vamos** a comer».*	*Mi padre ha dicho que **vayamos** a comer.*

En el **estilo indirecto libre** se reproduce la conciencia del personaje a través de la voz de un narrador en tercera persona, cuya intervención intermedia desaparece por la supresión de los verbos *dicendi* o de lengua (*pensó, se dijo, se preguntó,* etc.) y por un uso peculiar del léxico, la sintaxis o la entonación, con lo que se da la sensación de un acceso íntimo e inmediato a la conciencia del personaje.

En el **monólogo interior**, la conciencia del personaje fluye mostrando los pensamientos tal y como surgen en la mente del personaje, de ahí el desorden y la confusión.

Rasgos de los textos dialogados	
Funciones del lenguaje	Función conativa y expresiva (relacionadas sobre todo con los participantes en el diálogo: emisor y receptor).
Rasgos fónicos	Importancia de la entonación, el acento y el ritmo.
Rasgos morfosintácticos	• Modalidades enunciativa, interrogativa y exclamativa. • Oraciones de extensión variable, a veces inacabadas o con elipsis, sobre todo en los géneros orales. • Uso del presente de indicativo. • Empleo de deícticos temporales y espaciales en referencia al presente del diálogo. • Verbos de dicción y entendimiento para introducir los diálogos. • Empleo del estilo directo, indirecto e indirecto libre. • Importancia de los signos de puntuación, exclamación e interrogación. • Marcadores conversacionales. • Uso de interjecciones. • Figuras retóricas, como reticencia, elipsis, hipérbole o hipérbaton.
Rasgos léxicos	• Empleo de un registro adecuado a la situación comunicativa (más o menos formal o informal) y a la caracterización de los personajes. • Reiteraciones con finalidad enfática. • Retórica: metáfora y comparación. • Uso de muletillas, comodines y frases hechas.
Géneros	Diálogo literario (teatral o narrativo), entrevista, coloquio, conversación, debate, chats, *wasaps*, chistes, viñetas…
Ámbitos	Literario, personal y familiar, público y social.

—Te amo.

—¿Cómo sabes que es amor?

—Porque pienso en ti y no puedo respirar.

—Eso es asma.

—Bueno, entonces te asmo.

https://twitter.com/twichiste

¿De qué tipo de texto se trata?, ¿por qué lo sabes?

02.4 El texto expositivo

Definición de *software*

En computación, el *software* (en sentido estricto) es todo programa o aplicación programada para realizar tareas específicas. El término *software* fue usado por primera vez por John W. Tukey en 1957. [...] La palabra *software* es un contraste de *hardware;* el *software* se ejecuta dentro del *hardware.*

Diccionario de informática y tecnología. http://www.alegsa.com.ar/Dic/software.php

¿A quién se dirige este texto? ¿Cuál es su finalidad?

Los textos expositivos transmiten una información objetiva sobre un tema concreto tanto al receptor especializado (textos técnicos) como al no especializado (textos divulgativos).

Clasificación de los textos expositivos	
Divulgativos: difusión general	**Especializados: para expertos**
• Contenido de interés general. • Claridad y sencillez. • Fácil comprensión. • Léxico estándar con algunos tecnicismos. • Objetividad, pero también cierta subjetividad.	• Contenido concreto. • Claridad y precisión. • Difícil comprensión para un neófito. • Inclusión de tecnicismos. • Objetividad.
Rasgos	
• Recursos determinados por la objetividad. • Predominio de la función referencial. Puede aparecer también la metalingüística en la explicación de términos y conceptos.	• Preferencia por la modalidad enunciativa. • Estructura: introducción, desarrollo y conclusión. • Mecanismos que garantizan la coherencia.
Rasgos morfosintácticos	• Predominio del sustantivo y la adjetivación especificativa. • Modo indicativo en tercera persona y tiempo presente (valor intemporal). • Estructuras oracionales largas, sobre todo de carácter explicativo. Uso de subordinadas adverbiales circunstanciales temporales, comparativas, causales. La coordinación o yuxtaposición suele aparecer para relacionar periodos extensos. • Oraciones impersonales o pasivas reflejas (relacionadas con la objetividad).
Rasgos léxico-semánticos	• Uso de un vocabulario específico (tecnicismos). • Predominio de la denotación y léxico objetivo.
Rasgos textuales	• Conectores y marcadores discursivos que enumeran, comparan, muestran causa o consecuencia. • Uso de ejemplos, datos, cifras, porcentajes. • Empleo de elementos anafóricos (principalmente relativos).
Géneros	
Exposiciones orales y escritas, ensayos, representaciones gráficas, entradas de diccionarios o enciclopedias, informes técnicos, tratados, conferencias, charlas, coloquios, debates, libros de texto, tesis, monografías...	
Ámbitos	
Académico, público y social.	

02.5 El texto argumentativo

El emisor, con una visión personal y subjetiva, pretende influir en la opinión del receptor aportando razones que justifican su idea.

Rasgos	
• Predominio de la función conativa y expresiva. También puede aparecer la función poética y estética. • Estructura compleja: tesis, cuerpo de la argumentación y conclusión. • Empleo de distintos tipos de argumentos. • Junto a la defensa de la opinión, la argumentación se puede apoyar también en la refutación de tesis contrarias. A ello contribuye la ironía, que tiende a desestimar los argumentos opuestos. • Modalidad enunciativa, pero también exclamativa, interrogativa o dubitativa para acentuar la actitud personal del emisor. • Combinación de fragmentos expositivos junto a los propiamente argumentativos. • Subjetividad en mayor o menor grado, junto a la apariencia de objetividad.	
Rasgos morfosintácticos	• Uso de verbos de voluntad y opinión: *querer, pensar, creer, opinar...* • Adjetivación explicativa y valorativa. • Sintaxis compleja, con predominio de la subordinación. • Frecuencia de incisos para aclarar algún aspecto. • Junto al indicativo, también se utiliza el subjuntivo. • Empleo de las personas primera y tercera. Las interpelaciones al receptor implican el uso de la segunda persona y la presencia de vocativos.
Rasgos léxico-semánticos	• Predominio de los sustantivos abstractos y uso de un vocabulario específico (tecnicismos) determinado por el ámbito de uso. • Predominio de la connotación y el léxico subjetivo. • Importancia de la forma del mensaje, a través del empleo de figuras retóricas. • Adverbios de modo con sentido ponderativo.
Rasgos textuales	• Variedad de conectores y marcadores discursivos. • Uso de ejemplos para lograr la persuasión. • Empleo de elementos anafóricos (principalmente relativos). • Repetición léxica y gramatical para insistir en los argumentos y asegurarse de la perfecta comprensión por parte del receptor.
Géneros	
Cartas al director, anuncios, comentarios en un foro, críticas de películas y libros, valoraciones, artículos de opinión, discursos...	
Ámbitos	
Público y social, personal y familiar, académico, político.	

Tipos de argumentos

El cuerpo de la argumentación suele sustentarse en una serie de argumentos tanto para defender una postura como para refutarla. Los más frecuentes son los siguientes.

ARGUMENTO DE AUTORIDAD

Se trata de citar a una persona o estudioso anterior o contemporáneo para ratificar la opinión propia. Supone que todo el mundo acepta determinada autoridad. Se puede hacer en estilo directo, en estilo indirecto o en estilo indirecto encubierto. En este último se pueden encontrar expresiones como: *para* + nombre de la autoridad aludida.

> Treinta y cuatro años antes de que Dostoievski denunciara la irracionalidad de la historia, Hegel observó al principio de sus *Lecciones sobre la filosofía de la historia universal:* «A quien mire el mundo de modo racional, el mundo le mirará de modo racional».
>
> Javier Cercas
> «No te metas con Texas»
> elpais.com, 27 de septiembre de 2015

ARGUMENTO DE EJEMPLIFICACIÓN O SEMEJANZA

Consiste en utilizar ejemplos, aunque la elección de los mismos puede ser subjetiva.

> La primera corrección es diversificar las economías que dependen de un solo producto para sostener su riqueza; es, por ejemplo, el caso de Venezuela y el petróleo. Solo es posible hacerlo con inversión selectiva y en periodos de prosperidad.
>
> «Corregir la maldición»
> *El País,* 4 de octubre de 2015

ARGUMENTO DE UNIVERSALIDAD

Se trata de aceptar algo en función de lo generalmente admitido (máximas y refranes pueden incluirse aquí también). Supone aceptar que la mayoría no se equivoca.

> Todos los humanos nos hemos preguntado desde el principio de los tiempos qué es lo que de verdad nos hace humanos, qué nos convierte en individuos, dónde reside el yo dentro de nuestro cuerpo.
>
> Rosa Montero
> «Corazones que piensan»,
> elpais.com, 4 de octubre de 2015

ARGUMENTO DE EXPERIENCIA PERSONAL

Se basa en observaciones propias o cercanas al autor. Es poco riguroso por su parcialidad, no se puede usar como argumento único.

> Se abren las puertas del vagón, y entra una mujer muy delgada, vestida de negro, secándose las lágrimas. Salgo de mi ensoñación. Nos habla con voz bien modulada: [...] perdió su trabajo, [...] ha sido desahuciada de un hogar que pagó durante años. Llora a lágrima viva. Oímos tantas historias en el metro... pero sabemos que no miente.
>
> Patricia Soley-Beltrán
> «Efecto hada»
> elpais.com, 21 de noviembre de 2015

ARGUMENTO DE SINGULARIDAD

Se destaca la idea de una «minoría», por su agudeza y sagacidad, sobre la opinión de la generalidad (masa).

> Pues bien: la mayoría de la gente es incapaz de acomodar su atención al vidrio y transparencia que es la obra de arte; en vez de esto, pasa al través de ella sin fijarse y va a revolcarse apasionadamente en la realidad humana que en la obra está aludida.
>
> José Ortega y Gasset
> *La deshumanización del arte*
> *Revista de Occidente*-Alianza Editorial

ARGUMENTO DE CAUSA-EFECTO

Juzga un hecho por las consecuencias que produce; en una parte de la información se expone la causa, y en otra, el efecto.

> Es imposible disociar el éxito mundial de las novelas que Verne dedicó al viaje a la Luna de la auténtica «fiebre lunar» que recorrió el mundo entre finales del XIX y principios del XX.
>
> Miguel A. DELGADO
> «Julio Verne, el hombre que anticipó el siglo XX»
> www.quo.es, 4 de noviembre de 2015

ARGUMENTO DE DATOS Y ESTADÍSTICAS

Se basa en hechos demostrados o datos estadísticos, que proporcionan rigor científico al texto.

> La discriminación laboral es un hecho creciente. Según la última Encuesta de Población Activa (EPA) las mujeres sufren una mayor tasa de desempleo (24,7 %) que los hombres (22,8 %), los trabajos más precarios son para ellas y, lejos de alcanzar la paridad, la brecha salarial se acentúa.
>
> Alicia JUSTO
> «El papel de la mujer en una sociedad desigual»
> eldiario.es/canariasahora, 6 de marzo de 2015

LA CONTRAARGUMENTACIÓN

Consiste en plantear los errores de la argumentación contraria como apoyo de la propia tesis. Cuando se trata de ataques a la persona más que de razonamientos, se trata de un argumento *ad hominem*, considerado como una falacia argumentativa, pues plantea argumentos engañosos.

> El de masacrar las humanidades es un discurso que se ha instalado hace tiempo en Europa. La idea que sostiene este proyecto es un mito: que el pasado, pasado está; y que por tanto está muerto. Y eso no es cierto: el pasado siempre es problemático y vive en la memoria actual, forma parte del proyecto de futuro.
>
> José Andrés ROJO
> «Europa se destruye al marginar la filosofía»
> elpaís.com, 22 de noviembre de 2015

Tipos de estructuras de los textos expositivos y argumentativos

Los textos pueden presentar una organización variada, con finalidad de facilitar su comprensión.

Los **expositivos** suelen tener introducción, desarrollo y conclusión; los **argumentativos,** introducción, cuerpo de la argumentación y conclusión. No suele haber equivalencia entre estas partes y los párrafos de un texto, pues el desarrollo de los expositivos y el cuerpo de la argumentación de los argumentativos suele abarcar varios párrafos.

En general, ambas tipologías pueden organizarse según las siguientes estructuras:

- **Deductiva o analizante:** se parte de una tesis, desarrollada en el cuerpo del texto, que se trata de demostrar o corroborar con datos. Va de lo general a lo particular.
- **Inductiva o sintetizante:** la tesis aparece al final del texto. Varias ideas llevan a una última idea conclusiva. Va de lo particular a lo general.
- **Encuadrada:** se parte de una tesis y al final del texto se produce la reformulación de dicha tesis.
- **Paralela:** se establecen ideas que no están subordinadas entre sí y que presentan el mismo grado de importancia.

Ejemplos resueltos

El siguiente ejemplo de texto argumentativo es una crítica de cine.

> Alguien en Hollywood debería entender que el personaje de Peter Pan es demasiado mágico como para seguir intentando sacar cintas de consumo que solo terminan vilipendiándolo. Me explico. Una película con brillo siempre deja algo en el alma. Por ende, cuando, por el contrario, no deja mucho rastro es porque o su brillo no es tal o está apagada desde el inicio por algún motivo.
>
> Alberto Quintanilla. «Crítica de *Pan: viaje a Nunca Jamás*», http://es.ign.com/pan/96918/news/critica-de-pan-viaje-a-nunca-jamas, 8 de octubre de 2015

ARGUMENTO CAUSA-EFECTO

ARGUMENTO DE UNIVERSALIDAD

Los rasgos del texto son:

- Subjetividad: uso de la primera persona del singular *(Me explico)*.
- Uso del indicativo y de las funciones emotiva y apelativa; también de la poética.
- Conectores textuales: *por ende* (conclusivo), *por el contrario* (contraargumentativo, introduce una contraargumentación).
- Vocabulario culto y cuidado *(por ende, vilipendiándolo, no es tal)* y específico *(cintas de consumo)*.
- Empleo de la retórica: oxímoron (juego de palabras: *brillo/apagada*).

Los casos de textos híbridos con secuencias pertenecientes a las distintas tipologías son muy frecuentes, como en el siguiente ejemplo.

Texto expositivo-argumentativo

Acuérdate del magnesio

Sin una alimentación que contenga todos los elementos que necesita el organismo para funcionar, no hay salud. Una dieta pobre provoca carencias que se traducen en falta de vitalidad. Dado que cada vez vivimos más años, es prioritario comer correctamente a base de los productos más saludables y nutritivos. Entre los nutrientes básicos se encuentra el magnesio, uno de los minerales que más funciones lleva a cabo en el cuerpo. Juega un papel esencial en la síntesis de la glucosa y en las reacciones que dan energía a los tejidos, especialmente al cerebral. Es beneficioso para la síntesis de proteínas y en la formación y el mantenimiento de cartílagos, huesos y músculos. En épocas de estrés, durante el embarazo, la lactancia, a medida que se cumplen años y cuando se practica deporte aumentan las necesidades de magnesio, cuya ingesta no debe ser inferior a 375 mg diarios. Aunque está presente en vegetales, frutos secos, legumbres y cereales, escasea en lácteos, carnes, pescados y huevos, por lo que hay que completar la dieta con productos que contengan magnesio.

María José Roselló. www.muyinteresante.es

INTRODUCCIÓN

EL CUERPO O DESARROLLO:

- SECUENCIA EXPOSITIVA
- ARGUMENTO DE UNIVERSALIDAD
- ARGUMENTO DE EJEMPLIFICACIÓN
- CONTRAARGUMENTACIÓN

CONCLUSIÓN

Es un texto inductivo, pues la tesis se encuentra al final, introducida por el conector conclusivo *por lo que* y afirmada categóricamente mediante una perífrasis verbal modal de obligación: *hay que completar.*

03 El texto y el ámbito de uso

Normas para el uso de los aparatos del gimnasio

- Está prohibido el uso de este gimnasio a menores de 18 años que no vayan acompañados por un adulto.
- La presencia en el gimnasio se limitará a realizar ejercicios físicos. No se permite en la sala personas que no estén haciendo uso de esta área.
- Debe utilizar los aparatos de gimnasia con ropa y calzado deportivo adecuados.

www.hotelmeninas.es

¿En qué situaciones lees textos similares a este?

La expresión *ámbito de uso* se refiere a las esferas o sectores de la realidad en que nos comunicamos y desarrollamos nuestras relaciones y actividades: *académico, social, literario...*, según las diferentes parcelas.

Cada ámbito, por tanto, posee un tipo de texto, una finalidad, unos temas y elementos de la comunicación propios: emisor, receptor y situación comunicativa concretos. El ámbito también determina un uso específico de la lengua en relación con el empleo de un registro específico (variedades diastráticas y diafásicas).

Las clasificaciones posibles son muy variadas, pues los ámbitos responden a una realidad dinámica, a veces de límites imprecisos y con interferencias. Destacan los expuestos a continuación.

03.1 Ámbito personal y familiar

Se producen en la esfera de intimidad del individuo (textos escritos para uno mismo) y en el círculo de las relaciones personales y familiares. Forman parte del uso ordinario y habitual de la vida diaria. Se caracterizan por el empleo de un registro coloquial.

Textos escritos	Diario personal, notas, avisos, agendas, invitaciones, cartas, postales, felicitaciones, dedicatorias, *wasaps...*
Textos orales	Conversaciones presenciales o telefónicas, lectura en voz alta, diálogos, relatos de experiencias, intervenciones en situaciones de mayor o menor formalidad (cumpleaños, nacimientos...), etc.

03.2 Ámbito público y social

Ámbito gregario o institucional

Incluye aquellos textos que resultan de las relaciones con instituciones públicas o privadas (administraciones, asociaciones...). Pueden tratar temas generales o específicos con un lenguaje más o menos especializado.

Textos escritos	Instancia, reclamación, solicitud, denuncia, declaración, normas o reglamentos, circular, instrucciones, carta, correo electrónico, requerimiento, notificación, demanda, sentencia, certificación, informe u oficio, formulario, peticiones...
Textos orales	Llamadas telefónicas.

> CONVERSACIÓN TELEFÓNICA DEL ÁMBITO INSTITUCIONAL

— Buenos días. Le llamamos del servicio de Atención al Cliente. Para efectos de calidad en el servicio, su llamada puede ser grabada y monitoreada. Por favor, confirme los datos siguientes. ¿Es usted Manuel Francisco López Linares?

— Sí.

— ¿Es usted usuario del número 650 988 92X, para el que tiene contratada la tarifa Canguro?

Ámbito empresarial y profesional

Bilbao, 15 de septiembre de 2014
CONSTRUCCIONES PERSILES S. L.
C/ Pío Baroja, 39 - 48007 Bilbao
n/ref.: INF. 74/02

Estimados señores:

A través de la presente, les solicitamos información sobre el catálogo de pintura de que disponen, y característica de los acabados en exteriores.

Asimismo, nos gustaría conocer los plazos de entrega de los pedidos para poder calcular los periodos de finalización de los trabajos y la forma de pago.

En espera de su respuesta, les saluda atentamente,

Miguel López Pérez
Director adjunto del Centro de Menores Atalaya del Levante

Reúne los textos que se emplean en las situaciones relacionadas con el mundo laboral. Suelen presentar un lenguaje específico y un registro formal.

Textos escritos	*Curriculum vitae*, carta comercial, informe, acta, memorias...
Textos orales	Entrevistas de trabajo, exposiciones, parlamentos, conversaciones telefónicas...

Ámbito de los medios de comunicación

En este ámbito se integran textos tanto periodísticos como publicitarios.

Tipos de textos periodísticos	Información	Noticia, reportaje.
	Opinión	Artículo de opinión, columna, editorial, cartas al director.
	Mixtos	Crónica, crítica.

> **OTROS ÁMBITOS**
>
> En el ámbito literario se incluyen aquí textos de diversa procedencia.
>
> - **Textos escritos:** los tradicionalmente literarios (líricos, narrativos, dramáticos, ensayísticos), chistes, de ocio...
> - **Textos orales:** los pertenecientes a la tradición popular, chistes, canciones, trabalenguas...
>
> También existen textos de **ámbito político** (manifiestos, mítines, campañas electorales, discursos...). En la mayoría de los casos, su modalidad es la argumentativa, pues su finalidad es convencer.

03.3 Ámbito académico

Abarca los textos orales y escritos que se emplean en las situaciones de formación y en la vida académica. Ambos tienden a la formalidad, la planificación y la especialización. Algunos son espontáneos y algo menos formales, en función del tipo de texto y la situación comunicativa; así, el diálogo entre un alumno y un profesor o las intervenciones en una clase.

Textos escritos	Especializados	Monografías, discursos académicos, conferencias...
	Generales	Apuntes, exámenes, resúmenes, libros de texto, comentarios de texto, diccionarios, enciclopedias, conferencias, esquemas...
Textos orales	Generales y especializados	Conferencias, charlas, defensas de proyectos, foros, tertulias, exposiciones, exámenes orales, lecturas en voz alta, diálogos...

04 Textos según su finalidad e intención comunicativa

Según este criterio, se pueden clasificar los textos de la siguiente forma:

Textos informativos

Son aquellos que difunden hechos o ideas, como la noticia dentro de los subgéneros periodísticos o los libros de texto en el ámbito académico. En ellos predomina la función representativa del lenguaje.

Textos instructivos y prescriptivos

Ofrecen instrucciones o indicaciones (recetas de cocina, prospectos médicos, manuales de instrucciones…) y normas o modelos de conducta (reglamentos y textos legislativos). La función lingüística predominante es la apelativa o conativa.

Textos estéticos

La creatividad a través de la libertad lingüística persigue una finalidad estética; por ello, destaca la función poética. A esta categoría pertenecen fundamentalmente los textos literarios y las canciones, pero también los textos lúdicos destinados al ocio y el humor (chistes, crucigramas…).

Textos de transacción

Son aquellos que persiguen la consecución de algo, como en una petición, un correo electrónico, cartas, foros y textos en redes sociales. Destacan en ellos las funciones emotiva y apelativa.

Textos persuasivos

A esta categoría pertenecen fundamentalmente los **textos publicitarios.** La persuasión persigue captar la atención del receptor, de quien se espera una respuesta, sea esta comercial (comprar) o no (asistir a un espectáculo, suscribirse a una publicación, inscribirse en un centro recreativo…).

Normalmente son textos breves que sorprenden al receptor a través de una serie de mecanismos lingüísticos e icónicos. Así pues, la función conativa o apelativa aparece en las formas imperativas y exhortativas propias de estos mensajes.

05 Textos según el medio y la situación comunicativa

Según el **medio,** los textos se dividen en:

- **Orales:** pueden ser formales (textos periodísticos orales en radio o televisión, por ejemplo: entrevistas, conferencias, discursos, debates, charlas, tertulias, coloquios, exposiciones orales) o informales (diálogos y conversaciones cotidianos).

  En los primeros existe una mayor planificación y un lenguaje más cuidado; los segundos presentan un mayor grado de improvisación e interpelación al receptor y un carácter informal.

- **Impresos:** son más formales y suelen estar planificados (discursos, conferencias, comunicaciones, textos literarios, periodísticos…).

LOS TEXTOS ELECTRÓNICOS

Derivan del desarrollo de las nuevas tecnologías, que han repercutido en nuestra forma de relacionarnos y comunicarnos. Se caracterizan por la instantaneidad y rapidez que proporciona Internet (correo electrónico, chats, foros, blogs, SMS, tuits, *wasaps*), así como por el rápido acceso a la información a través de páginas web institucionales y de diferentes organismos, tanto públicos como privados. Sus rasgos fundamentales son su dinamismo y variabilidad, así como la ausencia de límites definidos y de linealidad: a través de los vínculos e hipertextos, el lector crea su propio texto por medio de una lectura no secuencial que lo lleva de unos contenidos a otros, frente a la lectura lineal del texto impreso; en ocasiones, incluso el texto puede ser completado o escrito por los propios lectores.

La **situación comunicativa** determina el registro formal o informal del discurso:

- **Registro formal:** propio de situaciones artificiales donde los interlocutores carecen de confianza y mantienen unas relaciones sujetas a normas impuestas por los usos sociales. Se evitan aquí los términos jergales, coloquiales y, por supuesto, malsonantes.
- **Registro informal o coloquial:** usado en ambientes distendidos entre amigos y personas de confianza. Puede incluir términos de las jergas profesionales del grupo al que pertenecen los hablantes; engloba una gran variedad y presenta momentos de difícil catalogación.

06 Textos según su formato

Hablamos de **textos continuos** cuando existe linealidad en la escritura y una serie de elementos de cohesión que organizan el escrito en párrafos. Los **discontinuos** no se organizan en párrafos, por lo que requieren otro tipo de lectura. A ellos pertenecen los índices, gráficos, diagramas, formularios, listados, anuncios, tablas, mapas..., con elementos y estructuras propios. Normalmente, ambos se mezclan, dando lugar a **textos mixtos** como el siguiente.

Población residente en España	Población a 01/01/2014	Población a 01/01/2015	Variación (%)
Población total	46 512 199	46 439 864	-0,16
Hombres	22 877 461	22 820 775	-0,25
Mujeres	23 634 738	23 619 089	-0,07
Españoles	41 835 140	41 992 012	0,37
Extranjeros	4 677 059	4 447 852	-4,90

Las **cifras de población** proporcionan una medición cuantitativa de la población residente en España, en cada comunidad autónoma, en cada provincia y en cada isla (en las provincias insulares), desagregada según características demográficas básicas, como el sexo, el año de nacimiento, la edad, la nacionalidad y el país de nacimiento.

http://www.ine.es

EJEMPLOS RESUELTOS

Un texto puede clasificarse según todos los criterios anteriores.

—Hola, ¿cómo te llamas?

—María de los Ángeles, ¿y tú?

—Daniel, soy de Nueva York.

La NASA halla nuevas pruebas de agua líquida en Marte

Las imágenes aéreas tomadas de Marte se parecen mucho a las de la Tierra. Uno de los accidentes más interesantes son unas estrías en el terreno que se precipitan colina abajo y que intuitivamente parecen cauces de agua.

Nuño Domínguez. elpaís.com, 29 de septiembre de 2015

- Dialogado, finalidad estética, oral, informal, continuo, del ámbito personal y familiar.
- Narrativo, informativo, impreso, formal y continuo, de ámbito público y social; en concreto, de los medios de comunicación.

07 El emisor y el receptor en los textos

Dos de los factores de la comunicación, emisor y receptor, están en la base de la configuración y comprensión global de un texto, independientemente de su ámbito. El emisor puede plasmar su subjetividad partiendo de una serie de signos o códigos comunes que el receptor interpreta; sin embargo, la perspectiva adoptada por el emisor puede responder a un criterio objetivo, sin intervención del yo. **Objetividad y subjetividad determinan** en el texto **unas marcas fácilmente reconocibles.**

<table>
<tr><th colspan="3">MARCAS LINGÜÍSTICAS</th></tr>
<tr><td rowspan="4">Objetividad
↓
Realidad exterior
↓
Denotación</td><td colspan="2">Modalización y modalizadores</td></tr>
<tr><td>• Funciones del lenguaje: función representativa.
• Modalidad oracional: enunciativa.
• Verbos: modo indicativo.</td><td>• Léxico: lenguaje denotativo/unívoco, adjetivación especificativa, uso de verbos de necesidad objetiva (conviene que, es necesario que…).</td></tr>
<tr><td colspan="2">Deixis e impersonalidad</td></tr>
<tr><td>• Deixis. De varios tipos:
- Personal: verbos y pronombres en 3.ª persona.
- Social: marca la distancia con el emisor (usted).
- Espacial y temporal: referencias a lugares concretos, indicación del tiempo mediante adverbios demostrativos y expresiones temporales y locales.</td><td>• Impersonalidad. Empleo de estructuras sintácticas impersonales, pasivas o pasivas reflejas, que ocultan o diluyen la presencia del sujeto emisor (se piensa que…).</td></tr>
<tr><td rowspan="4">Subjetividad
↓
Postura del emisor
↓
Connotación</td><td colspan="2">Modalización y modalizadores</td></tr>
<tr><td>• Funciones del lenguaje: función expresiva.
• Modalidades oracionales: exclamativa, dubitativa, desiderativa…
• Uso del modo subjuntivo (para expresar duda, temor…) y del condicional (para expresar deseo).
• Elementos de cohesión y conectores: marcadores discursivos o de actitud.
• Léxico: valorativo. Lenguaje connotativo.
• Adjetivación valorativa.
• Morfemas derivativos: diminutivos, sufijos valorativos.
• Adverbios de modo para expresar duda.</td><td>• Selección de vocabulario: sustantivos, verbos o perífrasis verbales para indicar matices, sentimientos, pensamientos, valoraciones (como verbos de entendimiento: creer, pensar…; de sentimiento: lamentar(se), alegrar(se); volitivos: desear, necesitar…; de percepción: ver, oír, sentir) que muestran el posicionamiento del emisor.
• Figuras retóricas: metáfora, símil, ironía, epítetos, antítesis, hipérbole, interrogación retórica, polisíndeton, asíndeton, hipérbatos, anacolutos, reticencias (estructuras sintácticas intencionadas, estructuras enfáticas).
• Signos de puntuación, grafías resaltadas, paréntesis, comillas, tipografía variada para expresar distintas emociones e ideas del emisor.</td></tr>
<tr><td colspan="2">Deixis e impersonalidad</td></tr>
<tr><td>• Deixis. De varios tipos:
- Personal: verbos, pronombres y determinantes posesivos en 1.ª persona.
- Social: cercanía con el emisor (tú).
- Espacial: a través de demostrativos, adverbios de lugar o referencias concretas.
- Temporal: adverbios de tiempo o expresiones indicadoras de tiempo (desde mi infancia).</td><td>• Impersonalidad intencionada para aparentar objetividad, establecer un distanciamiento, hacer una generalización y convencer al receptor de la verosimilitud de su mensaje; ello confiere un carácter universal.</td></tr>
</table>

08 La unidad de los textos: coherencia, cohesión y adecuación

Para ser considerado como tal, un texto debe estar constituido por un conjunto de enunciados, oraciones o párrafos cuyas ideas se organicen a través de conexiones gramaticales formando una unidad comunicativa con sentido completo, independientemente del tipo de texto que se analice o produzca.

De acuerdo con la situación comunicativa y el contexto, las propiedades textuales son:

Adecuación

Adaptación a la situación comunicativa, al ámbito de uso, a la relación entre los interlocutores y al propósito o intención del emisor.

Coherencia

Unidad y sentido global del texto atendiendo a la relación entre sus enunciados, el tema y el ámbito de uso.

Cohesión

Conexión entre los elementos de un texto mediante mecanismos lingüísticos (conjunciones, pronombres, sinónimos, etc.).

Procedimientos de cohesión textual		
Léxico-semánticos	• **Repetición:** reiteración de palabras. • **Sustitución:** - Metafórica o metonímica: *Actúan como gurús* (guías) *de un movimiento.* - Sinonimia/antonimia e hiponimia/hiperonimia: *hombre, mujer, niño* se engloban en *persona.*	• **Palabras baúl** o proformas léxicas: *tema, cosa.* • **Campo semántico:** *colores (azul, rojo...).* • **Familia léxica:** *pan, panadero, empanada.* • **Campo asociativo o conceptual:** *dormir, sueño, sábanas, somnoliento...*
Gramaticales	• **Elipsis:** eliminación de un elemento que se da por sobrentendido. • **Anáfora y catáfora:** referencia a un elemento (palabra, sintagma, párrafo) anterior (anáfora) o que aparecerá después en el discurso (catáfora). • **Paralelismo sintáctico:** construcciones paralelísticas.	• **Deixis:** señala y hace referencia a elementos de la situación comunicativa o del discurso. Puede ser: - **Personal:** a través de pronombres personales y posesivos y morfemas personales. - **Social:** señala la relación entre los interlocutores y la distancia entre ellos (fórmulas de tratamiento). - **Espacial:** a través de determinantes y pronombres demostrativos y adverbios de lugar. - **Temporal:** demostrativos, adverbios de tiempo, formas verbales...
Marcadores y conectores discursivos	Sirven para establecer relaciones lógicas y de significado entre las distintas partes del texto. Son elementos lingüísticos muy variados: • **Estructuradores de la información:** marcan partes distintas en las que se organiza la información del texto *(para empezar, en fin, en primer lugar...).* • **Conectores.** Expresan relaciones de contenido entre las ideas del texto: contraargumentativos *(sin embargo);* causa y consecuencia *(así que);* de adición *(y, además);* reformulación *(es decir, por ejemplo).*	• **Marcadores argumentativos:** sirven de refuerzo *(en efecto, de hecho, en realidad...)* o concreción *(en concreto, en particular...).* • **Marcadores discursivos o de actitud:** expresan la actitud del emisor ante lo enunciado *(en mi opinión, probablemente).* • **Marcadores conversacionales:** manifiestan la relación entre los participantes y regulan la comunicación *(bueno, vale, ¡oye!, ¿sabes?, ¿no?, ¿me entiendes?).*

09 La intertextualidad

> Tras vencer en la Guerra Civil, instauró una férrea dictadura en la que su palabra era ley suprema. Esa es la prueba del nueve en cualquier definición de una dictadura, y la voluntad de Franco fue fuente de derecho y obligaciones entre 1939 y 1975 puesto que, más allá de las apariencias (el ridículo cascarón de la «democracia orgánica» que adoptó cuando sus aliados del Eje fueron derrotados en la II Guerra Mundial), nunca dejó de gobernar por decreto.
>
> Almudena Grandes. «Franco»
> elpaís.com, 23 de noviembre de 2015

¿Comprendes el tema del texto? ¿Sabes qué significa «la prueba del nueve»? Busca la definición en el diccionario. ¿Por qué se refiere el texto a una prueba para dar una definición de la palabra *dictadura*?

El **contexto**, entendido como el entorno, la situación y el conjunto de referencias culturales y hechos comunes al emisor y al receptor, constituye la base del concepto de intertextualidad. Hay aspectos o matices que se pierden cuando se desconocen todas las referencias de un texto, pues no se dispone de la perspectiva y los conocimientos necesarios; por ello, por ejemplo, no se comprenden a veces los chistes del teatro del Siglo de Oro, o se pierde la verdadera dimensión de la deshonra del Cid, todo lo cual comprendería el hombre barroco o medieval, respectivamente, sin lugar a dudas.

Así pues, la **intertextualidad** es la relación de un texto con otros anteriores o actuales y con todo el universo social y cultural que acarrean. Se genera en la mente del emisor y del receptor un entramado de conexiones textuales y culturales pertenecientes al acervo común que funcionan como un referente contextual; ello nos predispone cognitivamente ante cualquier texto (comedia, reclamación, chiste...). De esta forma, podemos predecir los desarrollos o finales de una obra o texto por sus palabras, estructura y tono, del mismo modo que la música de una película nos sugiere su naturaleza cómica o dramática. El título, el medio en el que se publica, el autor, etc. localizan el texto contextualmente, su naturaleza, su finalidad e intención..., pues entra en juego la intertextualidad.

Este recurso es útil, pues sin necesidad de comunicar o explicar completamente la idea, el receptor puede recibir el mensaje de forma adecuada; por ello, es usado frecuentemente en la publicidad.

>

La **cita** (directa o indirecta) es uno de los recursos intertextuales más habituales.

EJEMPLO RESUELTO

En el siguiente titular se observa la importancia de la intertextualidad para aprehender el sentido completo de un texto.

> Y el píxel se hizo carne... Jedi
>
> Ángel Luis Sucasas
> elpais.com, 20 de noviembre de 2015

Este titular encierra mucha información gracias a la intertextualidad, que lo hará descifrable para muchos e ininteligible para otros. Será comprensible a medias para aquellas personas ajenas al mundo de los videojuegos y la tecnología, por un lado; las que no capten la resonancia bíblica que encierra el titular; y, por último, a las que desconozcan la saga de películas de *Star Wars*.

ELABORA TU PROYECTO

ANDANDO TRAS LOS TEXTOS...

¿Cuántos tipos de texto manejamos en nuestra vida diaria? Para tomar conciencia de ello, proponemos un trabajo de campo para clasificar diferentes tipos de texto según su ámbito. Para ello, la clase se dividirá en grupos de cinco personas.

Pautas para la presentación del trabajo

1 Cada grupo se ocupará de un ámbito. Las fuentes pueden ser diversas y los textos pueden ser tanto orales como escritos, por ejemplo:

- Textos recibidos en casa a través del correo ordinario.
- Folletos.
- Textos fotografiados en la calle.
- Textos extraídos de Internet.
- Canciones.

2 Cada texto deberá ir acompañado de la siguiente información:

a. Fuente de la que procede.
b. Ámbito al que pertenece.
c. Breve explicación del texto elegido y justificación.

3 Finalmente, se hará una puesta en común de los diferentes tipos de texto analizados. Se seleccionará uno de cada grupo bajo la supervisión del profesor y se podrán exponer en clase o en un mural.

Recursos

- En este caso no necesitarás nada más que la propia información del tema. De todas formas, te proponemos esta página, que contiene una clasificación de algunos textos que puedes tomar como modelo:

→ http://88.27.243.197/aulaz/CAST/LIBROS/BLOQUES%20LENGUA/TEXTO/6ModelosTextos.html

ELABORA TU ORGANIZADOR VISUAL

Completa el siguiente mapa mental sobre los tipos de textos.

ACTIVIDADES

> Sin duda, una de las islas griegas más conocidas es Santorini. Cuando veáis una típica foto de un pueblo de casas blancas que ascienden una colina y tienen el mar al pie, imagen usual de cualquier isla griega, con mucha probabilidad estaréis viendo la foto de Santorini.
>
> Belleza, tranquilidad, sol, playas excelentes, buena gastronomía, todo es poco lo que se puede decir de esta isla. Hermosas playas y no menos hermosas sus puestas de sol hacen que sea por muchos considerada una isla paradisíaca y de las mejores islas del mundo.
>
> Otra isla mítica de Grecia es Mykonos. También con los pueblos descritos como en la isla anterior. A diferencia de la tranquilidad que te da Santorini, Mykonos es conocida por su vida nocturna, libertad y permisividad, para muchos la St. Tropez de las islas griegas. Más que para un viaje largo, es ideal para ir un fin de semana, y disfrutar al máximo de lo que la noche ofrece.
>
> Ios es una pequeña isla que combina lo mejor de las dos islas anteriores, playas tranquilas y maravillosas, con puestas de sol excelentes y un ambiente muy festivo por las noches con zonas temáticas dentro del pueblo para los diferentes visitantes dependiendo de su procedencia.
>
> *6 islas griegas que no te debes perder*
> http://simpatia.es/, 19 de junio de 2015

1 Este texto, según su modalidad discursiva, es…

a. descriptivo.
b. expositivo y narrativo.
c. descriptivo y expositivo.
d. expositivo-argumentativo.

2 ¿Cuál es la estructura del texto?

a. Deductiva.
b. Paralela.
c. Inductiva.
d. Encuadrada.

3 Según su ámbito de uso y teniendo en cuenta el medio de publicación, el texto es…

a. privado y familiar.
b. académico.
c. literario.
d. público y social.

4 ¿Cuál es su rasgo lingüístico predominante?

a. Adjetivación.
b. Tiempo verbal en presente.
c. Uso de la función conativa del lenguaje.
d. Lenguaje específico.

5 El texto es…

a. objetivo y formal.
b. objetivo e informal.
c. subjetivo y formal.
d. subjetivo e informal.

6 En «También con los pueblos descritos…», *también* es un elemento de cohesión…

a. anafórico.
b. deíctico.
c. un conector de adición.
d. un marcador conversacional.

7 La expresión «para muchos la St. Tropez de las islas griegas» es…

a. una comparación.
b. una referencia intertextual.
c. un ejemplo.
d. un argumento de universalidad.

8 Según el medio y la situación comunicativa, el texto es…

a. impreso y formal.
b. impreso e informal o coloquial.
c. electrónico y formal.
d. electrónico e informal.

9 Por las características del texto, este podría ser…

a. una descripción literaria.
b. un folleto de viaje.
c. publicidad turística.
d. una guía turística.

03 LA PALABRA: LÉXICO

01 La morfología

» La **morfología** es la parte de la gramática que **estudia la forma de la palabra y sus accidentes,** además de las partes de las que se compone y cómo se combinan para su formación.

Así, la morfología se puede dividir en dos ramas:

- **Flexiva:** estudia las variaciones de las palabras y la influencia de estos cambios en las relaciones sintácticas. Por ejemplo, el número o el género son cambios que experimentan las palabras variables y que determinan su concordancia con otras. El conjunto de variantes que puede presentar una palabra se denomina **paradigma flexivo** y se expresa mediante los morfemas flexivos: *alto, alta, altos, contaba, temerás.*
- **Léxica o de formación de palabras:** se centra en la estructura de las palabras y los mecanismos por los que se construyen o se forman a partir de otras preexistentes mediante la derivación y la composición. El grupo de palabras derivadas o provenientes de una misma base léxica se denomina **paradigma léxico, familia de palabras o familia léxica:** *altura, altitud, altivo, altillo, alteza, enaltecer, altiplano, altibajo...*

El **paradigma flexivo** lo constituyen las variantes de una misma palabra: *escribiré, han escrito...*

El **paradigma léxico** está formado por palabras diferentes con sus propias entradas en el diccionario: *escribir, escribiente, reescribir, escritorio...*

» Las **unidades morfológicas** mínimas **dotadas de significación léxica o gramatical** se llaman **morfemas.**

En la palabra *realidades,* se puede aislar:

real-	*-idad-*	*-es*
Raíz que aporta el significado léxico (presente en *realista, realizar, realizable, irreal...*).	Morfema derivativo (como en *amabilidad, moralidad...*).	Morfema flexivo (también en *camiones, soluciones...*).

> La primera palabra. [...] qué primera palabra brotaría de su boca. Mamá. Papá. Agua. Las palabras importantes son siempre cortas. [...] Cada vez que un hombre nombra el mundo por vez primera, el tiempo tiembla en su boca. Es un centro hirviente, un volcán cíclico, el viejo sueño de todos los pueblos: la palabra como mano que arranca el velo.
>
> Ricardo MENÉNDEZ SALMÓN
> *Niños en el tiempo.* Booket

GLOSARIO

Accidente gramatical: en la gramática tradicional, modificación flexiva que experimentan las palabras variables para expresar valores de alguna categoría gramatical, como el género, el número, la persona o el tiempo.

Los **morfemas** reciben distintos nombres **según la función que desempeñan** en las palabras:

- **Base léxica y raíz** (tradicionalmente, *lexema*). La **raíz aporta el significado léxico de la palabra** *(fin-);* la **base léxica** *(final)* es la voz que **sirve como punto de partida para la formación de otras nuevas** *(finalizar, finalización, finalista).* A veces, raíz y base coinciden en la forma; es el caso de los vocablos que terminan en vocal tónica o en consonante: *café, cafetera, cafeína, cafecito; sol, solecito, solar, insolación.*

  En otros casos, **se obtiene la raíz suprimiendo la vocal átona final de la base:** *perro* es la base léxica de *perrera, perrillo, perrazo...* y la raíz se obtiene al eliminar la vocal *-o: perr-. Libro* es la base de *librero* y *librería* y se forma a partir de la raíz *libr-.*

  La **base léxica** puede ser sustantiva *(camionero),* adjetiva *(acortar),* verbal *(quemadura)* o adverbial *(menospreciar),* y las palabras derivadas resultantes pueden ser de la misma categoría o de otras: de *normal* (adjetivo), *normalizar* (verbo), *normalidad* (sustantivo) y *normalmente* (adverbio).

  La **raíz** puede presentar **variantes** por diferentes causas:

  - Puede producirse **por diptongación,** como en *diente/dentista; huérfano/orfandad.*
  - A veces, la alternancia se debe a que **el mismo término del latín evoluciona de dos formas diferentes** en español, como en estos casos: *leche, lechoso/lácteo, lactosa; ojo, ojear/ocular, oculista; lumbar, lumbalgia/lomo, deslomar.*
  - También existen **verbos irregulares** con varias **raíces,** denominadas **supletivas,** como *ir (iba, fue, va)* o *ser (soy, era, fuimos).*
  - Asimismo, algunos prefijos presentan variantes ortográficas: *i-, in-, im- (ilícito, incompleto, impertinente),* o las producidas por dos soluciones diferentes para la misma forma latina: *sobre- (sobrellevar)* y *super- (supervisar).*

- **Afijos** (tradicionalmente, *morfemas*) con significado gramatical.

  Según su función, se pueden clasificar en:

  - **Flexivos:** aquellos que en las palabras variables se suman a la raíz para indicar el género, el número y la persona; y el tiempo, el aspecto y el modo de los verbos *(luc-es, mir-aba).*
  - **Derivativos:** los que permiten la creación de nuevas palabras a partir de una primitiva y la formación de familias léxicas *(mirador, mirilla, miramiento).*

  Según su posición, se dividen en:

  - **Prefijos:** delante de la raíz *(im-puntual).*
  - **Sufijos:** detrás de la raíz *(cas-eta).*
  - **Interfijos:** no aportan ningún significado y se intercalan entre la raíz y un sufijo *(bich-arr-aco, brav-uc-ón).*

> ¿SUFIJO O INTERFIJO?

No todo elemento intercalado entre la raíz y un sufijo es un interfijo, también puede producirse la adición de dos sufijos a la misma raíz: *ros-al-eda,* donde *-al* es un sufijo de lugar que forma la base *rosal.* Sin embargo, en *polv-ar-eda, -ar-* es un interfijo: ni añade significado a la raíz, ni existe la base **polvar.*

02 Formación de palabras

Existen dos procedimientos para formar palabras en español a partir de otras ya existentes: la derivación y la composición.

02.1 La derivación

Consiste en la **adición de uno o varios afijos a una base léxica.** Según la posición que ocupe el afijo, se denomina prefijación o sufijación.

Prefijación

Se denomina así a la derivación cuando el afijo precede a la base (prefijo + base): *oír/desoír, puntual/impuntual, cavar/excavar.* La palabra derivada resultante suele pertenecer a la misma categoría gramatical que la base: *colorido/descolorido* (adjetivos), *colocar/descolocar* (verbos), *brazo/antebrazo* (sustantivos).

En ocasiones, los prefijos pueden presentarse separados de la base sobre la que inciden: *la visita del ex primer ministro* (frente a *exmarido*), *una protesta anti OTAN* (frente a *antinuclear*), *personas sin techo* (frente a *sinvergüenza*).

Clasificación de los prefijos por su significado
• **Espaciales o locativos:** *ante- (antetítulo), circun- (circunnavegar), endo- (endogamia), entre- (entrecejo), ex- (expatriado), exo- (exoesqueleto), extra- (extramuros), in-/en- (intubar, entubar), infra- (inframundo, infraestructura), inter- (interponer), intra- (intravenoso), peri- (perímetro), pre- (premolar), pos(t)- (posverbal, postverbal), re- (recámara), retro- (retroalimentación), sobre- (sobrevolar), sub- (subterráneo), super- (superponer), tras- (trastienda), ultra- (ultramar).*
• **Temporales:** *ante- (anteayer), ex (exmarido), pos(t)- (posventa), pre- (prerrenacimiento).*
• **Aspectuales:** *re-* (iterativo en *reescribir, reanimar;* terminativo en *rematar, retocar*).
• **Cuantificativos:** *bi-, bis-, biz- (bianual, bisabuela, bizcocho), mono- (monoparental), multi- (multifunción), pluri- (plurilingüe), semi-* y *hemi- (semicírculo, hemiciclo), uni- (unidireccional), poli-* + base culta *(polígloto, polisemia).* Algunos con el mismo significado que los numerales: *di-, tri-, cuatri-, penta-, hexa-, hepta-, octo-, enea-, deca-, endeca-, dodeca-, hecto-, kilo-, mega-, giga-, tera-, deci-, centi-, mili-, micro-, nano-.*
• **Gradativos:** *archi- (archisabido), cuasi- (cuasicontrato), extra- (extragraso), hiper- (hipertenso), hipo- (hipodérmica), infra- (infravalorar), re- (rebuscar, redicho), requete- (requetefino), semi- (semicurado), sobre- (sobrevalorar, sobrepeso), super- (superinteligente), supra- (supranacional), ultra- (ultrarrápido);* y **escalares:** *sub- (subemplear, subcampeón), vice- (vicedecano).*
• **Negativos:** *a- (ágrafo, amorfo), des-, dis- (desleal, disconforme), i-, im-, in- (irreal, impensable, inaguantable), sin- (sinsentido, sin techo).*
• **De orientación o disposición (oposición o actitud favorable):** *anti- (antialérgico), contra- (contracorriente), pro- (progubernamental).*
• **De incidencia argumental:** expresan reflexividad, *auto- (autocrítica);* reciprocidad, *entre- (entrechocar), inter- (intercambiar);* asociación, *inter- (interreligioso), co-, com-, con- (coproducción, compadre, consuegro);* causación, *a- (acallar).*

>

Neo- ('nuevo'), *paleo-* ('antiguo'), *para-* ('junto a, al margen de, contra'), *pseudo-* ('falso, fingido'), *homo-* y *hetero-* ('igual' y 'diferente') se consideran prefijos adjetivales, con un significado propio de adjetivos. **Forman palabras derivadas** y no compuestas: *neoclásico, paleolítico, parafarmacia, pseudociencia, homógrafa, heterónimo.*

>

Cuando se analiza morfológicamente una palabra se aíslan y analizan sus componentes. Desde un punto de vista diacrónico, se tiene en cuenta la etimología (su origen y evolución), pero desde un punto de vista sincrónico, se analizan las bases y los afijos que están presentes en la conciencia lingüística de los hablantes: *admirar* posee un prefijo latino *ad-* que no existe en castellano, *remediar* procede de *remediāre,* donde no es separable un prefijo aspectual *re-*.

>

Para saber si se trata de una palabra que proviene directamente del latín o si es una palabra formada en castellano se puede observar la alternancia de prefijos, por ejemplo: *exhumar* e *inhumar.*

Sufijación

Cuando se forma una palabra por sufijación, se añade un sufijo a la base léxica (base + sufijo). El resultado puede ser una palabra de la misma categoría gramatical que la base o diferente: de *claro* (adjetivo), *clarear, aclarar, clarificar, esclarecer* (verbos), *claridad* (sustantivo), *clarísimo, clarito* (adjetivos).

En las palabras derivadas de verbos **(derivadas deverbales)**, la base la constituyen la raíz y la vocal temática (VT) de los infinitivos o de los participios (tema verbal):

consum-	*-i-*	*-ción*
Raíz	VT	
Tema verbal (TV)	+	sufijo

Existen numerosos sustantivos derivados de participios regulares e irregulares: *tejido, asado, salida, impreso, roto*. Se forman añadiendo el sufijo *-da/-do* al tema verbal (raíz + vocal temática): *teji-, asa-, sali-*, etc. No se deben confundir con los sufijos *-ada, -ado* o *-ido* de *limonada* o *chillido*.

EJEMPLO

transport-a-ble
TV

torc-e-dura
TV

fing-i-miento
TV

PRINCIPALES SUFIJOS POR CATEGORÍAS GRAMATICALES

Sufijos nominales (permiten crear sustantivos a partir de otras categorías)

Acción y efecto

- *-ción, -sión, -ión, -zón: adulación, omisión, rebelión, quemazón.*
- *-miento, -mento: casamiento, experimento.*
- *-(a)je: embalaje.*
- *-dura, -tura*, sobre bases verbales: *voladura, cuadratura.*
- *-a, -e, -o: danza, combate, recibo.*
- *-ón, -ada, -ado, -azo, -ido: resbalón, patada, puñado, martillazo, zumbido.*
- *-ncia, -nza: alternancia, enseñanza.*

Cualidad, estado y condición

- *-dad, -idad, -edad, -tad: maldad, atrocidad, terquedad, lealtad.*
- *-bilidad: amabilidad.*
- *-ez, -eza, -icia, -icie, -ura, -or, -era: rigidez, tristeza, justicia, planicie, altura, dulzor, sordera.*
- *-ía, -ería, -ia, -ncia -ismo* (doctrina, ideología): *valentía, niñería, infamia, arrogancia, romanticismo.*
- *-azgo, -ato: liderazgo, liderato.*

Nombres de persona, instrumento y lugar

- *-dor/-dora, -sor/-sora, -tor/-tora: lavadora, profesor, instructora.*
- *-dero/-dera, -torio/-toria, -ario/-aria, -ero/-era: panadero, heladera, laboratorio, ambulatoria, millonario, portera.*
- *-ista, -ente, -ón/-ona: pianista, adolescente, criticón.*

Nombres de conjunto

- *-ía, -ería* (también establecimiento), *-ério, -ío: cofradía, cubertería, mosquerío, gentío.*
- *-ario, -ero/-era, -ar, -al, -edo, -eda: aulario, tomatera, romancero, melonar, berenjenal, robledo, rosaleda.*

>

Recuerda que el **género** es un rasgo gramatical que poseen todos los sustantivos, como palabras variables que son, y que se manifiesta a través de su terminación o mediante los determinantes o complementos que los acompañan: *cuadratura, experimento, este combate, mucha lealtad, dulzor extremo…*

En los sustantivos que designan seres animados, el género puede diferenciar el sexo del referente: *monitor/monitora, orador/oradora, criticón/criticona…*

Es necesario distinguir el sustantivo variable en cuanto al género *(hermano)*, en el que el morfema *-o* es flexivo y alterna con *-a* para el femenino *(hermana)*, del sustantivo masculino *(forro)* en el que *-o* es un morfema derivativo, un sufijo nominal; será necesario en muchos casos recurrir al DRAE para resolver dudas. Lo mismo ocurre en *espumadera*, con un morfema derivativo *-era* en el que no se distingue como elemento independiente un morfema *-a* de género femenino.

En otros casos, como en *panadera*, se considera que hay morfema flexivo porque alterna con *panadero;* y, en otros como *tomatera* o *cristalera*, pueden darse dos interpretaciones: considerados como nombres de conjunto, el sufijo *-era* es indivisible; considerados como nombres de persona, se debe marcar el sufijo *-er-* y el morfema flexivo *-a/-o.*

Sufijos adjetivales (permiten crear adjetivos a partir de otras categorías)
De los adjetivos calificativos (expresan cualidades o propiedades del sustantivo)
• 'Que tiene', 'abundante en', 'con forma o aspecto de', 'con tendencia a', 'que causa o produce': *-oso/-osa, -ajoso/-ajosa, -ioso/-iosa, -uoso/-uosa (espaciosa, pegajoso, nervioso, respetuoso).* • De grado extremo: *-ísimo/-ísima, -érrimo/-érrima (baratísima, celebérrima).* • Presencia de: *-(i)ento/-(i)enta (polvoriento).* • Tamaño, exceso: *-udo/-uda, -ón/-ona (narigudo, cabezona).*
De los adjetivos relacionales (clasifican al sustantivo como 'un tipo de', se definen como 'relativos a')
• Gentilicios y de lugar: *-ano/-ana, -ino/-ina, -ense, -eño/-eña, -és/-esa, -o/-a (toledana, granadino, pacense, isleña, montañés, chino).* • *-ar, -al: angular, colonial.* • Derivados esdrújulos: *-ico/-ica, -ástico/-ástica, -ático/-ática, -ífico/-ífica, -ístico/-ística (mítica, gimnástico, selvático, científica, turístico).* • *-orio/-oria, -torio/-toria, -sorio/-soria (meritorio, condenatoria, divisoria); -ario/-aria (bancario); -ero/-era (pesquero).* • *-ivo/-iva (impulsiva, cualitativo).* • De 'persona partidaria', 'que practica', 'que ejerce', 'que defiende': *-ista (marxista, deportista, maquinista, budista, leísta).*
De ambos grupos
De sentido activo o pasivo: • Participa en alguna acción: *-dor/-dora (encantador, cumplidora).* • Expresa una cualidad inherente: *-nte (picante, emergente, sonriente).* • Pasivo y modal: 'que puede ser', *-ble (alcaldable, visible), -dero/-dera, -dizo/-diza (pagadero, levadizo).* • *-oide, -esco/-esca, -il, -izo/-iza, -uno/-una: romboide, libresco, estudiantil, cobriza, perruno.*

Sufijos adverbiales (permiten crear adverbios a partir de otras categorías)
• *-mente:* aunque en latín era una palabra independiente que significaba 'mente, pensamiento' y también 'ánimo, intención', se considera un sufijo (*sinceramente*, 'de manera sincera'). La base a la que se agrega es siempre un adjetivo femenino y puede elidirse si aparecen varios de estos adverbios coordinados —*lisa (mente) y llanamente*— y en las comparaciones del tipo: *Se alejó tan rápida (mente) como dócilmente.*

Sufijos verbales (permiten crear verbos a partir de otras categorías)
• *-ar:* a partir de sustantivos *(abanicar)*, adjetivos *(igualar)* y adverbios *(atrasar).* • *-ear (cabecear), -ecer (oscurecer), -izar (centralizar), -ificar (simplificar), -itar (habilitar).*

> DIFERENCIAS ENTRE RELACIONAL Y CALIFICATIVO

En ciertos contextos, los adjetivos relacionales pueden adoptar el valor de los calificativos: *infantil* es relacional en *Es especialista en educación infantil* y puede interpretarse como calificativo en *Tuvo una reacción muy infantil.* Pero la naturaleza de uno u otro tipo suele ir ligada a un determinado sufijo: *muscular* es relacional, *musculoso*, calificativo.

Los relacionales no admiten los sufijos de grado extremo. Cuando lo hacen, experimentan una recategorización y pasan a considerarse calificativos: *un restaurante españolísimo.* El sustantivo con este sufijo se carga de valores expresivos subjetivos o humorísticos: *campeonísimo, cuñadísimo.*

> EL SUFIJO *-EAR*

Este sufijo es muy activo en nuestra lengua. Además de añadirse a bases propias del español *(ningunear)*, se utiliza en la creación de verbos a partir de préstamos de otras lenguas, sobre todo los del inglés relacionados con el deporte, las nuevas tecnologías y los medios de comunicación. Algunos están recogidos en el DRAE, como *golear, chatear, formatear* o *zapear* y otros no (*wasapear* o *banear*).

Los Puretas del Caribe ganan el concurso de chirigotas del carnaval de Cádiz

A. Coco
www.abc.es, 2 de abril de 2012

¿Qué significa la palabra *pureta*? Busca en el DRAE esta palabra. ¿Qué valor aporta el sufijo y en qué situaciones se emplea?

Los **sufijos apreciativos** constituyen un tipo especial de sufijación, ya que su uso **aporta** al discurso **valores expresivos y afectivos:**

- En la expresión *Espera cinco minutillos*, el diminutivo no indica que el tiempo de espera sea menor, sino que tiene un **valor de cortesía y atenuación** que muestra el interés que tiene el hablante por rebajar la impaciencia del que espera.
- **Además** de los valores connotativos, **pueden expresar cualidades objetivas** como el tamaño *(huertecillo, platazo)*.

  Algunas de estas derivaciones se han **lexicalizado** y adquieren un significado nuevo que tiene su propia entrada en el diccionario, como *cerilla, centralita, flequillo, manecilla, pañuelo, jarrón, salón* o *calabacín*.
- **No varían la categoría gramatical de la base a la que se unen,** que puede ser sustantiva *(osito)*, adjetiva *(bonico)*, adverbial *(cerquita)*, un gerundio *(corriendito)*, una interjección *(hasta lueguito, holita)* o un cuantificador *(poquitos)*.
- **Varios** de ellos **pueden combinarse en la misma palabra:** *chiqu-it-ín* (base + sufijo diminutivo *-it(o)* + sufijo diminutivo *-ín*); *chiqu-it-it-ic-o* (base + diminutivo + diminutivo + diminutivo + morfema flexivo de género, con reduplicación de *-it*); *mig-aj-ill-a* (base + diminutivo *-aj(a)* + diminutivo *-illa*).

Su carga subjetiva y su carácter afectivo los sitúa en **contextos familiares y coloquiales;** aparecen en la lengua oral y en las apelaciones a los niños. No se encuentran apenas en textos expositivos, científicos o académicos.

Los sufijos apreciativos son de tres tipos:

>

El sufijo *-ito* presenta las variantes *-cito (cochecito)* y *-ecito/-ecita (nuevecita)*. Algunos autores interpretan que entre la base y el sufijo se encuentra un interfijo: *coch-ec-ito, nuev-ec-ita*.

> SUFIJOS Y REGISTRO

Ciertos sufijos tienen restringido su uso a situaciones informales, al registro coloquial o familiar e incluso vulgar: *-ota, -eta* y *-ata (pasota, cultureta, segurata), -amen (muslamen, papelamen), -ales (frescales, rubiales, viejales)* y los que contienen el grupo *-ng- (fritanga, facilongo)*. Suelen tener un valor despectivo.

SUFIJOS APRECIATIVOS

Diminutivos	Aumentativos	Despectivos
Pueden referirse al tamaño *(papelillos, cajoncito)* pero también transmiten valores afectivos *(Tómate la sopita)*, atenuación de algún defecto, palabra incómoda o situación *(Es mentirosillo, Limpia la caquita)* o intensificación *(Igualito que su abuelo, Ya estás mayorcita para esas cosas)*. El más extendido es *-ito*, pero también se utilizan, según las zonas geográficas, *-illo/-illa, -ico/-ica, -uco/-uca, -ín/-ina, -ino/-ina, -iño/-iña, -ejo/-eja* y *-ete/-eta*.	Además del **tamaño**, indican **intensidad o exceso**. Suponen una valoración positiva *(peliculón, actorazo)* o negativa y despectiva *(escandalazo, barrigón)*, a veces atenuada por la comprensión y el cariño *(feote, ordinariota, grandullona, torpón)*. Presentan las formas *-on/-ona (cincuentón), -azo/-aza (manaza)* y *-ote/-ota (brutote)*.	*-ucho/-ucha (equipucho)* *-aco/-aca (pajarraco)* *-acho/-acha (poblacho)* *-ajo/-aja (pequeñaja)* *-astro/-astra (camastro)* *-ato/-ata (niñata)* *-orrio (bodorrio)* *-orro/-orra (ventorro, vidorra)* *-ute (franchute)*.

Parasíntesis

En este procedimiento **se aplican a la vez la derivación y la composición** de las siguientes formas:

- A **una base compuesta que no existe previamente** *(*quinceaño, *picapiedra)* se le **añade un sufijo** *(quinceañero, picapedrero).*
- **A partir** de una **base derivada** se forma **una palabra compuesta** *(hablante > hispanohablante).*

  También pertenecen a este grupo aquellas que **añaden a la base un prefijo y un sufijo a la vez,** de manera que la combinación de prefijo + lexema o lexema + sufijo no existe previamente: **aterrir* o **terrizar* no son previas a *aterrizar.*

  Esta característica distingue los vocablos parasintéticos de otros formados por derivación en los que la combinación prefijo + lexema o lexema + sufijo constituye una base léxica previa sobre la que se construye la siguiente: *cavar > excavar > excavadora; habitar > habitable > inhabitable.*

  Son muy abundantes los verbos formados por parasíntesis sobre una base adjetiva o sustantiva: *delgado: adelgazar; losa: enlosar; blando: reblandecer.* Siguen este esquema: *en-/in-* + base + *-ar (encadenar, intubar, inhumar); a-* + base + *-ar (atornillar); en-* + base + *-ecer (embellecer); en-* + base + *-izar (entronizar); a-* + base + *-izar (alunizar).*

02.2 La composición

Las palabras compuestas se forman combinando dos o más bases léxicas, ya sean palabras simples o bases cultas: *pintalabios, coche cama, biología.*

Los compuestos se clasifican en dos tipos:

- **Propios o univerbales,** si forman una única palabra (*agridulce,* con vocal de enlace *-i-*, *lavavajillas*). Poseen un solo acento *(hispanoárabe)* y presentan un único morfema de plural (*hispanoárabes,* no **hispanosárabes*).
- **Sintagmáticos o pluriverbales,** si cada base mantiene su independencia gráfica. Entre ellas aparece un espacio que puede estar ocupado por un guion: *coche cama, teórico-práctico.* Poseen dos acentos. La mayoría pluraliza solo uno de sus componentes: *coches cama, ciudades dormitorio, casas cuartel;* aunque hay excepciones que admiten doble opción: *asuntos clave/asuntos claves.*

Las combinaciones pueden ser de diverso tipo: dos sustantivos *(telaraña, buque escuela),* dos adjetivos *(sordomudo, franco-británico),* sustantivo y adjetivo *(aguafuerte, piel roja),* verbo y sustantivo *(portavoz, matamoscas),* adverbio y verbo *(malcriar),* verbo y verbo *(duermevela),* etc.

>

La **composición** es un recurso muy utilizado en la creación de insultos. Ya aparecen en boca de don Quijote, harto de la impertinencia y la simpleza de su escudero. En el capítulo XXXI, don Quijote le dice a Sancho:

«Eres un grosero villano o un mentecato gracioso, pensarán que yo soy algún echacuervos o algún caballero de mohatra». Y en el LXVIII: «—¡Oh alma endurecida! ¡Oh escudero sin piedad! ¡Oh pan mal empleado!».

http://cvc.cervantes.es

Los compuestos de origen grecolatino

Existe un gran número de **compuestos,** llamados **neoclásicos o cultos,** formados sobre **bases de origen griego y latino** denominadas **bases compositivas cultas.**

Pueden combinarse con un vocablo del español *(ecosistema, cardiosaludable, musicólogo)* o bien formar el compuesto con las dos bases grecolatinas *(agorafobia, neuralgia, demografía).*

Pero también pueden presentarse como sustantivos simples *(foto, moto, cine)* o combinarse con uno o varios afijos para formar nuevos vocablos derivados *(étnicos, gástricos, anarquista).* Atendiendo a **la posición que ocupen** en el compuesto, **se las denomina *raíz prefija* o *raíz sufija.***

El procedimiento es muy productivo y **contribuye a la creación de léxico científico, tecnológico y humanístico:** *bibliófilo, geóloga, neuralgia, xenofobia, teocracia, dermatólogo* (con vocal de enlace *-o-*).

Algunas raíces prefijas y sufijas de origen grecolatino

aero-	'aire'	*-fagia*	'acción de comer'	*macro-, mega-*	'grande'
agro-	'campo'	*filia-, filo-*	'amistad'	*-metría*	'medida'
-algia	'dolor'	*-fobo*	'que siente repulsión'	*morfo-*	'forma'
antropo-	'hombre'	*fono-* o *-fono*	'sonido'	*neuro-*	'nervio'
-arquía	'gobierno'	*-forme*	'en forma de'	*oligo-, olig-*	'poco'
biblio-	'libro'	*foto-* o *-foto*	'luz'	*oto-*	'oído'
bio-	'vida'	*gastro-*	'estómago'	*pan-, panto-*	'totalidad'
car-, cardio-	'corazón'	*geno-* o *-geno*	'engendra o provoca'	*-patía*	'enfermedad'
cosmo- o *-cosmo*	'universo'	*geo-* o *-geo*	'tierra'	*pedia-*	'niño'
-cida	'que mata'	*grafo-* o *-grafo*	'que escribe o describe'	*psico-*	'alma'
clepto-	'robar'	*-grama*	'escrito'	*-ragia*	'flujo, derrame'
-cracia	'poder'	*hagio-*	'santo'	*-teca*	'lugar en que se guarda algo'
cromo- o *-cromo*	'color'	*helio-*	'sol'	*topo-*	'lugar'
crono- o *-crono*	'tiempo'	*hepato-* o *hepat-*	'hígado'	*vice-, vi-, viz-*	'en vez de'
demo-	'pueblo'	*iso-*	'igual'	*-voro*	'que come'
-dromo	'estadio'	*lipo-*	'grasa'	*xeno-* o *-xeno*	'extranjero'
etno-	'raza'	*lito-*	'piedra'	*xilo-* o *-xilo*	'madera'
eu-	'bien'	*logo-* o *-logo*	'experto'	*zoo-, -zoo*	'animal'

Real Gabinete Portugués de Lectura, Río de Janeiro.

Las palabras *biblioteca* y *librería* aluden a lugares en los que se tienen libros, aunque con distinto fin. Tienen orígenes diferentes: *biblio-* procede del griego βιβλιο y *libro* procede del latín *liber, libri.*

Diferenciar las locuciones

Aunque no se deben confundir los **compuestos sintagmáticos** con las **locuciones nominales,** los límites entre ellos no siempre están claros:

- Los compuestos poseen **características flexivas** propias de las palabras, tienen **género variable** (que puede ser independiente de sus constituyentes): *un/una piel roja, un/una cabeza cuadrada.* En cuanto al **número,** los formados por dos sustantivos marcan el plural en el primero de sus miembros: hombres rana, años luz. Cuando los elementos son un sustantivo y un adjetivo, suelen llevar el morfema de plural los dos: *guardias civiles, pieles rojas,* pero si el segundo tiene valor adjetival, se pueden dar las dos opciones: *momentos claves, momentos clave.*
- En cuanto a las locuciones (*ojo de buey* o *mesa redonda*), tienen **género masculino o femenino:** *pata de gallo* (fem.), *pez gordo* (masc.). Su **significado** no resulta de la suma de los significados de sus componentes.

<table>
<tr><th colspan="6">CLASIFICACIÓN DE LAS PALABRAS SEGÚN SU FORMACIÓN</th></tr>
<tr><th colspan="6">Simples o primitivas</th></tr>
<tr><td colspan="6">Bases: sol, cara, mano.</td></tr>
<tr><th colspan="6">Derivadas</th></tr>
<tr><th colspan="6">base + afijo</th></tr>
<tr><td colspan="3">desagradable
des-: prefijo negativo.
-agrada-: base verbal.
-ble: sufijo adjetival, pasivo y modal, 'que puede ser'.</td><td colspan="3">apetitoso
apetit-: base sustantiva.
-os-: sufijo de adjetivo calificativo, 'que causa o produce'.
-o: morfema flexivo de género.</td></tr>
<tr><th colspan="6">Parasintéticas</th></tr>
<tr><td colspan="2">base + base derivada</td><td colspan="2">compuesta + afijo</td><td colspan="2">prefijo + base + sufijo</td></tr>
<tr><td colspan="2">maloliente
mal: base adverbial.
ol-iente: base verbal + sufijo adjetival (expresa una cualidad inherente).
Es una parasintética que forma un compuesto a partir de una base derivada.</td><td colspan="2">centrocampista
centro: base nominal.
-camp-: base nominal.
-ista: sufijo nominal de persona.</td><td colspan="2">amordazar
a-: prefijo para formar verbos parasintéticos.
-mordaz-: base nominal.
-ar: sufijo verbal.</td></tr>
<tr><th colspan="6">Compuestas</th></tr>
<tr><th colspan="2">univerbales</th><th colspan="2">sintagmáticas</th><th colspan="2">neoclásicas o cultas</th></tr>
<tr><td colspan="2">pelirrojo
pel-: base nominal.
-i-: vocal de enlace.
-roj-: base adjetival.
-o: morfema flexivo de género.</td><td colspan="2">decreto ley
decreto: base nominal.
ley: base nominal.</td><td colspan="2">fotofobia
foto-: base culta, raíz prefija.
-fobia: base culta, raíz sufija.</td></tr>
</table>

03 El léxico del español

Las palabras también se pueden clasificar según su procedencia y el momento en el que se incorporaron a la lengua.

03.1 Léxico procedente del latín

Como el español es una lengua romance, la mayor parte de su léxico procede del latín. Estas palabras, según su grado de evolución, se clasifican en:

- Voces **patrimoniales.** Son aquellas que están en la lengua desde su origen y han experimentado una evolución fonética a partir del latín vulgar hasta la actualidad: *petra > piedra; fŏlia > hoja; oculum > ojo.*
- **Cultismos.** Después de que el latín dejara de usarse como lengua de comunicación, otras palabras latinas se fueron incorporando en distintos momentos, desde los ámbitos de la cultura, la ciencia y la iglesia, a través del latín escrito. Estos términos no han experimentado los cambios fonéticos propios de los vocablos patrimoniales y han permanecido en su forma original; abundan en los textos científicos y humanísticos: *ánima, hidrógeno.*
- **Latinismos.** Son palabras o expresiones latinas incorporadas a la lengua culta con el mismo significado o con otro diferente, pero que **se interpretan como préstamos,** ajenas al castellano: *a priori, grosso modo, accésit.*
- A medias entre el término patrimonial y el cultismo se encuentra el **semicultismo,** un vocablo que, normalmente por su uso en el ámbito de la iglesia y la cultura, ha sufrido un frenazo en su evolución o bien conserva una forma muy cercana al original. De haber experimentado la evolución fonética correspondiente, *obispo* (de *episcopus*), *virgen* (de *virgo, virginis*) y *siglo* (de *saeculum*) habrían terminado como **besbo, *verzen* y **sejo.*
- Finalmente, puede ocurrir que de un mismo término latino se produzcan dos variantes, una patrimonial y otra culta. En este caso, se habla de **doblete:** *folio* y *hoja; delicado* y *delgado; íntegro* y *entero.*

Las palabras *cátedra* y *cadera* constituyen un doblete; ambas proceden del griego *kathédra*, que significaba tanto 'asiento' como 'trasero'. En español uno de los significados de *cátedra* es 'asiento elevado, desde donde el maestro da lección a los discípulos' (DRAE).

03.2 Préstamos de otras lenguas

A los términos heredados del latín, se suman los **préstamos de otras lenguas** que se han ido añadiendo al idioma desde sus orígenes.

Todos los pueblos que han habitado la Península han dejado su huella en el léxico:

- Los primitivos **pobladores anteriores a la romanización** (voces prerromanas: *vega, barro, balsa, losa, arroyo, camino, cabaña, cerveza*).
- Los **pueblos germánicos** (germanismos: *ataviar, brotar, espía, espuela, ganar, guerra, ropa, sala, yelmo;* antropónimos como *Alberto, Fernando, Rodrigo* o *Elvira*).
- Los **árabes** (arabismos: *alfombra, almohada, alcalde, berenjena, zanahoria, taza, azúcar, aceite, tabique...;* numerosos topónimos: *Alcalá, Algeciras, Madrid, Guadalajara, Medina*).

- **Otras lenguas peninsulares:** galleguismos *(choza, sarpullido)*, vasquismos *(chatarra, izquierda, zurdo)*, catalanismos *(forastero, paella, vinagre, tarifa, peseta)*.
- Y también **de otras lenguas: galicismos** *(cobarde, jamón, fraile, peluca, coraje)*, **anglicismos** *(cheque, jersey)*, **italianismos** *(soneto, concierto, libreto)*, **portuguesismos** *(chubasco, buzo, pleamar)* o **indigenismos americanos** *(patata, cacique, maíz)*.

Todos estos términos están ya asimilados e incorporados como propios. Se denominan ***préstamos históricos*** **para diferenciarlos de los préstamos que se incorporan al español en la actualidad.**

03.3 Neologismos

Los términos que se incorporan a la lengua ante la necesidad de denominar nuevos conceptos y realidades se denominan **neologismos.**

Los hay de diverso tipo y origen:

- Formados a través de los **mecanismos morfológicos de la propia lengua, derivación** y **composición:** *formatear, cuponazo, videoconferencia, papamóvil.*
- Son especialmente importantes los **neologismos de origen grecolatino formados por composición** a partir de las raíces prefijas y sufijas.
- **Préstamos actuales:**
  - Los **extranjerismos crudos** (aquellos que **conservan su grafía original sin ninguna adaptación fonética u ortográfica** al español o que no están incorporados totalmente al idioma) se denominan **xenismos o barbarismos:** *hacker, pizza, derby, body-milk, airbag.* Otros han experimentado adaptaciones fonéticas recogidas por la RAE: *estándar, bol, estrés, gol, plató, eslogan.* Se pueden producir híbridos en los que la base es un préstamo y los afijos son propios del español: *croissantería, linkar, chatear.*
  - Un **calco semántico** es la **traducción literal de un término extranjero** al castellano: *perrito caliente, luna de miel, baloncesto, golpe de estado, hoja de ruta, fin de semana, blanqueo de dinero.* No es raro encontrar dos soluciones para el mismo término: *fútbol* y *balompié; selección* y *casting; entrenador* y *coaching.*

03.4 Otros procedimientos de creación de palabras

- Por **transcategorización:** algunas palabras cambian de categoría y de significado y pasan a desempeñar funciones propias de otra. Ocurre con nombres propios convertidos en comunes *(lazarillo, adán, manoletina, jerez)*, adjetivos sustantivados *(periódico, estrecho)* o verbos sustantivados *(ida, venida, pagaré, pésame).*
- **Onomatopeyas:** términos formados por imitación de los sonidos naturales. El significante trata de reproducir la realidad extralingüística: *tictac, miau, chinchín, clic.*

ARCAÍSMOS

La lengua es un organismo vivo que crece y se transforma y en el que constantemente se están produciendo cambios: unos vocablos nacen, otros mueren y los más se adaptan a las necesidades cambiantes de los hablantes. **Hay vocablos que dejan de usarse** porque desaparecen las realidades a las que se refieren o porque son sustituidos por términos más modernos: se llaman **arcaísmos** *(yantar, aldaba, descocado, fetén, niqui, parvulito, canesú, peseta, duro…).* Algunos resucitan con un significado nuevo, relacionado con el original *(azafata)* o no *(servidor).*

El *Nuevo diccionario histórico del español* (NDHE) recoge todos esos vocablos que «se jubilan». La RAE no elimina las palabras porque dejen de usarse, las saca del diccionario de uso para dejar espacio a nuevos términos y nuevas acepciones.

NORMA Y USO

Extranjerismos y prestigio social

Los préstamos están justificados para designar novedades, pero frecuentemente se adopta un término extranjero aunque exista ya uno autóctono: *spray* por *aerosol*, *manager* por *representante*, *show* por *espectáculo*, *estresar* por *agobiar*. A menudo se trata de un amaneramiento lingüístico: se considera, erróneamente, más prestigiada la voz extranjera. Los medios de comunicación y las redes sociales contribuyen a la extensión y al contagio de los extranjerismos.

- **Siglas y acrónimos:** las **siglas** están formadas por las letras iniciales de varias palabras o de un grupo sintáctico *(ONU, FMI, UE)* y su referente suelen ser instituciones u organizaciones. Los **acrónimos** son siglas con estructura silábica normal que se integran en la lengua como sustantivos; se forman con la primera letra de varias palabras *(ovni)* o mediante la unión de distintos segmentos de varias palabras, como *Mercosur, ofimática, publirreportaje, Marisa* o *amigovio.*
- **Acortamientos y abreviaturas.** El **acortamiento** es la **reducción de una palabra** larga, bien **por apócope** *(foto, boli, mates, Fernan)* o por **aféresis** *(chacho, chelo, bus).* Una **abreviatura** es la **representación de una palabra** solo **con alguna** o algunas **de sus letras.** Es simple si se abrevia una sola palabra *(Sra., Dr.)* y compuesta si son varias las abreviadas *(AA. VV., autores varios; a. C., antes de Cristo; p. ej., por ejemplo).*
- Los **cambios semánticos** constituyen una fuente importante de aportaciones nuevas al léxico del idioma, sobre todo la metáfora: *ladrón* ('enchufe') o *azafata.* Estudiaremos este procedimiento en la próxima unidad.

04 Expresiones fraseológicas

Se denomina **expresiones** o **unidades fraseológicas** a un conjunto muy numeroso y variado de expresiones fijas entre las que se encuentran **modismos, locuciones, dichos, aforismos, frases hechas** y **refranes.** Están formadas por un grupo estable y fijo de palabras que funciona como una unidad léxica, con un significado propio que no se deriva de la suma de los significados de sus componentes: el significado de la expresión *Irse por los cerros de Úbeda* (lo que se dice es incongruente o fuera de propósito, o bien alguien divaga) no tiene relación alguna con los respectivos significados de *cerros* y de *Úbeda.*

No se deben entender en un sentido literal, sino figurado: abundan en ellas las metáforas *(con el corazón en la mano, meterse en la boca del lobo),* por eso **no tienen traducción a otras lenguas** (aunque sí expresiones equivalentes) y, por ello, también constituyen un apartado difícil aunque imprescindible en el aprendizaje de una lengua extranjera. La comunicación es imposible si el hablante y el oyente no comparten ciertos conocimientos y referencias comunes y es inseparable del enunciado y de la situación. Así se comprueba en el caso de unidades fraseológicas como: *haber moros en la costa, caza de brujas* o *entre Pinto y Valdemoro.*

Algunas constituyen enunciados por sí mismas, es decir, estructuras oracionales o no, capaces de transmitir un mensaje con sentido completo en una determinada situación comunicativa: frases hechas *(Nunca segundas partes fueron buenas),* refranes *(Más sabe el diablo por viejo que por diablo),* citas *(Pedid y se os dará)* y dialogismos *(¿Dónde va Vicente? Donde va la gente).* Sin embargo, las locuciones no forman enunciados, funcionan como elementos oracionales cuya función sintáctica depende de la categoría gramatical a la que se asimilan: *Echar leña al fuego* (locución verbal-núcleo del predicado), *a bocajarro* (locución adverbial-CC de modo).

Aparecen en todas las situaciones comunicativas, aunque son más frecuentes en el nivel coloquial y familiar, y más propias del discurso oral.

+ NORMA Y USO

Clichés

Si bien constituyen una parte fundamental y muy rica del vocabulario de una lengua, se debe evitar el empleo excesivo de ciertos modismos, frases, giros o latiguillos que se ponen de moda y empobrecen la lengua por abuso: *luz verde para, tomar cartas en el asunto, caluroso recibimiento, saltar las alarmas, poner en valor, hoja de ruta, cordón sanitario, con la que está cayendo...*

Aunque en un principio llaman la atención de los hablantes por novedosas y originales, a fuerza de repetirse se convierten en tópicos cargantes y vacíos de contenido que denotan falta de imaginación y ausencia de vocabulario.

ELABORA TU PROYECTO

INVESTIGACIÓN SOBRE LA FRASEOLOGÍA

La lengua dispone de un corpus léxico muy variado en el que se integran diversos elementos, que proporcionan al hablante recursos para expresar la diversidad de matices de las ideas, los sentimientos y pensamientos. Estas unidades fraseológicas, como se ha visto, poseen un significado metafórico y hacen referencia a un conjunto muy numeroso y variado de expresiones fijas entre las que se encuentran modismos, locuciones, dichos, aforismos, frases hechas y refranes. Aunque se suele identificar frase hecha con registro informal y discurso oral, no siempre es así.

Pautas para la presentación del trabajo

Por grupos, vais a realizar un corpus fraseológico y un documento Drive en forma de tabla que recoja los siguientes aspectos:

1. Enunciado seleccionado.
2. Significado.
3. Tipo: refrán, frase hecha, aforismo, locución...
4. Indicar si constituye una estructura oracional o no.
5. Lugar donde lo habéis localizado.
6. Registro al que pertenece y si está extraído del discurso oral o escrito.

Podéis recopilar unidades para este corpus en:

a. Textos periodísticos.
b. Textos publicitarios.
c. Carteles que os encontréis por la calle.
d. Vuestros libros de texto.

Recursos

- Diccionarios:
  → http://dle.rae.es/
  → http://www.diccionarios.com/
- Diccionario fraseológico:
  → http://expressions.ccdmd.qc.ca/repertoire_es.php (traduce la expresión a otros idiomas y la contextualiza)
- Sobre dichos populares y refranes:
  → http://refranero.webcindario.com/
  → http://geneura.ugr.es/~victor/refranero.shtml

ELABORA TU ORGANIZADOR VISUAL

Sintetiza los contenidos de la unidad completando este mapa mental.

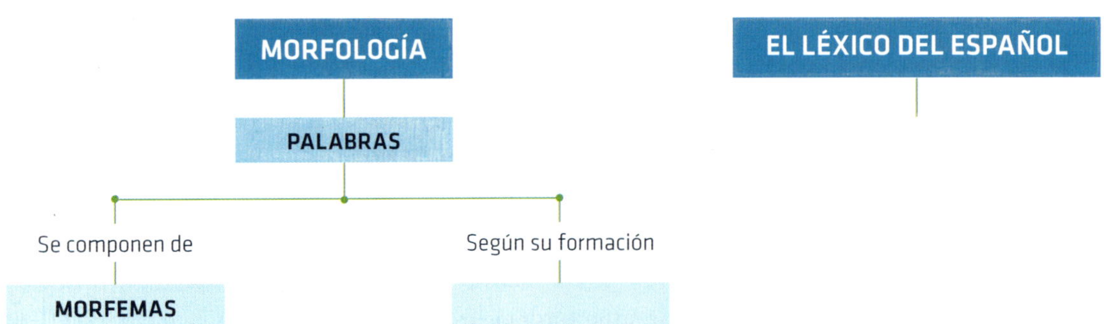

ACTIVIDADES

Lee los siguientes titulares y fragmentos de prensa y elige la respuesta correcta.

1. «Los dispositivos de Apple sufren el mayor ciberataque de su historia».
   a. *Ciberataque* es una palabra compuesta de dos bases cultas de origen latino.
   b. *Ciberataque* es una palabra compuesta de un extranjerismo y una base patrimonial.
   c. *Ciberataque* está formada por un préstamo y un neologismo.
   d. *Ciberataque* es una palabra compuesta de dos bases cultas, una de origen griego y otra de origen latino.

2. España tiene un 20 % de «ninis» y 10 millones de adultos con baja comprensión lectora.
   a. *Nini* es una palabra simple.
   b. Es un extranjerismo.
   c. *Lectora* es una palabra derivada cuyo sufijo indica persona, instrumento o lugar.
   d. *Comprensión* es una palabra parasintética.

3. Periodistas y demás gentes de mal decir han adoptado el anglicismo *food truck* sin rechistar.
   a. *Mal decir* es una palabra compuesta que significa 'echar maldiciones contra alguien o algo'.
   b. *Food truck* es un neologismo, un préstamo y un xenismo.
   c. *Anglicismo* es una palabra compuesta.
   d. En *periodistas* aparece el prefijo espacial locativo *peri-*.

4. Nuestro idioma ha creado o adoptado palabras compuestas con genética identificable, a menudo para nombrar hechos nuevos: *apartotel, cantautor, emoticono, triquini.*
   a. *Identificable* es una palabra derivada, formada por un prefijo negativo *i-* y un sufijo *-ble.*
   b. *Apartotel* y *cantautor* son acrónimos.
   c. *Apartotel* y *cantautor* son compuestos.
   d. *Genética* es un compuesto culto.

5. Detrás del mostrador del chino de la esquina de mi casa, tres niños juegan apiñados alrededor de una *tablet,* parloteando en cerradísimo madrileño.
   a. *Apiñados* es una palabra parasintética.
   b. *Parloteando* es un verbo parasintético.
   c. *Madrileño* es una palabra derivada formada por una base y un sufijo propio de los adjetivos calificativos.
   d. *Alrededor* es un préstamo del árabe.

6. Los dueños, unos señores chinos enfundados en sus uniformes rojos de la cadena de supermercados *low cost,* los encerraron, pero los ladronzuelos lograron escapar mientras los chinos les perseguían.
   a. *Enfundados* es un participio formado por derivación.
   b. *Supermercado* es una palabra compuesta.
   c. *Encerrar* es un verbo derivado por prefijación.
   d. *Uniformes* es una palabra compuesta.

7. No es novedoso que las personas dejen una firma microbiana, incluso que estando inactivos (sentados en un escritorio) emitan partículas.
   a. *Novedoso* e *inactivos* son sustantivos derivados sobre una base adjetiva.
   b. *Partícula* es un cultismo y un tecnicismo.
   c. *Microbiana* es un compuesto culto.
   d. *Escritorio* es una palabra derivada con un sufijo *-orio* (para formar nombres que significan conjunto).

8. El gasto español en I+D volvió a recortarse en 2013, hasta llegar a niveles similares a los de 2007.
   a. *I+D* es una fórmula matemática.
   b. *I+D* es un acortamiento léxico.
   c. En *recortarse* se puede separar un prefijo *re-* y un sufijo *-se.*
   d. En *gasto,* la *-o* es un morfema flexivo de género.

9. Los antioxidantes podrían favorecer la metástasis de las células cancerígenas.
   a. *Cancerígeno* significa 'que puede provocar cáncer'.
   b. *Metástasis* es un cultismo de origen griego.
   c. La palabra *antioxidante* es una palabra parasintética.
   d. *Favorecer* es un verbo parasintético.

10. Un equipo español diseña minitelescopios para la degeneración macular.
   a. *Minitelescopios* es un compuesto de origen grecolatino con tres bases.
   b. *Degeneración* es una palabra parasintética.
   c. En *macular* el sufijo *-ar* es propio de los verbos de la primera conjugación.
   d. *Diseña* es una palabra derivada con un prefijo *di-* ('dos').

04 LA PALABRA: SEMÁNTICA

01 La semántica

» Las palabras están formadas por un **significante,** una secuencia de fonemas que podemos articular y escribir, y un **significado,** el concepto, la idea que lleva asociada esa secuencia. La realidad a la que alude la palabra se denomina **referente.**

Del significante se ocupan principalmente la fonología y la morfología.

» La **semántica** es la ciencia que se ocupa del significado de las palabras. La unidad mínima de significado es el **sema.**

El significado está formado por una combinación de rasgos significativos mínimos, los semas, que lo caracterizan y lo distinguen de otros significados.

El conjunto de **semas** que lo integran recibe el nombre de **semema** (para *tornado:* viento, fuerte, con movimiento circular, en cualquier lugar), mientras que el conjunto de semas comunes a varios significados se denomina **archisemema.**

Cada columna representa un sema; los dos primeros constituyen el archisemema.

CAMPO SEMÁNTICO DE *VIENTO*						
	Sema 1	**Sema 2**	**Sema 3**	**Sema 4**	**Sema 5**	**Sema 6**
Semas	Viento	Fuerte	Movimiento circular	En costa	En montaña	En cualquier lugar
Tornado	+	+	+	+	+	+
Torbellino	+	+	+	+	+	+
Remolino	+	+	+	+	+	+
Ventisca	+	+	−	−	+	−
Galerna	+	+	−	+	−	−
Huracán	+	+	−	+	−	−
Tromba	+	+	+	+	−	−

Semas comunes (Sema 1 y Sema 2) — Semas distintivos (Sema 3 a Sema 6)

Los significados existen en los paradigmas de la lengua, pero se hacen presentes cuando se utilizan en un contexto: en el enunciado *Baraja las cartas,* **el contexto lingüístico** (en este caso el verbo *barajar*) selecciona la acepción precisa de la palabra *cartas.* También el **contexto extralingüístico o situacional** concreta la significación y atribuye un sentido u otro al término: en *Estoy leyendo la carta,* la concreción del significado (de un restaurante o la correspondencia) viene determinada por el entorno físico y las experiencias o conocimientos compartidos por emisor y receptor.

Dos días después de que quince antiguas atletas de natación sincronizada hicieran públicas supuestas vejaciones y humillaciones de la seleccionadora española, su ayudante Beth Fernández respondió en varios medios a las acusaciones. [...]

«En todos los sitios las palabras sacadas de contexto suenan muy mal», repitió en Onda Cero. «Las entrenadoras no son santas, pierden los nervios. En alta competición se utilizan muchas expresiones que son fuertes. No nos piden las cosas por favor, precisamente». [...]

J. BRAGADO. «Hay frustración y rencor». www.diariodeleon.es, 27 de septiembre de 2012

¿Qué significado concreto tiene la expresión *sacadas de contexto* en esta noticia? Valora su importancia en la vida diaria.

¿Te parece justificable el empleo de «expresiones fuertes» aunque sea en estos contextos?

02 Denotación y connotación

Como vemos, para delimitar el sentido de un término, hay que tener en cuenta su uso en las distintas situaciones comunicativas: la actitud del emisor puede indicar la acepción concreta de la palabra utilizada y sus valores subjetivos añadidos.

Los semas que integran el significado de una palabra pueden ser de dos clases:

Denotativos	
Se refieren al **significado objetivo del término** que es común a todos los hablantes y que hace posible la comunicación. La denotación está relacionada con la referencia, alude a los significados de la palabra que conectan con la realidad extralingüística, aquellos asociados de forma permanente al término, independientemente del uso que se haga de él. La palabra *perro* denota una clase de seres de la realidad, su referente es un 'mamífero doméstico de la familia de los cánidos, de tamaño, forma y pelaje muy diversos, según las razas, [...]'.	Denotación y objetividad van unidas a la **función representativa** del lenguaje; las tres son características que definen a los textos expositivos: periodísticos de información, científicos, administrativos, instructivos...
Connotativos	
Los valores **subjetivos y variables,** emotivos —positivos o negativos—, que en un determinado contexto o situación añaden los hablantes a la denotación: *perro,* referido a una persona, adquiere valores negativos: 'persona despreciable', 'gandul'; otros, como *perro viejo,* tienen connotación positiva: 'experimentado, sagaz'. Lo mismo sucede con los términos derivados que forman su familia léxica: *emperrarse, aperrear, aperrarse.*	Los valores subjetivos variables que determinan la connotación se relacionan con las **funciones expresiva, conativa** y **poética,** por eso aparecen en los textos argumentativos y en los literarios: periodismo de opinión, publicidad, discursos, ensayos...

> SENTIDO LITERAL Y SENTIDO FIGURADO

El **sentido literal** de una expresión se relaciona con el significado denotativo; el **sentido figurado,** con el connotativo: *¿Cómo va tu corazón?* En sentido literal, *Mejor: el electrocardiograma ha salido perfecto.* En sentido figurado, *Regular: mi novia y yo hemos roto* (otro sentido figurado).

Alemania recibe a cientos de refugiados tras una odisea en una Hungría hostil.

Guillem Sans Mora
www.abc.es, 5 de septiembre de 2015

Lee el titular de la noticia. ¿Qué pretende destacar? ¿Qué reacciones opuestas resalta?, ¿con qué palabras? Trata de reescribir el titular con otros términos cuyas connotaciones sean diferentes.

A través de la connotación, los hablantes introducen en la comunicación lo que «sienten» acerca de lo que tienen que decir.

Ciertas connotaciones son compartidas por toda la comunidad de hablantes; algunas están recogidas en el diccionario: *gallina* como 'cobarde'; otras palabras como *paz* o *libertad* tienen connotaciones positivas frente a *dictadura* o *abuso,* que adquieren valores negativos. En muchos casos, las asociaciones negativas dependen de los grupos sociales que las utilicen: *disciplina, globalización, patria, revolución, derecha, izquierda...* Y no solo por el referente al que designan; es obvio que *cuna* tiene una connotación positiva frente a *ataúd,* o *viernes* frente a *lunes.* En el caso de una serie de términos que compartan el mismo referente, se observa también una diferencia de valores connotativos entre los que el hablante escoge según la situación, el registro o la intencionalidad: los ladridos del *can, perro, chucho;* nuestras *chicas, mujeres, féminas* del balonmano; un libro *aburrido, plomazo, rollazo.*

Finalmente, hay connotaciones individuales que varían de un hablante a otro: la palabra *paro* no tiene el mismo valor para un trabajador que para un desempleado. La connotación individual es muy productiva en el lenguaje literario: de ella surgen la metáfora poética y los símbolos: *amarillo* para Juan Ramón Jiménez, *verde* para Lorca, *mar* para Alberti o *camino* en los textos de Machado. La connotación individual está en la base del estilo, de la marca y la personalidad del escritor, que con ella engrandece la lengua ampliando sus significados.

Caminante, son tus huellas
el camino, y nada más;
caminante, no hay camino,
se hace camino al andar.
Al andar se hace camino,
y al volver la vista atrás
se ve la senda que nunca
se ha de volver a pisar.
Caminante, no hay camino
sino estelas en la mar.

Antonio Machado. *Proverbios y cantares,* El País

¿Qué significado tiene el *camino* en este poema de Machado? ¿Es un valor denotativo o connotativo? Trata de explicar el último verso, ¿qué contenido subjetivo atribuye el poeta al mar?; ¿es una connotación individual o compartida?

En general, estos valores asociados a cada término se convierten en uno de los recursos más importantes de la literatura y de la propia comunicación y son fundamentales en la publicidad, la política y el periodismo: para referirse a la llegada hasta las fronteras de la Unión Europea de miles de personas que huyen de la guerra, se han empleado palabras como *crisis, drama, avalancha, éxodo* y *oleada;* para referirse a esas personas, *inmigrantes* y *refugiados:* las connotaciones de unas y otras son muy diferentes y la elección entre ellas no suele ser casual.

03 Relaciones entre significante y significado. Relaciones semánticas

03.1 Monosemia

Cuando la **relación** entre el significante y el significado es **unívoca**, es decir, cuando a un significante le corresponde un solo significado, decimos que la relación es monosémica; por ejemplo, *casaca, teléfono, sandalia.*

Es una de las características del lenguaje especializado, de la terminología científica y técnica: *fonema, procariota.*

Sin embargo, como estamos viendo, los términos suelen adoptar distintas acepciones seleccionadas por el uso: lo más habitual es que a un significado le correspondan varios significantes *(cerdo, puerco, marrano, chancho, gorrino, cuino)* o que a un significante le correspondan distintos significados *(pico, cabeza, operación...).*

Así, las relaciones entre el significado y el significante pueden ser de varios tipos: de identidad, de oposición y de jerarquización.

03.2 Relaciones de identidad

Puede darse una identidad de significados (sinonimia) o de significantes (polisemia y homonimia).

Sinonimia. Un significado, varios significantes

La sinonimia se produce cuando a dos o más significantes les corresponde un solo significado. Pueden ocupar el mismo espacio en una secuencia lingüística sin que cambie el sentido: *Esos programas de la tele me disgustan/enojan/enervan/exasperan/irritan/incomodan/desagradan.* Sin embargo, el contexto extralingüístico puede determinar que unos significantes sean más adecuados que otros, incluso que algunos sean inaceptables: en una situación formal deberíamos evitar *Esos programas me cabrean,* sería adecuado un enunciado como *Su padre ha muerto/fallecido* pero no *La ha espichado* o *Ha estirado la pata.* También el contexto lingüístico puede imponer unos y desechar otros: *El incendio provocó tres muertos/fallecidos,* pero no *fenecidos* o *expirados.*

Por eso es difícil encontrar **sinónimos perfectos o absolutos** que puedan sustituirse en todos los contextos lingüísticos y extralingüísticos. Entre los sinónimos siempre hay alguna diferencia estilística *(bella, guapa; raudo, veloz),* de registro *(abdomen, barriga, panza; hurtar, birlar),* connotativa *(hogar, vivienda),* regional *(cortijo, masía; chico, zagal, muchacho),* de intensidad *(horrible, horrendo),* de terminología *(anginas, amigdalitis).* Incluso hay diferencias determinadas por la edad, la familiaridad o la intencionalidad con la que se elabora el enunciado: *padre, papá, papi, progenitor...; mujeres, chicas.* Algunos lingüistas consideran que los sinónimos absolutos no existen.

Padre, papá, progenitor... son ejemplos de las diferencias que existen entre los sinónimos relacionadas con factores como la edad, la familiaridad y la intencionalidad del emisor cuando elabora el enunciado.

Lo habitual son los **sinónimos relativos,** entre los que existe algún sema, denotativo o connotativo, diferente. Su selección viene determinada por factores como el contexto lingüístico y la situación comunicativa, de manera que se puede distinguir entre:

- **Sinonimia conceptual.** Se produce coincidencia en los significados denotativos: en *auto* y *coche; asno, burro, pollino* y *jumento.*
- **Sinonimia referencial.** Los términos remiten al mismo referente, es decir, aluden a la misma realidad extralingüística, pero no significan lo mismo: *el lucero vespertino* y *la estrella de la mañana* designan al mismo planeta, Venus; *el autor del Quijote* y *el manco de Lepanto,* a Cervantes; *el agua* y *el líquido elemento; fútbol* y *deporte rey.* Su concreción pertenece al uso, no existen fuera de las situaciones concretas de comunicación.
- **Sinonimia contextual.** Son sinónimos contextuales los que pueden intercambiarse en un contexto determinado pero en otros no. Los contextos que los determinan son lingüísticos en unos casos, como ocurre con *pesado* y *latoso* en *Es un trabajo pesado/latoso,* pero no en *Este plato es muy pesado/latoso.* Otras veces el determinante es el contexto extralingüístico; algunos sinónimos son intercambiables en ciertas situaciones y otros no: *enfermo, delicado, malucho, pachucho.*
- **Sinonimia de connotación.** Entre algunos términos se establecen asociaciones metafóricas y sentidos figurados y se producen equivalencias de significado aunque sus contenidos denotativos sean muy diferentes: *Ese delantero es un monstruo/fenómeno.* Cuando dominan las connotaciones afectivas, pueden borrarse totalmente las diferencias y los términos se hacen equivalentes: *¡Eres un bestia/un salvaje/un animal/un monstruo…! Pero qué zorro/qué listo/qué astuto.*

El Real Madrid debía presentar la ficha de David de Gea y retirar la de Keylor antes de las veinticuatro horas del día 31. La firma del nuevo papeleo del costarricense por parte del Manchester no llegó a tiempo. La operación se frenó en seco, pues el pacto era un intercambio de guardametas. El club blanco no aceptaba fichar solamente al cancerbero español y encontrarse con tres grandes guardametas internacionales en su plantilla. Quería un buen acuerdo para Navas. Respeto para Keylor.

El Madrid no deseaba, por respeto humano y profesional, que el centroamericano pudiera quedarse de nuevo en el banquillo. No se lo merecía. Si David venía al conjunto blanco, Navas debía conseguir un equipo importante. Así se había acordado. El United era un conjunto ideal para el mejor portero del Mundial de Brasil. «El arquero», como le denominan en su país, aceptó el traspaso. La laxitud de los ejecutivos británicos en la operación ha supuesto que se quede.

Lo que más molesta al club español y a Mendes es que De Gea debe regresar a trabajar con Van Gaal. No será fácil para el español pasar esta temporada en Old Trafford. La casa blanca anunciará el 1 de enero su acuerdo con el futbolista, un contrato por seis temporadas. Y vendrá gratis. El Madrid prefería pagar y tenerle ya aquí.

Tomás González-Martín. «El Manchester deja colgados a De Gea y al Madrid»
www.abc.es, 1 de septiembre de 2015

Localiza todos los sinónimos que aparecen en el texto y explica de qué tipo son.

Los sinónimos pueden pertenecer a distintos niveles de uso del lenguaje y alternar los de significado más denotativo con los sentidos figurados (en los que intervienen procedimientos metafóricos o eufemismos): *miccionar, orinar, mear, hacer pipí, cambiar el agua al canario,* etc. Los que se usan en el lenguaje coloquial y en el literario suelen tener más carga connotativa.

Fuente: www.experiensense.com/lost-in translation/

Observa la traducción del inglés al español. La traducción *No caiga* y *hierro chulo* es incorrecta porque se han elegido acepciones equivocadas de palabras polisémicas. No se ha tenido en cuenta el contexto. ¿Qué acepción es la adecuada?

Polisemia. Un significante, varios significados

Un **único significante**, a lo largo del tiempo, adquiere **distintos significados**, entre los cuales existe algún punto de contacto. Se puede rastrear la relación entre las distintas acepciones: normalmente se encuentra un significado originario que se extiende a otros por distintos mecanismos como la metáfora, la metonimia o la elipsis. Para la palabra *cabeza* aparecen 21 acepciones en el DRAE, a las que se deben añadir todas las locuciones que se forman con ella.

En los diccionarios, los distintos significados de las palabras polisémicas aparecen en una única entrada y con las acepciones o significados numerados.

> LA DILOGÍA Y LA IRONÍA

La **polisemia** es la base de algunos recursos expresivos fundamentados en la multiplicidad de los significados. La **dilogía** consiste en utilizar a la vez, intencionadamente, dos o más sentidos de una palabra. La **ironía** se presenta como un equívoco para dar a entender lo contrario de lo que se dice.

www.msssi.gob.es

El eslogan aprovecha la antonimia existente entre pasado y presente, pero también la polisemia del término presente: aquí hace referencia, por un lado, al tiempo en el que se sitúa quien habla (la enfermedad aún no está erradicada) y, por otro, como locución verbal, aconseja no olvidar el riesgo de contraerla. La imagen se centra en el contagio de un individuo a otro.

Homonimia

Te quiero pero como amigos.

¿Comes amigos?

Nooo, o sea, tú y yoo.

¿Tú y yo comemos amigos?

Tú y yo que seamos amigos.

¿Y nos comemos?

Explica las homonimias en las que basan su comicidad estos mensajes.

La homonimia aparece cuando unas palabras que son distintas en su origen han confluido en un mismo significante de forma casual por una evolución fonética coincidente, pero sus significados siguen siendo distintos: *hojear* y *ojear*, *china* (piedra pequeña) y *china* (mujer natural de China), *canto* (acción de cantar) y *canto* (extremidad o lado de cualquier parte o sitio).

- Si la identidad es fonética (se pronuncian igual aunque su ortografía sea diferente), se denominan **homófonas:** *varón/barón, vaca/baca, asta/hasta, hola/ola;* en las zonas seseantes o ceceantes: *casa/caza, asa/haza, poso/pozo.*
- Cuando la homonimia es plena, fónica y gráfica, se habla de palabras **homógrafas:** *ante* (sust.), *ante* (prep.); *haz* (sust.), *haz* (verbo); *haya* (sust.), *haya* (verbo). Las palabras homónimas aparecen en los diccionarios en entradas distintas.

En ocasiones, resulta difícil saber si dos términos son homónimos o no y hay que recurrir a un estudio etimológico para conocer la procedencia de los vocablos. No existe esta dificultad si las palabras homónimas pertenecen a categorías gramaticales distintas: *llama* (fuego) y *llama* (del verbo *llamar*).

> PARONIMIA Y PARONOMASIA

El fenómeno por el cual existe similitud fonética pero no identidad entre dos palabras se denomina **paronimia.** Entre los parónimos no hay ninguna relación semántica: *absorber/absolver, abeja/oveja, estofa/estufa, hambre/hombre.* Como recurso estilístico, se llama paronomasia.

Ciego que apuntas y atinas,
caduco dios, y rapaz,
vendado que me has vendido,
y niño mayor de edad,
por el alma de tu madre
–que murió, siendo inmortal,
de envidia de mi señora–,
que no me persigas más.
Déjame en paz, Amor tirano,
déjame en paz.

Luis de Góngora
www.cervantesvirtual.com

¿A quién se dirige el poeta y por qué? ¿Qué significa «vendado que me has vendido»? Explica qué recurso estilístico ha utilizado.

03.3 Relaciones de oposición

Estas relaciones son la **antonimia** y los recursos relacionados con ella, como la antítesis y la paradoja.

La **antonimia** se produce cuando los significados de dos palabras se oponen, son contrarios: *siempre/nunca, finito/infinito, tía/sobrina*. Ahora bien, la relación semántica que existe entre estos pares de palabras antónimas no es la misma:

- Dos términos son antónimos propiamente dichos o **antónimos graduales** si admiten grados intermedios entre ellos: *siempre-(a veces)-nunca, caliente-(tibio)-frío, grande-(mediano)-pequeño, amor-(indiferencia)-odio, bueno-(regular)-malo.*
- Dos términos son **complementarios** si no admiten grados, de manera que la negación de uno supone inevitablemente la afirmación del otro: *finito/infinito, masculino/femenino, vivo/muerto, mortal/inmortal, par/impar.*
- Dos términos son **recíprocos** si los significados se implican mutuamente: *tía/sobrina, madrina/ahijado, comprar/vender, entrega/recepción.*

En cuanto a su formación, podemos distinguir dos tipos:

- **Lexicales,** si se oponen dos términos con distinto lexema: *juventud/vejez, cerca/lejos.*
- **Gramaticales,** aquellos formados sobre la misma base por derivación, por adición de un prefijo negativo: *móvil/inmóvil, vestir/desvestir.*

> **ANTÍTESIS Y PARADOJA**
>
> La **antítesis** y la **paradoja** se basan en la oposición de significados. La primera, en el contraste que produce la cercanía de dos términos o ideas antitéticos: *La brilladora lumbre es la alegría, la temerosa sombra es el pesar;* en la segunda, dos significados aparentemente contradictorios se complementan para transmitir un mensaje más profundo: *¡Oh muerte que das vida!*

03.4 Relaciones de jerarquización

Hiperonimia e hiponimia

El léxico es un conjunto organizado de elementos en el que existen términos de significado más amplio y genérico, los **hiperónimos,** que incluyen a otros cuyo significado es más restringido, los **hipónimos:** los significados de los hiperónimos *rapaz, color, mes, herramienta* contienen el significado de los hipónimos *halcón, amarillo, enero, martillo.*

Varios hipónimos de un mismo hiperónimo son **cohipónimos** entre sí: *tenedor, cuchara, cuchillo, cucharilla.*

> El **hipónimo** de un término puede, a su vez, ser **hiperónimo** de otros, en un sistema arbóreo lleno de ramificaciones.
>
> *animales* (hiperónimo)

mamíferos	← cohipónimo →	*peces*	← cohipónimo →	*aves*
simio		*túnido*		*rapaz*
chimpancé, gorila...		*atún, bonito...*		*halcón, águila...*

En los **campos semánticos** se advierte esta jerarquización de los significados; existe un término de mayor extensión (hiperónimo) que contiene los semas comunes a todos los elementos, los hipónimos.

04 Los cambios de significado

Se ha comparado a las lenguas con seres vivos: nacen, se desarrollan, pueden dar lugar a otras lenguas y, finalmente, pueden morir. Una de las formas por la que una lengua más se desarrolla y evoluciona es a través de su léxico. Los cambios sociales, técnicos, económicos e ideológicos tienen su reflejo en el vocabulario, que se amplía con nuevos elementos, los **neologismos.**

La creación de nuevas palabras se produce mediante diversos mecanismos ya estudiados en la unidad anterior: la derivación, la composición, la parasíntesis; mediante acrónimos, préstamos...

Sin embargo, uno de los procedimientos más productivos es de carácter semántico: el **cambio semántico,** mediante el cual el significado de una palabra cambia y pasa a significar otra cosa distinta.

> **AMPLIACIÓN DE SIGNIFICADO**
>
> El uso de la palabra *araña* en la acepción de 'lámpara' es un ejemplo de ampliación de significado por medio de la metáfora. Se compara la forma de la lámpara con el cuerpo de la araña.

04.1 La ampliación y la restricción del significado

Puede producirse una **ampliación** del significado de un término ya existente: *colega* significaba 'compañero de un colegio, corporación o ejército'; en la actualidad, se usa con el significado de 'amigo'. Algo similar ocurre con *socio,* ambos en un registro coloquial. Otros términos como *plural,* pertenecientes a un lenguaje técnico, amplían su uso fuera del ámbito de la gramática y también su significado: 'múltiple' o 'variado'.

En otros casos ocurre lo contrario y el cambio semántico es producto de una **restricción** del significado. **El término se especializa,** se reduce su significación y se utiliza en ámbitos profesionales o especializados: el verbo *lidiar,* 'luchar', que apenas se usa ya fuera del léxico taurino. Otras veces, como en *operación* o *masa,* el contexto de uso concreta su significado y los convierte en **tecnicismos:** *una operación quirúrgica, financiera, militar;* la *masa* como magnitud física.

04.2 Procedimientos de cambio semántico

Metáfora y metonimia

La **metáfora** se basa en una relación de semejanza que permite aplicar el nombre de un objeto a otro con el cual tiene algún parecido: la *araña* es una lámpara cuyos brazos evocan las patas del insecto. Las metáforas pueden ser antropomórficas *(ojo de la cerradura, cabeza de ajo),* zoomórficas *(ratón de biblioteca, lince para los negocios)* o de objetos inanimados *(fruto de nuestro esfuerzo, un techo de 3 000 euros, la raíz del problema).*

El sema compartido por el término real y el figurado puede ser connotativo; así ocurre en el uso de nombres de animales referidos a personas y que están asociados con la suciedad, la terquedad, la pereza, la agresividad...: *cerdo, burro, mula, perro, tiburón, lobo.*

En otros casos, las connotaciones pueden ser positivas, como en ser un *lince* o una *hormiguita* (ahorrador). Para comprender los matices asociados a este tipo de metáforas, basta con comprobar los sentidos añadidos que adquieren solo con el cambio de género: *lobo/loba, zorro/zorra.*

> **SINESTESIA**
>
> La **sinestesia** consiste en atribuir una sensación que corresponde a un sentido (oído) a un término que pertenece a otro sentido diferente (gusto): *Doritos, ¿has oído qué bien saben?;* o bien en aplicar términos sensoriales a realidades abstractas: *un suceso amargo, un carácter agrio.*

En el caso de la **metonimia**, los objetos designados no se parecen sino que entre ellos existe alguna relación objetiva en el mundo real. Esa relación puede ser de diverso tipo: cercanía física *(los pies de la cama, el cuello de la camisa)*, el efecto por la causa *(respetar las canas)*, el continente por el contenido *(una copa de vino)*, el autor por la obra *(un Picasso)*, el agente por el instrumento *(el primer violín)*, el origen por el producto *(un rioja)*, el símbolo por lo representado *(defender los colores)*, la parte por el todo o el todo por la parte *(cabezas de ganado, pedir la mano, no haber ni un alma)*, la materia por el objeto (*un lienzo; el cuero,* 'el balón de fútbol'), etc.

Etimología popular

¿Por qué decimos «No hay tu tía»?

La *atutía* aparecía en el *Diccionario de la lengua castellana* (1770). ¿Qué significaba?

www.muyhistoria.es

Infórmate sobre este ejemplo de etimología popular.

Otras veces el cambio semántico es producto de un error de interpretación de los hablantes, que piensan que entre dos términos parecidos en su forma existe una conexión etimológica, es decir, en su origen. El fenómeno se conoce como **etimología popular.** Es un fenómeno propio de la lengua oral y de los niveles coloquial y vulgar de la lengua.

Por ejemplo, la palabra *mandarina* en su origen hacía referencia a los *mandarines,* unos burócratas de la China imperial del siglo XVI cuyos trajes de color anaranjado dieron nombre a este tipo de naranja. Los hablantes, con el paso del tiempo, desconocen la realidad con la que se comparaba el color de la fruta y buscan otro sentido al nombre, modificando el significante como **mondarina* y relacionándolo con el verbo *mondar.*

El origen de la palabra *mandarina* es un ejemplo de etimología popular.

Elipsis

Por último, la **elipsis** es la supresión de un elemento de un sintagma, de tal manera que el término que permanece adquiere el significado del omitido: *un* (cigarro) *puro, un* (café) *cortado, una* (tarjeta) *postal.*

04.3 Causas del cambio semántico

Causas históricas

Puede ocurrir que un objeto caiga en desuso o que la realidad a la que se refiere un término cambie con el paso del tiempo; sin embargo, el significante que los designa puede permanecer, aunque con otro sentido: la *pluma* (estilográfica) ya no es de ave, una *azafata* no es ya la camarera de la reina, el *retrete* era en el siglo XVII una habitación pequeña y escondida de la casa: por su privacidad, pasa a designar el cuarto de la letrina; *siesta* (del latín *sexta hora*) empezó designando la hora sexta, es decir, desde el mediodía hasta media tarde, en verano la más calurosa, la del descanso después de comer; *siniestro* significa 'izquierdo' en su origen, pero en los augurios y pronósticos que hacían los adivinos las señales que aparecían por el lado izquierdo eran aviso de desgracias, al contrario que las que aparecían por el lado derecho, de buen augurio.

[…] Dicen que este periodo de «crecimiento económico negativo» (la Gran Recesión, se empeñan en llamarla los tremendistas) no ha pasado la misma factura a todos, que ha salido más cara a la clase trabajadora que los a los pudientes. Esto no es sino «el impacto asimétrico de la crisis». Así que muchos trabajadores han ido a engrosar la lista del paro, no tanto porque sus compañías les hayan despedido, sino porque se hallan inmersas en procesos de «racionalización de la red de oficinas», por ejemplo, cuando se trataba de las cajas de ahorros que se han fusionado.

Circunloquios, perífrasis, rodeos, ambigüedades, tecnicismos ininteligibles, anglicismos innecesarios… Es viejo como el poder o como la seducción. El uso persuasivo del lenguaje forma parte del discurso público desde que este existe y se mueve en esa delicada frontera entre el maquillaje y la máscara. Pero el uso de los eufemismos se intensifica en tiempos de crisis, esas épocas de malas noticias y su abuso puede rayar en lo cómico o lo grotesco. […]

Amanda MARS. «No digan recortes, llámenlo amor»
El País, 5 de marzo de 2012

¿Qué quiere decir que el eufemismo «se mueve en esa delicada frontera entre el maquillaje y la máscara»? ¿Estás de acuerdo con esa afirmación?

Causas sociales y psicológicas

Algunos términos son sustituidos por otros porque evocan connotaciones desagradables, dolorosas o indecorosas. Estos significantes se denominan **tabú** ('prohibido') porque su uso se considera poco delicado o inadecuado. No es la realidad designada la que es tabú (la vejez, la muerte, la enfermedad, la discapacidad o las referencias al sexo) sino la palabra, que puede resultar brusca o poco delicada. Por eso se busca un sustituto, un **eufemismo** que permita aludir a estas realidades de una forma más atenuada.

Así, podemos encontrar eufemismos por razones de registro, adecuados en una situación formal: *baño* o *cuarto de baño* por *váter* o *retrete;* por ennoblecimiento de una actividad o profesión: *empleada doméstica* o *de hogar* en lugar de *criada, chica, sirvienta;* atenuantes de una realidad dura: *larga enfermedad* por *cáncer, marcharse, partir, expirar, desaparecer* por *morir, invidente* por *ciego;* algunos se crean por superstición o por razones religiosas: *bicha* por *serpiente, enemigo* por *Satanás;* por pudor ante expresiones que hacen referencia a necesidades fisiológicas o relativas a la sexualidad: *hacer pipí, evacuar, hacer el amor, partes pudendas, partes.*

En ocasiones, detrás de un eufemismo hay razones políticas, un deseo de disfrazar desde el poder alguna realidad social conflictiva: *limpieza étnica, conflicto laboral, reestructuración de plantilla, flexibilidad laboral, revisión de precios…*

Puesto que el eufemismo es un término que se usa para designar realidades incómodas y desagradables, tarde o temprano la realidad termina por afectar al significante, de manera que lo que era un eufemismo se vuelve tabú y es necesario sustituirlo por otro más neutro, y así sucesivamente: el *retrete* (un cuartito íntimo) por el *váter* (un extranjerismo que ya resulta vulgar), y después por el *baño…*

> DISFEMISMO

El **disfemismo** es un eufemismo de carácter humorístico que sustituye a una palabra grosera o malsonante *(córcholis, lechuga, ostras, miércoles, pardiez)* o que intenta quitar gravedad al referente designándolo con un significante con connotaciones cómicas: *estirar la pata, estar mal de la azotea, casarse de penalti…*

Causas lingüísticas o contextuales

Se producen por las asociaciones que las palabras contraen en el contexto lingüístico: un vocablo carga por contagio con el significado de otro que siempre lo acompaña. Es lo que ocurre por elipsis en *puro* (cigarro) o en la sustitución del nombre del producto por la marca: *danone* (yogur).

05 Asociaciones semánticas de palabras

Las unidades léxicas de una lengua no se presentan aisladas, sino que pueden asociarse según determinadas relaciones semánticas.

05.1 Campo semántico

Un campo semántico está formado por las palabras de la misma categoría gramatical entre las que es preciso elegir en un punto de la cadena hablada. Comparten algún sema común que puede ser tanto de significado denotativo como de sentido figurado o connotativo (metáforas, metonimias, eufemismos y disfemismos) y pertenecer a distintos registros y variedades (culto, coloquial, vulgar; literario, científico, etc.).

En ellos se advierte una jerarquización de los significados, los términos que forman el campo son cohipónimos entre sí *(tío, sobrino, abuela, cuñado, hija, padre)* y son hipónimos recogidos bajo el término de mayor extensión o hiperónimo: *parientes* o *parentesco; viento* es un hiperónimo que incluye a los hipónimos *céfiro, brisa, terral, levante, tramontana*...

La organización interna de los campos semánticos no es permanente (puede cambiar con el tiempo, al incluirse o desaparecer palabras o al organizarse de otro modo) ni universal: cada idioma, aunque comparta con otros el mismo contenido del campo, se caracteriza por una organización diferente del mismo. El campo semántico que forma el espectro de colores parece algo universal y objetivo; sin embargo, el *sango,* una lengua africana, solo distingue tres colores fundamentales: blanco, violeta y amarillo. El campo semántico de *nieve* es mucho más amplio en las lenguas esquimales que en español; el árabe maneja cientos de palabras para una sola en español: *camello;* el campo semántico de *partes del día* se distribuye de modo diferente en español *(mañana, mediodía, tarde, noche)* y en francés *(matin, midi, après-midi, soir, nuit).*

En las agrupaciones léxicas que forman los campos semánticos intervienen muchas de las relaciones semánticas que se han analizado en esta unidad. Así, para el campo semántico del *parentesco* (hiperónimo), los términos mantienen relaciones de inclusión (hiponimia), de oposición *(suegro/nuera)* o de identidad *(abuela, yaya; madre, mami, progenitora; suegra, madre política).*

05.2 Campo asociativo

Se trata de una asociación mucho más abierta y libre que el campo semántico. En ella los términos pueden ser de distinta categoría gramatical y las relaciones que se establecen entre ellos incluyen todas las connotaciones, emociones y conexiones que pueda provocar un vocablo. Se fundamenta en la experiencia de los hablantes, en su conocimiento del mundo. El campo asociativo de *río* incluye términos como *fuente, arroyo, manantial, afluente...;* otros como *acequia, canal, pantano* o *presa; regadío, sequía, agricultura, hambre; fluir, manar, regar; fluvial, desbordado, navegable*... Los círculos asociativos son tan amplios como las circunstancias de los hablantes: *civilización, vida, muerte* (*Nuestras vidas son los ríos*...).

FAMILIA LÉXICA

La **familia léxica** o **familia de palabras** está formada por un grupo de palabras relacionadas por su origen, ya que comparten la misma base. Se han originado por la derivación y la composición y pertenecen a distintas categorías gramaticales. Entre ellas no son necesarias las relaciones semánticas pues su conexión no está en el significado sino en el significante. Ello no quiere decir que no puedan compartir algún rasgo en el significado: *pan, panera, panadería, panificar, empanar, empanada, pan bendito, pan de azúcar, pan sin sal, ganar el pan*...

Los campos semánticos no se organizan de forma universal. El campo semántico de *nieve* es mucho más amplio en las lenguas esquimales que en español.

06 Relaciones semánticas como procedimientos de coherencia y de cohesión de los textos

Como vimos en la unidad 2, la coherencia y la cohesión son, junto a la adecuación, las propiedades del texto.

La **coherencia** hace que un texto pueda ser entendido como una unidad de sentido en la que los distintos enunciados mantienen una relación: el texto posee una estructura semántica, un significado unitario donde los enunciados están conectados; el significado de cada uno depende de la interpretación de los que lo anteceden y lo siguen en el acto comunicativo y del ajuste a las circunstancias.

Para que un texto resulte coherente, debe girar en torno a un asunto principal o **tema** y en su estructura cada enunciado debe repetir información anterior a la vez que añade alguna información nueva en lo que se denomina **progresión temática.**

Además, los elementos lingüísticos establecen entre sí relaciones de significado como la **implicación lógica** *(Soy prima de Ana: su madre es mi tía)*, la **presuposición** *(Se espera una mejoría del tiempo este fin de semana)* o **el conocimiento del mundo** que comparten el emisor y el receptor *(Los animales no hablan)*.

Sin embargo, el **marco** del discurso puede determinar que funcionen **normas de coherencia especiales:** en las fábulas, los animales hablan, la ironía y el humor pueden romper con la lógica, la publicidad busca provocar sorpresa o extrañeza...

» La **cohesión** textual supone una conexión entre los elementos de un texto mediante mecanismos lingüísticos sintácticos o semánticos.

Las relaciones semánticas de identidad, de oposición y de jerarquización contribuyen a lograr la cohesión de un texto.

Entre los procedimientos léxico-semánticos que establecen las relaciones entre las distintas partes de un texto se encuentran la **sustitución metafórica o metonímica**, las **proformas léxicas** y la **recurrencia** (repetición de términos relacionados por su significado), que se expresa a través de la sinonimia, la antonimia, la hiponimia y la hiperonimia, los campos semánticos o las asociaciones más libres como los campos asociativos.

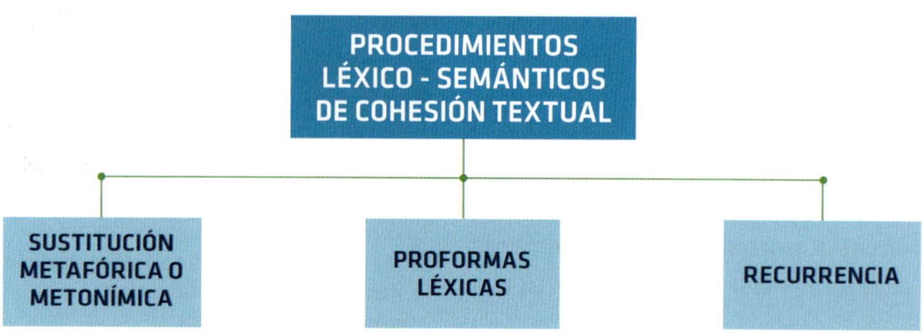

> IMPROPIEDAD LÉXICA

Para conseguir un **texto adecuado** semánticamente para una situación formal será necesario el uso correcto y preciso del vocabulario y evitar la impropiedad léxica, una incorrección que se caracteriza por utilizar las palabras con un significado distinto al que les corresponde según el diccionario. Muchas de ellas se extienden con rapidez y se imponen entre los hablantes por ignorancia y falta de cuidado. Surgen de la paronimia *(accesible/asequible; prever/proveer)*, del desconocimiento del significado *(adolecer, sendos)*, de extranjerismos o calcos mal traducidos *(bizarro)*, etc.

No hay prisa en abrir los ojos

Tras las cortinas se adivinaba ya la luz aún manchada de sombras, pero serían —pensó— las ocho, la hora de levantarse, como todos los días de su vida. ¿Por qué? Se removió en la cama y sintió el cuerpo magullado por la batalla de cada noche, la colcha caída, sábanas arrugadas, las cenizas de tanta gente soñada y muerta doliéndole en la almohada endurecida, pero las siete de la mañana le habían parecido siempre temprano, y las nueve demasiado tarde. Solo por eso. No había otra razón. ¿Qué prisa tienes? No abras los ojos, no hay prisa. ¿Quién le hablaba? ¿Oía otra voz o se hablaba a sí mismo? Sigue ahí, descansa. No abras los ojos. La noche ha sido terrible y te ha vencido. Sigue durmiendo, abre los ojos hacia ti mismo, mira dentro de ti, donde aún te late el corazón, donde están las cenizas de los que habitan tus sueños en las sombras. Pero eran ya las ocho, ¡las ocho! Y abrió los párpados, y no halló cosa en que poner los ojos, que no fuera recuerdo del olvido.

Medardo Fraile

Antes del futuro imperfecto. Páginas de Espuma

Sinónimos

Sinónimos referenciales

Hipónimos

Hiperónimos

Antónimos graduales

Antónimos complementarios

Repetición léxica y derivación

Campos asociativos dominantes

Campos semánticos

EJEMPLO

Comentario de la cohesión léxica de un texto

- Las relaciones semánticas que se establecen entre las palabras del texto constituyen uno de los mecanismos de cohesión textual mediante procedimientos de sustitución y recurrencia. De este modo, las palabras clave se repiten mediante repetición léxica y derivación, como ocurre con *abras, ojos, prisa, sigue, ocho, ti, donde, sombras.*

- Hay igualmente recurrencia semántica con el empleo de sinónimos *(abrió los ojos, abrió los párpados; descansa, durmiendo; mira, poner los ojos)* y sinónimos referenciales *(las ocho, la hora de levantarse)* que se utilizan también para evitar repeticiones.

  En la misma línea actúa el refuerzo mediante hipónimos *(colcha, sábanas, almohada)* e hiperónimos *(cama)*, mediante relaciones de jerarquización.

  El empleo de antónimos graduales *(mañana/noche, temprano/tarde)* y complementarios *(luz/sombras, recuerdo/olvido)*; establece relaciones de oposición entre los términos y sirve para destacarlos por contraste.

  Los campos semánticos de *cama (colcha, sábanas, almohada)*, sentimientos *(recuerdo, olvido)* y derrota *(magullado, vencido)* refuerzan las relaciones semánticas de los conceptos clave del texto.

- Todos estos mecanismos dan cuenta de los campos asociativos dominantes, el del *sueño (levantarse, soñada, no abras los ojos, descansa, sueños, abrió los párpados, cama, colcha, sábanas, almohada)* y el de sentimientos sombríos *(magullado, batalla, cenizas, muerta, doliendo, terrible, vencido, sombras, recuerdo, olvido).*

ELABORA TU PROYECTO

LA LENGUA EN EUFEMISMOS

En nuestra vida diaria nos vemos obligados en ocasiones a buscar eufemismos para eludir términos «tabú» que serían «políticamente incorrectos»; esto es algo que ocurre también en los textos que nos rodean. Por ejemplo, continuamente se lee o escucha que hay personas *en riesgo de exclusión social* (en situación de pobreza), productos que sufren *reajustes de precios* (subidas) o se habla de *conflictos armados* (guerras); en las ciudades vemos *residuos sólidos urbanos* (basura) y en la prensa se habla del *tráfico de influencias* (soborno)...

Partiendo del concepto de eufemismo estudiado a lo largo de la unidad y de la clasificación por ámbitos que estudiamos en la unidad 2, el proyecto va a consistir en la elaboración de un corpus de palabras eufemísticas extraídas de diferentes campos de la realidad. El objetivo es tomar conciencia de cómo el lenguaje oculta y sustituye términos y cómo el emisor contribuye a ello.

Pautas para la presentación del trabajo

1	Dividid la clase en grupos partiendo de diferentes ámbitos: • Personal y familiar. • Público y social. • Político. Podéis rastrear en periódicos, revistas, programas de radio, instrucciones, notas, ofertas de trabajo…
2	Realizad un corpus con los términos o expresiones seleccionados. Podéis crear una tabla en un documento colaborativo.
3	Poned en común los resultados.
4	Exponed oralmente las reflexiones surgidas del análisis realizado.

Recursos

Podéis consultar los siguientes materiales:

→ www.rae.es

→ www.significados.com/eufemismo/

También puedes consultar algunos documentos sobre el VIII Seminario Internacional de Lengua y Periodismo: «El lenguaje de la crisis». Puedes leer el discurso de inauguración de la infanta y compararlo con lo que se dice en las conclusiones finales del seminario:

→ http://www.casareal.es/ES/Actividades/Paginas/actividades_discursos_detalle.aspx?data=5212

→ http://www.fsanmillan.es/sites/default/files/page/docs/conclusiones_sm_2013.pdf

Con frecuencia se habla de la importancia de reciclar los *residuos sólidos urbanos*. Es un ejemplo de eufemismo.

ELABORA TU ORGANIZADOR VISUAL

Completa el siguiente mapa mental sobre las relaciones semánticas.

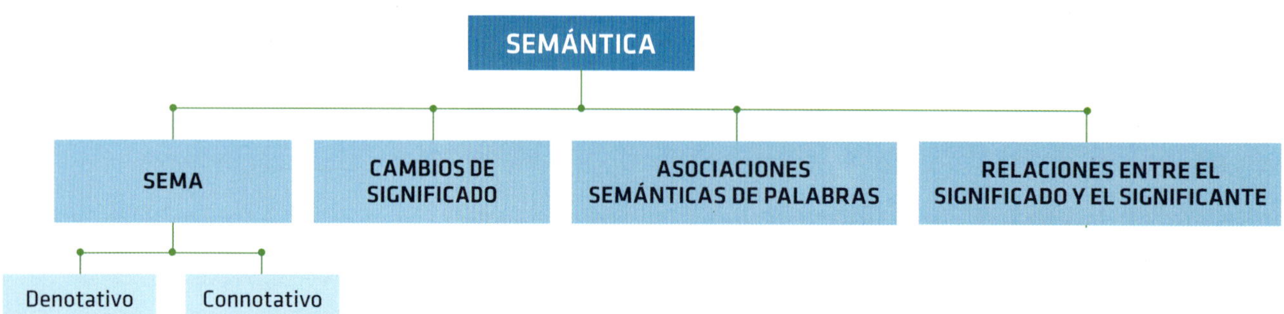

"

No hay nada más común que una rareza

Me encanta la tercera acepción del diccionario de la RAE de la palabra *normal:* «Que, por su naturaleza, forma o magnitud, se ajusta a ciertas normas fijadas de antemano». Ojalá fuera esa la primera definición del término, en lugar de la que ahora figura («Que se halla en su estado natural»), porque expresa a la perfección lo que siempre he pensado, a saber, que vivimos presos de un trágico malentendido consistente en creer que, cuando hablamos de normalidad, nos estamos refiriendo a lo más habitual, lo mayoritario, lo «natural», como dice la primera voz. Cuando, en realidad, de lo que estamos hablando es de la norma, de la ley, de una convención previamente fijada. De un marco al que intentamos adaptarnos, pero que en realidad no define a nadie o casi nadie. Y es que tengo la profunda sospecha de que los individuos «perfectamente normales» son escasísimos. A veces llego a pensar que en realidad no existen, que son un simple mito, como los dragones escamosos o el unicornio alado.

La vida me ha demostrado que, en realidad, todos estamos llenos de rarezas y de pequeñas manías. [...]

El pasado mes de julio participé en un curso formidable en El Escorial [...]. Pues bien, cuando di mi charla se me ocurrió preguntar a la gente por sus rarezas. [...] La sala estaba llena y me pareció que me miraban con ganas de sincerarse, pero cohibidos. Con pudor, con recelo, con timidez. [...]

[...] Permítanse una pequeña libertad y saquen sus manías del armario.

Rosa Montero
El País, 9 de agosto de 2015

ACTIVIDADES

1 *Figura* y *halla* son...

a. dos palabras polisémicas.
b. dos palabras homónimas.
c. un hipónimo y un hiperónimo
d. una palabra polisémica y otra homónima.

2 *Norma, convención* y *ley...*

a. son sinónimos referenciales.
b. son sinónimos absolutos.
c. pertenecen a una misma familia léxica.
d. pertenecen a un mismo campo semántico.

3 *Unicornios...*

a. es una palabra monosémica.
b. es una metáfora.
c. ha sufrido un cambio semántico por razones históricas.
d. es un hipónimo de *tricornio.*

4 *Preguntar* es...

a. un antónimo complementario de *contestar.*
b. un sinónimo conceptual de *curiosear.*
c. un antónimo recíproco de *responder.*
d. una palabra homónima.

5 *Pudor* y *recelo...*

a. son eufemismos.
b. son disfemismos.
c. son antónimos.
d. tienen connotaciones diferentes.

6 En «saquen sus manías del armario» se ha producido un cambio semántico que se denomina...

a. metáfora.
b. metonimia.
c. etimología popular.
d. eufemismo.

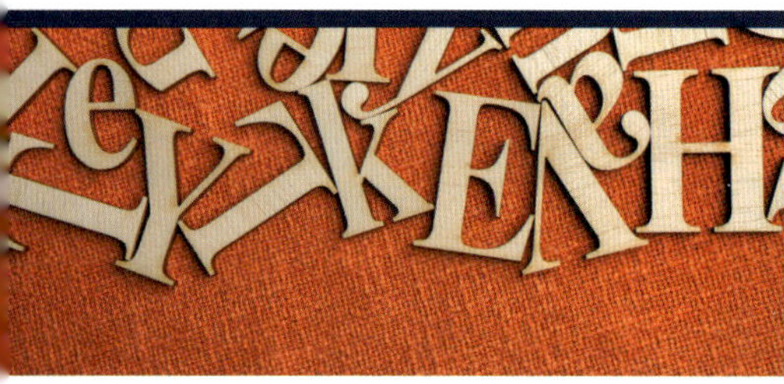

05 LAS CATEGORÍAS GRAMATICALES Y LA ORACIÓN SIMPLE

01 El enunciado y la oración

El **enunciado** es la unidad mínima de comunicación; posee autonomía sintáctica, sentido completo y entonación propia. Es una unidad de discurso, una manifestación concreta de la actividad comunicativa.

» La **oración** es una unidad gramatical, un tipo de enunciado compuesto por un sujeto y un predicado, aunque pueden construirse oraciones con el sujeto omitido y oraciones impersonales sin sujeto.

Tiene que darse una **compatibilidad semántica entre sus elementos;** una secuencia no significativa no puede denominarse oración, aunque posea una estructura oracional: **El fémur criticó las normas* o **Cecilia era incontable.*

Sin embargo, **el contexto discursivo, el marco extralingüístico,** puede determinar que resulten aceptables ciertos enunciados; la función poética en los textos literarios o publicitarios o el humor que rompe con la lógica crean contextos en los que pueden tener sentido ciertas oraciones que serían inaceptables en otros: *Los presos a través de la reja ven la libertad a la parrilla* (R. Gómez de la Serna).

> Las **locuciones interjectivas** son expresiones acuñadas asimilables a las interjecciones pero formadas por dos o más palabras que se combinan sintácticamente para dar lugar a un significado complejo: *ahí va, cómo no, cuándo no, en fin, hasta luego, ni modo, ni pensarlo, no faltaba más, quita ya, vaya por Dios.*

01.1 Enunciados interjectivos

La **interjección** es una clase de **palabra invariable** que se especializa en la formación de enunciados exclamativos. Con ella se comunican sentimientos e impresiones *(vaya, Dios mío)*, se induce a la acción *(hala, ea)*, o se expresan determinados comportamientos sociales convencionales, como los saludos y despedidas, las felicitaciones o los agradecimientos *(bienvenido, enhorabuena, gracias).*

Las interjecciones constituyen actos de habla. No se usan para describir contenidos, sino para llevar a cabo acciones, tales como saludar, brindar, jurar, manifestar sorpresa, asentimiento o rechazo, entre otras muchas. Así, quien dice *¡ay!* no describe alguna sensación de pena o dolor, sino que expresa o manifiesta esas mismas emociones. De igual manera, quien dice *¡chitón!* no describe una orden, sino que la da.

Las interjecciones no modifican ni determinan a las demás clases de palabras, sino que forman enunciados, bien por sí solas *(¡ay!, ¡caramba!, ¡epa!, ¡adiós!, ¡vaya!)*, o junto con otras *(¡ah, caramba!, ¡eh, cuidado!, ¡hala, venga!).*

> Las **onomatopeyas** no constituyen clases gramaticales de palabras; son más bien signos lingüísticos que representan sonidos, unas veces del mundo físico *(crac, pum, ring, toc, zas)* y otras propios de las personas *(achís, je, muac)* o de los animales *(guau, pío, quiquiriquí).* Aun así, algunas onomatopeyas asociadas a las personas, como *chist, sh* o *pché*, se asimilan a las interjecciones, pues denotan emociones o apelan al oyente para moverlo a la acción.

Atendiendo a su naturaleza gramatical, las interjecciones se dividen en dos grupos: **propias** e **impropias.** Las primeras se emplean únicamente como interjecciones: *oh, olé.* Las segundas se crean a partir de formas nominales *(cuidado),* verbales *(venga),* adverbiales *(fuera)* o adjetivales *(bravo).*

01.2 Clasificación de los enunciados por su modalidad

Atendiendo a la modalidad, a la actitud del hablante, los enunciados se clasifican en:

- **Enunciativos o aseverativos.** Presentan un hecho objetivamente en modo indicativo. Se corresponden con la función representativa: *Ya he leído tu mensaje.*
- **Exclamativos.** Se distinguen por la entonación y los signos de exclamación en la escritura. Se corresponden con la función expresiva del lenguaje pues se utilizan para expresar sentimientos y emociones *(¡Qué alegría verte!)* y para hacer peticiones o dar órdenes *(¡Con más energía!).* Con frecuencia son enunciados no oracionales *(¡Menudo coche!)* y pueden estar constituidos por interjecciones *(¡Hala!),* locuciones interjectivas *(¡Vaya por Dios!);* onomatopeyas *(¡Zas!)* y vocativos *(¡Niña!).*
- **Desiderativos u optativos.** Expresan un deseo del emisor. Suelen presentar el verbo en subjuntivo y otras marcas gramaticales como la interjección *ojalá (Ojalá tengas razón),* la conjunción *que (Que tengas buen viaje)* y el pronombre *quién (¡Quién pudiera viajar hasta allí!).*
- **Dubitativos.** Expresan duda o posibilidad a través del modo subjuntivo, el indicativo y los adverbios de duda *(a lo mejor, quizá, acaso, seguramente).* También con las expresiones *puede que* y *es posible que,* el futuro de indicativo y el condicional y las perífrasis verbales de posibilidad y aproximación: *Puede que visitemos el museo esta tarde, Serían las cinco más o menos, Deben de costar cien euros.*
- **Interrogativos.** El hablante formula una pregunta y espera una respuesta por parte del receptor: conecta con la función apelativa del lenguaje. Su rasgo más característico es la entonación. Se clasifican en totales *(¿Has apagado el horno?),* parciales *(¿Dónde estudiarás el año que viene?),* directos *(¿Ha pasado ya el autobús del aeropuerto?)* e indirectos *(No sé si ha pasado el autobús del aeropuerto).*
- **Imperativos o exhortativos.** Expresan orden, mandato, ruego... Responden a la función conativa o apelativa. Su marca característica es el uso del modo imperativo y el subjuntivo en sus formas negativas.

  En las oraciones imperativas, el sujeto es la persona a la que va dirigida la orden o el ruego: *Cierra la ventana (tú), Hable usted.* Otras formas que adopta esta modalidad son el futuro y el presente de mandato *(Los perros llevarán un chip con sus datos, Recoges la mesa y te pones con la tarea)* y expresiones no oracionales como *¡Fuera!, ¡Alto!, ¡Silencio!*

Las modalidades pueden combinarse pero suele haber una modalidad dominante; en *¡Ojalá no llueva mañana!,* el hablante manifiesta deseo, negación y exclamación, pero la oración es, ante todo, desiderativa.

>

Existen **fórmulas interrogativas** utilizadas por los hablantes para enfatizar lo que dicen *(Tengo razón, ¿no?),* para solicitar el acuerdo del receptor *(Nos vemos luego, ¿te parece?)* o como comprobación de que el canal de comunicación sigue abierto *(Es que no lo soporto, ¿me entiendes?).* Muchas son muletillas propias de la lengua oral y de los niveles coloquial y vulgar. Deben evitarse en situaciones formales.

>

No se debe confundir el **sujeto de las oraciones imperativas** con los vocativos: el **vocativo** suele ser un sintagma nominal separado de la oración mediante comas y que se refiere a una persona a la que se llama o apela: *Hola, Pilar, ¿cómo estás?*

Otras formas de modalidad

Además de los que hemos visto, existen otros procedimientos para expresar la modalidad o actitud del hablante:

- **Algunos adverbios** aportan informaciones modales de carácter evaluativo que muestran una valoración de lo dicho. Se separan por una pausa: *Desgraciadamente, lo he perdido.*
- La modalidad que expresan las **perífrasis verbales:** necesidad *(Tienes que hacer un poco de ejercicio)*, obligación *(Hay que pagar el recibo esta semana)*, posibilidad *(Podéis entregar el trabajo el día del examen)*, etc.
- La **negación** es una modalidad compatible con todos los tipos de enunciados. Puede afectar al conjunto de la oración *(No comeremos mañana contigo)* o restringir su ámbito a un elemento de la misma *(No comeremos mañana contigo sino con la abuela)*.

  Se manifiesta a través de adverbios modalizadores (*no, nunca, jamás, tampoco* y *nada*), pronombres y determinantes *(nadie, nada, ninguno)*, conjunciones (*ni* y *sino*) y locuciones: *sin un céntimo, no haber duda, no tener nombre, no dar crédito, no decir ni media palabra, no hacer ni caso, ni en broma, ni idea...*

Dictum, *modus* y acto de habla

Un enunciado está formado por dos componentes: el ***dictum*** y el ***modus.***

El primero hace referencia al contenido de los mensajes que se manifiesta en una **secuencia sintáctica** y que puede ser oracional *(¡Por fin ha llegado el otoño!)* o no *(¡Por fin!)*. Tradicionalmente se ha denominado **frase** al enunciado formado por un sintagma, ya sea nominal *(cambio de sentido, buena idea)*, adjetival *(maravilloso)*, adverbial *(ya)* o interjectivo *(¡caramba!)*.

El ***modus*** **o modalidad** es la expresión de la actitud del hablante, que enuncia o asevera *(Has llegado)*, exclama *(¡Has llegado!)*, pregunta *(¿Has llegado?)*, desea *(Ojalá hayas llegado)* o duda *(Tal vez hayas llegado)*. Se manifiesta mediante una serie de elementos lingüísticos como el modo verbal, la entonación, los adverbios...

Sin embargo, **el mismo enunciado** se puede **usar con intencionalidad o finalidad diferente,** por lo que se producen **actos verbales distintos.** *¿Te sirvo un poquito más de tarta?* y *¿Tienes hora?* son enunciados interrogativos, pero constituyen una invitación y un ruego respectivamente; igual ocurre con *Parece que hace frío,* donde la aseveración se puede convertir en una petición para que se cierre una ventana.

Con un enunciado interrogativo se puede afirmar *(¿No creerás que voy a prepararte la cena?)*, rogar *(¿Me puede dar su DNI?)*, recriminar *(¿Te parece bonito lo que has hecho?)* u ordenar *(¿Por qué no dejas un ratito el móvil?)*.

Por otro lado, un enunciado enunciativo se puede utilizar para ordenar o desear *(Sacas el libro y haces los ejercicios; Sean felices)*.

Son las circunstancias reales del hecho comunicativo las que determinan el significado de los enunciados.

02 El sujeto

Desde el **punto de vista semántico,** el sujeto es la función sintáctica que señala quién realiza, experimenta o padece la acción.

Desde el **punto de vista sintáctico,** el sujeto es el sintagma nominal (SN) o elemento equivalente que concuerda gramaticalmente con el núcleo del predicado en número y persona.

02.1 Tipos de sujeto según su naturaleza semántica

Exsisten **dos tipos de sujeto en función de su naturaleza semántica:**

- **Oraciones activas:** el sujeto se denomina **agente** porque realiza la acción.

El hospital londinense [SN-Suj] ha contratado noventa enfermeros españoles [SN-CD]. [SV-PV]

- **Oraciones pasivas:** el sujeto se denomina **paciente** puesto que recibe, padece la acción realizada por otro elemento, el complemento agente.

Noventa enfermeros españoles [SN-Suj Pac] han sido contratados por el hospital londinense [SPrep-CAg]. [SV-PV]

Hay oraciones, llamadas *impersonales,* que carecen de sujeto tanto expreso como tácito. Se forman de dos maneras:

- Con los **verbos impersonales,** cuyo propio significado les impide predicar algo de un sujeto. Es el caso de los siguientes verbos:
  - Verbos de fenómenos atmosféricos: *llover, nevar, tronar, amanecer...*
  - *Haber, hacer, ser* y *estar: Había mucha gente, Hace viento, Ya es de día, Está oscuro...*
  - Otros verbos como *bastar* y *tratarse* con SPrep *(Bastaba con dar un número de teléfono, Se trata de tu felicidad); dar (Le dio por salir todos los días); oler, apestar (Huele a podrido); doler, picar, escocer,* etc., con un locativo *(¿Dónde le duele? Me escuece aquí).*
- Con **sujetos inespecíficos.** En estos casos, el sujeto se oculta o no es específico (aunque en otros usos el verbo sí tenga sujeto):
  - Oraciones con el verbo en tercera persona del plural *(Dicen que habéis roto),* en primera del plural *(Siempre queremos lo que no tenemos)* y segunda del singular *(Si quieres, puedes).*
  - El pronombre *uno/a* se utiliza cuando el hablante se siente implicado de algún modo *(Uno se arrepiente de no haber estado más con los hijos).* Tanto estas estructuras como las del apartado anterior son propias de la lengua oral y del registro informal.
  - Impersonales reflejas o impersonales con *se:* con verbos transitivos o intransitivos en tercera persona del singular *(Aquí se compra sin aglomeraciones. Se habló mucho de ese asunto).*

> IDENTIFICAR EL SUJETO

El sujeto **no va precedido nunca de preposición:** en oraciones como *Hasta mi madre lo sabe, hasta* es un adverbio de carácter enfático.

En cuanto a las estructuras del tipo *Entre tú y yo lo pagamos,* el sujeto es la 1.ª persona del plural; *entre tú y yo* se analiza como un complemento predicativo, sustituible por *así.*

>

Los **verbos impersonales suelen también admitir construcciones con sujeto,** algunos en sentido figurado:

Está tronando, cierra la ventana. ↔ *Tronaron los cañones.*

Ya amanece más temprano. ↔ *Amaneció con fiebre.*

Mañana va a llover. ↔ *Le llovían las ofertas.*

Otros, porque los verbos pueden seleccionar distintos argumentos:

Tres euros bastan. ↔ *Ya basta de tonterías.*

Los libros tratan sobre ecología. ↔ *Se trata de una reclamación.*

02.2 Estructura del sujeto. Los sintagmas nominal, adjetival y preposicional

La **estructura del sujeto corresponde a la de un SN:** un núcleo modificado por determinantes y complementos.

El sintagma nominal

Sus	enormes	botas	de baloncesto
Det	CN	N	CN

El núcleo estará constituido por un **sustantivo** o cualquier **otra categoría equivalente:**

- Un **pronombre** *(Ella te llamará).*
- Un **infinitivo** *(Le gusta mucho pasear).*
- Una **oración subordinada sustantiva** *(No le preocupa llegar tarde).*
- Una **oración de relativo** libre *(Quien bien te quiere te hará llorar)* o semilibre *(Serán eliminados los que hagan trampa).*
- Cualquier categoría con **uso metalingüístico** (Fui *es un verbo).*

El núcleo puede ir **precedido por determinantes** *(un, mi, este coche).* **Los determinantes** pueden ser artículos, demostrativos, posesivos, cuantificadores, relativos, interrogativos y exclamativos.

Y puede ir complementado por los siguientes elementos, antepuestos o pospuestos:

- Sintagmas adjetivales *(un coche potente).*
- Sintagmas preposicionales *(un coche de categoría).*
- Oraciones subordinadas de relativo en función de **complemento del nombre** *(un coche que consume poco).*
- Sintagmas nominales en aposición *(nuestro perro Darko; el presidente de la Academia, Darío Villanueva).*

Algunas **palabras pueden pertenecer a varias categorías,** según su uso en la oración:

- Los demostrativos y posesivos pueden actuar como determinantes *(esta casa, nuestro perro)* y pronombres *(Dame esa, Cogimos el nuestro).* Por otro lado, cuando los posesivos van pospuestos al sustantivo, se consideran adjetivos *(el vecino vuestro, las películas suyas).*
- Los cuantificadores, relativos, exclamativos e interrogativos pueden ser determinantes *(más ejercicios, cuyo* espacio, *qué golazo, ¿cuántos metros?),* pronombres *(Muchos son los llamados, quienes* quieran, *Qué* haces, *¿Cuántos* quieres?) y adverbios *(Corre mucho, la casa donde* habita, *¿Dónde ha sido?, ¡Cuánto se han reído!).*
- Los numerales cardinales pueden ser determinantes *(cinco guitarras),* pronombres *(Tiene cinco)* y sustantivos *(un millón de habitantes).*
- Los ordinales, fraccionarios y multiplicativos pueden ser adjetivos calificativos *(los primeros días del mes, la tercera parte de la clase, triple salto mortal)* y sustantivos *(alumnos de tercero, Ha faltado una milésima de segundo, el doble de gasolina).*

Para diferenciarlos conviene recordar que, por norma general, son determinantes cuando acompañan al sustantivo, pronombres cuando lo sustituyen y adverbios cuando modifican al verbo.

El sintagma adjetival

El SAdj es un grupo sintáctico cuyo **núcleo, el adjetivo,** puede ir acompañado de modificadores y complementos:

- Los **modificadores** son adverbios de cantidad o de otro tipo *(muy revoltoso, países económicamente desarrollados, razones exclusivamente personales).*
- Los **complementos** son sintagmas preposicionales *(emocionado con el premio, satisfecho de los resultados).*

Muy	emocionado	con el premio
Modificador (cuantificador)	Núcleo (Adj)	Complemento del adjetivo (SPrep)

Recuerda que **los adjetivos, desde un punto de vista semántico, se clasifican en:**

- **Calificativos:** aquellos que añaden al sustantivo al que acompañan cualidades o propiedades *(película divertida).*
- **Relacionales:** los que permiten clasificar al sustantivo como «perteneciente o relativo a» *(texto narrativo).*

Además, los calificativos pueden reducir la extensión significativa del sustantivo adoptando un valor **especificativo** *(enseñanza pública).*

En otras ocasiones, en vez de restringir el significado, lo que hacen es añadir una explicación o resaltar una cualidad propia del sustantivo con una intención meramente descriptiva. En este caso su valor es **explicativo** *(la tarde serena de octubre).*

El sintagma preposicional

El **sintagma preposicional** (SPrep) está formado por una preposición y su término:

Enlace	Término
Una preposición o una locución preposicional	• Sintagma nominal: *hasta su puerta.* • Sintagma adjetival: *desde pequeño.* • Sintagma adverbial: *de aquí cerca* • Sintagma preposicional: *por entre las nubes.* • Proposición subordinada: *Confío en que Isabel lo arreglará.*

Las **preposiciones** se caracterizan por los siguientes rasgos:

- **Algunas** tienen **significado léxico, locativo** o **temporal** *(bajo la mesa, desde la cumbre, sobre la cama…).*
- La **mayoría** tienen **significado gramatical** (*a:* introduce el CI, algunos CD, algunos CRég…).
- Son enlaces entre un núcleo y su complemento *(agua de manantial, agua con gas).*

> LAS LOCUCIONES

Las locuciones son grupos de palabras con significado y función; es decir, constituyen una sola pieza léxica incluida en el diccionario y realizan una función sintáctica propia de la categoría a la que pertenecen. Pueden ser:

- **Nominales:** *cabeza de turco, media naranja.*
- **Adjetivas:** *corriente y moliente, de cuidado.*
- **Verbales:** *hacer las paces, meter la pata.*
- **Adverbiales:** *a medias, de paso, en vilo.*
- **Preposicionales:** *a base de, con respecto a, en lugar de, por causa de, gracias a, debido a…* (la mayoría se forma con una preposición, un nombre y otra preposición).
- **Conjuntivas:** *de manera que, puesto que, ya que.*
- **Interjectivas:** *¡ahí va!, ¡desde luego!, ¡ni hablar!*

03 El predicado. El sintagma verbal

El **predicado** es una función sintáctica que está desempeñada por un sintagma verbal (SV). Su configuración depende de la naturaleza semántica del verbo que constituye su núcleo.

El núcleo del SV

Los verbos que realizan la función de núcleo en un SV pueden ser:

- Una **forma personal,** que establece una concordancia de número y persona con el sujeto de la oración: *Los insectos xilófagos devoran la madera.*
- **Formas no personales: infinitivo, gerundio y participio** (*Intentaron apaciguar los ánimos, Vieron los folios desperdigados por la habitación, No conseguiremos nada ocultando la verdad*).
- **Perífrasis verbales, modales o aspectuales:** *Víctor tendrá que usar gafas, Los celiacos deben evitar los alimentos con gluten, Acaban de celebrarse elecciones en Portugal.*
- **Locuciones verbales:** *Ya hemos hecho las paces en el despacho del director, Creo que hemos metido la pata en este ejercicio.*

El verbo y sus argumentos determinan el **tipo de predicado** y clasifican la oración. Así, en *Voy a enviar unas flores,* el verbo transitivo *enviar* lleva previsto en su significado un argumento, el complemento directo *unas flores,* y la clasificación de la oración como transitiva.

> **VERBOS SEMICOPULATIVOS**
>
> Exsisten varios tipos de verbos semicopulativos:
>
> 1. De **cambio:** *hacerse, volverse, ponerse, quedar(se), acabar, caer, resultar, salir, terminar.*
> 2. De **permanencia:** *andar, conservarse, continuar, mantenerse, permanecer, seguir.*
> 3. De **manifestación** o **presencia de estados:** *encontrarse, hallarse, mostrarse, presentarse, revelarse.*

03.1 Tipos de predicado

Según la naturaleza del verbo, se pueden clasificar los predicados en nominales y verbales.

El predicado nominal

Es el que aparece en las oraciones copulativas o atributivas y está compuesto por un **verbo copulativo o semicopulativo y un atributo.** Estos verbos se caracterizan por su escaso contenido léxico: se utilizan para unir al sujeto con la propiedad, la cualidad o el estado que se le atribuye.

El atributo	
Forma	**Cómo reconocerlo**
Es una función desempeñada por distintos grupos sintácticos: • Sintagmas adjetivales (*Estaba muy nerviosa*). • Sintagmas nominales (*¿Es usted el conserje?*). • Sintagmas preposicionales (*Hoy me pongo de portero*). • Sintagmas adverbiales (*Ella es así, Se encuentra divinamente*). • Oraciones subordinadas sustantivas (*La mayor libertad es no desear nada*). • Oraciones subordinadas relativas sin antecedente (*Estas son las que más me gustan*).	• Si se elimina la oración resulta agramatical. • Puede conmutarse por el pronombre *lo* (o un adverbio en los verbos semicopulativos). • Si es un SAdj o un SN, concuerda en género y número con el núcleo del sujeto. • Puede ir acompañado de un CI y un CC.

Existen algunos casos especiales de oraciones con predicado nominal:

- En las **copulativas enfáticas** se pretende destacar alguno de sus elementos con una oración de relativo: *Esto es lo que pienso, Aquella era de la que más me acordaba.*
- En las llamadas **copulativas ecuativas o identificativas** se determina la identidad de personas o cosas, como en *Mi madre es la jueza* o *La educación es una salida de la pobreza.*

El orden que adoptan puede invertirse *(Lo que pienso es esto, La jueza es mi madre, Una salida de la pobreza es la educación),* la elección entre sujeto y atributo es posicional, responde al interés del hablante por destacar el elemento que ocupa la primera posición.

En los ejemplos anteriores se comprueba cómo los hablantes organizan las estructuras lingüísticas para destacar aquellos elementos que consideran de mayor interés.

El predicado verbal

En el predicado verbal, un verbo predicativo selecciona sus argumentos y determina el tipo de oración *(El árbitro aplicó la ley de la ventaja; Disponemos de productos sin gluten).*

03.2 Los complementos verbales

Se pueden distinguir dos tipos de complementos según la relación semántica que establecen con su núcleo:

- Los **argumentos,** cuya información está exigida por el significado del verbo.
- Los **adjuntos,** que presentan un carácter opcional.

El orden de los constituyentes de la oración

El orden que adopta cada función en la oración **no está determinado ni fijado sintácticamente,** sino que es variable; la posición de un segmento depende de que la información que aporta se considere nueva o de que se quiera resaltar por alguna razón: existen diferencias entre *Enrique volverá en noviembre, En noviembre volverá Enrique* o *Volverá Enrique en noviembre.*

A veces se destaca un segmento de la oración anteponiéndolo a ella y separándolo por una coma *(El guisillo, dice la abuela que ella lo hace; Del partido de ayer, mejor no hablamos).* Ese elemento destacado se denomina **tópico** y puede ir marcado además por expresiones como *a propósito de, en cuanto a, en lo que respecta a, en relación con, hablando de, respecto de...*

En otras ocasiones se focaliza una información, pero sin marcar una pausa con respecto al resto. Suele ir destacada por una entonación enfática: *Algo deberías decirle sobre su comportamiento.* El elemento señalado se conoce como **foco.**

Existen **adverbios de foco** que destacan el elemento al que acompañan frente a otros: *Viene solo tu hermano, ¿Tengo que llevarme el saco de dormir también?; Estaba buscando a Esperanza justamente; Es tan sencillo que hasta un niño lo haría; Disculpa, yo sí que he respetado la fila; Vengo exclusivamente a verte; Hemos hablado apenas un minuto; Te habrá costado como mucho cinco euros...*

Otras construcciones enfáticas son las **construcciones de relieve** *(lo que sucede es que, lo que pasa es que, es que...),* que introducen aclaraciones o matizaciones sobre lo expresado con anterioridad: *Es que soy muy cabezota; Lo que pasa es que no quiere que la acompañes; En sus clases es que nos aburrimos como ostras;* las **copulativas enfáticas** *(A mi madre es a la que más quiero).* También la elección entre una oración **pasiva o activa** enfoca la información destacando elementos diferentes, como la institución que premia o la persona premiada en *La Academia Sueca premia con el Nobel de literatura a Vargas Llosa* frente a *Vargas Llosa es premiado por la Academia...*

El complemento directo

El CD es un argumento exigido por los verbos transitivos y define la oración como transitiva.

Forma	Cómo reconocerlo
Puede ser: • Un SN *(Lleva los platos a la mesa).* • Un SPrep *(Tiene que acompañar a su hermana al conservatorio).* • Una oración subordinada de relativo sin antecedente *(Hemos averiguado lo que guardaba con tanto secreto).* • Una oración subordinada sustantiva *(Descubrieron que se había marchado).*	• Se puede sustituir por los pronombres átonos de 3.ª persona *lo, la, los, las.* • Funciona como sujeto paciente si la oración se transforma en pasiva. • Si se antepone al verbo, aparece reduplicado con la forma del pronombre átono correspondiente.

Indudablemente, la contaminación en Europa causa cáncer.

Indudablemente,	la	contaminación	en	Europa	causa	cáncer.
			Enl	SN-T		
	Det	N (Sust)	SPrep-CN		N (V)	SN-CD
Adv. extraoracional de la enunciación	SN-Suj				SV-PV	

Oración personal, activa, predicativa, transitiva.

+ ERRORES FRECUENTES

Existen **locuciones verbales** formadas con verbos transitivos **en las que el CD está lexicalizado,** como *pisar el acelerador; no abrir la boca* o *tomarle el pelo a alguien.* Aparecen registradas en el diccionario, por lo que deben ser analizadas como estructuras verbales, no como un SV con núcleo y CD.

Otras **locuciones verbales exigen CI:** *darle vueltas a la cabeza, pedir(le) peras al olmo, verle las orejas al lobo, complicar la vida (a alguien),* *dar* o *meter caña (a alguien), echar una mano (a alguien),* etc.

El complemento indirecto

Se habla de **complementos indirectos argumentales** para referirse a aquellos que están previstos en el significado del verbo: los de destinatario *(Envió la carta a la directora),* experimentador *(Le duele la cabeza),* origen *(Le compró el coche a un particular),* transferencia *(Te mando el paquete esta tarde),* comunicación *(Tienes que contestarle),* reacción afectiva *(Nos encanta ir al cine),* asignación *(A ella no le importa)...*

Forma	Cómo reconocerlo
La función de complemento indirecto (CI) la desempeñan: • Los pronombres átonos. • Los SPrep encabezados por la preposición *a.*	• Pueden ser conmutados por los pronombres átonos *le* y *les.* • Los CI suelen aparecer duplicados en forma de SPrep y pronombre átono. • Si la oración se transforma en pasiva, el CI no cambia.

Sin embargo, **algunos verbos no exigen este argumento,** aunque pueden indicar un beneficiario de la acción que se expresa a través del CI: *preparar, poner, romper algo a alguien.*

Otros se conjugan con el pronombre **se** que se considera **dativo de interés** (aquel que introduce énfasis en el proceso oracional), ya sea concordado con el verbo en número y persona *(Leerse el periódico)* o no concordado *(No te me comas el pastel),* o **dativo posesivo o simpatético** *(Se me perdió el boli, Se le ha roto la raqueta).*

Le	duró	poco	la	fiebre.
SN-CI	N (V)	SAdv-CCCant	Det	N (Sust)
SV-PV			SN-Suj	

Oración personal, activa, predicativa, intransitiva.

El complemento de régimen

Es un complemento argumental que acompaña a verbos intransitivos pronominales *(adelantarse a, exponerse a, reírse de, preocuparse por)* y no pronominales *(carecer de, bastar con, insistir en)*.

A veces en el mismo predicado el verbo rige CD y complemento de régimen (CRég): *decir algo* (CD) *de alguien* (CRég), *comparar algo* (CD) *con otro elemento* (CRég), *obligar a alguien* (CD) *a algo* (CRég).

Forma	Cómo reconocerlo
Un SPrep exigido por el verbo.	• Sin él, la oración resulta incorrecta o cambia de significado. • El verbo selecciona la preposición, aunque puede ocurrir que se presente más de una opción para el mismo verbo, lo que puede implicar cambios en el significado: *acabar de/por/con/en, tratar de/con, optar a/por, mirar a/hacia, avergonzarse de/por, esforzarse por/para.*

El fiscal lo acusa de delitos económicos

- delitos: N (Sust); económicos: SAdj-CN
- de: Enl; delitos económicos: SN-T
- El: Det; fiscal: N (Sust); lo: SN-CD; acusa: N (V); de delitos económicos: SPrep-CRég
- El fiscal: SN-Suj; lo acusa de delitos económicos: SV-PV

Oración personal, activa, predicativa, intransitiva.

Algunos verbos exigen un locativo con preposición; así *desembocar, permanecer, vivir, residir...* precisan de un complemento que especifique el lugar en el que se desemboca, permanece, vive, etc.

Este locativo no es un adjunto (un CCL), sino un CRég, ya que no es un complemento opcional o potestativo: es un SPrep requerido por el verbo para completar su significado. Lo mismo ocurre con *alejarse, huir, proceder* y otros.

El complemento agente

Indica quién realiza la acción en la voz pasiva, tanto en la perifrástica *(La obra será representada por la Compañía Nacional de Teatro Clásico)* como en la refleja *(Se estudiarán las consecuencias por expertos internacionales)*.

Siempre aparece precedido por la preposición *por* y se corresponde con el sujeto al convertir la oración en activa: *La ceremonia fue presidida por los reyes* (CAg)/ *Los reyes* (Suj) *presidieron la ceremonia*.

Varias toneladas de alimentos serán repartidas por esta ONG.

- Varias: Det; toneladas: N (Sust); de alimentos: SPrep-CN; serán repartidas: N (V); por esta ONG: SPrep-CAg
- Varias toneladas de alimentos: SN-Suj pac.; serán repartidas por esta ONG: SV-PV

Oración personal, pasiva, predicativa.

El **complemento agente** está vinculado al participio, por eso puede aparecer en oraciones activas como complemento del mismo: *Cumplía con los requisitos exigidos por el cargo.* También puede aparecer junto a un adjetivo terminado en *-ble (tolerable por la institución)* o con sustantivos derivados de verbos *(aceptación de las bases por los participantes)*.

>

Algunos sustantivos derivados de verbos conservan la preposición regida por ellos en un complemento del nombre: *confianza en tus amigos, salida de la escuela, recuerdos del ayer.* Este fenómeno puede verse también en algunos adjetivos seguidos de un CAdj con la misma preposición que rige el verbo del que provienen: *pendiente del tiempo, carente de modales.*

El complemento predicativo

Es un tipo de atributo con verbos plenos. Puede serlo del sujeto *(La niña dibujaba ilusionada)*, del CD *(Lo vio contento, Envió la fuente envuelta en fieltro, Lo nombraron director)*, del CI *(Le robaron la cartera dormido)* y del CRég *(¿Te acuerdas de mi padre feliz por tu boda, llorando?)*.

Forma	Cómo reconocerlo
Puede ser: • Un SAdj *(Me llamó muy angustiada)*. • Un SN *(La designarán candidata para estas elecciones)*. • Un SPrep *(Pecamos de ingenuos)*. • Un SAdv *(Te encuentro estupendamente)*. • Una oración subordinada *(Vimos a Manolo guardando cola en el cine)*.	• Generalmente no es necesario para el significado del verbo; si se suprime, la oración es totalmente gramatical. • Responde a la pregunta *¿cómo?;* puede sustituirse por el adverbio *así*. • A diferencia del atributo, acompaña a los verbos predicativos en un predicado verbal. Al contrario que el CCM, concuerda en género y número con el sujeto o con el CD; el CCM no tiene morfemas de género ni de número y solo predica del verbo.

Los complementos circunstanciales

Los **complementos circunstanciales** (CC) son adjuntos del predicado, es decir, son complementos opcionales no previstos en el significado del verbo.

Pueden encontrarse en cualquier tipo de predicado y, por lo tanto, en cualquier tipo de oración, así que son compatibles con todos los argumentos:

- Oración impersonal: *Ha llovido poco este otoño.*
- Predicado nominal, oración copulativa: *Se mostraron poco comunicativos en clase.*
- Predicado verbal: oración transitiva *(Le han cortado la luz por impago)*, intransitiva con complemento de régimen *(Han insistido mucho en ver los resultados)*, transitiva o intransitiva con complemento predicativo *(Lo han declarado culpable por unanimidad)*.
- Oraciones activas y oraciones pasivas: *Repasa los filos con una lima, Los suelos fueron pulidos a máquina.*
- Oraciones pronominales *(Se arrepintió toda su vida de aquellas palabras)*, reflexivas *(Por la mañana me pongo una chaqueta)* y recíprocas *(Nos veremos luego)*.

Los elementos o grupos sintácticos que desempeñan esta función son:

- Sintagmas preposicionales: *Lo tapamos con una manta* (CCI).
- Sintagmas nominales: *El pedido llegará el jueves* (CCT).
- Sintagmas adverbiales: *Ha respondido bastante bien al tratamiento* (CCM).
- Oraciones subordinadas: *Han regresado donde se conocieron* (CCL).

Por sus méritos académicos	le	concedieron	una beca	en esta universidad	para un máster.
SPrep-CCCausa	SN-CI	N(V)	SN-CD	SPrep-CCL	SPrep-CCF
SV-PV					

Oración impersonal de sujeto inespecífico, activa, predicativa, transitiva.

El sintagma adverbial (SAdv) es un grupo sintáctico que tiene como núcleo un adverbio, al que pueden acompañar modificadores y complementos:

Núcleo: un adverbio o locución adverbial.	*Llegó demasiado tarde.* *Hace las cosas sin ton ni son.*
Modificador: un adverbio, generalmente un cuantificador, un adverbio de cantidad.	*Está muy mal.* *La escuela queda algo lejos.*
Complemento del adverbio: un sintagma preposicional u otro adverbio.	*Hay una puerta detrás de ti.* *Busca una librería por aquí cerca.*

Los **modificadores** son cuantificadores de grado *(bastante cerca)*, comparativos *(más temprano que esta mañana)* y consecutivos *(tan cerca)*; adverbios de foco *(solo ahora, justamente allí)* y SN de tipo cuantificativo *(algunos segundos después)*. Los **complementos del adverbio** son SPrep *(lejos de mi vista)*.

04 Clasificación de las oraciones según el predicado

Según la naturaleza del predicado, atendiendo a ciertas propiedades del verbo con el que se construyen, se dividen en copulativas y predicativas.

ORACIONES

- **Copulativas o atributivas: verbo copulativo o semicopulativo + atributo [+ adjuntos]**
- **Predicativas: verbo predicativo + argumentos [+ adjuntos]**
  - Oraciones **transitivas:** necesitan un CD que cierre el proceso de la acción verbal.
    - **Activas:** el sujeto se considera el agente de la acción *(La juez solicitó toda la documentación)*.
      - **Reflexivas:** el sujeto realiza una acción que recae sobre sí mismo *(Arréglate el pelo)*.
      - **Recíprocas:** dos o más sujetos realizan la misma acción uno sobre otro; son a la vez sujeto y objeto *(Se lanzaban miradas)*.
      - **Pronominales:** el verbo se conjuga con las formas átonas del pronombre reflexivo *(¿Os acordáis de mi prima?)*.
    - **Pasivas:** son aquellas en las que el sujeto no realiza la acción sino que recibe o padece la acción realizada por el complemento agente. Pueden ser perifrásticas *(La ley ha sido aprobada por todos los diputados)* o reflejas *(Se admitieron todas las solicitudes)*.
  - Oraciones **intransitivas:** no necesitan la presencia de un CD que cierre el proceso de la acción verbal.
    - **Construcciones medias:** oraciones intransitivas en las que el sujeto no ejecuta ni padece acción alguna. Es más bien el soporte de un proceso: al sujeto le sucede algo sobre lo que no ejerce ningún control. Aparecen con verbos pronominales *(Chema se torció un tobillo, Las lentejas se han pegado)* o no pronominales *(La temperatura aumenta unos grados)*.

>

Los verbos transitivos pueden omitir el CD, aunque la oración sigue siendo transitiva: *Estoy estudiando (esta unidad), Tengo mucha tarea y tú no tienes (tarea).* Pero también pueden tener usos intransitivos con más o menos diferencias de significado: *Se levantó de la silla/Levantó la mano para responder; Nos reímos mucho aquel día/No sé por qué le ríes siempre las gracias.*

Como hemos visto en el apartado anterior, el término *se* posee diversos valores y funciones sintácticas: puede tratarse de un **pronombre átono** (que varía de persona y número según el contexto) o de un **morfema invariable** que acompaña a las oraciones pasivas o impersonales. En este sentido, puede desempeñar una función sintáctica dentro del predicado o bien ser un índice o marca que señala el tipo de oración.

En el siguiente cuadro se recogen sus diferentes usos.

Pronombres personales átonos y valores de *se*
Pronombre personal
• **Oraciones reflexivas:** el sujeto realiza una acción que recae sobre la misma persona o cosa que designa. En el predicado aparece un pronombre personal átono *(me, te, se, nos, os, se),* cuya función es de CD cuando no exista otro CD en la oración *(Siempre se mira de reojo en el espejo del ascensor:* reflexiva directa) o de CI si ya hay un CD en la oración *(Te has puesto la sudadera del revés:* reflexiva indirecta).
• **Oraciones recíprocas.** El sujeto es plural o múltiple: cada uno de los individuos actúa sobre los demás y a la vez recibe de ellos esa misma acción. Las formas son *nos, os, se.* El pronombre puede funcionar como CD *(Se miraron fijamente)* o como CI *(Se dieron los números de teléfono).*
• **Variante contextual de *le*.** Aparece en oraciones transitivas en las que el pronombre de CI *(le, les)* precede al de CD *(lo, la, los, las).* Se utiliza para evitar la cacofonía: *¿Se (le) lo has enviado a todos tus alumnos?*
• **Dativo ético o de interés.** El pronombre (CI) es un refuerzo enfático y puede suprimirse sin que afecte al significado: *Ya me he terminado el libro, Se hizo el crucigrama enterito, No te me pongas nervioso.*
Verbos pronominales. Oraciones pronominales
• **Verbos forzosamente pronominales.** Son verbos que no existen sin el pronombre: *jactarse, arrepentirse, quejarse, enterarse.* El pronombre se extiende a todo el paradigma verbal: *Se enteraron por la prensa, No te quejes tanto, Me arrepiento de mis palabras.*
• **Verbos con usos transitivos e intransitivos** en los que el pronombre es una marca o **morfema de intransitividad:** *La crisis se produjo por causas diversas, Se olvidaron de su cumpleaños.*
• Verbos en los que la presencia o ausencia del pronombre implica **oposiciones semánticas:** *comprometer/comprometerse, acordar/acordarse.*
Morfema de impersonalidad y pasiva refleja
• **Morfema de impersonalidad.** Aparece en oraciones impersonales, con un verbo en tercera persona del singular. Su estructura es *Se* + verbo en 3.ª pers. sing. + (opcional) SAdv y/o SPrep (nunca SN): *Se perseguirá a los culpables.* No se trata de un pronombre, sino de una marca de impersonalidad.
• **Morfema de pasiva refleja.** Un verbo en voz activa pero en una oración pasiva. Gramaticalmente, tiene un sujeto paciente (normalmente de cosa): *En esta casa se resuelven los problemas con mucho diálogo* (los problemas son resueltos). El esquema es *Se* + verbo 3.ª pers. sing. o pl. + SN que concuerda con el verbo.
• **Morfema de voz media.** En los casos en los que las oraciones medias se forman con verbos pronominales: *La abuela se durmió a mitad de la película, Se curó de un día para otro.*

05 Elementos extraoracionales. Periféricos

No escojas solo una parte,
tómame como me doy,
entero y tal como soy,
no vayas a equivocarte.

Soy sinceramente tuyo,
pero no quiero, mi amor,
ir por tu vida de visita,
vestido para la ocasión.

Joan Manuel SERRAT
Sinceramente tuyo

Fíjate en el adverbio *sinceramente:* ¿crees que funciona como complemento del verbo *soy?* ¿Qué valor aporta a la oración? Observa ahora el sintagma *mi amor:* ¿qué finalidad tiene?, ¿por qué aparece entre comas?

Algunas estructuras no forman parte de la oración, no son funciones sintácticas dentro de un sujeto o un predicado, pero tampoco constituyen enunciados por sí mismos.

Se denominan **elementos extraoracionales** y entre ellos se encuentran los adverbios oracionales y las expresiones vocativas.

- Los **adverbios oracionales o periféricos** reciben ese nombre porque pueden abarcar la oración en su conjunto. Suelen dividirse en los tres grupos siguientes:
  - Los **adverbios de la enunciación** o del acto verbal se refieren al acto mismo de la enunciación, a la actitud del hablante ante sus palabras. Entre ellos se encuentran *sinceramente, honestamente, francamente...* En *Sinceramente, creo que debemos irnos,* el adverbio no complementa a lo que se dice en la oración, sino que más bien hace referencia a un verbo de lengua *(hablar, decir, comunicar)* que está sobrentendido: *Te digo sinceramente...*
  - Los **adverbios temáticos, libres o de tópico** concretan el tema sobre el que se centra el mensaje, encuadran el mensaje en ciertos ámbitos o en ciertas circunstancias: *Legalmente, no tienes ninguna posibilidad; Moralmente, no puedo ayudarte; Económicamente, ha sido un fracaso.*
  - Los **adverbios del enunciado** se centran en el contenido del mensaje, aportan nociones que se relacionan con la modalidad de la oración, como la certeza con la que el hablante manifiesta un juicio *(Quizás sea esta la solución, Evidentemente es cierto)* o introducen una valoración sobre lo que se dice *(Desgraciadamente, no se ha podido hacer nada).*
- Constituyen **expresiones vocativas** los nombres, los pronombres y los grupos nominales que se utilizan para llamar a las personas o los animales, para iniciar un intercambio verbal o para dirigirse a alguien con diversos propósitos: *¡Eh, tú!; ¡Papá!; Adiós, muchacho; Hijo, ten cuidado.* Puede considerarse una función extraoracional y no debe confundirse con el sujeto.

  Es habitual que los vocativos acompañen a las expresiones interjectivas, especialmente si estas son apelativas: *Eh, abrígate, hijo, que hace frío.*

ELABORA TU PROYECTO

GRAMÁTICA CON MUCHO RITMO

Vamos a sacar la gramática de su contexto académico para reflexionar sobre el hecho lingüístico desde la práctica del uso diario, no solo como un vehículo importante de comunicación, sino también como mecanismo de relación social a través de la música, pues nos transmite ideas y emociones y con ella experimentamos sensaciones. Pero no olvides que la música es el soporte de una letra construida a base de mensajes lingüísticos, formados por oraciones, sintagmas, etc.

Pautas para la elaboración del trabajo

En este proyecto, se dividirá la clase en cinco grupos cuyo plan de trabajo será el siguiente:

1	Elegid una canción en español del corpus propuesto.
2	Realizad un documento colaborativo que recoja en forma de tabla los siguientes aspectos de vuestra canción: a. Buscad la letra de la canción y seleccionad diferentes oraciones. b. Clasificad las mismas según la estructura del predicado, partiendo de los contenidos estudiados. c. Analizad las modalidades oracionales. d. Reflexionad: ¿tienen relación estas modalidades con el contenido de la canción? e. Exponed oralmente los resultados del trabajo.
3	Poned en común los resultados de todos los grupos.
4	Votad la canción más valorada y el análisis más completo.

Recursos

Además del contenido de la unidad, el corpus de canciones propuestas es el siguiente:

- *El verdadero amor perdona* y *Rayando el sol*, de Maná.
- *El Aleph* y *En qué estrella estará*, de Nena Daconte.
- *A mí me suena el run run*, de Estopa.
- *Nada valgo sin tu amor*, de Juanes.

ELABORA TU ORGANIZADOR VISUAL

Elabora el organizador visual de esta unidad incluyendo los siguientes conceptos:

Transitivas

Complemento directo

Oraciones impersonales

Intransitivas

Complementos extraoracionales

Enunciados desiderativos

ACTIVIDADES

Selecciona la opción correcta:

1. En la oración *Los refugiados huyen de sus tierras, de sus tierras* es…
   - **a.** un CC de lugar.
   - **b.** un atributo.
   - **c.** un SPrep-CN.
   - **d.** un CRég.

2. En *Probablemente estoy pidiendo demasiado*, el adverbio *probablemente* es…
   - **a.** un adverbio de modo que funciona como CC de modo.
   - **b.** un adverbio de tópico.
   - **c.** un adverbio del enunciado que aporta sentido de probabilidad.
   - **d.** un adverbio de la enunciación que muestra la actitud del hablante ante sus palabras.

3. *Podrán detener* es…
   - **a.** una perífrasis verbal aspectual incoativa.
   - **b.** una perífrasis modal de posibilidad.
   - **c.** un verbo en forma personal + una oración subordinada de infinitivo.
   - **d.** un verbo en forma personal + un CD.

4. En *Han forzado la puerta con una palanca*, el SPrep es…
   - **a.** un CC de instrumento.
   - **b.** un CC de compañía.
   - **c.** un CRég.
   - **d.** un argumento.

5. La oración *Hubo un tiempo en que nos reuníamos más de veinte personas* es…
   - **a.** personal con el sujeto omitido.
   - **b.** El sujeto es *un tiempo.*
   - **c.** El sujeto es *un tiempo en que nos reuníamos más de veinte personas.*
   - **d.** impersonal.

6. En los sintagmas *cambio climático, países mediterráneos* y *recursos naturales,* los adjetivos son…
   - **a.** relacionales.
   - **b.** calificativos.
   - **c.** especificativos.
   - **d.** explicativos.

7. El enunciado *Quieren un futuro mejor para sus hijos…*
   - **a.** es de modalidad desiderativa.
   - **b.** es enunciativo en cuanto a su modalidad.
   - **c.** es de modalidad dubitativa.
   - **d.** no tiene modalidad.

8. En la oración *Se ha repartido un millón de euros en ayudas a la investigación*, la palabra *millón* es…
   - **a.** un adverbio de cantidad.
   - **b.** un adjetivo numeral ordinal.
   - **c.** un determinante.
   - **d.** un sustantivo numeral.

9. *Tampoco, no, con toda seguridad…*
   - **a.** se usan para expresar modalidad.
   - **b.** indican modalidad negativa.
   - **c.** se usan como complementos verbales.
   - **d.** los dos primeros son modalizadores y el último es un complemento del verbo.

10. *Las quejas de su familia tampoco detuvieron al muchacho* es…
    - **a.** una oración intransitiva.
    - **b.** una oración transitiva.
    - **c.** una oración impersonal.
    - **d.** una oración reflexiva.

11. *¿Seremos capaces de llegar a la cima?* es una oración…
    - **a.** copulativa.
    - **b.** predicativa transitiva.
    - **c.** predicativa intransitiva.
    - **d.** pasiva refleja.

12. *Muchas posibilidades de perder el liderato* es…
    - **a.** una subordinada sustantiva.
    - **b.** un SAdj.
    - **c.** un SN.
    - **d.** un SPrep.

13. En el sintagma anterior, *de perder el liderato* es…
    - **a.** un CN.
    - **b.** un CRég.
    - **c.** una perífrasis verbal.
    - **d.** un CAdj.

06 LA ORACIÓN COMPUESTA

01 La oración compuesta

Una oración es una unidad sintáctica formada por un sujeto y un predicado; en el caso de la oración compuesta, aparecen dos o más predicados y, por lo tanto, más de un núcleo verbal.

El tenista balear confirma sus buenas sensaciones antes del torneo de Basilea y confía en un mejor 2016.

El 20 % de las compañías españolas ha buscado durante este año mujeres que hayan sido madres recientemente.

Las oraciones compuestas se dividen en:

- Compuestas **por coordinación**, si no dependen sintácticamente unas de otras: *Piénsalo,* (Or. 1) *pregunta en casa* (Or. 2) *y toma una decisión* (Or. 3).
- Compuestas **por subordinación.** En este caso hay, a su vez, dos posibilidades:
  - Oraciones en las que puede distinguirse una principal de la que depende la subordinada y en la que se halla inserta. En este caso, la oración subordinada **realiza una función sintáctica** dentro de la principal, como sujeto o como complemento en el predicado: *Nos interesa que mejoren las cifras* (Or. sub. sust.-Suj).
  - Oraciones **subordinadas que no realizan una función en la principal,** sino que mantienen con ella una relación lógica de causa-efecto *(Como dijiste que te gustaba mucho, he preparado una tarta de galletas*), causa-consecuencia *(Vamos justos de tiempo, conque no te pares a hablar)* o bien forman con ella una estructura o periodo bimembre *(Si no llueve en primavera, habrá restricciones en el regadío).*

>

Las **conjunciones** son una clase de palabra invariable cuya función es relacionar palabras, sintagmas y oraciones: son nexos. Se dividen en **coordinantes** *(y, pero, o…),* si unen elementos sin establecer relaciones de dependencia, y **subordinantes** *(que, porque, como, si…),* en el caso de que unas secuencias dependan de otras.

Si constan de más de una palabra *(mientras que, puesto que, así que…),* se denominan **locuciones conjuntivas.**

Por otra parte, **los marcadores y conectores discursivos** vinculan enunciados y párrafos, son elementos de cohesión textual y estructuradores de la información. Pertenecen a distintas categorías gramaticales: adverbios *(además, consecuentemente),* locuciones adverbiales *(en consecuencia),* sintagmas preposicionales *(en tal caso),* locuciones conjuntivas *(antes bien).* Algunas conjunciones (como *y, pero*) usadas al comienzo de un periodo pueden actuar como conectores discursivos. En tal caso, enlazan con una secuencia previa.

La yuxtaposición

Consiste en la unión de las oraciones sin nexos expresos. Las oraciones así relacionadas **se consideran oraciones coordinadas,** aunque a veces puedan inferirse del contexto valores causales o consecutivos como en *No te levantes aún, todavía no ha terminado el examen* o *Cayeron cincuenta litros por metro cuadrado: el atasco fue monumental.* La **yuxtaposición** no es una relación sintáctica entre oraciones, **es una variante formal o estilística;** de hecho, se considera que la ausencia de nexos es un recurso estilístico (asíndeton), tanto como su exceso (polisíndeton).

La ausencia de nexos o **asíndeton** confiere al texto una mayor fluidez verbal y transmite una sensación de dinamismo e intensidad, de fuerza expresiva.	El polisíndeton aporta sosiego y refl exión a un texto en el que la conjunción señala y focaliza cada elemento de una serie.

La yuxtaposición aparece también en textos expositivos que tienen que ser muy claros, como instrucciones, prospectos, normas…

02 Oraciones compuestas por coordinación

En función de los nexos coordinantes que unen las oraciones coordinadas, estas se clasifican en los tipos que se exponen a continuación:

Copulativas	
En las oraciones compuestas por coordinación copulativa cada elemento coordinado se suma al anterior mediante el **nexo afirmativo *y*** (y su variante contextual *e*) o el **nexo negativo *ni*.**	
Disyuntivas	**Adversativas**
Estas oraciones indican **exclusión, elección entre varias opciones.** El nexo es la conjunción disyuntiva ***o*** (y su variante contextual *u*). Esta conjunción también puede tener un uso explicativo: *un complemento de régimen o suplemento.* La *Nueva gramática de la lengua española* considera que las llamadas **coordinadas distributivas** son un tipo de disyuntivas, utilizadas en contextos formales y enlazadas por conjunciones discontinuas: *bien… bien, ya… ya, ora… ora, sea… sea (Todos los días hace ejercicio, bien por la mañana, bien por la tarde).* Las oraciones encabezadas por elementos que indican distribución *(unos… otros, hoy… mañana)* se consideran yuxtapuestas: *Allí* (CCL) *se mueren de hambre, aquí* (CCL) *tiramos la comida.*	Las coordinadas adversativas indican **oposición** o **contraposición** de **ideas.** Pueden ser de dos tipos: • **Restrictivas o correctivas,** si en la segunda proposición se corrige lo afirmado en la primera. Se enlazan con las conjunciones ***pero, aunque*** y ***mas*** (de uso literario y culto). También pertenecen a este grupo las locuciones conjuntivas ***(mientras que)*** y las locuciones adverbiales: ***no obstante, sin embargo, con todo, ahora bien, eso sí.*** • **Exclusivas o excluyentes:** el primer elemento aparece negado y el segundo se afirma. Los nexos son las conjunciones ***sino*** y ***sino que,*** y los adverbios y locuciones adverbiales ***antes, antes bien, por el contrario, en cambio, al contrario,*** etc.

Debemos volver	a	los	orígenes	de la dieta mediterránea
		Det	N (Sust)	SPrep-CN
	Enl	SN-T		
N (V)	SPrep-CRég			
SV-PV				

y	(debemos) cuidar	la	actividad	física	y	el	estado	de ánimo.
		Det	N (Sust)	SAdj-CN		Det	N (Sust)	SPrep-CN
	N (V)	SN-CD			Nx	SN-CD		
Nx	SV-PV							

Se trata de una oración compuesta por coordinación. Está formada por dos oraciones coordinadas copulativas unidas por la conjunción *y,* que funciona como nexo. Las dos oraciones tienen el sujeto omitido (1.ª pers. pl.). La primera oración es predicativa, personal e intransitiva; la segunda, predicativa, personal, activa y transitiva.

En China,	los varones	cuidan	de los padres,
SPrep-CCL		N (V)	SPrep-CRég
SV-PV	SN-Suj	SV-PV	

mientras que	las mujeres	atienden	a su familia política.
		N (V)	SPrep-CD
Nx	SN-Suj	SV-PV	

Es una oración compuesta por coordinación adversativa restrictiva; el nexo es la locución conjuntiva *mientras que.* Las dos oraciones son personales y predicativas; la primera, intransitiva, y la segunda, activa y transitiva. En la primera, el CCL aparece en posición inicial porque es un tópico, un elemento destacado.

> COORDINADAS EXPLICATIVAS

Las expresiones en las que la segunda oración explica el contenido de la primera se consideran coordinadas explicativas. Los nexos son las locuciones adverbiales ***es decir, esto es*** y ***o sea.***

> OTRAS CONJUNCIONES DISCONTINUAS

También podemos encontrar conjunciones discontinuas copulativas como ***ni… ni*** o ***tanto… como.*** En estos casos, siguen manteniendo su valor sumativo: *No come ni carne roja ni embutidos; tanto las carnes rojas como los embutidos deben comerse con moderación.*

No debe confundirse esta última con elementos introductores de oraciones comparativas: *En una hora recogimos tanto como ellos en un día entero.*

03 Oraciones subordinadas sustantivas

Son aquellas que desempeñan las mismas funciones que un sintagma nominal en la oración simple: *Los alumnos esperan que el examen sea fácil* (Or. sub. sust.-CD). La oración subordinada sustantiva es una estructura inseparable de la oración en la que se inserta, puesto que es un elemento sintáctico, una función dentro de ella. En la oración *Me dijeron que habías cambiado de trabajo,* la secuencia *que habías cambiado de trabajo* adquiere su valor como CD del verbo principal. De igual manera, *me dijeron* es inseparable de su complemento, sin el cual se convierte en una estructura incompleta. Según su estructura, encontramos tres tipos:

Declarativas o enunciativas

Van encabezadas por la **conjunción completiva *que*** si el **verbo** está **en forma personal** *(Afirman que la situación está empezando a cambiar)* y **sin conjunción** en el caso de que el **verbo** aparezca **en infinitivo:** *Prefiero consumir productos agrícolas de la zona.*

A veces van **precedidas del artículo con una finalidad enfática:** *El que seamos amigos no justifica tu actitud.*

Puede omitirse la conjunción en usos formales de la lengua escrita, en el lenguaje jurídico, administrativo o epistolar: *Rogamos acudan a la mayor brevedad a la oficina del censo.*

Interrogativas indirectas

Carecen de la entonación interrogativa y de los signos de interrogación, pero plantean una pregunta a través de un verbo de entendimiento o de lengua (verbo *dicendi*). Igual que las interrogativas directas, pueden ser:

- **Totales,** introducidas por la **conjunción** *si: Las autoridades decidirán esta tarde si se suspenden los festejos.*
- **Parciales,** encabezadas por **determinantes** *(qué, cuánto, cuál),* **pronombres** *(qué, quién, cuál, cuánto)* y **adverbios interrogativos** *(dónde, cómo, cuándo, cuánto);* no son nexos, desempeñan una función en la oración que introducen acorde con su categoría gramatical: *No saben desde cuándo* (CCT) *está enfermo, Pregúntales cuántos* (Det) *kilos necesitan, No se acordaban de quiénes* (Suj) *habían hecho la reserva.*

No se deben confundir los casos en los que la oración interrogativa indirecta realiza la función de SN término de un SPrep *(Hablamos de cuánto dinero nos costaría la reforma)* con otras subordinadas en las que es solamente el elemento interrogativo el que funciona como SN término o forma parte de él:

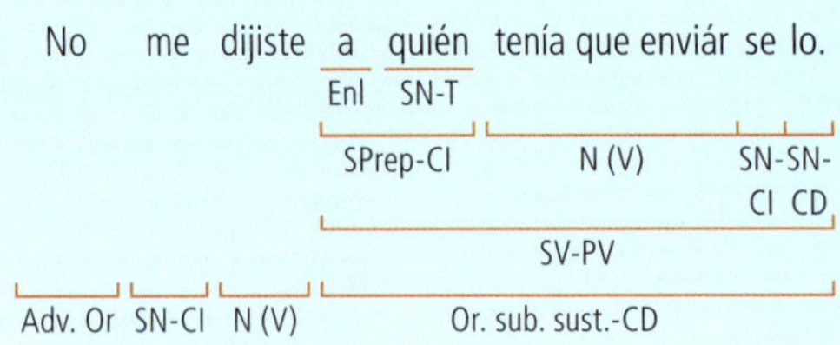

Exclamativas indirectas

Presentan las mismas características formales que las interrogativas indirectas parciales pero diferente modalidad: *Ya verás qué día tan estupendo vamos a pasar.*

03.1 Diferencias de uso entre el estilo directo e indirecto

En el **estilo indirecto,** además de la aparición de la conjunción completiva *que,* se producen **otras transformaciones gramaticales** (en los tiempos verbales, los pronombres, las expresiones de lugar y tiempo...): *Antes decías: «jamás cambiaré de marca»./Antes decías que jamás cambiarías de marca.*

La **elección** entre una y otra forma **depende del tipo de texto, de la situación comunicativa y de la intencionalidad.** En un **texto oral,** el estilo directo tiene más valor afectivo, el hablante puede incluso implicarse tratando de imitar gestos o tonos de voz. El estilo indirecto se centra más en el contenido del mensaje. En los **textos literarios,** el estilo directo aporta viveza a la narración y, al estar relacionado con la lengua oral, suele ir acompañado de otros recursos como los vocativos o los modismos.

Por otra parte, en los **textos expositivos** de cualquier ámbito pueden aparecer citas literales en estilo directo que pueden ser de autoridad o relacionadas con la objetividad y el rigor informativo (las declaraciones en los textos periodísticos, por ejemplo).

03.2 Funciones de las oraciones sustantivas

Las subordinadas sustantivas desempeñan las funciones de sujeto, complemento directo, término de una preposición, atributo y aposición:

- **Sujeto:**

Se ha comprobado que todas las maletas pesan lo mismo.

Se ha comprobado	que	todas	las	maletas	pesan	lo mismo.
		Det	Det	N (Sust)	N (V)	SN-CD
N (V)	Nx	SN-Suj			SV-PV	
SV-PV	Or. sub. sust.-Suj pac.					

Oración compuesta enunciativa. La principal es predicativa y pasiva. La subordinada es predicativa, activa y transitiva.

- **Complemento directo:**

El comparador de vuelos ha preguntado a los viajeros qué tipo de embarque prefieren.

El	comparador	de vuelos	ha preguntado	a los viajeros	qué	tipo	de embarque	prefieren.
					Det	N (Sust)	SPrep-CN	
					SN-CD			N (V)
Det	N (Sust)	SPrep-CN	N (V)	SPrep-CI	Or. sub. sust.-CD			
SN-Suj			SV-PV					

Oración principal: enunciativa, activa, predicativa y transitiva.

Oración subordinada: interrogativa indirecta parcial, predicativa, activa y transitiva.

«Se ha convocado a los afectados», explicó el ministro en la rueda de prensa.

«Se	ha convocado	a los afectados»,	explicó	el	ministro	en la rueda de prensa.
	N (V)	SPrep-CD				
SV-PV						
Or. sub. sust-CD			N (V)	Det	N	SPrep-CCL
SV-PV				SN-Suj		SV-PV

Oración principal: enunciativa, predicativa, activa, transitiva.

Oración subordinada: enunciativa, estilo directo, impersonal, predicativa y transitiva.

- **Término de preposición.** Cuando la oración subordinada es el término de un SPrep, este puede funcionar como:

Complemento del nombre	*Sus amigos tiene la absoluta seguridad* ***de*** *que saldrán adelante.*
Complemento del adjetivo	*Está harta* ***de*** *soportar tanta hipocresía.*
Complemento del adverbio	*Consiguieron sacarlo antes* ***de*** *que se inundara el garaje.*
Complemento de régimen	*Se han negado* ***a*** *firmar la petición.*
Complemento indirecto	*No le concedieron demasiada importancia* ***a*** *que se retrasaran las obras.*
Complemento circunstancial	*He visto al niño en la calle y ha salido* ***sin*** *ponerse el abrigo.*

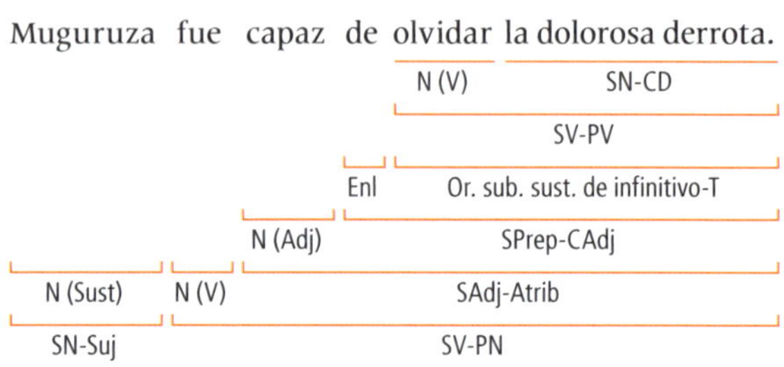

Oración principal: enunciativa, atributiva.

Oración subordinada: enunciativa, predicativa, activa, transitiva. El sujeto está omitido.

- **Atributo:**

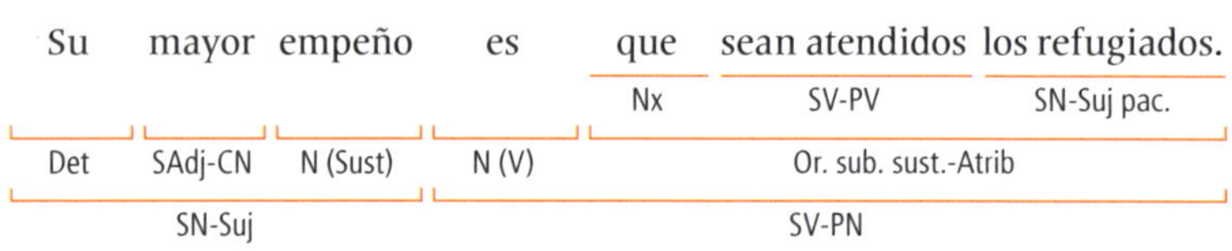

Oración principal: enunciativa, atributiva.

Oración subordinada: enunciativa, predicativa, pasiva.

- **Aposición:**

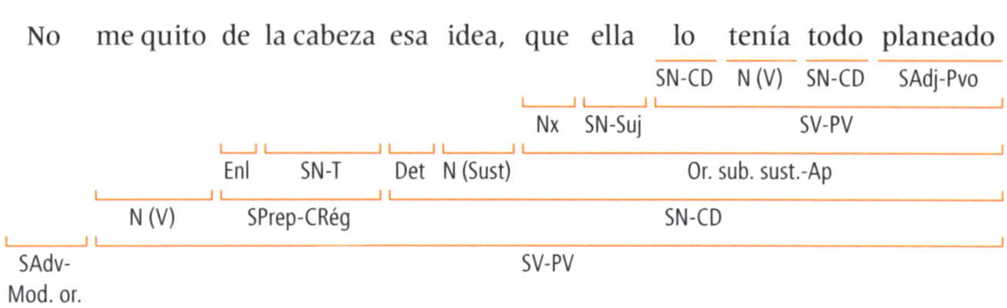

Oración principal: enunciativa negativa, predicativa, activa, transitiva. Sujeto omitido: 1.ª pers. sing.

Oración subordinada: enunciativa, predicativa, activa y transitiva

Oraciones relativas sin antecedente expreso con funciones sustantivas

Existe un tipo de oraciones adjetivas denominadas también *de relativo sin antecedente expreso* porque este se ha omitido o se sobrentiende. Pueden ser de dos tipos:

- **Libres:** en ellas, el antecedente se considera incluido en el propio relativo *quien (= la persona que)* y *cuanto.*
- **Semilibres:** en ellas el antecedente se considera elidido y el pronombre *que* va precedido de un artículo determinado. En algunos casos, el sustantivo elidido puede recuperarse por el contexto *(Ya hemos colocado las cajas: las (cajas) que más pesan están en las baldas de abajo);* en otros, no puede encontrarse ni en los enunciados precedentes ni en los posteriores, por lo que puede interpretarse como *la cosa que* o *la persona que: Lo (la cosa) que no tolera es esa falta de respeto, Prefiero a los (las personas) que se esfuerzan cada día por hacer bien su trabajo.*

En el análisis de ambos tipos se descubre que **no se comportan como adjetivos y desempeñan las mismas funciones que las subordinadas sustantivas:** sujeto *(Cuantos han entregado el currículum participarán en el proceso de selección),* CD *(Me confirmó lo que ya sabíamos),* atributo *(Estos son quienes han superado la prueba)* y término de una preposición *(Se concederán ayudas a cuantos han perdido la cosecha).*

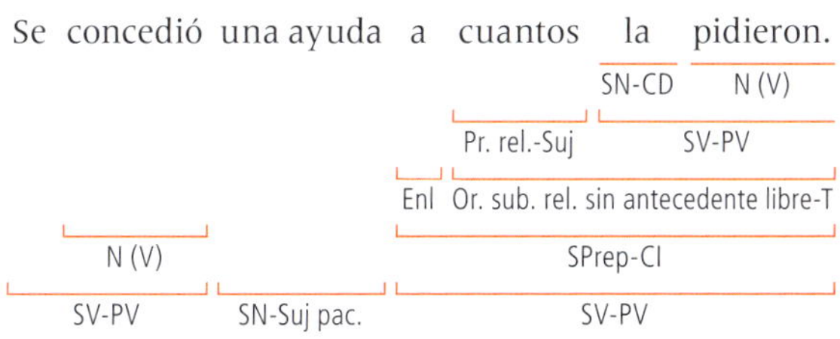

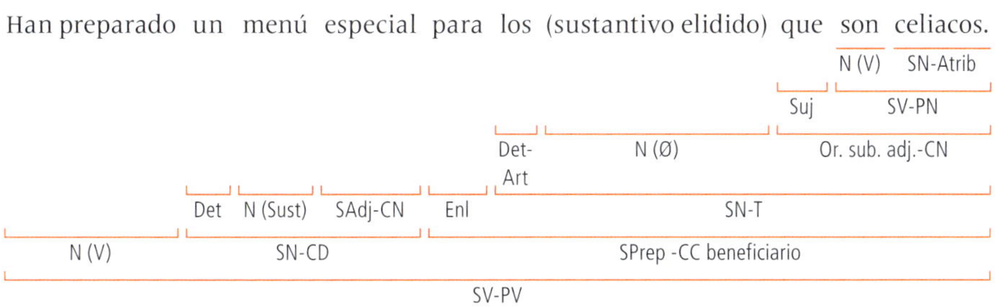

Otro posible análisis

La *Nueva gramática de la lengua española* recoge otra posibilidad de análisis para las semilibres: considerar que lo que precede a la oración no es un artículo sino un pronombre.

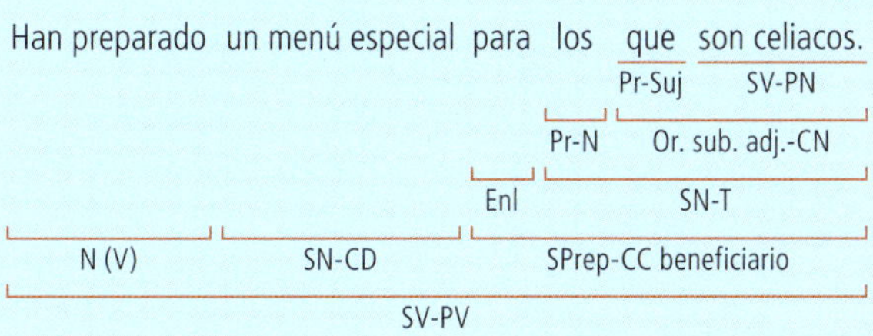

04 Oraciones subordinadas de relativo

Son equivalentes a un sintagma adjetival y actúan como complemento del nombre dentro de un sintagma nominal. El sustantivo al que complementan se denomina *antecedente*.

Tradicionalmente se han llamado adjetivas por su equivalencia sintáctica con esta categoría *(Hemos visto una película aburrida, Hemos visto una película que es aburrida)* pero la presencia en todas ellas de un relativo hace que también se denominen *oraciones subordinadas relativas*.

Ese relativo que las introduce puede ser:

- Un **pronombre:** *que, cual, quien, cuanto* y sus variantes *(Eso son palabras que se lleva el viento).*
- Un **adverbio:** *donde, adonde, como, cuando (Han limpiado el solar donde van a construir el estadio).*
- Un **determinante relativo:** *cuyo, cuanto* y sus variantes de género y número *(Era un gran marino, entre cuyos antepasados se encontraban varios aventureros).*
- También pueden estar introducidas por un **relativo complejo,** aquel que está formado por un artículo determinado seguido de los pronombres *que* o *cual,* siempre con **antecedente expreso.** Estos relativos desempeñan las funciones propias de un pronombre y, en el caso de ir precedidos por una preposición, formarán un sintagma preposicional con una función propia del mismo dentro de la oración subordinada: *No me gusta la gente con la que sale...* (CC Compañía), *Asuntos de los cuales* (CRég) *tratamos ayer..., El perro al que* (CD) *adora, El día en el que* (CCT) *nací yo.*

VALORES DEL RELATIVO

Recuerda que el relativo posee:

- Un valor subordinante porque introduce la oración subordinada.
- Un valor anafórico, ya que hace referencia al sustantivo antecedente.
- Una función sintáctica propia de su categoría.

En la oración *La destrucción de los bosques en que solían vivir los lobos provocó su desplazamiento*, el pronombre relativo *que:*

- Introduce la subordinada *(en que solían vivir los lobos).*
- Se refiere al sustantivo *bosques*, que es su antecedente.
- Desempeña la función de término dentro de un SPrep.

SUBORDINADAS ESPECIFICATIVAS Y EXPLICATIVAS

Por su equivalencia con los adjetivos, también se pueden clasificar las oraciones de relativo en especificativas *(Se han llevado los ordenadores que necesitan reparación)* y explicativas *(Se han llevado los ordenadores, que necesitan reparación).*

04.1 La preposición en las subordinadas de relativo

La preposición en las subordinadas de relativo

La preposición es el enlace propio de todos los sintagmas preposicionales, independientemente de la forma que tenga el término de la preposición: SN, oración subordinada sustantiva u oración de relativo sin antecedente expreso.

Podéis contar con que estaré a vuestro lado.
con: Enl; que estaré a vuestro lado: Or. sub. sust.-T
Podéis contar: N (V); con que estaré a vuestro lado: SPrep-CRég
SV-PV

Podéis contar con lo que necesitéis.
con: Enl; lo que necesitéis: Or. sub. rel.-T
Podéis contar: N (V); con lo que necesitéis: SPrep-CRég
SV-PV

Pero, en otros casos, la preposición solo afecta al relativo: el término de la preposición no es la oración subordinada sino el pronombre relativo.

Esta es la novela de la que te hablé ayer.
de la que: SPrep-CRég; te: SN-CI; hablé: N (V); ayer: SAdv-CCT
de la que te hablé ayer: SV-PV
la: Det; novela: N (Sust); de la que te hablé ayer: Or. sub. adj.-CN
es: N (V); la novela de la que te hablé ayer: SN-Atrib
Esta: SN-Suj; es la novela de la que te hablé ayer: SV-PN

El sujeto de la Or. sub. adj. está omitido (1.ª pers. sing.). El verbo *hablar* rige la preposición *de.*

05 Oraciones subordinadas adverbiales

[...] Como todas las cosas están llenas de mi alma
emerges de las cosas, llena del alma mía.
Mariposa de sueño, te pareces a mi alma,
y te pareces a la palabra melancolía. [...]
Me gustas cuando callas porque estás como ausente.
Distante y dolorosa como si hubieras muerto.
Una palabra entonces, una sonrisa bastan.
Y estoy alegre, alegre de que no sea cierto.

Pablo NERUDA
Veinte poemas de amor y una canción desesperada. Espasa Calpe

Localiza en el texto todas las oraciones adverbiales que expresen tiempo, modo y causa.

Según hemos visto, en el caso de las subordinadas sustantivas y de las adjetivas existe una equivalencia con los sustantivos y con los adjetivos, respectivamente. Sin embargo, cuando se trata de las denominadas tradicionalmente adverbiales no es tan sencillo establecer un paralelismo con los adverbios: ¿qué adverbio podría sustituir a una oración final, concesiva o causal? Tampoco parece idóneo denominarlas circunstanciales: las condicionales, comparativas o consecutivas no son circunstancias de la oración principal, sino que forman con ella una estructura bimembre, un periodo oracional.

Mientras que las oraciones sustantivas y adjetivas, por sus equivalencias con los sustantivos y adjetivos, se analizan siguiendo un criterio sintáctico y desempeñan funciones sintácticas propias de estas categorías, en el caso de las adverbiales, las funciones se explican frecuentemente atendiendo a criterios semánticos, es decir, a que las oraciones tengan un significado temporal, causal, condicional, etc. Un mismo nexo puede introducir distintos tipos de estructuras y los contextos lingüístico y extralingüístico determinan los diferentes sentidos:

Cuando no protesta es que le gusta la comida (¿temporal o condicional?)/*No protesta cuando le gusta la comida* (temporal).

Como no has traído calculadora, no podrás hacer el examen (causal)/*Como no traigas calculadora, no podrás hacer el examen* (condicional)/*No podrás hacer el examen como los que han traído calculadora* (modal).

Pero, además, en las subordinadas adverbiales pueden darse conjuntamente distintos valores en un mismo enunciado:

- Significados de **causa y condición:** *Hemos llamado por si ya habían llegado.*
- De **modo y condición:** *Me miró como si me conociera.* Al ir seguido el adverbio *como* de la conjunción condicional, el contenido de la subordinada es hipotético.
- Es muy frecuente la asociación de **tiempo y causa:** *Al ver su casa, sintieron una enorme compasión.*
- Concesivos y condicionales: *Aun llegando el primero, no tiene garantizado el mundial.*
- **Concesivos y temporales:** *Es amable incluso cuando le hacen preguntas impertinentes.*
- **Modo y comparación:** *Se ríe igual que su madre.*

Los valores y límites semánticos en las adverbiales no siempre están claros, por eso son determinantes el contexto y los conocimientos compartidos por el emisor y el receptor.

Se puede usar el término tradicional *adverbiales* **en sentido amplio** para designar un grupo de oraciones subordinadas entre las que se incluyen **aquellas cuya función puede considerarse complemento circunstancial** (tiempo, lugar y modo) **y las que mantienen con la oración principal otro tipo de relación de mutua dependencia o de implicación lógica** (relaciones causa-efecto, causa-consecuencia...).

Se pueden distinguir dos grupos:

- **Propias, circunstanciales o adverbiales.** Son las de tiempo, modo y lugar, que sí admiten la conmutación por un adverbio *(entonces, así, ahí)* y que realizan la función de complemento circunstancial: *Cuando tengas el material, comenzaremos el trabajo; Creo que no estáis montando el mueble como indican las instrucciones; Me voy a estudiar donde no haya ruido.*
- **Impropias:** las consecutivas, ilativas, comparativas, causales, finales, condicionales y concesivas. **Ni se pueden sustituir por un adverbio, ni equivalen a un complemento circunstancial:** *Lo escondió tan bien que ni él mismo pudo encontrarlo; Se ha fundido la bombilla, así que habrá que cambiarla; No podréis conseguir más puntos que nosotros; El incendio se extendió porque el viento soplaba muy fuerte; Se conceden ayudas para que no abandonen los estudios prematuramente; Si te descubren, arruinarás la sorpresa; Aunque resulte aburrido, te lo repetiré mil veces.*

¿Subordinadas relativas o subordinadas adverbiales?

Hemos considerado adverbiales de tiempo, lugar y modo aquellas oraciones introducidas por los adverbios *cuando, donde* y *como.*

La *Nueva gramática de la lengua española* plantea otro análisis de estas oraciones. Considera que estos adverbios son relativos sin antecedente expreso y que forman oraciones relativas libres con función de complemento circunstancial:

Nos veremos (en el lugar) *donde se celebra la fiesta.*

Lo prepararemos (según la manera) *como a ti te gusta.*

Llamadme (en el momento) *cuando lleguéis.*

En ese caso, el relativo desempeña una función en la oración subordinada adjetiva.

Llámenos — cuando necesite ayuda

cuando: SAdv-CCT; necesite: N (V); ayuda: SN-CD

cuando necesite ayuda: SV-PV

Llame: N (V); nos: SN-CD; cuando necesite ayuda: Or. sub. rel. libre-CCT

Llámenos cuando necesite ayuda: SV-PV

En esta oración, el adverbio relativo *cuando* realiza la función de CCT en la oración subordinada de relativo y no tiene un antecedente expreso en la oración principal. El sujeto de la oración principal y de la oración subordinada de relativo es *usted.*

05.1 Oraciones subordinadas de lugar, tiempo y modo

Las oraciones subordinadas adverbiales pueden ir introducidas por diferentes nexos:

- Las **temporales** pueden ir introducidas por adverbios *(cuando, apenas),* conjunciones *(mientras),* locuciones conjuntivas *(siempre que, cada vez que, una vez que, en cuanto que, luego que)* y locuciones adverbiales: *en cuanto, en tanto (que).*

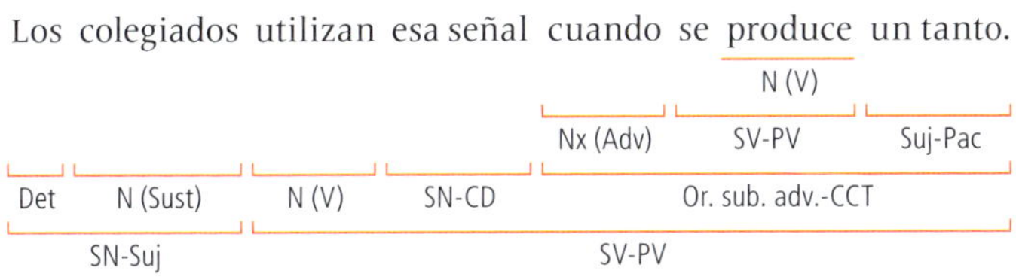

Oración principal: enunciativa, predicativa, activa y transitiva.

Oración subordinada: enunciativa, predicativa, pasiva.

- En las **locales,** el nexo es el adverbio *donde.*

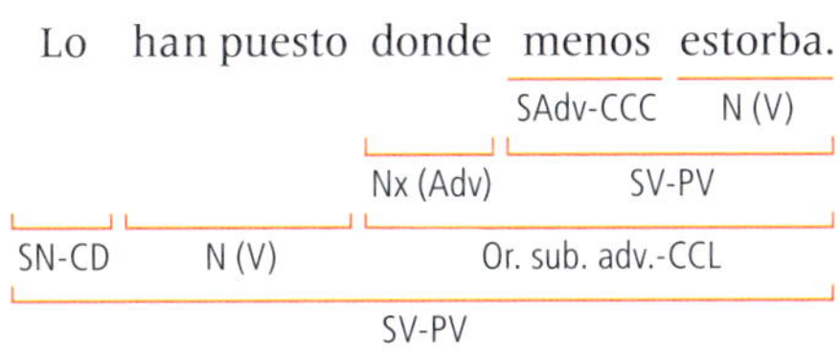

Oración principal: enunciativa, predicativa, activa y transitiva. Suj. omitido: 3.ª pers. pl.

Oración subordinada: enunciativa, predicativa, activa, intransitiva. Suj. omitido: 3.ª pers. sing.

- En el caso de las **modales,** el nexo más usual es el adverbio *como,* pero también pueden ir precedidas por otros adverbios como *conforme, según* o por una locución adverbial *(según y como).*

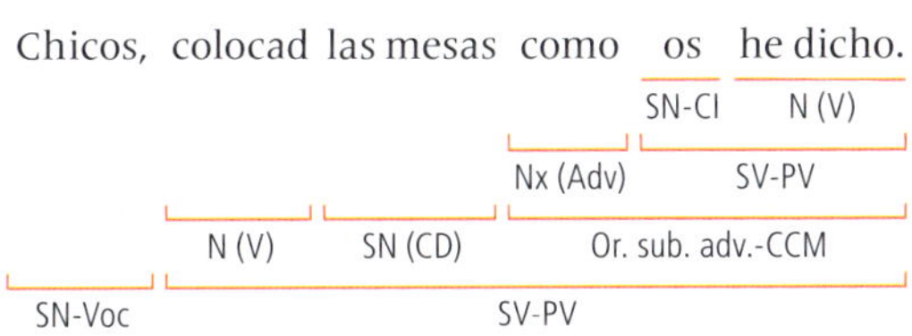

Oración principal: exhortativa, predicativa, activa y transitiva.

Oración subordinada: enunciativa, predicativa, activa y transitiva.

Valores de *como*

Es frecuente que las subordinadas modales introducidas por *como* se construyan con elementos elididos: *Este ejercicio se hace como el primero (se hace).* En estos casos, se unen los valores modales con los comparativos.

Puede ocurrir también que, en algunas secuencias, *como* sea equivalente a una preposición, con el mismo valor que *de (Trabaja como ~ de camarero)* o con el significado de 'en calidad de, a modo de': *Han quedado como amigos, Te recibo como esposo.* En ambos casos, la construcción realiza la función de complemento predicativo.

05.2 Relaciones de causa-efecto: causales, finales e ilativas

«Después de cenar, como hacía buen tiempo, salimos al jardín a tomar el té a la sombra de unos manzanos», escribe Stukeley. «En la conversación me dijo que estaba en la misma situación que cuando le vino a la mente por primera vez la idea de la gravitación. La originó la caída de una manzana, mientras estaba sentado, reflexionando. Pensó para sí ¿por qué tiene que caer la manzana siempre perpendicularmente al suelo? ¿Por qué no cae hacia arriba o hacia un lado, y no siempre hacia el centro de la Tierra? La razón tiene que ser que la Tierra la atrae. Debe haber una fuerza de atracción en la materia; y la suma de la fuerza de atracción de la materia de la Tierra debe estar en el centro de la Tierra, y no en otro lado. Por esto la manzana cae perpendicularmente, hacia el centro. Por tanto, si la materia atrae a la materia, debe ser en proporción a su cantidad. La manzana atrae a la Tierra tanto como la Tierra atrae a la manzana. Hay una fuerza, la que aquí llamamos gravedad, que se extiende por todo el universo».

Malen Ruiz de Elvira
«Newton y la manzana salen de los archivos de la Royal Society». *El País*, 18 de enero de 2010

Observa cómo se expresan en el texto las relaciones causa-efecto. Localiza las oraciones causales e ilativas que se utilizan para ello.

Oraciones causales

Las oraciones subordinadas causales expresan **nociones de causa internas al enunciado** o **externas a él.** En oraciones del tipo *No fue a clase porque estaba resfriada,* la causal introducida por la conjunción *porque* explica los motivos de lo dicho en la oración principal (en la que se expresa el efecto), es una causa interna. Se denominan **causales del enunciado.**

Si expresan **una causa externa** al predicado principal, van siempre separadas por comas y puede ocurrir que:

- Expliquen por qué se pronuncia el enunciado. En *Hace frío, porque va mucha gente con abrigo,* la causal no responde a la pregunta ¿por qué hace frío?, sino a por qué se dice que hace frío. Son **causales de la enunciación,** de un verbo *dicendi* implícito: *(Digo que) hace frío porque...*

  En la oración causal interna *Los chicos chillaron porque se asustaron,* la pregunta es ¿por qué chillaron los chicos? Y la respuesta es la causal. En el caso de una causal de la enunciación como *Han debido de asustarse porque están chillando,* la pregunta no es por qué se han asustado, sino ¿por qué digo que se han asustado?

- En las **causales explicativas** o justificativas, separadas de la oración principal por una pausa y generalmente pospuestas a esta, el hablante explica o justifica un acto de habla precedente (una orden, petición, deseo, felicitación...): *¡Callaos! Que no se oye la tele; ¿Me pones un poquito más de tarta? Porque está buenísima; Ojalá que llueva este otoño, porque el campo está muy seco; Enhorabuena por tus calificaciones, pues has trabajado mucho y con constancia.*

- Las causales **externas antepuestas** *(Como tenía hambre, se preparó un bocadillo)* sitúan la causa o el motivo de la acción en posición de tópico: *Puesto que no me escuchas, voy a colgar el teléfono; En vista de que vamos perdiendo, será mejor reservar fuerzas.*

Los **nexos más habituales** son las conjunciones *porque* y *como* pero también actúan como nexos causales las locuciones conjuntivas *a causa de (que), en razón de (que), en vista de (que), con motivo de (que), debido a que, gracias a, visto que, habida cuenta de (que), puesto que, dado que, ya que, comoquiera que...*

Otras formas de expresar la causa son: a través de las **construcciones absolutas con los participios** *dado, supuesto* y *puesto (Dadas las circunstancias, ampliaremos el plazo de presentación)* o a través de la preposición *por* con una oración sustantiva con el verbo en infinitivo: *Le han concedido el premio por desarrollar una aplicación para personas ciegas.*

Con otras construcciones también puede inferirse la causa, por ejemplo, a través de subordinadas de relativo explicativas *(Se reformó el edificio, que era muy antiguo; Mi compañera, que no recibió el mensaje, no acudió a la reunión)* o mediante la coordinación *(Olvidé activar la alarma y llegué tarde al trabajo).*

Las autoridades	han cerrado	el local	porque	no	cumplía	con las normas de seguridad
	N (V)	SN-CD			N (V)	SPrep-CRég
SN-Suj	SV-PV		Nx (conj)	Mod. or. (Adv)	SV-PV	
Or. principal			Or. sub. adv. causal			

Oraciones finales

La **finalidad** se expresa con las oraciones subordinadas finales. Como las causales, pueden ser:

- **Internas,** si explican el propósito de la acción expresada por el verbo principal. Responden a las preguntas ¿para qué?, ¿a fin de qué?, ¿a qué?: *Te he llamado para que estés preparado; Han venido a/para poner una reclamación.*
- **Externas,** si modifican a toda la oración o a un segmento externo al predicado. Se separan de la principal por pausas:
  - Las **antepuestas** se comportan como tópicos y pueden adoptar sentidos de contraste, más que de finalidad: *Para que se lo lleve ella, me lo llevo yo.*
  - Las **finales de la enunciación** son aquellas en las que el hablante expresa la finalidad para la que emite el enunciado. Tal como sucede con las causales, se refieren a un verbo de lengua implícito: *Para que te enteres, no me lo creo.*
  - Las **explicativas o justificativas** son aquellas que explican la finalidad para la que se realiza el acto de habla anterior, una orden, una petición, un consejo: *Cierra la puerta, para que no nos oiga nadie; Por favor, préstame el bolígrafo, para que te deje la dirección.*

Además de las preposiciones *para* y *a* (con infinitivo), las oraciones finales pueden ser introducidas por las locuciones conjuntivas *para que, a que, a efecto(s) de (que), a fin de (que), con (la) intención de (que), con vistas a (que), en orden a (que), con tal de (que), con tal de.*

Los urbanistas y las autoridades	deben colaborar	para	crear	modelos de ciudad más saludables
	N (V)		N (V)	SN-CD
SN-Suj	SV-PV	Nx	SV-PV	
Or. principal		Or. sub. adv. final		

> **OTROS POSIBLES ANÁLISIS DE ORACIONES CAUSALES Y FINALES INTERNAS**
>
> Las oraciones causales introducidas por *por (que)* y las finales introducidas por *para (que)* admiten otro tipo de análisis si se interpretan como sintagmas preposicionales. En este caso, se produce la siguiente segmentación: *por* (preposición) + *que* (oración subordinada sustantiva); *para* (preposición) + *que* (oración subordinada sustantiva).

Consecutivas ilativas y ponderativas

Las oraciones **ilativas forman parte de una estructura bimembre** en la que ellas aportan la consecuencia de lo expresado en la primera parte, de la que se separan por una pausa. Dicha consecuencia no depende de la intensidad con la que se haya realizado la principal, a diferencia de las consecutivas ponderativas: *No queda café, así que tendré que tomar una infusión.* Unas veces se han agrupado con las oraciones consecutivas y otras con las coordinadas.

Entre las conjunciones y locuciones conjuntivas que las introducen se encuentran: *luego (No has puesto el despertador, luego no piensas madrugar), conque (Aquí no hay nada que hacer, conque vámonos y no perdamos el tiempo), pues (Estás agotado y no te concentras, pues descansa un poco), de forma/manera/modo/suerte que (No le fue bien el negocio, de manera que se fue a otra ciudad a probar suerte; No tenían prisa, de modo que salieron a tomar el fresco al jardín), de ahí que (Obtuvieron malos resultados, de ahí que iniciaran una nueva línea de investigación), así que (Ya son las tres, así que nos vamos a almorzar).*

Han traducido	las etiquetas	del chino	al español,
N (V)	SN-CD	SPrep-CRég	SPrep-CRég
SV-PV			
Or. principal			

de modo que	los consumidores	pueden conocer	el producto.
		N (V)	SN-CD
Nx (loc. conj.)	SN-Suj	SV-PV	
Or. sub. adv. ilativa			

Las dos oraciones son enunciativas, predicativas, activas y transitivas. El sujeto de la oración principal está omitido (3.ª pers. pl.).

EJEMPLO

En el análisis de la oración *Han traducido las etiquetas del chino al español, de modo que los consumidores pueden conocer el producto,* si se cambia el verbo al presente de subjuntivo, ¿cambia el tipo de subordinada? Fíjate:

Han traducido las etiquetas del chino al español, de modo que los consumidores puedan conocer el producto.

Observa el valor final que adquiere en subjuntivo. Puedes comprobar, así, que las funciones se explican atendiendo a criterios semánticos, y que un mismo nexo puede introducir distintos tipos de estructuras: los contextos lingüístico y extralingüístico determinan los diferentes sentidos.

Las oraciones **consecutivas** expresan **la consecuencia producida por el grado o la intensidad con los que se ha realizado una acción:** *Las rachas de viento son de tal intensidad que las autoridades recomiendan permanecer en las viviendas, Tantas razones le dio que acabó por convencerla, Me gusta tanto esta canción que no me canso de oírla una y otra vez.*

> CONECTORES ILATIVOS

En ocasiones, los adverbios y las locuciones adverbiales como *consecuentemente, entonces, por consiguiente* o *por (lo) tanto* funcionan como conectores del discurso que expresan relaciones ilativas. El adjetivo *ilativo* se deriva del sustantivo *ilación,* que el DRAE define como «trabazón razonable y ordenada de las partes de un discurso».

> Los niños obesos y con sobrepeso tienden a seguir siendo obesos en la edad adulta y tienen más probabilidades de padecer a edades más tempranas enfermedades no transmisibles como la diabetes y las enfermedades cardiovasculares. El sobrepeso, la obesidad y las enfermedades conexas son en gran medida prevenibles. **Por consiguiente,** hay que dar una gran prioridad a la prevención de la obesidad infantil.
>
> Organización Mundial de la Salud. http://www.who.int/

Estas oraciones constan de dos partes. En la primera aparece el grupo cuantificativo, es decir, el cuantificador *(tan, tanto)* o el cualitativo *(tal)* y el elemento intensificado por ellos: *Volé tan alto, tan alto.* En la segunda parte se encuentra la oración subordinada consecutiva introducida por la conjunción *que: que le di a la caza alcance.*

También en estos periodos oracionales pueden producirse elipsis: *Está (tan nerviosa) que se sube por las paredes.*

La crisis	es	de tal magnitud	que	se	necesitan	soluciones extraordinarias.
	N (V)	SPrep-Atrib			N (V)	
SN-S	SV-PN		Nx (conj)		SV-PV	SN-Suj pac
Or. principal			Or. sub. consecutiva			

Oración principal: enunciativa, atributiva.

Oración subordinada: enunciativa, predicativa, pasiva.

Consecutivas en la lengua oral

En los registros informales de la lengua, como las conversaciones, se emplean otras formas con valor consecutivo: *Es de un miserable que espanta a la gente* (de *un* + adjetivo); *Tiene un color que duelen los ojos* (*un* + sustantivo); *Se armó un griterío tal que hubo que suspender la reunión* (*un* + sustantivo + *tal*); *Tiene cada ocurrencia que nos deja sorprendidos* (*cada* + sustantivo); *Si estará despistado que se ha subido en otro autobús* (*si* + futuro de conjetura); *¡Cómo llovería que cortaron el subterráneo!* (con palabras interrogativas o exclamativas); *Lo listo que es que se dio cuenta enseguida* (con artículo neutro); *Dijo unas cosas…, Compran de tonterías…, Se pone unos ropajes…* (con puntos suspensivos y elementos omitidos).

05.3 Condicionales y concesivas

Tanto las oraciones subordinadas condicionales como las oraciones subordinadas concesivas constituyen **estructuras bimembres,** compuestas por una oración principal y una subordinada **que no está incluida en la principal.**

Es frecuente que **la subordinada** aparezca delante de la principal, por lo que se la denomina **prótasis,** mientras que **la principal,** separada de esta por una pausa, se conoce como **apódosis.** A la oración compuesta en la que aparecen se la denomina **periodo.**

- Periodo **condicional:** *Si no hay mucho tráfico* (Or. subordinada: prótasis), *llegaremos en quince minutos* (Or. principal: apódosis).
- Periodo **concesivo:** *Aunque tuviera el dinero* (Or. subordinada: prótasis), *no compraría esa casa* (Or. principal: apódosis).

Suelen ir introducidas por una conjunción: en el caso de las condicionales, la más representativa es ***si;*** en el caso de las concesivas, ***aunque.***

A continuación veremos las particularidades de las oraciones encabezadas por estos nexos para no confundirlas con otras en las que estas mismas palabras introducen otro tipo de oraciones: subordinadas sustantivas interrogativas indirectas en el caso de *si* y coordinadas adversativas en el caso de *aunque.*

Condicionales

En las oraciones compuestas formadas por periodos **condicionales** la prótasis expresa una condición, requisito o premisa que se impone para el cumplimiento de la apódosis: *Si es barato, lo compraremos* (requisito); *Si lo compramos, es barato* (premisa para llegar a una conclusión).

Esa condición **puede ser:**

- **Real, con verbos en indicativo:** *Si te tomas la sopa, te doy un helado después.*
- **Potencial,** con subjuntivo en la prótasis y condicional o imperativo en la apódosis: *Si pudiera venir, me haría muy feliz; Si consiguieras hablar con ella, díselo.*
- **Irreal,** donde el tiempo de la prótasis es el pluscuamperfecto de subjuntivo y los de la apódosis el condicional compuesto o el pluscuamperfecto de subjuntivo: *Se lo habríamos explicado si nos hubiera dejado hablar; hubieran entendido si hubieran visto la casa.*

Además de la conjunción si, pueden aparecer otras: *Como me toque la lotería, nos vamos de viaje* (siempre con el verbo en modo subjuntivo); *Mientras no se distraiga de sus estudios, puede hacer el deporte que quiera; Cuando no ha aceptado la oferta, es que no le convenía económicamente.*

Entre las locuciones conjuntivas se encuentran: *Con tal de que llegues a tiempo, no me importa cuándo te levantes; Te darán la beca siempre que obtengas las calificaciones requeridas; Podremos repararte el coche siempre y cuando recibamos los repuestos; A menos que se produzcan lluvias torrenciales, se prevé una buena cosecha; A no ser que se le haya olvidado, debería traer el queso; Como no sea que lleven cuerda, allí no van a poder subir; Consulta la web en caso de tener dudas* (o *en caso de que tengas dudas*); *En el supuesto de que nuestro centro resulte seleccionado, vuestra clase será la que disfrute del viaje; Nuestro grupo actuará en las fiestas a condición de que la recaudación se done a la asociación de vecinos.*

También se puede expresar la condición a través de construcciones absolutas de participio y gerundio: *Cortando la infección, la evolución debe ser positiva; Vestido de esa manera, no te dejarán entrar.*

Al igual que en las oraciones compuestas basadas en relaciones de causa-efecto, también podemos distinguir:

- **Condicionales del enunciado:** expresan una condición impuesta al hecho expresado en la apódosis *(Si prometes no decírselo a nadie, te cuento un secreto).*
- **Condicionales de la enunciación:** imponen una condición o premisa cuyo cumplimiento permite enunciar el contenido de la apódosis *(Si no me equivoco, aquella es tu hermana).*

En Barcelona	buscan	opciones	en el caso de que	Messi	no	se recupere.
SPrep-CCL	N (V)	SN-CD				N (V)
SV-PV			Nx (loc. conj)	SN-Suj	Mod. or.	SV-PV
Or. principal (apódosis)			Or. sub. adv. condicional (prótasis)			

Oración principal: enunciativa, predicativa, activa y transitiva.

Oración subordinada: enunciativa negativa, predicativa, pronominal, intransitiva.

Concesivas

Las **concesivas** expresan una dificultad para lo manifestado en la oración principal pero no impiden su cumplimiento.

- En el caso de las **concesivas del enunciado,** la oración puede aparecer antepuesta *(Aunque me ha mentido, lo perdono),* pero también pospuesta *(Todos los días sale a caminar aunque le duelan las rodillas).*
- Las **concesivas de la enunciación** imponen una dificultad para que se enuncie la oración principal: *Aunque no os lo creáis, es un chico muy tímido.*

El nexo principal es la conjunción *aunque,* pero existen otras formas de unir estos periodos:

- Con los adverbios *aun, incluso* y *ni siquiera* se construyen estructuras concesivas con valores condicionales y temporales añadidos: *Aun si te perdona, nunca lo olvidará; Incluso cuando está cansada tiene un minuto para escucharnos; Ni siquiera cuando duerme se queda quieto.*
- La conjunción *así* (no el adverbio) introduce estructuras concesivas con valor hiperbólico: *No vuelvo a ese restaurante así fuera el único del mundo.*
- Las locuciones conjuntivas *si bien, por más que, a pesar de: Si bien trabaja despacio, sus obras son de gran calidad.*
- Locuciones adverbiales: *con todo, con todo y con eso, así y todo, en todo caso, de todos modos, mal que + pesar,* la expresión *y todo (cansado y todo).*
- Estructuras duplicadas de verbo en subjuntivo: *sea donde sea, lo diga quien lo diga, llueva o truene...*
- Sintagmas preposicionales con valor concesivo *(Con correr no vas a arreglarlo; Para ser tan joven, es muy madura)* y construcciones absolutas de gerundio y de participio precedidas por *aun, incluso, ni siquiera: Incluso saliendo temprano..., Ni siquiera resuelto el caso..., Aun terminado el libro...*

A pesar de que | no | pudo estudiar | de niña,
- pudo: N (V); de niña: SPrep-CCT
- A pesar de que: Nx (loc. conj.); no: Mod. or.; pudo estudiar de niña: SV-PV
- Or. sub. adv. concesiva (prótasis)

posteriormente | consiguió | su título de la ESO.
- posteriormente: SAdv-CCT; consiguió: N (V); su título de la ESO: SN-CD
- SV-PV
- Or. principal (apódosis)

Las dos oraciones son enunciativas, predicativas, activas y transitivas.

> DISTINCIÓN ENTRE CONCESIVAS Y ADVERSATIVAS

Observa que el nexo *aunque* en posición inicial siempre introduce una oración concesiva y no hay confusión posible con el correspondiente nexo adversativo: *Aunque está lejos, todos los días me acuerdo de él* y no **Pero está lejos, todos los días me acuerdo de él.* Recuerda que es esta equivalencia con *pero* la que puede deshacer las dudas sobre el tipo de oración que encabeza.

En el caso de que vaya pospuesta *(Está muy contenta aunque lo disimule),* es determinante el modo verbal: subjuntivo para la concesiva, indicativo para la adversativa: *Está muy contenta aunque (~ pero) lo disimula.*

05.4 Construcciones comparativas

Las construcciones **comparativas** establecen una comparación de carácter cuantitativo entre dos elementos.

Se clasifican, según los cuantificadores que aparecen en ellas, en:

- Comparativas de superioridad: *Ella tiene más experiencia que el resto del equipo.*
- Comparativas de inferioridad: *Ahora se comen menos legumbres que en otras épocas.*
- Comparativas de igualdad: *Este producto es tan eficaz como el otro.*

Se dividen en dos partes: la primera precede al nexo comparativo y en ella se encuentran los cuantificadores *más, menos, tanto (-a, -os, -as)* y *tanto* (adverbio) y el primer término de la comparación; la segunda, a partir de un nexo (*como* y *que*), incluye el segundo término de la comparación.

El clima de Almería es | más | seco | que | el de Huelva (es)
más: Cuantificador; que: Nx (conj.)
El clima de Almería es más seco: 1.er término de la comparación
que el de Huelva (es): 2.º término de la comparación

A veces, el segundo término de la comparación puede ser una subordinada sustantiva; en ese caso, aparecen dos conjunciones, una comparativa y otra completiva: *Es más saludable dar un paseo que que te quedes tumbado toda la tarde delante de la tele.*

Para evitar la cacofonía, se suele utilizar un adverbio de negación *(Es más saludable dar un paseo que no que te quedes tumbado...)* o una forma coordinada con elipsis *(Es más saludable dar un paseo y no ø que te quedes tumbado...).*

También puede presentarse como una subordinada de relativo sin antecedente precedida la una preposición *de: Ha habido menos peticiones de las* (sust. elidido) *que se esperaban.*

Ocurre con frecuencia que en las construcciones comparativas algún elemento en el primer o el segundo término queda implícito. Estos elementos omitidos se sobrentienden por el contexto: *Me gusta más (este color) que ese azul (me gusta); Tú no has tardado tanto como ella (ha tardado); Ahora está mejor redactado (que antes).*

Un alquiler en el centro | es | más caro | que | un alquiler en las afueras | (es caro)
es: N (V); más caro: SAdj-Atrib
Un alquiler en el centro: SN-Suj; es más caro: SV-PN; que: Conj-Nx; un alquiler en las afueras: SN-Suj; (es caro): SV-PN
Un alquiler en el centro es más caro: 1.er término de la comparación
que un alquiler en las afueras (es caro): 2.º término de la comparación

Los dos términos de la comparación son oraciones enunciativas y atributivas.

Comparativos sincréticos

Algunos adjetivos como *mejor* ('más bueno'), *peor* ('más malo'), *mayor* ('más grande' o 'más edad') y *menor* ('más pequeño' o 'menos edad') y adverbios como *antes* ('más pronto'), *después* ('más tarde'), *mejor* ('más bien') y *peor* ('más mal') se conocen como comparativos sincréticos porque su significado lleva implícita una comparación, el cuantificador *más: Este material es mejor que aquel* (más resistente); *Ana es mayor que yo* (más edad).

+ ERRORES FRECUENTES

Se pueden encontrar comparaciones de igualdad con el adjetivo *mismo* y con el adverbio *igual: Ella trabajaba en la misma oficina que Loli; El día está hoy igual de lluvioso que ayer.* En estos casos, se debe evitar el uso de la conjunción *como* para introducir el segundo término de la comparación: **Tiene los ojos igual como tú.*

Tampoco es correcto el uso de *igual* en plural, puesto que es un adverbio: **Los dos están iguales de estropeados.*

06 Construcciones con formas no personales

> Acababan de dar las doce, de una manera pausada, acompasada y respetable, en el reloj del pasillo. Era costumbre de aquel viejo reloj, alto y de caja estrecha, adelantar y retrasar a su gusto y antojo la uniforme y monótona serie de las horas que va rodeando nuestra vida, hasta envolverla y dejarla, como a un niño en la cuna, en el oscuro seno del tiempo. Poco después de esta indicación amigable del viejo reloj, hecha con la voz grave y reposada, propia de un anciano, sonaron las once, de modo agudo y grotesco, con impertinencia juvenil, en un relojillo petulante de la vecindad, y minutos más tarde, para mayor confusión y desbarajuste cronométrico, el reloj de una iglesia próxima dio larga y sonora campanada, que vibró durante algunos segundos en el aire silencioso.
>
> Pío Baroja. *La busca*

En el texto pueden encontrarse algunos verbos en forma no personal. Identifica aquellos que funcionan como núcleo de un predicado; irán acompañados de algún complemento.

Las formas no personales combinan características verbales con las de otras categorías. El **infinitivo** presenta características nominales: morfológicamente puede experimentar variaciones de número *(pareceres, deberes, haberes)* y sintácticamente puede funcionar como núcleo de un sintagma nominal, ir precedido de determinantes y ser modificado por complementos del nombre: *el constante ir y venir de las olas*... El **gerundio** puede funcionar como un adverbio *(Nos fuimos de allí corriendo)* o como un adjetivo: *agua hirviendo.* En el caso del **participio**, su equivalencia es con el adjetivo: formalmente puede presentar morfemas flexivos de género y número *(historias inventadas, paraísos perdidos)* y, en cuanto a la función, acompaña a un sustantivo como complemento del nombre *(personas indignadas),* aparece en un predicado nominal como atributo *(Parecían agobiados)* y en un predicado verbal como complemento predicativo *(Se fueron muy cargadas).*

En los casos en los que las formas no personales funcionan como verbos, presentan complementos verbales y un sujeto. Una forma no personal no es lo mismo que una impersonal: en *He pensado visitarte este verano,* el verbo *visitar* tiene el mismo sujeto que el verbo *he pensado,* la primera persona. Es un sujeto presente en el contexto, aunque no en la flexión verbal.

Las oraciones que presentan estas formas verbales se denominan *construcciones de infinitivo, gerundio y participio* y equivalen a oraciones subordinadas sustantivas, adjetivas y adverbiales. No suelen ir introducidas por conjunciones, aunque sí por preposiciones.

Construcciones de infinitivo

Aparecen con los complementos propios del verbo y con un sujeto, tácito o expreso. En el primer caso se interpreta que está implícito porque es el mismo que el del verbo principal o porque su referente es un complemento del verbo principal: *El abuelo prometió llevarnos (el abuelo) al cine; Ella no nos dejó pagar (nosotros) el café; A los perros no les permiten andar (los perros) sueltos por la playa.*

En el caso de que aparezca un sujeto expreso, suele ir pospuesto: *Al salir su madre, se echó a llorar; Después de hablar ella, todos callaron.*

Tanto por su significado como por su función, se pueden establecer equivalencias con las oraciones sustantivas, adjetivas y adverbiales:

- **Sustantivas,** tanto enunciativas *(Me gustaría verte feliz)* como interrogativas indirectas: *No sabes cómo prepararlo.* Desempeñan funciones de sujeto *(No le gusta salir tan tarde),* CD *(Olvidó apagar la luz)* y término de una preposición: *Se negaron a entregar los documentos.*

  Se pueden encontrar estructuras de infinitivo que funcionan como complemento predicativo: *Lo vi salir del trabajo, Me han dejado ir esta tarde al cine.* Suelen depender de verbos de percepción *(ver, oír, sentir, notar, mirar, percibir)* y causación *(hacer, mandar, dejar, permitir).*
- **Adjetivas** en función de complemento del nombre: *¿No tienes algún sitio donde ir?*
- **Adverbiales:** temporales *(Nada más llegar, abrieron todos los paquetes),* causales *(Al no encontrarte se asustó),* finales *(¿Habéis subido a recoger los toldos?)* y condicionales *(De haberlo sabido antes, nos habríamos apuntado).*

Construcciones de participio

Como equivalen a un adjetivo, pueden desempeñar la función de complemento del nombre. En este caso, reciben complementos verbales como el agente o el predicativo: *persona reclamada por la justicia, alumna nombrada delegada de la clase.*

Aparecen también en posiciones antepuestas a la oración principal y separadas por una pausa en lo que se denominan construcciones o cláusulas absolutas.

Pueden tener valores **temporales** *(Concluidas las negociaciones, se firmaron los acuerdos),* **concesivos** *(Aun confirmado el diagnóstico, no quedaron conformes),* **condicionales** *(Vallada la finca, será más difícil que se escapen las vacas)* y causales *(Desanimado por los resultados, decidió no continuar).*

Construcciones de gerundio

Al igual que en las construcciones de infinitivo, el sujeto puede aparecer expreso y pospuesto *(Explicándoselo tú, seguro que acepta)* o tácito, con un referente mencionado con anterioridad *(Ahorraba mucho dinero comprando en almacenes).*

Pueden adoptar posiciones de tópico, en construcciones absolutas: *Rebajando tus exigencias, conseguirás el contrato.*

Su valor es equivalente a una oración subordinada adverbial: de modo *(Resolvió el problema reuniendo a todas las partes implicadas),* de causa *(Habiendo encontrado el camino, fue fácil regresar al refugio),* condicional *(Estando aquí mamá, no habrá ningún problema)* y concesiva *(Aun llegando de los primeros, se quedaron sin entradas).*

También pueden actuar como **complemento predicativo:** del sujeto del verbo principal *(Se presentó temblando de miedo)* o del complemento directo *(Lo llevé todo el viaje repitiendo la misma cantinela).*

En el interior de un grupo nominal actúan de forma semejante a los complementos del nombre *(el retrato de una joven leyendo un libro, la tortura del grifo goteando toda la noche).*

07 Los nexos en las oraciones compuestas

Término	Categoría	Oración
Así	Adverbio de modo	No te pongas así.
	Conjunción subordinante concesiva	No voy más con él a ningún sitio, así me lo pida de rodillas.
Aunque	Conjunción coordinante adversativa	Es una playa muy tranquila, aunque está un poco lejos.
	Conjunción subordinante concesiva	Aunque está un poco lejos, es una playa tranquila.
Como	Adverbio relativo (en or. adj. con antecedente)	Lo celebraremos a la manera como se ha hecho toda la vida.
	Adverbio relativo (en or. adv. de modo)	Resuélvelo como te resulte más fácil.
	Conjunción sub. causal	Como pesaba mucho, lo llevamos entre dos.
	Conjunción sub. condicional	Como venga tu madre, no cabemos en el coche.
	Conjunción sub. comparativa	Era tan flexible como un junco.
Cuando	Adverbio relativo (en or. adj. con antecedente)	Estuvimos allí el verano cuando me rompí la pierna.
	Adverbio relativo (en or. adv. temporales)	Cuando tengan los documentos, firmaremos el contrato.
	Conjunción sub. condicional	Cuando tarda tanto es que ha perdido el autobús.
Donde	Adverbio relativo (en or. adj. con antecedente)	Mira en el cajón de la cómoda donde guarda las facturas.
	Adverbio relativo (en or. adv. de lugar)	Donde vamos no hay wifi.
Encima	Adverbio de lugar	Deja eso ahí encima.
	Conector discursivo aditivo	Además de tenernos una hora esperando, encima nos atendieron fatal.
Mientras	Adverbio de tiempo	Puedes leer mientras.
	Conjunción coord. adversativa	Ella es feliz con poco, mientras que nosotros nos quejamos por todo.
	Conjunción sub. adv. de tiempo	Mientras vas recogiendo tus cosas saco el coche del garaje.
	Conjunción sub. adverbial condicional	Mientras no te digan otra cosa, puedes llevar vaqueros al trabajo.
	Comparativa proporcional	Mientras menos sabe, más presume.
Para	Preposición	Pido permiso para entrar a clase. Es apropiado para la boda.
	Conjunción sub. adv. final	Me pongo una pulserita para que no me piquen los mosquitos.
Que	Partícula desiderativa conjunción	Que se cumplan todos tus deseos.
	Partícula exhortativa	¡Que os vayáis!
	Pronombre relativo	El número que me has dado no es el de Silvana.
	Conjunción completiva	Esperaban que mejorase su actitud.
	Conjunción causal	No salgas hoy, que tienes mucha tos.
	Conjunción comparativa	Llevan más años que tú en el equipo.
	Conjunción consecutiva	Era tan generoso que pasaba consulta gratis.
Si	Conjunción sustantiva en int. ind. totales	Hay que calcular si vale la pena tanto esfuerzo.
	Conjunción condicional	Si hubieran tenido paciencia, lo habrían conseguido.
Siempre que	Locución adverbial temporal	Siempre que venimos te encontramos trabajando.
	Locución adverbial condicional	Pueden usar las instalaciones siempre que respeten las normas.

ELABORA TU PROYECTO

TEJEMOS TEXTOS

Las estructuras oracionales tanto simples como complejas nos sirven para formar textos. La relación entre las mismas a través de la coordinación o subordinación traba los significados últimos del texto. Esto es lo que vas a trabajar en este proyecto. Se trata de la creación de un texto (un relato corto) a partir de unas premisas básicas.

Pautas para la presentación del trabajo

1	Dividid la clase en grupos de 4 o 5 personas.
2	Cada grupo elegirá un comienzo o un final para su relato: a. Comienzo: *Parecía un lunes cualquiera. Como todos los días, cogió el bus…* b. Final: *…Y ahora ¿qué hago yo con 12 perros?*
3	El desarrollo del cuento debe constar de un mínimo de diez tipos de oraciones subordinadas diferentes.
4	Los nexos de las subordinadas deberán ser variados.
5	Cuidad la redacción y la ortografía.
6	Clasificad las oraciones subordinadas que hayáis incluido en vuestro relato. ¿Cuáles han sido las más frecuentes?
7	Leed todos los relatos y analizad los resultados del punto anterior.

Recursos

- El siguiente blog ofrece algunos consejos para escribir un microrrelato:

→ http://www.literautas.com/es/blog/post-8711/como-escribir-un-microrrelato/

- En YouTube puedes visionar un resumen del taller de escritura creativa impartido por José María Merino en Fuentetaja:

→ https://www.youtube.com/watch?v=oB1iBcREm2M

ELABORA TU ORGANIZADOR VISUAL

Elabora el organizador visual de esta unidad incluyendo los siguientes conceptos.

ORACIÓN COMPUESTA

- SUBORDINADAS SUSTANTIVAS
- SUBORDINADAS DE RELATIVO
- SUBORDINADAS ADVERBIALES
- ORACIONES YUXTAPUESTAS
- ORACIONES COORDINADAS

ACTIVIDADES

1. En la oración *Contrasta escandalosamente con el bajo coste de la plantilla que menos gana,* la forma *que…*

   a. es una conjunción completiva que introduce una oración subordinada sustantiva.

   b. es una conjunción que introduce una oración comparativa de inferioridad.

   c. es un pronombre relativo con función de sujeto dentro de una oración subordinada de relativo.

   d. es un pronombre relativo que funciona como nexo de la subordinada de relativo.

2. *Como falle el penalti, nos despedimos del Mundial en octavos.*

   a. Es una oración subordinada adverbial modal.

   b. La primera oración va introducida por un adverbio relativo.

   c. En la primera oración se explica la causa de la principal.

   d. La oración encabezada por *como* es adverbial condicional.

3. El enunciado *Uno de los hombres que acudió en su rescate definió el experimento como una «estupidez», aunque estaba totalmente de acuerdo con el fondo de la campaña…*

   a. es una oración compuesta por coordinación adversativa.

   b. es una oración compuesta por subordinación adverbial concesiva.

   c. es una oración compuesta por subordinación adjetiva.

   d. es una oración compuesta por subordinación modal.

4. En *Si bien metros, trenes y autobuses suelen ser los lugares donde el abuso verbal o físico está más presente, algunos países europeos ya han tomado medidas…*

   a. el verbo *suelen* va seguido de una oración sustantiva de infinitivo en función de CD.

   b. *donde el abuso verbal o físico está más presente* es una oración adverbial de lugar.

   c. el enunciado comienza con una adverbial condicional introducida por la conjunción *si.*

   d. *si bien* es una locución conjuntiva que presenta una adverbial concesiva.

5. *Holden Centeno cuenta cómo, tras publicarse su primer libro, Alfaguara le envió una invitación a su gran premio anual… a nombre de Andrés Trapiello.* En esta oración…

   a. el verbo principal es *envió.*

   b. *tras* es un adverbio que introduce una adverbial de lugar.

   c. el CD es una subordinada sustantiva interrogativa indirecta.

   d. el adverbio *cómo* introduce una subordinada adverbial de modo.

6. *Creo que están reinventando la poesía y eso puede ser bueno o malo.*

   a. En la primera coordinada, el CD aparece en estilo indirecto.

   b. En la segunda oración coordinada, el CD es una oración subordinada de infinitivo.

   c. Hay dos oraciones con formas no personales, una de gerundio y otra de infinitivo.

   d. *Reinventando la poesía* es una subordinada/atributo.

7. *Cuando tantos se apuntan, será que la cosa es gratis.*

   a. En el enunciado, la secuencia *que la cosa es gratis* es una oración subordinada de relativo sin antecedente expreso.

   b. La primera oración es una subordinada adverbial de tiempo.

   c. *Cuando* es un adverbio relativo.

   d. La primera oración es una subordinada adverbial condicional.

8. *Confianza y fe viva mantenga el alma, que quien cree y espera todo lo alcanza.*

   a. Se trata de dos oraciones yuxtapuestas.

   b. La conjunción *que* introduce una subordinada sustantiva de CD.

   c. *Quien cree y espera* es una oración de relativo sin antecedente en función de sujeto del verbo *alcanza.*

   d. *Que* es un pronombre relativo cuyo antecedente es *alma.*

9. *Cada vez que pienso en redes sociales, pienso en la burbuja inmobiliaria, y estoy seguro de que sucederá lo mismo.*

   a. El CAdj del adjetivo *seguro* tiene como término una subordinada sustantiva declarativa.

   b. El sustantivo *vez* tiene un CN con forma de subordinada de relativo.

   c. El verbo principal de esta oración compuesta es *estoy.*

   d. En el enunciado se ha producido un dequeísmo.

10. *Usted bien sabe que, en el siglo* XXI, *a la persona que hace* spoiler *se la considera un auténtico hereje, así que no diré nada.*

    a. En el enunciado hay tres conjunciones completivas *que.*

    b. Se puede encontrar una oración subordinada adverbial de modo introducida por el adverbio *así.*

    c. Hay una oración ilativa, una sustantiva y una de relativo.

    d. Es una oración compuesta por subordinación sustantiva.

07 MODERNISMO, NOVENTAYOCHISMO Y NOVECENTISMO

01 El siglo XX y el siglo XXI

En el siglo XX se vivieron sucesos dramáticos que supusieron una gran transformación del mundo precedente.

De 1900 a 1939 (inicio de la Segunda Guerra Mundial)

- **1900-1914:** es la ***belle époque,*** marcada por la expansión económica, la rivalidad entre las potencias occidentales, el crecimiento y el desarrollo del movimiento obrero, los avances científicos y tecnológicos y las nuevas corrientes de pensamiento, el **psicoanálisis** y el **irracionalismo.**
- **1914-1918:**
  - **Primera Guerra Mundial.**
  - **Revolución rusa** (octubre de 1917) y nacimiento de la Unión Soviética (Unión de Repúblicas Socialistas Soviéticas, URSS). El movimiento obrero revolucionario y el marxismo-leninismo cobran una relevancia mundial.
- **1918-1939:** el **periodo de entreguerras** marca un **nuevo orden mundial.** En **1929,** ocurre una **gran crisis económica y social mundial** (el *crash* de Nueva York). Además, surgen varios totalitarismos: el **fascismo** italiano, el **nacionalsocialismo** de Hitler y el **estalinismo** en la URSS. Se produce también la **guerra civil española** (1936-1939). En las artes y la cultura, surgen las **vanguardias** (futurismo, cubismo, surrealismo...).

De 1939 a 1945 (Segunda Guerra Mundial) y de 1945 a 1990

- **1939-1945: Segunda Guerra Mundial.**
- **1945-1990:**
  - **División del mundo en dos grandes bloques** encabezados por **EE. UU.** y la **URSS,** respectivamente. Europa quedó dividida en dos mitades: al oeste y al este del **muro de Berlín.** Se produce entonces la **«guerra fría»,** con frecuentes conflictos bélicos alejados de las dos superpotencias (Corea y Vietnam, por ejemplo).
  - **El movimiento contracultural de mayo del 68.** Una intensa y grave revuelta estudiantil francesa se extiende por Europa (la Primavera de Praga) y Norteamérica, donde coincide con el movimiento antirracista (Martin Luther King) y el movimiento *hippie.* Es el tiempo de la **cultura pop** y las **protestas pacifistas contra la guerra de Vietnam.** Durante los años sesenta y setenta tienen lugar también **revueltas obreras.**
  - **La crisis del petróleo en los años setenta** alteró seriamente las relaciones económicas y comerciales en todo el mundo, así como el equilibrio entre los dos bloques.
  - **El hundimiento de la URSS,** con el simbólico **derribo del muro de Berlín** y la reunificación alemana (1989).
  - La extensión de la pobreza por el mundo y la enorme degradación de la naturaleza por la acción tecnológica e industrial humana.

De 1990 a nuestros días

En la actualidad, la **globalización** y la intensa revolución tecnológica, que están condicionando la vida cotidiana en el planeta, conviven con la inestabilidad social, política y económica provocada por la crisis de las primeras décadas del nuevo siglo: conflictos en la reestructuración del sistema socioeconómico, catástrofes humanitarias con millones de refugiados y emigrantes, el terrorismo de todo signo...

02 El primer tercio del siglo xx en España: del «desastre del 98» a la Segunda República

El inicio del nuevo siglo viene marcado por el «desastre» o **pérdida de las colonias en Cuba, Puerto Rico y Filipinas** (1898) y por el reinado de **Alfonso XIII** (1902-1931). El primer tercio del siglo xx fue una etapa de crecimiento demográfico, sobre todo en las áreas industriales, y de un cierto desarrollo económico ligado al progreso de la actividad industrial y fabril en Cataluña y el País Vasco.

De 1900 a 1931, aunque hubo cierto crecimiento económico, este no repercutió sobre las desigualdades sociales. Por ejemplo, la neutralidad española durante la **Primera Guerra Mundial** (1914-1918) produjo un crecimiento económico coyuntural y muy localizado en ciertos sectores industriales y mercantiles, cuyos frutos no llegaron a los sectores más desfavorecidos.

Este panorama se encuadra en una seria inestabilidad política y una grave conflictividad social e incluso bélica (la guerra de Marruecos):

- El sistema político de la Restauración, basado en el **caciquismo** y la **alternancia bipartidista** (entre conservadores y liberales), era la causa de la **corrupción** del régimen, cuya resistencia no daba cabida a las **reivindicaciones republicanas, del movimiento obrero español, socialistas, anarquistas, sindicales y nacionalistas catalanas y vascas.**
- La desigualdad económica y la pobreza del proletariado y de los jornaleros explican hechos como la **Semana Trágica de Barcelona** (1909) o la **huelga general de 1917,** que costaron cientos de muertos, miles de detenidos y una dura represión política.
- La impopularidad de la **guerra de Marruecos** (España poseía el norte del territorio marroquí), junto a las matanzas y derrotas de las tropas españolas en el Barranco del Lobo (1909) o en el Desastre de Annual (1921), con cerca de 10 000 muertos, fueron detonantes que explican en parte la **Semana Trágica de Barcelona** (1909) y **la dictadura de Primo de Rivera.**

El pronunciamiento militar que dio lugar a la **dictadura de Primo de Rivera** (1923-1931) fue la respuesta de los sectores más conservadores a esta situación social. Aprovechó la coyuntura económica internacional para realizar grandes inversiones, desarrollar medidas de carácter social, reprimir el movimiento obrero y a los nacionalistas y, con ayuda internacional, pacificó el protectorado español de Marruecos. Sin embargo, el cambio de la coyuntura económica y la naturaleza represiva de la dictadura provocaron el crecimiento de la oposición, que desembocó en el fin del régimen de la Restauración y la proclamación de la Segunda República el 14 de abril de 1931.

El régimen republicano supuso un periodo de transformaciones importantes, con la implantación de un régimen democrático y el sufragio universal, una amplia reforma educativa y agraria, la separación entre Iglesia y Estado... Sin embargo, un contexto económico internacional adverso y la exacerbación ideológica dieron lugar a una gran inestabilidad política y social, que fueron la excusa para el golpe de Estado dirigido por Franco y que inició la guerra civil española (1936-1939).

Portada de la constitución de 1931.

03 La cultura del siglo XX

En los campos cultural y artístico se aprecian cambios importantes en la **función pública del arte** y en la **posición del artista** en el engranaje social, que generan **dos actitudes** aparentemente contrarias:

- Por un lado, un **sentimiento de rebeldía** de muchos artistas convertidos en **dandis, bohemios** y **malditos** (adoptan actitudes y formas de vida consideradas marginales), que desprecian las normas sociales burguesas.
- Los artistas también se convierten en **intelectuales preocupados por las injusticias sociales.**

Se pueden enumerar los siguientes **rasgos que marcarán la cultura contemporánea:**

- **Cultura urbana:** el arte se origina fundamentalmente en las grandes ciudades (París, Londres, Nueva York; Madrid y Barcelona en España).
- **Secularización de la cultura y el arte:** lo religioso y espiritual ya no se plantea exclusivamente desde el punto de vista de las religiones oficiales, sino que a menudo aparecen planteamientos totalmente personales, subjetivos (por ejemplo, Unamuno).
- Los numerosos **descubrimientos y avances científicos,** los **grandes progresos en el área de la medicina** y las **innovaciones tecnológicas condicionan** intensamente **la vida cotidiana** de la humanidad: la electricidad, el automóvil, el teléfono, el cine, la radio, los antibióticos, el uso de los rayos X, la televisión... y, en la actualidad, la telefonía móvil e Internet.

Este panorama genera en las artes y la cultura el **experimentalismo estético,** que se lleva a cabo a partir de tres principios:

Ruptura	Originalidad	Interdisciplinariedad
Carácter de ruptura y revolución artística contra el arte del pasado.	Originalidad y novedad absolutas; rechazo de normas y tradiciones.	Interdisciplinariedad estética que afecta a las diferentes manifestaciones artísticas (poesía, pintura, teatro, cinematografía...).

Por otra parte, en el **pensamiento** de finales del siglo XIX y principios del siglo XX destacan **aspectos** como:

- **La crisis de valores intelectuales:** frente al racionalismo positivista y al materialismo de finales del siglo XIX, se reivindican el **irracionalismo** y el **idealismo,** a través de la **influencia** de pensadores como **Schopenhauer y Kierkegaard** (el dolor y la angustia son la esencia de la vida humana), **Nietzsche** (exaltación de los impulsos vitales por encima de la razón e incluso de la moral) o **Bergson** (la intuición como modo de comprender la realidad).
- **El marxismo:** las teorías de **Karl Marx** (que plantea el devenir histórico como una continua lucha de clases) pretenden alcanzar un sistema en el que el Estado acabe desapareciendo y donde se suprima la propiedad privada, que ha dividido a los hombres en poseedores y desheredados (explotadores y explotados). Según esta teoría, para conseguirlo, será necesaria primero una dictadura del proletariado.

- **El psicoanálisis:** Sigmund Freud descubre la existencia del subconsciente. Según sus teorías sobre la personalidad, del subconsciente proceden los impulsos reprimidos por las normas sociales o morales. En él tienen su origen la conducta y la creación artística. El psicoanálisis será una pieza clave para el desarrollo de las vanguardias y el surrealismo.
- **El existencialismo:** antes de la Segunda Guerra Mundial, **Heidegger** representa el pesimismo vital que considera al hombre un ser arrojado al mundo y abocado a la muerte. Después de la Segunda Guerra Mundial, el existencialismo rebrota con fuerza (**Albert Camus** y **Jean Paul Sartre**).

03.1 La edad de plata de la cultura y la ciencia españolas

En el primer tercio del siglo XX, la cultura es cada vez más accesible a la población gracias a la expansión de los medios de comunicación, como la prensa, y los recientes inventos del cine y la radio. Todo ello favoreció una relativa libertad de pensamiento, los debates culturales e ideológicos, las tertulias...

Miguel de Unamuno, retratado por Daniel Vázquez Díaz.

Se produjo una progresiva promoción educativa, cultural y científica, sobre todo con la creación de entidades como la **Institución Libre de Enseñanza,** la **Junta de Ampliación de Estudios** (embrión del futuro Consejo Superior de Investigaciones Científicas) y la **Residencia de Estudiantes,** que albergó a los poetas del 27, Dalí, Buñuel...

Esta etapa de esplendor cultural, artístico y científico recibe el nombre de *edad de plata* (comparándola con la *edad de oro,* los siglos XVI y XVII, de la vida cultural española).

En el área **estrictamente literaria,** coexisten en la **edad de plata:**

- **Coincidiendo cronológicamente** con la reacción posterior al **desastre del 98,** surgen: el **modernismo,** bajo el liderazgo de Rubén Darío, y los autores del **grupo de 1898** o **noventayochismo.**
- **La generación del 14 o novecentismo:** prosistas como Gabriel Miró y Ramón Pérez de Ayala, poetas como Juan Ramón Jiménez y filósofos como Ortega y Gasset.
- Las **vanguardias** y la **generación del 27:** Lorca, Alberti, Cernuda, Aleixandre, Salinas, Jorge Guillén...

En la edad de plata de la cultura y la ciencia españolas (al margen de la literatura), brillaron personalidades de gran talla y valía:

- **Científicos** como Santiago Ramón y Cajal y Severo Ochoa, premios Nobel de medicina.
- **Filólogos e historiadores** como Ramón Menéndez Pidal, Américo Castro, Salvador de Madariaga y Claudio Sánchez Albornoz.
- **Filósofos y pensadores** como Ortega y Gasset y sus discípulos María Zambrano y Xavier Zubiri.
- En las **artes plásticas,** pintores como Emilio Zuloaga, Daniel Vázquez Díaz, Pablo Picasso, Salvador Dalí y Joan Miró.
- En la **arquitectura:** Antonio Gaudí.
- En la **música:** Isaac Albéniz, Manuel de Falla y Enrique Granados.

04 La crisis del fin del siglo XIX. La literatura finisecular

En torno a 1885 comienza lo que se define como una **crisis universal de las letras y el espíritu,** la cual se manifestó en todos los campos del saber humano y representó la expresión del hondo cambio histórico que se produjo coincidiendo con el paso del siglo XIX al XX.

La crisis de valores será también una crisis de principios estéticos y literarios. Surgen nuevas corrientes estéticas y, sobre todo, poéticas que recogen elementos de algunos movimientos anteriores, como:

- El **parnasianismo** francés (Théophile Gautier, Leconte de Lisle) defiende «el arte por el arte», el culto absoluto a la perfección formal, lo cual implica un desprecio hacia el sentimentalismo romántico. El deseo de huir de lo prosaico les lleva a refugiarse en mundos exóticos, en todo lo relacionado con la cultura griega clásica (restos arqueológicos, mitología...) y lo oriental.
- El **simbolismo** surge en Francia en torno a 1885 sobre la base que fijaron poetas anteriores de la talla de Baudelaire, Mallarmé, Rimbaud y Verlaine. Los simbolistas intentan establecer en sus versos **correspondencias** entre realidad sensorial y mundo espiritual, mediante una poesía basada en el valor connotativo de los símbolos y las palabras en tanto formas de valor emotivo que permite reconocer esos vínculos ocultos.
- El **impresionismo**, vinculado a la pintura y en menor medida a la música, construía sus obras según la **impresión** sensorial ante la contemplación de un objeto y no según la imitación de la supuesta realidad objetiva.
- El **decadentismo** (Oscar Wilde, Gabriele D'Annunzio) plantea una exaltación reivindicativa de lo prohibido por la moral burguesa. A menudo vinculaban la creación artística a los «paraísos artificiales».
- La **bohemia** (a menudo asociada al decadentismo) inspiró un movimiento cultural cuyas manifestaciones más importantes son novelescas y teatrales, como por ejemplo el poeta y periodista español Alejandro Sawa, que inspiró la obra de Valle-Inclán *Luces de bohemia.* El movimiento se sitúa hacia mediados del siglo XIX en París. Los artistas «bohemios» (muchas veces también «decadentes») rechazaban los valores burgueses basados en el materialismo y las riquezas.

Precisamente estas corrientes estéticas y literarias (y algunas más como el **prerrafaelismo**) están en la base de movimientos poéticos hispanos como el modernismo y su variante del grupo del 98.

Cariños de plata (1903), Lawrence Alma-Tadema.

> LA CIENCIA Y LA TÉCNICA

Crisis de confianza en la ciencia y la técnica: a pesar de los progresos de la técnica, continuaban las malas condiciones de vida, los problemas sociales, etc. Esto genera el florecimiento de los movimientos de protesta social y política, así como una crisis de valores religiosos que afecta a la sociedad, cada vez más laica, o que vuelve los ojos hacia corrientes espiritualistas y místicas.

04.1 La crisis de fin de siglo en España

Además de todos estos movimientos estéticos, en España el fin de siglo está marcado por **la pérdida de las colonias españolas** en **1898**, que provocó una **grave crisis** y una ola de indignación y protesta en los intelectuales. Estos están convencidos de que, **dada la degeneración del país**, la inoperancia de las clases dirigentes y la corrupción, es **necesario un proceso de renovación.**

Consecuentemente, los intelectuales y artistas plantearán una serie de propuestas, proyectos e ideas para solucionar los problemas existentes.

Básicamente, se adoptaron dos actitudes de renovación.

Renovación ideológica: krausismo y regeneracionismo

El **krausismo** y el **regeneracionismo** optaron por soluciones prácticas y concretas.

Los krausistas españoles (Julián Sanz del Río y Francisco Giner de los Ríos), seguidores del filósofo alemán Krause, intentaron promover reformas legales y de buena moral cívica en la administración pública; también, un vasto movimiento de educación popular a través de la Institución Libre de Enseñanza.

El **regeneracionismo (Joaquín Costa)**, para combatir en su raíz la decadencia española y la corrupción política del caciquismo de la Restauración, dio prioridad a una profunda reforma educativa, así como a una reforma agraria y emprendió una europeización de España. Su máxima será: «Escuela, despensa y doble llave al sepulcro del Cid».

> **KRAUSISMO**
>
> Este movimiento también influyó en el pensamiento de los intelectuales hispanohablantes, tanto en España como en Hispanoamérica. Se fundamenta en las ideas del filósofo idealista alemán Karl Krause (1781-1832). La divulgación y el arraigo en España de su pensamiento se produjeron principalmente a través del jurista, filósofo y pedagogo Julián Sanz del Río. Su discípulo Francisco Giner de los Ríos aplicó las ideas krausistas en la renovadora Institución Libre de Enseñanza.

Renovación literaria y artística: modernismo y grupo del 98

En los últimos años del siglo XIX y los primeros del XX se dan a conocer en España una serie de autores y artistas importantes, que fueron considerados por ciertos sectores de la crítica tradicional como pertenecientes a dos tendencias contrapuestas e incluso divergentes: el **modernismo** y la **generación del 98.**

Sin embargo, ya Juan Ramón Jiménez observó que modernismo y 98 representan la forma hispánica de afrontar la crisis de fin de siglo en los terrenos literario, artístico y cultural.

Todos estos autores (Rubén Darío, los hermanos Machado, Valle-Inclán...) pertenecen a una misma generación histórica y forman parte de **un mismo fenómeno o movimiento cultural y artístico: el modernismo,** que aportó un nuevo clima estético, **dentro del cual se desarrolló un grupo**, el **grupo del 98** (Unamuno, Baroja, Azorín...), que presenta características propias. Incluso, habrá autores como Antonio Machado y Valle-Inclán, cuya obra manifiesta una etapa modernista y otra noventayochista, al menos para cierta crítica especializada.

En conclusión, el modernismo es un movimiento artístico y literario en cuyo seno se desarrolló el grupo del 98, como una variante o manifestación concreta. Sin embargo, dada la relevancia literaria de este movimiento, se habla de autores «noventayochistas».

> **MODERNISMO**
>
> Abarca todos los géneros literarios, artes decorativas y gráficas, arquitectura, pintura y música.
>
> Incluye al **noventayochismo o grupo del 98:** poesía, novela, teatro, ensayo, pintura y música.

05 El modernismo como movimiento poético

El modernismo, como dijo Juan Ramón Jiménez, fue «un gran movimiento de entusiasmo y libertad hacia la belleza» que nació en Hispanoamérica hacia 1880. Sus orígenes como escuela literaria, que cultivó el verso pero también la prosa y el teatro, coincidieron con varios factores históricos y culturales:

- En los países hispanoamericanos surgió un **sentimiento anticolonialista e indigenista** que reivindica lo nativo y autóctono.
- Una **nueva espiritualidad romántica** de desprecio hacia el mercantilismo, el espíritu utilitario y la vulgaridad de la sociedad burguesa que en Francia se llamó *épater le bourgeois* (asustar al burgués).
- La influencia de las distintas tendencias estéticas y literarias de **la crisis de fin de siglo:** parnasianismo, simbolismo, decadentismo, bohemia...

Corrientes, temas y estilos del modernismo

¿Por qué se dirige Villaespesa a esta diosa de la mitología grecolatina? ¿Qué elementos del lenguaje poético modernista observas en este poema?

De la Grecia y de Italia bajo los claros cielos
en tu honor se entonaron los más dulces cantares,
y ofrecieron las vírgenes al pie de tus altares
las tórtolas más blancas y sus más ricos velos.

Hoy triste y solitaria, en el parque sombrío,
carcomida y musgosa, los brazos mutilados,
bajo la pesadumbre de los cielos nublados
el mármol de tu carne se estremece de frío.

¿Dónde se alzan ahora tus templos, Afrodita?
Ya la Pánica flauta en los bosques no invita
a danzar a los sátiros danzas voluptuosas.

Ha huido la Alegría, ha muerto la Belleza...
No hay risas en los labios y una inmensa tristeza
cubre como un sudario las almas y las cosas.

Francisco VILLAESPESA. *La copa del rey de Thule*, en *Poesías completas*. Aguilar

En el modernismo **hay dos grandes corrientes temáticas y de estilo,** que **a menudo conviven en un mismo poeta** o en una misma obra; aunque, **desde un punto de vista cronológico,** el modernismo **parnasiano** precede al modernismo **simbolista.**

Modernismo parnasiano o canónico	
Influencia del parnasianismo francés (Gautier, Leconte de Lisle), el decadentismo (Wilde, D'Annunzio), la bohemia, poetas como Walt Whitman y autores románticos (Victor Hugo, Edgar Allan Poe, entre otros).	
Temas	**Estilo**
• **El escapismo ligado al cosmopolitismo.** El desengaño romántico ante el cotidiano mundo burgués lleva a la evasión en el espacio (Francia, Italia renacentista, China, Japón) o en el tiempo (la Antigüedad y la mitología clásicas, la Edad Media). • **Amor y erotismo.** Conviven poemas de amor idealizado y espiritual con otros de intenso erotismo amoral y decadente. Se recupera el tópico de la «mujer fatal», ruina de los hombres. • **Lo hispánico y lo indigenista.** Sobre todo en Hispanoamérica, ante el auge de la cultura de los Estados Unidos, se reivindica lo hispano, su pasado legendario indígena y nativo.	• Uso de un **léxico** muy culto y alejado deliberadamente de los registros coloquiales. Se emplea un lenguaje preciosista y que evoca los mundos exóticos y de otros tiempos de su gusto, por eso se alude con frecuencia a cisnes, nenúfares, palacios, héroes caballerescos, princesas, mitología grecolatina, personajes literarios... • También se suele recurrir, con finalidad rítmica, a una sintaxis forzada, de resonancias grecolatinas (hipérbaton), y a **figuras** basadas en la **repetición de sonidos** (aliteraciones, anáforas...).

Modernismo simbolista	
Sin renunciar al parnasianismo, da preferencia al simbolismo francés y los antecedentes de Baudelaire, Mallarmé, Verlaine y Rimbaud; en España, influye el romanticismo tardío de Bécquer y Rosalía de Castro, así como el gusto por la poesía medieval (Berceo, Jorge Manrique).	
Temas	• **La propia intimidad del poeta.** La soledad, la melancolía, la tristeza son sentimientos típicos del modernismo simbolista. El **paisaje será acorde con el estado de ánimo del yo poético:** ambientes otoñales, nocturnos...; el jardín, el parque, paisajes desolados o simbólicos. • **El tema religioso, existencial.** La crisis finisecular revalorizó la religiosidad y el vitalismo pesimista, muchas veces al margen del catolicismo. • El **noventayochismo** insiste en el «problema de España», en la necesidad de regenerar la vida española. Castilla como símbolo del «alma nacional» (Antonio Machado, *Campos de Castilla*).
Estilo	A través de los símbolos, se sugiere una realidad subjetiva (ideas, sentimientos, obsesiones...) fuera de lo racional y lo objetivo. Por ejemplo, el «ocaso» puede ser símbolo de decadencia o muerte; el «camino», de la vida en movimiento temporal...

Las ascuas de un crepúsculo morado
detrás del negro cipresal humean...
En la glorieta en sombra está la fuente
con su alado y desnudo Amor de piedra,
que sueña mudo. En la marmórea taza
reposa el agua muerta.

Antonio Machado. *Soledades*,
en *Poesías completas*, Espasa Calpe

¿Qué elementos del modernismo simbolista observas en este poema de Machado?

¿Qué elementos subjetivos simbolizan el paisaje y la realidad aparente?

¿Pertenece a la misma tendencia que el poema anterior, de Francisco Villaespesa?, ¿por qué?

Lenguaje poético modernista

El modernismo se basó en la renovación del lenguaje poético, el culto elitista a la belleza, el espiritualismo romántico y los valores estéticos de la crisis del fin del siglo XIX. Supuso, pues, una verdadera transformación que aportó vitalidad y dinamismo al verso a partir de los siguientes factores:

- **Valoración máxima de la musicalidad poética y el cromatismo.** Se recoge la noción simbolista de que los sonidos de las palabras y el ritmo del verso, así como los colores y demás elementos visuales, debían sugerir ideas, sentimientos, obsesiones... ocultos más allá de la realidad aparente.
- **Innovaciones métricas:**
  - Uso de versos poco frecuentes como dodecasílabos, alejandrinos, eneasílabos... y del verso libre. Aunque predomina el endecasílabo y el octosílabo.
  - Sin excluir el gusto por el soneto, los romances..., aparecen **nuevas combinaciones** como la silva arromanzada (de rima asonante) **o cambios relevantes en estrofas ya existentes; así, a menudo alteran el esquema métrico del soneto.**
  - **Uso de formas de la poesía grecolatina** basadas en «pies» rítmicos, como el hexámetro clásico, o formas medievales como la cuaderna vía.

El **hexámetro clásico** era un verso de seis pies según su acentuación o según las vocales largas o breves: el verso «Ínclitas razas ubérrimas, sangre de Hispania fecunda» (Rubén Darío) está dividido en seis pies según su acentuación (vocal tónica seguida de dos átonas).

Por otra parte, es posible identificar **varias fases en la evolución del modernismo:**

- **Inicios.** Los precursores americanos que constituyeron la **primera generación modernista (1882-1896): José Martí** (cubano), **Manuel Gutiérrez Nájera** (mexicano) y el colombiano **José Asunción Silva.** Esta etapa culmina en 1888 con ***Azul***, de Rubén Darío.

  Además, poetas como **Manuel Reina, Ricardo Gil** y, sobre todo, **Salvador Rueda** son considerados precursores del modernismo en España.

- **Plenitud,** bautizado como **modernismo parnasiano** o **canónico:** ***Prosas profanas*** (1896), de Rubén Darío, inaugura la etapa de plenitud del movimiento, que se extiende por Argentina **(Leopoldo Lugones)**, Uruguay **(Julio Herrera y Reissig)**, México **(Amado Nervo)** y Perú **(José Santos Chocano).**

  En España, sobre todo a raíz del viaje de Rubén Darío en 1899, comienza la etapa de plenitud: **Manuel Machado, Francisco Villaespesa,** las primeras obras de **Juan Ramón Jiménez** y **Valle Inclán.**

- **Fase de superación o modernismo último.** Se practica principalmente el llamado **modernismo simbolista,** más atento a lo intimista y subjetivo, así como a cierta depuración del lenguaje poético: en ***Cantos de vida y esperanza*** (1905), de Rubén Darío, se observa esta evolución y, en torno a 1910, el agotamiento expresivo es muy notorio, según se observa en las obras de **Juan Ramón Jiménez,** así como en el contacto con el **noventayochismo** (**Unamuno** y **Antonio Machado** en *Campos de Castilla,* etc.).

  El estallido de la Primera Guerra Mundial y la muerte de Rubén Darío, en 1916, marcan el final definitivo del modernismo.

05.1 Rubén Darío, fundador e insignia del modernismo

El «príncipe de las letras castellanas», sobrenombre que designa a Rubén Darío, es el indiscutible impulsor del modernismo hispánico, el gran maestro que abrió el camino a la profunda renovación de la poesía y la literatura españolas en el primer tercio del siglo XX.

El cosmopolitismo de Rubén Darío aunó la rebeldía romántica con la Grecia clásica, la Italia renacentista y el esplendor del Versalles dieciochesco con las novedades de París, Nueva York o Buenos Aires.

Por todo esto, en sus escritos se condensan la radical renovación del lenguaje poético y de la métrica, la tradición española abierta a los nuevos temas que se estaban creando en Europa (parnasianismo, decadentismo, simbolismo...) y en América, mediante la reivindicación de la cultura indígena (indigenismo) y el mundonovismo, movimiento cultural y literario basado en la exaltación de los valores humanos propios hispanoamericanos.

Las primeras obras de Rubén Darío fueron *Epístolas y poemas* (1885), *Rimas* y *Abrojos,* publicadas ambas en Chile en 1887. En estos títulos se observa que convive con los clásicos españoles la intensa presencia del romanticismo intimista de Bécquer y el pasional y épico del francés Victor Hugo.

RUBÉN DARÍO (1867-1916)

Félix Rubén García Sarmiento (Rubén Darío), de nacionalidad nicaragüense, poeta, diplomático y periodista (como corresponsal en España del diario bonaerense *La Nación*, escribió, por ejemplo, crónicas sobre el desastre del 98), viajó por el continente americano (Centroamérica, Chile, Argentina, Estados Unidos...) y el europeo (Francia y España, principalmente). Precisamente, sus viajes fueron decisivos y fundamentales para el desarrollo del modernismo y para el futuro de la literatura española del siglo XX, gracias a la amistad y el trato personal con Valle-Inclán, Jacinto Benavente, Francisco Villaespesa, Manuel y Antonio Machado y Juan Ramón Jiménez, entre otros.

Llevó una intensa vida sentimental (tuvo dos matrimonios; pero, sobre todo, el amor de su vida fue Francisca Sánchez del Pozo). El alcoholismo que padeció minó su salud y falleció aquejado de cirrosis en 1916, en su Nicaragua natal.

Etapa parnasiana

Yo adoro a una sonámbula con alma de Eloísa[1]
virgen como la nieve y honda como la mar;
su espíritu es la hostia de mi amorosa misa
y alzo al son de una dulce lira crepuscular.

Ojos de evocadora, gesto de profetisa,
en ella hay la sagrada frecuencia del altar:
su risa en la sonrisa suave de Monna Lisa;
sus labios son los únicos labios para besar.

Y he de besarla un día con rojo beso ardiente;
apoyada en mi brazo como convaleciente
me mirará asombrada con íntimo pavor;

la enamorada esfinge quedará estupefacta,
apagaré la llama de la vestal intacta
¡y la faunesa antigua me rugirá de amor!

Rubén Darío. *«Ite, missa est»* ['Id, la misa ha terminado'], en *Prosas profanas*. www.cervantesvirtual.com

[1] **Eloísa:** escritora medieval, famosa amante del monje filósofo francés Pedro Abelardo.

¿Con qué o con quién se identifica a su amada el autor a lo largo del poema?

- ***Azul*** (1888, Valparaíso, Chile) es la obra inaugural del modernismo, en tanto nuevo estilo poético en el ámbito hispano. El título está inspirado en una cita de Victor Hugo («L'Art c'est l'azur», 'el arte es azul') y presenta dos secciones claramente diferenciadas:
  - Un conjunto de textos en prosa (cuentos mitológicos y fantásticos, prosa poética...).
  - Los poemas que componen «El año lírico», dedicados a las cuatro estaciones del año, y varios sonetos y unas semblanzas poéticas en castellano y en francés, añadidas en posteriores ediciones.

  En ***Azul*** están presentes los elementos distintivos de la poesía de Darío: el parnasianismo **(el arte por el arte),** el cosmopolitismo, la insatisfacción romántica, el indigenismo, lo exótico, la exaltación de la Grecia clásica y lo dieciochesco... Además, ya claramente se perfilan los rasgos de la nueva estética: preocupación por la musicalidad y el ritmo de los versos y la renovación métrica (sonetos en versos alejandrinos, por ejemplo).

- ***Prosas profanas*** (1896) significa ya el triunfo y la plenitud modernistas. El título juega con el contraste entre el sustantivo *prosas* (himno litúrgico que se cantaba en las misas solemnes) y *profanas* (*profano,* además de 'laico', significa 'mundano' e incluso 'libertino').

  En efecto, en este libro se encuentra una especie de **sacralización de lo profano,** basada en los siguientes elementos:
  - **El erotismo cosmopolita.** En muchos poemas se exalta el placer erótico (y a la mujer como tentación irresistible y fatal). El amor y el placer erótico se comparan con la fe religiosa y con sus ritos, concibiéndolos de forma universal y panteísta, como unión inalcanzable con el alma bella de la naturaleza y el mundo.
  - La ambientación cosmopolita de los poemas, situados en mundos lejanos en el espacio y el tiempo (mitología griega, lo medieval, lo versallesco o exótico oriental...), puebla las *Prosas profanas* de cisnes, princesas y marquesas, centauros, mariposas... De nuevo aparecen los ambientes aristocráticos que permiten al poeta evadirse de la realidad y cumplir la premisa de «el arte por el arte».

Atardecer en la Antigüedad (1908), de Alphonse Osbert.

- Por otra parte, no son ajenos a Rubén Darío los temas hispanos; se interesa por nuestro pasado histórico, como en el poema *Cosas del Cid* o el soneto dedicado a Gonzalo de Berceo.
- La **forma poética** adquiere una función primordial. De ahí la importancia de:
  - El ornato formal basado en los cultismos, los neologismos, la adjetivación y la abundancia de figuras literarias.
  - La renovación métrica mediante la imitación de los antiguos versos de los cancioneros castellanos, nuevas combinaciones estróficas o el uso de alejandrinos, dodecasílabos, eneasílabos...

Etapa simbolista

[...]

Un continente y otro renovando las viejas prosapias,
en espíritu unidos, en espíritu y ansias y lengua,
ven llegar el momento en que habrán de cantar nuevos himnos.

La latina estirpe verá la gran alba futura,
en un trueno de música gloriosa, millones de labios
saludarán la espléndida luz que vendrá del Oriente,
Oriente augusto en donde todo lo cambia y renueva
la eternidad de Dios, la actividad infinita.
Y así sea Esperanza la visión permanente en nosotros,
¡Ínclitas razas ubérrimas, sangre de Hispania fecunda!

Rubén DARÍO. «Salutación del optimista»,
en *Cantos de vida y esperanza*. www.cervantesvirtual.com

¿Qué reclama Rubén Darío en estos versos? ¿En qué elementos culturales y espirituales basa su petición?

- ***Cantos de vida y esperanza*** (1905) es la obra cumbre donde Rubén Darío alcanza su madurez poética e inicia un camino de depuración en el estilo y de tratamiento de los temas que indican un doble giro en el modernismo:
  - Sin renunciar al elevado lenguaje poético propio del modernismo, el **giro hacia lo simbólico** e intimista afecta a la forma y la expresión del verso, que ahora busca una mayor sobriedad, de modo que se vuelve hacia el «interior» oculto de las cosas, a sugerir mediante la palabra su «alma» o esencia, aunque ello, a menudo, sea causa de dolorosa amargura («Melancolía», «Nocturno», «Lo fatal»).
  - El giro hacia el compromiso social y moral con los problemas del tiempo que le tocó vivir: el temor hacia el creciente poderío norteamericano y la defensa de los pueblos latinoamericanos, así como de la cultura y la tradición hispánicas («A Roosevelt», «Salutación del optimista», «Letanía de nuestro señor don Quijote»).
- Después de *Cantos de vida y esperanza*, Rubén Darío continúa esta doble línea abierta: por un lado, se acentúa el intimismo existencial (*Poema del otoño*, 1910) y, por otro lado, la defensa de lo latinoamericano y la poesía de compromiso civil (*El canto errante*, 1907; *Canto a Argentina*, 1910).

06 El modernismo español

En el nacimiento del modernismo español intervino decisivamente Rubén Darío con sus dos primeros viajes a España (1892 y 1899), de modo que los **precursores** como Ricardo Gil, Manuel Reina y Salvador Rueda (cuya obra *En tropel,* de 1893, fue prologada por el poeta nicaragüense) abrieron el camino para que, precisamente en torno a 1900, aparezcan cuatro poemarios fundamentales: *Almas de violeta* y *Ninfeas* de Juan Ramón Jiménez, *La copa del rey de Thule* de Francisco Villaespesa y *Alma* de Manuel Machado.

En estas cuatro obras y en revistas literarias como *Helios, Electra* y *La Vida Literaria,* aparecen todos los rasgos estilísticos y estéticos del **modernismo militante** o **polémico** (1900-1904) que luchaba por hacerse un hueco relevante en el panorama literario español: parnasianismo, decadentismo, exotismo, idealismo, dolor metafísico y romántico...

Sin embargo, coincidiendo con *Cantos de vida y esperanza,* de Rubén Darío (y el esplendor modernista de poetas como Manuel Machado y Villaespesa), se observa en torno a 1905 un giro temático y estilístico en Antonio Machado, Juan Ramón Jiménez, Unamuno... que buscan otras formas expresivas diferentes a partir de una doble base:

- La acentuación del **simbolismo intimista** (Paul Verlaine) y el vitalismo romántico de Bécquer y Rosalía de Castro.
- La irrupción del **noventayochismo.**

  El **noventayochismo introdujo en la poesía modernista la preocupación por la esencia** o alma **de España y por el sentido de la vida.** Esto se plasma en tres temas sobre los que escribirán los autores:

  - **La historia,** en la que buscan la esencia de España, los valores patrios y la raíz de los problemas presentes.
  - En el austero **paisaje castellano,** en la pobreza de sus pueblos, en la sencillez de sus gentes y lo extremado de su clima... ven un símbolo del alma de España.
  - Sus **preocupaciones existenciales** se reflejarán en sus obras: se interrogan sobre el sentido de la existencia humana, el paso del tiempo, la muerte...

Por último, en torno a 1914, el inicio de la Primera Guerra Mundial, la muerte de Rubén Darío y la entrada en escena de una nueva generación literaria, el novecentismo o generación de 1914, marcan el final del modernismo español.

Los cisnes (1900), de Joseph-Marius Avy. El cisne fue para el modernismo un símbolo de la belleza, la poesía y la pasión erótica.

FRANCISCO VILLAESPESA (1877-1936)

Poeta, periodista, dramaturgo y novelista almeriense, fue junto a su maestro y amigo Rubén Darío el gran impulsor de esta escuela poética en España, a través de revistas como *Electra,* entre otras, pero, sobre todo, a través de *La copa del rey de Thule* (1900), obra clave para entender lo que significó el modernismo parnasiano y decadente en su etapa combativa, con la que pretendió abrirse camino en el conservador panorama literario y cultural español.

Además de *La copa del rey de Thule,* en su abundante producción poética sobresalen *Tristitiae rerum* (1906) o *Viaje sentimental* (1909), que reflejan el impacto emocional que causó en el poeta la muerte de su esposa en 1903, así como *El jardín de las quimeras* (1909). No supo evolucionar de lo profano y lo bohemio, lo sensual y lo triste romántico hacia lo intimista, lo simbólico o incluso lo cívico y social.

07 Manuel Machado

La obra de Manuel Machado abarca el verso, el ensayo y el teatro. Pero sobresalió principalmente por su obra poética.

Alma, publicada en torno a 1900, es una de las obras esenciales en la fundación del modernismo español. En este libro de poemas, lo parnasiano, la evasión de la realidad, lo erótico, el exotismo, lo cosmopolita y lo bohemio convergen con la amargura romántica, la tradición folclórica de lo popular, la exaltación de Castilla y el Cid, todo ello aderezado además con el intimismo simbolista.

Precisamente estos ingredientes aparecen en toda su producción poética, aunque en proporción distinta según el poemario publicado en cada momento. Así, en ***El mal poema*** (1909) expresa en versos desgarrados pormenores de la vida urbana, nocturna y bohemia, según el modelo de *Las flores del mal*, de Baudelaire, o de Verlaine. Mientras que en ***Cante hondo*** (1912) explora la tradición poética popular, sobre todo la andaluza.

En ***Ars moriendi*** ('arte de morir'), de 1921, reflexiona tristemente sobre el hecho mismo de la vida y la muerte. El título es una antítesis del *Ars amandi* ('arte de amar'), del poeta latino Ovidio.

MANUEL MACHADO (1874-1947)

Nació en Sevilla, en el seno de una familia de sólida formación intelectual y librepensadora. Su padre, Antonio Machado Álvarez era antropólogo y folclorista. Debido a su trabajo, se trasladaron a Madrid, donde los hermanos Machado estudiaron en la Institución Libre de Enseñanza (krausista). Junto con su hermano menor, Antonio, escribió algunas obras teatrales de éxito y ambos compartieron la vida bohemia y literaria de París a finales del siglo XIX, además de la amistad de Rubén Darío. En España compaginó sus actividades como poeta, dramaturgo, crítico teatral y bibliotecario.

La Guerra Civil le sorprende en Burgos. En 1938 fue nombrado miembro de la RAE.

Como autor teatral, compuso con su hermano Antonio varias obras, como ***Desdichas de la fortuna o Julianillo Valcárcel*** (1926), ***Juan de Mañara*** (1927), ***La Lola se va a los puertos*** (1930) o ***La duquesa de Benamejí*** (1932), escrita en prosa y en verso.

08 Miguel de Unamuno

La obra de Miguel de Unamuno es muy extensa y variada: ensayo, crítica literaria y de arte, novela y relato breve, filosofía, teatro... A la poesía se dedicó tardíamente, a pesar de lo cual su obra poética, junto con *Campos de Castilla* de Antonio Machado, es el mejor exponente de lo que se ha denominado como «poesía noventayochista».

En el verso de Unamuno aparecen los mismos temas que en la prosa narrativa o el ensayo: los problemas existenciales del hombre de «carne y hueso», entre los cuales sobresalen el afán de inmortalidad y el sentimiento religioso, los diversos aspectos de la realidad nacional (como el paisaje, la vida cotidiana de las gentes, la situación política y social), así como los poemas de asunto amoroso y sobre las circunstancias de su vida familiar (los hijos, la esposa...).

Sus obras más destacadas son las siguientes:

- ***Rosario de sonetos líricos*** (1911) es una serie de más de cien sonetos donde Unamuno vierte las preocupaciones existenciales que le obsesionaron.
- ***El Cristo de Velázquez*** (1920) es la obra cumbre de la poesía unamuniana: en más de dos mil versos, reflexiona lírica y simbólicamente sobre los atributos divinos y humanos de Jesucristo, a partir de la contemplación del famoso cuadro del pintor Velázquez.
- En sus años de destierro, Unamuno compuso ***De Fuerteventura a París*** (1925) y ***Romancero del destierro*** (1928).
- ***Cancionero*** (publicado póstumamente en 1953) es un conjunto de 1755 poemas, de extensión muy variada, que le valen a Unamuno para realizar una autobiografía poética donde expone todos los pensamientos, dudas, temores y sentimientos que ocuparon su vida.

MIGUEL DE UNAMUNO (1864-1936)

Nació en Bilbao. Tras doctorarse en Filosofía y Letras, obtuvo la cátedra de griego en la Universidad de Salamanca (1891), de la que será rector posteriormente. Su oposición a la dictadura de Primo de Rivera le llevó al destierro, primero en Fuerteventura, después en Francia, hasta 1930, año en que regresó a España. De firmes ideas republicanas, sin embargo, no estuvo del todo de acuerdo con el gobierno de la República. Apoyó brevemente la rebelión de Franco, pero, poco más tarde, tras expresar su amarga indignación por la represión franquista al inicio de la Guerra Civil, sufrió arresto domiciliario y murió el 31 de diciembre de 1936.

09 Antonio Machado

Antonio Machado definió su poesía como «palabra esencial en el tiempo», es decir, el verso busca la esencia de las cosas, el «alma» que se oculta en ellas, en un proceso temporal basado en el sueño y la memoria. Esto implica la intensa presencia del simbolismo (Paul Verlaine, sobre todo) pero también de la filosofía, pues el pensamiento de Henri Bergson late en su noción del tiempo como «aliento vital».

Además, la poesía es «el diálogo del hombre, de un hombre, con su tiempo»; por eso, en muchos poemas el poeta conversa con los símbolos que él mismo utiliza, con el paisaje que le rodea (el río Duero, Soria, Castilla, Baeza...), con las gentes que lo habitan y, por último, con la «España de la rabia y de la idea» que él defendió, dado su pensamiento liberal de izquierdas y republicano.

En general, la crítica ha observado tres grandes etapas o momentos en la producción poética machadiana.

09.1 Modernismo intimista: *Soledades. Galerías. Otros poemas*

Yo voy soñando caminos

Yo voy soñando caminos
de la tarde. ¡Las colinas
doradas, los verdes pinos,
las polvorientas encinas!...

¿Adónde el camino irá?
Yo voy cantando, viajero,
a lo largo del sendero...
—La tarde cayendo está—.

En el corazón tenía
la espina de una pasión;
logré arrancármela un día;
ya no siento el corazón.

Y todo el campo un momento
se queda, mudo y sombrío,
meditando. Suena el viento
en los álamos del río.

La tarde más se oscurece;
y el camino se serpea
y débilmente blanquea,
se enturbia y desaparece.

Mi cantar vuelve a plañir:
Aguda espina dorada,
quién te volviera a sentir
en el corazón clavada.

Antonio Machado. *Soledades,* en *Poesías completas.* Espasa Calpe

En *Soledades* (1903), tal y como reconoce Machado, no buscaba en las palabras un «valor fónico», ni un color, ni un complejo de sensaciones, sino «una honda palpitación del espíritu» y «un íntimo monólogo» mediante el cual intentar captar el alma del mundo que le rodea. Esto le aproxima al modernismo simbolista y al modelo romántico de Bécquer y Rosalía de Castro, pero también explica que, en la segunda edición de este mismo libro, Machado cambie el título (*Soledades. Galerías. Otros poemas,* 1907), elimine las composiciones con elementos parnasianos (versos dodecasílabos y alejandrinos en rima consonante...) y añada *Galerías* y *Otros poemas* para consolidar mediante el sueño y la memoria que los símbolos son expresión de los «universales del sentimiento».

ANTONIO MACHADO (1875-1939)

Nació en Sevilla. En los ambientes literarios de Madrid y París, acompañado de su hermano mayor, Manuel Machado, traba amistad con Rubén Darío, Unamuno, Juan Ramón Jiménez, Valle-Inclán... En 1907, obtuvo una cátedra de francés en un instituto de Soria; más tarde, se casó con la jovencísima Leonor Izquierdo. En 1910 logró una beca en París, donde asiste a unos cursos del filósofo Henri Bergson. Allí, su mujer enfermó gravemente de tuberculosis y falleció en 1912.

Machado se trasladó a Baeza y después a Segovia. En 1927, es elegido miembro de la Real Academia. Tiene amores con Pilar Valderrama (quien posiblemente sea Guiomar en sus poemas). A consecuencia de sus ideas republicanas, tras la Guerra Civil abandona España, acompañado de su anciana madre; ambos fallecieron con pocos días de diferencia en Collioure (Francia) en 1939.

¿Qué significado profundo tienen «soñar caminos de la tarde» y la «aguda espina dorada» que tanto añora Machado?

De este modo, se observa la siguiente correlación entre el sueño y la memoria, los símbolos y los «sentimientos»:

En la poesía, mediante el sueño y la memoria:		
Universales del sentimiento como: • El tiempo, el fluir de la vida humana. • La muerte. • Dios (evocado con nostalgia, como ensoñación). • El amor como algo irrealizable, perdido, inalcanzable…	son transformados en	Símbolos como: • La tarde. • El camino. • El agua/la fuente/el mar. • El jardín/el parque/el huerto. • La infancia.
Los símbolos suelen presentar un sentido cambiante, según el estado de ánimo del poeta o según el contexto: el agua que fluye en una fuente puede expresar la juventud pero también, asociada al jardín y la tarde, puede expresar dolor y tristeza, o la vida como fluir hacia la muerte.		

El éxito de la primera edición de *Campos de Castilla* lo salvó de un posible suicidio tras la muerte de Leonor, según declara en el prólogo de la segunda edición.

09.2 Etapa «noventayochista»: *Campos de Castilla*

En *Campos de Castilla* (1912 y 1917), la poesía de Machado se abre al entorno social, político y al sentimiento histórico nacional; por eso, esta obra ha sido definida por la crítica como «noventayochista». Varios hechos biográficos favorecen el cambio: su destino de catedrático de instituto en Soria en vez de la bohemia parisina, el matrimonio con Leonor Izquierdo, su enfermedad y muerte en 1912 y, por último, los poemas nuevos compuestos en Baeza, incorporados en la segunda edición del libro.

En general, los poemas de *Campos de Castilla* abordan las siguientes temáticas:

- **El paisaje.** Frente al paisaje simbolista (la fuente, el jardín, etc.) de *Soledades*, Machado se detiene ahora en:
  - Soria, el río Duero y Castilla: las encinas, el olmo, los robles, los álamos, la meseta castellana, que son descritos en su pobreza, austeridad y dureza (son poemas escritos cuando Leonor está viva o enferma).
  - Baeza y los olivares andaluces serán el punto de partida para la nostalgia y el recuerdo de Leonor muerta (poemas CXIX-CXXIV de *Campos de Castilla*).
- **Las gentes.** Machado analiza los habitantes de ese paisaje sumidos en la miseria, la ignorancia, la envidia, la codicia y las malas pasiones que culminan en el asesinato o el «cainismo», como en «La tierra de Alvargonzález». Todo ello fruto de la decadencia del alma castellana que encarnaba el Cid, entre otros héroes históricos: «A orillas del Duero», «Las encinas», «Por tierras de España», «El dios ibero», «Campos de Soria»...
- **Poemas existenciales y filosóficos.** Machado expresa sus preocupaciones filosóficas y morales, así como su concepción del tiempo, la muerte y la fugacidad de la vida: «Proverbios y cantares», «Meditaciones rurales», «Poema de un día» y «Parábolas».

CXXI

Allá, en las tierras altas,
por donde traza el Duero
su curva de ballesta
en torno a Soria, entre plomizos cerros
y manchas de raídos encinares,
mi corazón está vagando, en sueños...

¿No ves, Leonor, los álamos del río
con sus ramajes yertos?
Mira el Moncayo azul y blanco; dame
tu mano y paseemos.

Por estos campos de la tierra mía,
bordados de olivares polvorientos,
voy caminando solo,
triste, cansado, pensativo y viejo.

Antonio MACHADO. *Campos de Castilla*, en *Poesías completas*
Espasa Calpe

¿Desde dónde Machado recuerda a Leonor y a Soria? ¿Qué intentaba conseguir el poeta mediante estos versos?

- **Poemas de preocupación política o de análisis social e histórico de la realidad española.** Tema relacionado con la visión de los pobladores del paisaje castellano, refleja los orígenes regeneracionistas y krausistas del pensamiento de Machado, quien plantea el tema de las «dos Españas»:
  - La «vieja» España, «Del pasado efímero», catolicista, intolerante y reaccionaria de los señoritos y caciques.
  - La «otra España», la de «El mañana efímero», del «cincel y la maza», de «la rabia y la idea», de los humildes, los trabajadores, los jóvenes inquietos.
- **Poemas de tema religioso.** Machado, en poemas como «La saeta», muestra sus sentimientos religiosos; en este caso, frente a la fe popular manifestada en la Semana Santa sevillana.

09.3 Últimas obras (1917-1939)

La muerte de Leonor conmocionó su actividad poética y sus versos ya no brotan con el mismo impulso de antes («se ha dormido la voz en mi garganta / [...] Ya sólo reza el corazón, no canta», llegó a confesar en un poema). Su siguiente libro, ***Nuevas canciones*** (1924, 1.ª edición), recoge lo escrito a partir de 1917 y es un conjunto de poemas breves que confirman su inclinación hacia los aforismos y los proverbios filosóficos y morales, así como la nostalgia de Soria, algunos sonetos y las composiciones inspiradas en la lírica popular andaluza y castellana.

Después no publica ningún poemario nuevo, excepto tres ediciones de *Poesías completas*, donde Machado va añadiendo sus versos, como *De un cancionero apócrifo* (donde inventa dos poetas, Abel Martín y Juan de Mairena) y *Canciones a Guiomar*, acerca de su amor en edad madura por Pilar Valderrama.

El conflicto bélico iniciado en 1936 mueve al autor sevillano al compromiso activo moral y literario. ***Poesías de guerra*** canta con desgarrada intensidad hermosas elegías a un niño herido y a Federico García Lorca («El crimen fue en Granada»), arenga al bando republicano o describe los efectos de la guerra.

La muerte del niño herido

Otra vez en la noche... Es el martillo
de la fiebre en las sienes bien vendadas
del niño. —Madre, ¡el pájaro amarillo!
¡Las mariposas negras y moradas!

—Duerme, hijo mío. —Y la manita oprime
la madre, junto al lecho. —¡Oh, flor de fuego!
¿Quién ha de helarte, flor de sangre, dime?
Hay en la pobre alcoba olor de espliego;
fuera, la oronda luna que blanquea
cúpula y torre a la ciudad sombría.
Invisible avión moscardonea.

—¿Duermes, oh dulce flor de sangre mía?
El cristal del balcón repiquetea.
—¡Oh, fría, fría, fría, fría, fría!

Antonio Machado. *Poesías de guerra*, en *Poesías completas*. Espasa Calpe

> OBRA EN PROSA

Además de las obras teatrales compuestas junto a su hermano Manuel, Machado se fue dedicando cada vez más a la escritura de artículos, cartas, ensayos, etc., de contenido filosófico, político, literario...

Juan de Mairena. Sentencias, donaires, apuntes y recuerdos de un profesor apócrifo (1936) fue su gran obra en prosa. Aquí Machado reflexiona sobre cuestiones muy variadas de metafísica, lógica, estética... Póstumamente, se publicaron ***Los complementarios*** (1957), obra en la que sobresalen un ensayo sobre la nueva juventud española, cartas a Miguel de Unamuno y el esbozo de su discurso de ingreso en la Real Academia, que nunca pronunció.

¿Qué trata de expresar Machado con el diálogo entre la madre y el niño? ¿Qué connotan metáforas como «el martillo de la fiebre», «flor de fuego» y «flor de sangre»?

Aunque la disposición gráfica de los versos no lo aparente, ¿qué poema estrófico compone Machado?

10 La poesía de la generación de 1914 (novecentismo)

En torno a 1914 (inicio de la Primera Guerra Mundial) surge un movimiento cultural y también artístico al que pertenecen pensadores y filósofos, profesores e historiadores que renuevan, sobre todo, el género del ensayo (Ortega y Gasset, el verdadero líder intelectual y moral del grupo, Gregorio Marañón, Eugeni D'Ors, Manuel Azaña, Américo Castro...), pero también la novela y la prosa literaria (Ramón Gómez de la Serna, Ramón Pérez de Ayala, Gabriel Miró...) y la poesía lírica.

Los miembros de la generación de 1914 o **novecentismo nacieron entre 1880 y 1892** y, además de la **sólida formación cultural**, comparten el hecho de **publicar en los mismos periódicos y revistas** *(El Sol, Revista de Occidente)* y de **buscar** con afán **modernizar la vida española, sincronizándola con la Europa democrática**, así como una serie de **reformas profundas en la ciencia, la cultura, las artes y las instituciones del Estado** (Manuel Azaña, por ejemplo, llegaría a ser presidente de la Segunda República española de 1936 a 1939).

El movimiento florece en 1914, cuando se crea la Liga de Educación Política y **José Ortega y Gasset** pronuncia su discurso *Vieja y nueva política;* en 1915, funda la revista *España* y se consolida la **tertulia del Café de Pombo**, donde **Ramón Gómez de la Serna** promociona a los nuevos escritores que componen el grupo. El novecentismo coexistirá con las vanguardias en los años veinte y decaerá en los treinta, durante la Segunda República.

El ideario estético y literario de la generación de 1914 se basa en los siguientes cuatro postulados:

- **Defensa del «arte puro» y de la «obra bien hecha»:** de ahí, la obsesión por la perfección formal y coherente de todos sus componentes.
- **Elitismo:** se dirigen a «la inmensa minoría», a un grupo selecto del público dotado del nivel crítico, conceptual y estético suficientemente capacitado para la recepción del arte.
- **Racionalismo:** se marcan como objetivos por cumplir un mayor rigor intelectual y una claridad y una precisión expositivas.
- **Antirromanticismo:** rechazo de lo sentimental, debido a su concepción del arte *puro,* desprovisto de emociones personales. Ortega y Gasset lo bautizó como «deshumanización del arte».

Además de la figura indiscutible de **Juan Ramón Jiménez,** destacan poetas como Ramón de Basterra, José Moreno Villa, Mauricio Bacarisse, Juan José Domenchina y **León Felipe.**

La tertulia del Café de Pombo (1920), José Gutiérrez Solana. Ramón Gómez de la Serna en el centro. Allí se reunían los miembros de la generación de 1914.

10.1 Juan Ramón Jiménez

Obra poética

La poesía de Juan Ramón Jiménez se construye en torno a la **consecución de un triple objetivo: belleza, conocimiento** y **eternidad.** Estos tres elementos están presentes en toda su obra: desde los primeros versos escritos con 19 años (*Ninfeas* y *Almas de violeta,* 1900), en que se observa la notoria influencia del modernismo finisecular, decadente y parnasiano en cuyas filas militó con entusiasmo, hasta sus últimos poemas, en plena madurez.

Belleza, conocimiento y eternidad implican, además, cuatro **ejes temáticos que vertebran su poesía:**

- **Importancia máxima del lenguaje poético:** Juan Ramón Jiménez, como dice en un célebre poema, busca por encima de todo «el nombre exacto de las cosas». Y aquí son fundamentales el simbolismo y el uso de las palabras como medios indispensables de acercarse al ideal de belleza y verdad.
- **La creación poética** no **es fruto** de una inspiración momentánea y casual, sino **de una labor constante de la inteligencia y la reflexión racional.** Se trata de un proceso intelectual por el cual el yo interior intenta unificarse con el mundo exterior en una sola entidad, la poesía.
- El afán por lograr la **unidad entre el yo interior y la realidad exterior** convierte al poeta en una especie de «dios» creador de mundos nuevos.
- Sin embargo, la **creación poética presenta un fondo *triste* y *doliente*,** porque Juan Ramón (como los románticos y los simbolistas) observa un mundo inaccesible a su intento y en continuo movimiento. Más tarde, tal vez por influencia del vitalismo intelectual de Ortega y Gasset, ese mismo mundo cambiante es lo que da equilibrio y razón de ser a la vida y a la naturaleza.

> ¡Palabra mía eterna!
> ¡Oh, qué vivir supremo
> —ya en la nada la lengua de mi boca—,
> oh, qué vivir divino
> de flor sin tallo y sin raíz,
> nutrida, por la luz, con mi memoria,
> sola y fresca en el aire de la vida!
>
> Juan Ramón Jiménez. *Eternidades*, en *Antología poética* (ed. de Javier Blasco). Cátedra

Por otra parte, a pesar de la unidad esencial que da sentido a su obra poética, el mismo Juan Ramón Jiménez establece tres grandes épocas en su poesía, según predomine alguno de los objetivos de **belleza, conocimiento** o **eternidad.**

JUAN RAMÓN JIMÉNEZ (1881-1958)

Premio Nobel de Literatura en 1956, nació en Moguer, provincia de Huelva (1881), cursó Bachillerato en el Puerto de Santa María y abandonó pronto los estudios de Derecho en la Universidad de Sevilla. En 1900 viaja a Madrid para participar activamente en defensa del modernismo. La muerte de su padre y una fuerte depresión lo llevan a un sanatorio francés. A su regreso, alternó la estancia en Madrid (Institución Libre de Enseñanza, puesta en marcha de revistas modernistas como *Helios*, la Residencia de Estudiantes...) con el periodo de seis años en que residió en su Moguer natal. Se casa en 1916 con Zenobia Camprubí Aymar.

Durante la Guerra Civil ocupa el cargo de agregado cultural en la embajada española en Estados Unidos. Ya no volvió a España; residió en Estados Unidos, Cuba y Puerto Rico, donde falleció.

Épocas

Poesía sensitiva: hasta 1916 (fecha de su boda); primeras obras y los «ropajes» modernistas. Predominio del afán por la belleza.

Poesía intelectual: desde 1916 a 1936; la poesía *pura* o *desnuda.*

Poesía suficiente o verdadera: desde 1936; poesía que busca la verdad y la eternidad.

Poesía sensitiva (hasta 1916)

En esta etapa de la poesía juanramoniana se observa la influencia intensa de Bécquer y el modernismo de Rubén Darío, Villaespesa y Valle-Inclán, junto al peso innegable de los simbolistas franceses, como Paul Verlaine.

En el tratamiento de los temas predominantes como la muerte, el amor y la soledad, así como en la métrica del verso y el uso de las figuras literarias, se observan a su vez dos fases:

- **Etapa intimista** (Bécquer, el simbolismo y la poesía popular). Destacan en esta etapa *Primeras poesías* (1898-1902), *Arias tristes* (1903), *Jardines lejanos* (1904), *Pastorales* (1905-1911) y *Baladas de primavera* (1910): el poeta establece en el verso un diálogo permanente con la naturaleza, tratando de esclarecer el misterio de la existencia humana.

  Los poemas de esta etapa suelen presentarse como «escenas» o cuadros descriptivos:

  - **Cuadros descriptivos de la naturaleza y recuerdos de experiencias pasadas,** sobre todo amorosas. El paisaje, a menudo, es símbolo de su soledad existencial, su temor a la muerte, la nostalgia, la melancolía, etc.
  - **Cuadros populares.** En una breve estructura narrativa unos personajes protagonizan experiencias vitales idénticas a la suya personal. Bastantes poemas de este grupo presentan el paisaje rural de su Moguer natal.

- **Etapa de los «ropajes» modernistas.** Las obras más importantes de este periodo son *La soledad sonora* (1911), *Poemas agrestes* (1910-1911), *Poemas májicos y dolientes* (1911), *Sonetos espirituales* (1914-15) y su prosa poética *Platero y yo* (1914).

  Se acrecienta el peso del estilo modernista por el uso del alejandrino, el soneto, serventesios... junto a la adjetivación ornamental y figuras literarias como la sinestesia, las metáforas coloristas, etc.

  En cuanto a la temática, **se intensifica el clima espiritual y el fondo triste de sus poemas:** frente a la vulgaridad cotidiana, Juan Ramón intenta en vano crear un mundo ideal donde se hacen evidentes en las siguientes inquietudes:

  Religiosa: por influjo de su amigo Miguel de Unamuno, que le impulsa a componer hermosas oraciones y quejas interrogantes hacia Dios.

  Erótica: a través del recuerdo de experiencias vividas, unas veces con nostalgia y otras con arrepentimiento; pero también lo femenino aparece como símbolo de la poesía o del mundo ideal que sueña el poeta.

  Social: apunta hacia lo histórico y político (denuncia de la vulgaridad burguesa) y hacia una solidaridad humanitaria contra la pobreza y la enfermedad en poemas como «El niño pobre» y «La carbonerilla quemada» y en el libro de prosa poética *Platero y yo.*

Vino, primero, pura,
vestida de inocencia.
Y la amé como un niño.

Luego se fue vistiendo
de no sé qué ropajes.
Y la fui odiando, sin saberlo.

Llegó a ser una reina,
fastuosa de tesoros...
¡Qué iracundia de yel y sin sentido!

... Mas se fue desnudando.
Y yo le sonreía.

Se quedó con la túnica
de su inocencia antigua.
Creí de nuevo en ella.

Y se quitó la túnica,
y apareció desnuda toda...
¡Oh pasión de mi vida, poesía
desnuda, mía para siempre!

Juan Ramón JIMÉNEZ
Eternidades, en *Poemas escogidos*
(ed. de R. A. Cardwell). Vicens Vives

Juan Ramón explica en este poema sus dos primeras épocas en la poesía. ¿Sobre qué recurso se construye todo el poema? ¿Cuál es la estructura del texto?

Poesía intelectual (de 1916 a 1936)

El regreso a Madrid (se aloja en la Residencia de Estudiantes) y su relación amorosa estable con Zenobia Camprubí marcan el comienzo de una nueva época en que parece solucionar sus preocupaciones estéticas, intelectuales y éticas. Por influjo de Ortega y Gasset, Juan Ramón evoluciona hacia un nuevo **vitalismo poético** basado en **«el nombre exacto de las cosas»** y en la palabra «desnuda».

> ¡Intelijencia, dame
> el nombre exacto de las cosas!
>
> ... Que mi palabra sea
> la cosa misma,
> creada por mi alma nuevamente.
> Que por mí vayan todos
> los que no las conocen, a las cosas;
> que por mí vayan todos
> los que ya las olvidan, a las cosas;
> que por mí vayan todos
> los mismos que las aman, a las cosas...
>
> ¡Intelijencia, dame
> el nombre exacto, y tuyo,
> y suyo, y mío, de las cosas!
>
> Juan Ramón JIMÉNEZ. *Eternidades*, en *Antología poética* (ed. de Javier Blasco). Cátedra

La peculiar ortografía de Juan Ramón Jiménez: escribía con la letra *j* los sonidos /ge/ y /gi/ («májico», «antolojía»); también escribía con *s* en vez de *x*: «esplosión», «espresan».

Diario de un poeta recién casado (1917), obra fundamental en la poesía española del siglo XX, inaugura esta época. Además, destacan otros libros como *Eternidades* (1918), *Piedra y cielo* (1919) o *La estación total* (1923-1936, pero publicado en 1946).

Los poemas están escritos mayormente en verso libre o en prosa y se convierten en fragmentos de realidad que abordan aspectos como: la **vida urbana** y el caos tecnológico de las ciudades, su **experiencia amorosa** de pareja en que el amor se vive como presente continuo, casi eterno, y, finalmente, experiencias vitales de conocimiento (usa como símbolos el mar y la rosa) y sueños o fantasías sobre la eternidad, la muerte...

Poesía suficiente o verdadera (a partir de 1936)

A partir de 1936 avanza hacia una poesía cada vez más compleja y metafísica en torno a temas como la poesía, Dios y la eternidad. Una visión panteísta de la realidad (por influjo del krausismo y del vitalismo de Ortega) le impulsa a la unidad profunda con todo lo existente; la conciencia del poeta aparece, entonces, como un «dios» que recíprocamente da sentido al mundo y solo encuentra sentido a su existencia en los objetos de ese mundo que le rodea.

De esta época es *Animal de fondo* (1946), *Dios deseado y deseante* (1948-1949) y el extenso poema en prosa *Espacio* (1954).

PROSA DE JUAN RAMÓN JIMÉNEZ

Juan Ramón Jiménez compuso poemas en prosa incluidos, por ejemplo, en *Diario de un poeta recién casado*, pero también fue autor de una obra maestra como ***Platero y yo*** (1914). Este libro está ambientado en Moguer, su pueblo natal, donde residió desde 1905 a 1911, y narra en inimitable prosa poética el último año de la vida del asno, Platero, con quien la voz poética del autor conversa.

Platero y yo es un acercamiento a la naturaleza y a la realidad social andaluzas y un alegato a favor de la vida feliz en un mundo rural idealizado frente al mundo deshumanizado de la sociedad urbana e industrial. En 138 breves capítulos se abordan temas como el carácter transitorio de la vida, la violencia y la crueldad contra los animales y los hombres.

ZENOBIA CAMPRUBÍ AYMAR (1887-1956)

Zenobia Camprubí Aymar fue mucho más que la esposa de Juan Ramón Jiménez: pionera del feminismo en España, fundadora de asociaciones humanitarias, traductora de Tagore, difusora de la cultura y profesora en las universidades de Maryland y Puerto Rico, donde difundió la cultura y la lengua españolas.

ELABORA TU PROYECTO

LA EDAD DE PLATA ESPAÑOLA

Como ya se ha indicado en esta unidad, la **edad de plata** fue un periodo de esplendor en la vida cultural, artística y científica española, que floreció principalmente en el primer tercio del siglo XX. Además de los escritores del modernismo —grupo del 98, de la generación de 1914 y de la generación de 1927—, coincidieron en el tiempo científicos, pensadores, músicos, historiadores, filólogos, cineastas, pintores... en unos años convulsos de graves conflictos sociales y gran inestabilidad política, que culminarían en la terrible guerra civil que asoló el territorio hispano.

Nos centraremos en cuatro celebridades de la **edad de plata:**

- El Premio Nobel de medicina **Santiago Ramón y Cajal** (1852-1934).
- El gran maestro de la música **Manuel de Falla** (1876-1947).
- El padre de la filología hispánica y también relevante historiador **Ramón Menéndez Pidal** (1876-1947).
- La filóloga, investigadora y escritora **María Goiry** (1873-1955), esposa de Ramón Menéndez Pidal.

Pautas para la presentación del trabajo

1	Por grupos, recopilad la información y los datos obtenidos acerca de la biografía de una de estas cuatro eminencias: Ramón y Cajal, Manuel de Falla, Menéndez Pidal y María Goiry.
2	Con la información recogida, elaborad un informe o dosier sobre su legado y la trascendencia o repercusión, española o internacional, que tuvieron en sus respectivas áreas o en la vida cultural, científica, académica, universitaria...
3	Realizad una breve exposición oral de lo elaborado por cada uno de los grupos y, después, organizad un coloquio o mesa redonda sobre la función social y humanitaria de la investigación y el estudio en las ciencias y las humanidades, así como la creación artística, sobre todo en tiempos de crisis y grandes conflictos sociales.

Recursos

- Para Santiago Ramón y Cajal:
  - → http://bvs.sld.cu/revistas/his/his_103/his13103.htm
  - → http://sinapsis-aom.blogspot.com.es/2010/02/santiago-ramon-y-cajal-vida-y-obra.html
  - → http://cvc.cervantes.es/ciencia/cajal/default.htm
  - → http://cvc.cervantes.es/ciencia/cajal/cajal_recuerdos/default.htm
- Para Manuel de Falla:
  - → www.manueldefalla.com/
  - → www.manueldefallaediciones.es/vida.php
  - → www.modernismo98y14.com/manuel-falla.html
- Para Ramón Menéndez Pidal y María Goiry:
  - → www.fundacionramonmenendezpidal.org
  - → www.rae.es/academicos/ramon-menendez-pidal-0
  - → http://biblioteca.cchs.csic.es/bibliografias/menendez_pidal/semblanza_pidal.php
- Para la labor filológica e investigadora de María Goiry:
  - → www.fundacionramonmenendezpidal.org/ramon-menendez-pidal/maria-goyri

ELABORA TU ORGANIZADOR VISUAL

Elabora el organizador visual de esta unidad incluyendo los siguientes conceptos.

MODERNISMO PARNASIANO

NOVENTAYOCHISMO

MODERNISMO SIMBOLISTA

NOVECENTISMO

ACTIVIDADES

Texto 1

Yo soy aquel que ayer no más decía
el verso azul y la canción profana,
en cuya noche un ruiseñor había
que era alondra de luz por la mañana.

El dueño fui de mi jardín de sueño,
lleno de rosas y de cisnes vagos;
el dueño de las tórtolas, el dueño
de góndolas y liras en los lagos;
y muy siglo diez y ocho y muy antiguo
y muy moderno; audaz, cosmopolita;
con Hugo fuerte y con Verlaine ambiguo,
y una sed de ilusiones infinita.

Yo supe de dolor desde mi infancia,
mi juventud.... ¿fue juventud la mía?
Sus rosas aún me dejan su fragancia...
una fragancia de melancolía...

1. Por su temática y su estilo, estos versos pertenecen a...
   - **a.** la poesía romántica, por su individualismo subjetivo y su libertad formal.
   - **b.** la poesía vanguardista, por su ruptura irracional de normas y convenciones.
   - **c.** la poesía de fin de siglo, por la presencia del parnasianismo, el decadentismo, el simbolismo, etc.
   - **d.** la poesía realista, por su descripción objetiva de la realidad.

2. Aunque no se menciona el autor, estos versos pertenecen con toda seguridad a...
   - **a.** Miguel de Unamuno.
   - **b.** Rubén Darío.
   - **c.** José de Espronceda.
   - **d.** Jacinto Benavente.

3. En estos versos se alude a las distintas etapas y algunos rasgos de...
   - **a.** el romanticismo: prerromanticismo, apogeo y posromanticismo.
   - **b.** el vanguardismo: futurismo, cubismo, surrealismo...
   - **c.** el realismo: realismo, naturalismo, realismo espiritual...
   - **d.** el modernismo: modernismo parnasiano canónico y modernismo simbolista o intimista.

Texto 2

Mi infancia son recuerdos de un patio de Sevilla,
y un huerto claro donde madura el limonero;
mi juventud, veinte años en tierras de Castilla;
mi historia, algunos casos que recordar no quiero.

Ni un seductor Mañara, ni un Bradomín he sido
—ya conocéis mi torpe aliño indumentario—,
mas recibí la flecha que me asignó Cupido,
y amé cuanto ellas puedan tener de hospitalario.

Hay en mis venas gotas de sangre jacobina,
pero mi verso brota de manantial sereno;
y, más que un hombre al uso que sabe su doctrina,
soy, en el buen sentido de la palabra, bueno.

[...] Y cuando llegue el día del último vïaje,
y esté al partir la nave que nunca ha de tornar,
me encontraréis a bordo ligero de equipaje,
casi desnudo, como los hijos de la mar.

4. ¿Quién escribió estos versos?
   - **a.** Antonio Machado.
   - **b.** Gustavo Adolfo Bécquer.
   - **c.** Juan Ramón Jiménez.
   - **d.** Benito Pérez Galdós.

5. Por su métrica, se trata de...
   - **a.** un soneto (dos cuartetos y dos tercetos).
   - **b.** un romance: rima asonante en versos pares.
   - **c.** cuatro serventesios de versos alejandrinos.
   - **d.** cuatro cuartetas de rima consonante en a-b-a-b.

6. Antonio Machado definió su poesía como...
   - **a.** «palabra esencial en el tiempo».
   - **b.** «álgebra superior de las metáforas».
   - **c.** «lo que queda en el poema después de haber eliminado lo que no es poesía».
   - **d.** Las tres definiciones anteriores son de Antonio Machado.

7. ¿Cuáles son las etapas de la poesía de Juan Ramón Jiménez?
   - **a.** Etapa juvenil, etapa posmodernista, etapa de plenitud.
   - **b.** Poesía sensitiva, poesía intelectual, poesía suficiente o verdadera.
   - **c.** Poesía modernista, noventayochista y novecentista.
   - **d.** Barroco, Neoclasicismo, realismo.

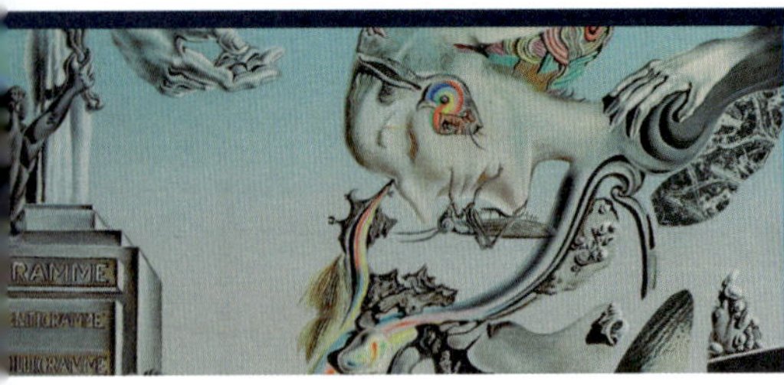

08 VANGUARDISMO Y GENERACIÓN DEL 27

01 Las vanguardias

Entre las dos guerras mundiales se desarrollan en Europa las vanguardias (aunque futurismo y cubismo nacieron antes del inicio de la Primera Guerra Mundial). Los *ismos* suponen un cambio radical al construir, desde diferentes presupuestos o puntos de vista, un nuevo lenguaje artístico basado en dos fundamentos:

- **Ruptura con el pasado y rechazo de las normas y tradiciones** referidas al acto de la creación artística.
- **Interdisciplinariedad estética** que afecta a las diferentes manifestaciones artísticas: poesía, pintura, teatro, cinematografía...

Desde un punto de vista ideológico, los artistas vanguardistas oscilan entre el «arte por el arte», que da preferencia a la innovación «puramente» estética, y, de otro lado, el «arte comprometido». Asimismo, el arte vanguardista muestra una vinculación activa con los avances científicos y tecnológicos, y con la vida urbana de inicios del siglo XX.

> ***AVANT-GARDE* E *ISMOS***
>
> El término *avant-garde* ('vanguardia') surge en Francia durante la Primera Guerra Mundial y alude al carácter combativo, militante y rupturista de los ***ismos***, los cuales coincidían en un objetivo común: la batalla contra el orden establecido en las artes y la literatura.
>
> 
>
> *Bailarina en el café*, de Jean Metzinger (1883-1956), pintor cubista.

01.1 Contexto histórico cultural de las vanguardias

Se observan las siguientes etapas históricas en las vanguardias:

Inicios. Ruptura y revolución (1900-1918)	• Desde los años anteriores a la Primera Guerra Mundial hasta el final del conflicto bélico y el impacto de la Revolución rusa de 1917: cubismo, expresionismo, futurismo… • Reacción contra la lógica racional, la moral, el honor, la religión, la patria o la familia, considerados como ideas de un pasado totalmente rechazable.
Plenitud. Deshumanización del arte (1918-1929)	Desde el final de la Primera Guerra Mundial hasta el *crash* **económico mundial de 1929** brotan movimientos nuevos que profundizan en la ruptura estética con todo sentimentalismo y realismo: el **dadaísmo** y las primeras obras y manifiestos del **surrealismo**; en el ámbito hispánico, surgen el **creacionismo** y el **ultraísmo**.
Crisis. Rehumanización del arte (1930-1939)	• El *crash* de 1929 y la implantación del nazismo-fascismo y del comunismo estalinista acrecientan la tensión social y política, que afecta a movimientos como el **surrealismo**. • El estallido de la Segunda Guerra Mundial supondrá el final del vanguardismo.

Por otra parte, pueden señalarse algunas **características generales** comunes a los diferentes movimientos literarios de la vanguardia:

- **Originalidad.** La **innovación** afecta a todos los géneros literarios:
  - En la **poesía** esta innovación se produce tanto en **el lenguaje poético**, deliberadamente hermético, como en **la métrica** (con la preferencia por el **verso libre**) o incluso en diferentes disposiciones gráficas como los **caligramas** de **Apollinaire** y, finalmente, en la búsqueda de nuevos temas tratados con ingenio o incluso con humor.
  - En la **narrativa** se **alteran** notoriamente la **ordenación cronológica** o lineal de los hechos narrados, la función del **narrador** y el punto de vista narrativo. Ejemplo de ello son las obras de **James Joyce, Franz Kafka** o **William Faulkner,** entre otros.
  - En el **teatro** se **rompe** con la configuración del **personaje** dramático, la **escenografía** y los decorados, así como la **unidad estructural de la acción** representada. Destacan los autores **Alfred Jarry, Antonin Artaud,** etc.
- **Antitradicionalismo.** Se cuestiona la herencia literaria de épocas anteriores. De esta postura derivan algunos otros rasgos:
  - **Antirrealismo e irracionalismo:** se renuncia por principio a toda ilusión de realidad mediante la deliberada deformación de los objetos naturales.
  - **Arte deshumanizado,** ajeno a pasiones y sentimientos humanos reconocibles. El arte se reduce, a menudo, a un simple juego intranscendente. Sin embargo, refleja la sociedad de su tiempo: las máquinas, la técnica, el ocio, el deporte..., así como los aspectos negativos del mundo moderno.
- **Internacionalismo:** los autores vanguardistas eran ciudadanos del mundo, preocupados mucho más por las cuestiones universales que por las particulares.
- **Libertad absoluta del autor:** hasta el extremo, por ejemplo, de romper con la lógica o con los idiomas conocidos. De aquí deriva la interdisciplinariedad de las distintas artes: pintura, poesía, escultura, música, novela, teatro..., así como la conexión entre cine y literatura: Buster Keaton, Charles Chaplin, Greta Garbo...
- **Existencia de una conciencia de grupo** patente en la clara tendencia de estos movimientos a institucionalizar sus ideas y planteamientos en órganos de expresión comunes como **manifiestos**, revistas, exposiciones, conferencias...

  La conciencia de grupo hará, incluso, que algunos movimientos vanguardistas se presenten a sí mismos en contradicción, contraste o rivalidad con respecto a las otras tendencias vanguardistas.

Jacqueline con las manos cruzadas, de Pablo Picasso. Pablo Ruiz Picasso (1881-1973) no solo es el máximo representante del cubismo pictórico sino también una de las figuras claves del arte universal del siglo XX.

La verbena, de Maruja Mallo. Maruja Mallo (1902-1995) fue una pintora surrealista española muy ligada a la generación del 27.

02 Las vanguardias literarias

Las **principales vanguardias literarias europeas** eran interdisciplinares y afectaron también a la poesía, la pintura, la escultura, la arquitectura, el recién inventado cine...

PRINCIPALES VANGUARDIAS LITERARIAS	
Cubismo (Francia, 1906)	Los pintores Picasso y Juan Gris son figuras señeras en la pintura; el cubismo pretende descomponer la realidad desde todos los ángulos posibles para crear formas libres. En literatura, su técnica principal consiste en la disposición gráfica de las palabras creando dibujos: los *Caligramas*, de **Guillaume Apollinaire** (1880-1918).
Futurismo (Italia, 1909)	Impulsado por Filippo Tommaso **Marinetti** y su ***Manifiesto técnico de la literatura futurista.*** El lenguaje se libera de las ataduras ortográficas o gramaticales y su tema principal es la exaltación de la sociedad industrial: las máquinas, el automóvil, el avión, las locomotoras, la luz eléctrica, los deportes, la guerra...
Expresionismo (Alemania, 1910)	Intenta reflejar la realidad a partir del «alma» y los sentimientos, deformando las figuras humanas mediante la animalización o la cosificación. Está presente en *La metamorfosis* de **Franz Kafka**, en el **esperpento** de Valle-Inclán o incluso en el teatro épico de **Bertolt Brecht.**
Dadaísmo (1916, Francia, Suiza, Alemania)	Fundado por Tristan Tzara, pretende la ruptura integral con toda norma establecida. En literatura, realza lo ilógico, infantil, absurdo, espontáneo y lúdico como motor creativo. La expresión dadaísta se sumerge en la incoherencia y preparará el camino para el surrealismo.
Surrealismo (1924, Francia)	Nace con el *Primer manifiesto surrealista* de **André Breton.** Brillaron poetas como **Paul Éluard** y **Louis Aragon.** Influido por la **teoría freudiana del psicoanálisis,** el inconsciente de la mente humana y el sueño son prioritarios como medios de liberación individual y social. Estas ideas conectan con el **marxismo revolucionario y comunista,** sobre todo a fines de los años veinte. Su principal rasgo literario es la **escritura automática:** escribir las frases tal y como vienen a la cabeza, aunque ello vaya contra la lógica y la gramática. Se introdujo rápidamente **en España:** además de los viajes de artistas españoles a Francia, a través de traducciones de los **manifiestos surrealistas,** de la estancia española de **Pablo Neruda** y de las conferencias de **André Breton** en el Ateneo de Barcelona (1922) y de **Louis Aragon** en la **Residencia de Estudiantes** (Madrid, 1925). En pintura, destacan **Salvador Dalí, Joan Miró** y **Maruja Mallo**; en el cine, **Luis Buñuel**; y en poesía, **Juan Larrea, José María Hinojosa, Lorca, Alberti, Cernuda** y **Aleixandre,** entre otros. Los poetas **surrealistas españoles** no practicaron la **escritura automática** y en ellos se percibe a menudo un hilo conductor que aporta cierto sentido unitario, matizado por una **liberalización de la imagen poética** y un **enriquecimiento del lenguaje poético,** que supuso la crisis de la poesía pura y la deshumanización del arte, tal y como la definió Ortega y Gasset.

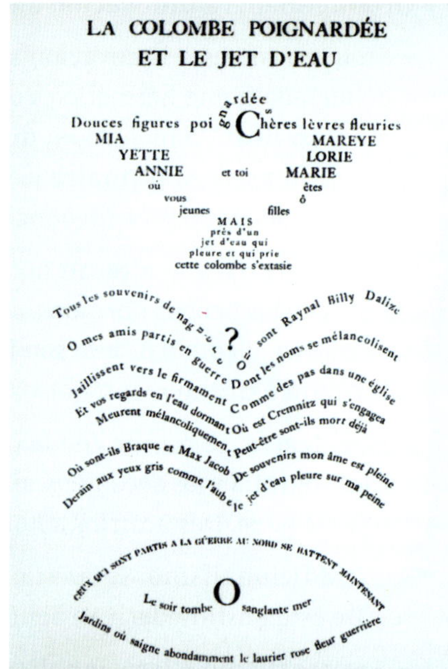

Caligrama *La paloma apuñalada y el surtidor,* de Guillaume Apollinaire (*Caligramas,* 1918). Durante la Primera Guerra Mundial Apollinaire fue combatiente voluntario y resultó herido de gravedad en 1916. La guerra le causó un gran impacto.

EL DADAÍSMO Y EL *COLLAGE*

El *collage* (recortar y pegar al azar fragmentos de periódicos, folletos... para crear un texto o una imagen gráfica nueva) fue una técnica muy usada por los dadaístas y después por otros movimientos como el surrealismo.

Life and work in a Universal City 12:05 Noon (1919), de los artistas George Grosz y John Heartfield.

02.1 Las vanguardias literarias en España

El mal minuto

Cuando para mí eran los trigos viviendas de astros y de dioses
y la escarcha los lloros helados de una gacela,
alguien me enyesó el pecho y la sombra,
traicionándome.
Ese minuto fue el de las balas perdidas,
el del secuestro, por la mar, de los hombres que quisieron ser pájaros,
el del telegrama a deshora y el hallazgo de sangre,
el de la muerte del agua que siempre miró al cielo.

Rafael ALBERTI. *Sobre los ángeles. Yo era un tonto y lo que he visto me ha hecho dos veces tonto.* Cátedra

¿Qué elementos del vanguardismo y del surrealismo en particular refleja este poema de Alberti?

El vanguardismo se propagó en España casi inmediatamente. Sobresale como pionero y promotor **Ramón Gómez de la Serna**, fundador de la revista ***Prometeo,*** donde se publica, incluso, una *Proclama futurista a los españoles* (1910), escrita ex profeso por **Marinetti** y traducida al castellano.

Tertulias y revistas sirvieron al vanguardismo como medios de difusión y debate: la tertulia del Café de Pombo, presidida por Gómez de la Serna, o la del Café Colonial, por Rafael Cansinos Assens; la *Revista de Occidente* (fundada por Ortega y Gasset en 1923) y *La Gaceta Literaria* (en 1927).

Movimientos vanguardistas hispanos	
Creacionismo (**Vicente Huidobro** y su obra *Altazor o el viaje en paracaídas,* **Gerardo Diego** con *Imagen,* **Juan Larrea** con *Oscuro dominio*).	El chileno **Vicente Huidobro** impulsó el **creacionismo,** el arte como un puro acto de creación y no una imitación de la naturaleza: «El Poeta es un pequeño Dios». Para ello, se suprimen los signos de puntuación y se yuxtaponen imágenes ilógicas, mediante asociaciones arbitrarias creadas por el poeta.
Ultraísmo (**Guillermo de Torre** y sus poemas visuales del libro *Hélices,* 1923; **Cansinos Assens** y el argentino **Jorge Luis Borges,** entonces en España).	El **ultraísmo** es definido por **Rafael Cansinos Assens** en 1918 como un «más allá» (del latín *ultra*) poético, totalmente alejado del modernismo y del sentimentalismo romántico. Se basa en: • Exaltación de la técnica como manifestación pura de la belleza (futurismo). • Metáforas chocantes, ilógicas, procedentes del cine, el deporte, la tecnología… (dadaísmo). • Disposición gráfica y pictórica del poema, como los caligramas cubistas.

Ramón Gómez de la Serna

Fue el **gran promotor de la vanguardia española;** además, publicó un centenar de obras narrativas muy variadas (novelas, relatos breves, biografías...), ensayos y libros misceláneos como *Ismos* (1931), donde retrata las vanguardias europea y española, piezas teatrales, artículos periodísticos y sus célebres **greguerías.**

Las **greguerías** son enunciados muy breves con extraños juegos de palabras, bromas o reflexiones filosóficas, basadas en la fórmula **metáfora + humor = greguería.**

GLOSARIO

surrealismo: sustantivo masculino. Automatismo psíquico puro por cuyo medio se intenta expresar, verbalmente, por escrito o de cualquier otro modo, el funcionamiento real del pensamiento. Es un dictado del pensamiento, sin la intervención reguladora de la razón, ajeno a toda preocupación estética o moral.

André BRETON. «Primer manifiesto surrealista» (1924), en *Antología de la literatura española del siglo XX* (ed. de Arturo Ramoneda). SGEL

RAMÓN GÓMEZ DE LA SERNA (1888-1963)

Periodista y escritor, fue figura clave de la vanguardia. Cursó estudios de derecho, aunque desde muy temprano sintió afición por el periodismo. Colaboró en publicaciones y periódicos como *El Sol, La Voz, Revista de Occidente* o *El Liberal,* además de fundar revistas vanguardistas como *Prometeo* (1908). En 1915 crea la tertulia en el Café Pombo. Fue secretario del Ateneo de Madrid. Al estallar la guerra civil española, se exilió voluntariamente en Argentina.

03 La generación del 27

En la segunda década del siglo xx el modernismo se extinguía (a excepción de Manuel Machado y Francisco Villaespesa), el novecentismo poético brillaba con Juan Ramón Jiménez a la cabeza y, finalmente, una serie de jóvenes vanguardistas intentaba, sin mucho éxito, abrirse paso en el panorama literario español.

En poesía, los integrantes más representativos de la generación del 27 son los siguientes: **Pedro Salinas, Jorge Guillén, Gerardo Diego, Vicente Aleixandre, Dámaso Alonso, Rafael Alberti, Federico García Lorca, Luis Cernuda, Emilio Prados, Manuel Altolaguirre, Juan José Domenchina** y las poetas **Concha Méndez, Ernestina de Champourcín** y **Josefina de la Torre.**

Existen otros autores muy vinculados al 27, como **José Bergamín, Mauricio Bacarisse, Juan Larrea, José Moreno Villa** o **Juan Chabás,** entre otros, además de dos grandes poetas: el chileno **Pablo Neruda,** fundamental en la evolución del grupo en su «segunda etapa»; y **Miguel Hernández,** entonces joven poeta, que sirvió de enlace con la generación siguiente.

> **LA EDAD DE PLATA DE LA CULTURA ESPAÑOLA**
>
> En la generación del 27, además de los poetas como Lorca, Alberti, Cernuda, Aleixandre o Jorge Guillén, también destacaron **narradores y prosistas** (Ramón J. Sender, Arturo Barea, Max Aub, Francisco Ayala y Josep Pla), **pintores** (Salvador Dalí y Joan Miró), **cineastas** (Luis Buñuel), **músicos** (Joaquín Rodrigo y Rodolfo y Ernesto Halffter). Asimismo, destacaron en esta época **científicos** (Francisco Grande Covián y Severo Ochoa), así como periodistas, juristas, ingenieros, arquitectos... por ello se denomina la Edad de Plata.

03.1 El 27 como «generación» poética

Entre otros, cuatro factores determinantes permiten afirmar rotundamente que el 27 constituye una **generación poética** en toda regla:

- **Nacimientos distantes en pocos años:** quince años como máximo separan sus nacimientos, como entre Salinas (1891) y Altolaguirre (1905).
- **Formación intelectual semejante y relaciones personales:** además de la estrecha amistad que los unió, destacan los estudios universitarios (excepto Rafael Alberti) y la estancia de muchos de ellos en la **Residencia de Estudiantes** (según el modelo educativo de Giner de los Ríos y el krausismo).
- **Participación en actos colectivos propios:** el **homenaje a Luis de Góngora en el tercer centenario de su muerte,** en el Ateneo de Sevilla en 1927, es el acontecimiento fundacional del grupo. Por otra parte, **Gerardo Diego** publicó la antología ***Poesía española contemporánea (1915-1931)*** en 1932, donde selecciona a sus amigos y compañeros de generación.

  Además, publican sus poemas en revistas creadas por ellos mismos o en las que participan muy activamente como *Verso y Prosa, Carmen,* ***Litoral, Caballo verde para la poesía, Revista de Occidente, La Gaceta Literaria*** (de los vanguardistas Giménez Caballero y Guillermo de Torre) o ***Cruz y Raya*** (dirigida por José Bergamín).
- **Presencia de un guía, maestro o líder.** En el caso del 27, existen tres figuras relevantes que amparan su nacimiento y el desarrollo: **Juan Ramón Jiménez,** cuyas orientaciones fueron esenciales en su formación y primeras obras; **José Ortega y Gasset,** en una doble función: definir teóricamente la nueva estética en su ensayo ***La deshumanización del arte*** (1925) y promover su publicación en la *Revista de Occidente;* y **Ramón Gómez de la Serna** con sus obras y, sobre todo, con su labor de impulso y promoción de los jóvenes talentos literarios.

Fotografía de los artistas que participaron en el homenaje a Góngora en el Ateneo de Sevilla en 1927.

03.2 Características de la poesía de la generación del 27

En la poesía de la generación del 27 se observan unas características específicas que afectan a tres niveles: los **modelos literarios**, los **temas** y el **lenguaje poético.** La interacción de estos tres elementos es lo que da carta de naturaleza a la poesía del 27.

Los modelos literarios

En los poetas de la generación del 27 se sintetizan a la perfección gran parte de las tendencias y corrientes anteriores, tanto de la literatura española como de la europea, algunas veces contrarias entre sí al menos en apariencia:

- **Poesía vanguardista:** el **ultraísmo** y el **creacionismo en los años veinte y el surrealismo en los treinta** impregnaron el gusto por lo inconsciente, lo onírico y lo ilógico.
- **Poesía pura (Juan Ramón Jiménez, Paul Valéry):** el poeta busca alcanzar la esencia eterna e inmutable de las cosas, que no está sujeta a las coordenadas espacio-temporales.
- **Neopopularismo:** que revitaliza y recupera el romancero y el cancionero tradicionales, así como el folclore andaluz.
- **Poesía clasicista culta:** además de la revalorización de Góngora, el 27 gustó del amplio bagaje de la poesía culta española, desde el mester de clerecía, Jorge Manrique, Garcilaso de la Vega o san Juan de la Cruz, hasta los poetas barrocos (Góngora, Quevedo y Lope).
- **Poesía neorromántica:** Bécquer y Rosalía de Castro se convirtieron en modelos que aunaban la expresión de intensas experiencias emocionales con formas poéticas basadas en la brevedad y la palabra precisa.
- **Poesía simbolista:** no solo el **simbolismo** francés de Verlaine, Rimbaud y Mallarmé, también el modernismo simbolista hispano (Antonio Machado o, incluso, Unamuno, por ejemplo) fue leído y admirado por el 27.

El lenguaje poético del 27

Su objetivo común era renovar estéticamente la poesía. Los poetas del 27 adoptan y adaptan las aportaciones de las vanguardias, sin olvidar la importancia del legado literario español desde la Edad Media hasta el modernismo. Todo ello se traduce en:

Renovación formal que pretende una estilización poética de la realidad mediante la utilización conjunta del léxico culto con palabras coloquiales y con términos o expresiones alejados hasta entonces de la lengua poética.

La **metáfora** es el recurso literario por excelencia, que les sirve para expresar los contenidos vanguardistas planteados en muchos poemas.

La **libertad métrica** es un rasgo característico de este grupo: **coexisten las estrofas clásicas cultas con las formas tradicionales populares** (sonetos, romances, villancicos, zéjeles…) **y con la utilización de versos libres o versículos.**

> LAS MUJERES EN LA EDAD DE PLATA

Durante esta época destacaron importantes autoras, juristas, pensadoras, pintoras, científicas… que no han sido tan recordadas como sus compañeros masculinos:

- **Prosistas y narradoras** como Rosa Chacel y María Teresa León.
- **Juristas** como Victoria Kent y Clara Campoamor.
- **Escritoras, pensadoras y filósofas** como María Zambrano y Margarita Nelken.
- **Pintoras** como Maruja Mallo.
- **Filólogas y lexicógrafas** como María Moliner.
- **Ingenieras** como Pilar Careaga.
- **Científicas y pedagogas** como Margarita Comas.
- **Médicas** como Elisa Soriano.
- **Bailarinas y coreógrafas** como Encarnación López Júlvez, La Argentinita.

Temas de la poesía del 27

Del **arte por el arte** o como juego antisentimental, se fue avanzando, por influencia del surrealismo y de Pablo Neruda (la revista *Caballo verde para la poesía* y el manifiesto publicado allí por este: *Sobre una poesía sin pureza,* de 1935) hacia una **poesía humanizada y preocupada socialmente,** más aún con el estallido de la Guerra Civil. Después de 1939, el exilio de muchos de ellos hace que surja la nostalgia por la patria lejana y perdida junto con las inquietudes existenciales.

Los temas de esta generación son:

- **La naturaleza:** como entorno descriptivo simbólico e incluso panteísta.
- **La ciudad**: como escenario de cantos a la técnica y la industria (ultraísmo) o como un mundo hostil y alienante (surrealismo).
- **El amor:** como fuerza cósmica universal y expresión de total libertad individual, que choca frontalmente con un mundo injusto y miserable (surrealismo, nuevo romanticismo).
- **Las inquietudes existenciales:** el choque entre *la realidad y el deseo* (Luis Cernuda), entre el mundo y el amor, provoca angustia, dolor y desesperación.
- El **compromiso social:** vinculados al talante abierto, liberal y progresista de la Residencia de Estudiantes, durante la Guerra Civil y la Segunda Guerra Mundial (en el exilio), denunciaron los desastres de la guerra, el hambre y la explotación de millones de seres humanos.

03.3 Trayectoria poética de la generación del 27

En torno al acto fundacional del grupo (el homenaje a Góngora) y a la Guerra Civil, finalizada en 1939, la crítica ha señalado tres etapas en la trayectoria poética del 27:

Etapa de juventud (hasta 1927 aproximadamente)	Etapa de madurez (desde 1927 hasta la Guerra Civil)
Marcada por las ideas de Ortega y Gasset en *La deshumanización del arte*, el vanguardismo (ultraísta y creacionista), Juan Ramón Jiménez y la tradición literaria española culta y popular. Se observan distintas variantes: • **Poesía pura:** el poemario *Cántico* (1928), de Jorge Guillén. • **Vanguardismo:** *Imagen* (1922) y *Manual de espumas* (1924), de Gerardo Diego. • **Neopopularismo:** *Marinero en tierra* (1925), de Rafael Alberti, y *Romancero gitano* (1928), de Federico García Lorca. • **Poesía culta española y gongorismo:** entre otros títulos, *Cal y canto* (1929), de Rafael Alberti, y *Fábula de Equis y Zeda* (1932), de Gerardo Diego.	Marcada por el **surrealismo** y la poesía **«impura»**, **revolucionaria.** El surrealismo del 27 convive perfectamente con el **neorromanticismo** que reivindica a Bécquer. Destacan: • **Poemarios surrealistas:** *Sobre los ángeles* (1929), de Rafael Alberti; *Poeta en Nueva York* (1940), de Federico García Lorca; *Los placeres prohibidos* (1931), de Luis Cernuda; *Espadas como labios* (1932), de Vicente Aleixandre. • **Poesía neorromántica:** *Donde habite el olvido* (1934, título basado en un verso de Bécquer), de Luis Cernuda. • **Poesía comprometida** políticamente: *Poeta en la calle* (1935), de Rafael Alberti, y la compilación *Romancero de la Guerra Civil,* con poemas de buena parte de los poetas del 27.
Después de la Guerra Civil (posguerra)	
Muerto Lorca, el 27 se disgrega entre los que marchan al **exilio** (Cernuda, Alberti, Salinas…) y plantean como tema común el recuerdo de España, los amigos, la juventud, etc., **y los que permanecen en España** (Gerardo Diego, Dámaso Alonso, Vicente Aleixandre) que **expresan** su dolor existencial.	

04 Los poetas del 27

04.1 Pedro Salinas

Para Pedro Salinas, la poesía es un modo de adentrarse en la realidad más profunda, a través de la autenticidad, la belleza y el ingenio. Además, es un excelente **poeta amoroso** que aporta la noción del azar como tema poético. Pero se trata de un *Seguro azar* (título de uno de sus libros) al que está sometida toda relación amorosa, igual que un juego donde se gana o se pierde, según las circunstancias.

Por otra parte, su **estilo poético** está basado en la **sobriedad**, en un **lenguaje aparentemente coloquial, de frases cortas y simples.** En cuanto a la métrica, Salinas prefiere el **verso libre y de corta medida,** a menudo sin rima.

Trayectoria poética

En su trayectoria se pueden diferenciar tres etapas:

- **Primera etapa: las primeras obras,** hasta 1931 (*Presagios,* 1923; *Seguro azar,* 1929; y *Fábula y signo,* 1931).

  Pedro Salinas combina la poesía pura, influida por Juan Ramón Jiménez, con elementos futuristas y vanguardistas (canto a la máquina de escribir, la bombilla eléctrica...).

- **Segunda etapa:** es **la etapa de madurez artística,** que se fundamenta en una lírica dirigida al **tú** poético de la amada, que aparece rodeada de objetos cotidianos (relojes, teléfonos, playas, calles, publicidad, automóviles y calendarios).

  Son tres poemarios que forman una especie de relato amoroso, inspirado en su relación semisecreta con la profesora norteamericana Katherine Whitmore:

  - *La voz a ti debida* (1933), cuyo título procede de un verso de Garcilaso de la Vega, presenta el mutuo descubrimiento gozoso de los amantes.
  - *Razón de amor* (1936), cuyo título recuerda a la obra medieval *Razón feita d'amor,* testimonia la triste nostalgia por el amor concluido.
  - *Largo lamento* (1939): a partir de este verso de la rima XV de Bécquer, expresa la dolorosa expectativa ante un imposible reencuentro con el ser amado.

- **Tercera etapa: en el exilio** escribe sobre la terrible experiencia de la guerra y su inquietud ante el futuro de la humanidad.

  A esta época pertenecen *El contemplado* (1946), una reflexión sobre su idea de eterna búsqueda de la verdad y la salvación a través de la poesía; *Todo más claro* (1949), en torno a los acontecimientos históricos de su tiempo, expresados con amarga desolación; y *Confianza* (1955, póstumo), que, en cambio, supone una exaltación gozosa del acto mismo de vivir.

Salinas también fue autor de numerosos ensayos críticos (sobre Jorge Manrique, Rubén Darío y la literatura del siglo XX), de algunas narraciones y de varias obras de teatro.

PEDRO SALINAS (1891-1951)

Estudió filosofía y letras y derecho. En plena juventud fue catedrático de literatura en las universidades de Sevilla y Murcia y lector de español en La Sorbona y Cambridge. Durante la República desempeñó el cargo de secretario de la Universidad Internacional de Verano de La Magdalena (Santander). A raíz de la Guerra Civil, se exilió y continuó con su labor de profesor en los Estados Unidos y Puerto Rico, sin regresar a España.

04.2 Jorge Guillén

Beato sillón

¡Beato sillón! La casa
corrobora su presencia
con la vaga intermitencia
de su invocación en masa
a la memoria. No pasa
nada. Los ojos no ven,
saben. El mundo está bien
hecho. El instante lo exalta
a marea, de tan alta,
de tan alta, sin vaivén.

Jorge GUILLÉN. *Cántico*, en *Obra poética. Antología*
Alianza

Trébol *(Lá nausée)*

Sí, vomité, rechacé,
mundo, lo que nos sobraba.
Pero te guardé mi fe.

Jorge GUILLÉN
Clamor. (A la altura de las circunstancias),
en *Selección de Poemas*
Gredos

¿En qué ha cambiado la perspectiva del poeta Jorge Guillén?

Jorge Guillén es el gran exponente de la **poesía pura** dentro del 27. Él definió la *poesía pura* como «todo lo que permanece en el poema, después de haber eliminado todo lo que no es poesía». Esto implica una poesía conceptual, que idealiza el mundo buscando lo esencial de las cosas y que renuncia a lo sentimental.

En Jorge Guillén confluyen la **poesía pura** de Paul Valéry y Juan Ramón Jiménez, Charles Baudelaire en su gusto por agrupar su obra poética en **un solo libro** y el **vitalismo optimista** con la **tradición literaria** española desde la Edad Media hasta nuestros días.

Guillén emplea un **lenguaje poético muy elaborado** y cultiva los **metros clásicos,** como la décima o el soneto, pero también la estrofa de cuatro versos heptasílabos con rima asonante. Esta rigidez métrica es el instrumento con que expresa con exactitud el mundo esencial y absoluto.

Trayectoria poética

Jorge Guillén englobó toda su producción poética en un solo título, *Aire nuestro,* que recoge las siguientes obras:

- **Primera etapa:** *Cántico* (cuatro ediciones entre 1928 y 1950) es un canto al mundo, a la existencia, a la vida sencilla y cotidiana, a la naturaleza. Presenta un universo inmutable, esencial y perfecto, lo cual supone una abstracción de lo anecdótico y circunstancial, en aras de la belleza y la verdad basadas en la desnudez total.
- **Segunda etapa.** *Clamor* está formado a su vez por tres libros: *Maremágnum* (1957), *Que van a dar en la mar* (1960) y *A la altura de las circunstancias* (1963). En esta obra, Jorge Guillén cambia de punto de vista y, aunque conserva el vitalismo optimista de *Cántico,* protesta poéticamente contra la destrucción, la guerra y la crueldad que afectan tanto al mundo como a España. *Homenaje* (1967) es fruto de su admiración sincera por el acto mismo de crear poesía y por poetas, autores y obras predilectas para él: Homero, fray Luis de León, Góngora, Salinas, Lorca...
- **Tercera etapa:** *Y otros poemas* (1973) continúa la línea trazada en *Clamor,* la protesta ante la injusticia y la miseria del mundo, pero ahora se manifiesta de forma satírica o con mayor intención política. *Final* (1982) recoge sus últimos poemas, variaciones sobre temas y motivos tratados en sus obras anteriores.

JORGE GUILLÉN (1893-1984)

Lector de español en la Universidad de La Sorbona entre 1917 y 1923, reside en París, donde empieza a escribir poesía, se casa y conoce a Paul Valéry (el gran maestro de la poesía pura). Fue catedrático de literatura española en las universidades de Murcia y Sevilla. En 1938, a los cuarenta y cinco años, comienza un exilio voluntario que le lleva a Norteamérica, Colombia, México y Puerto Rico. En 1976, recibió el Premio Cervantes. Los últimos años de su vida los pasó en Málaga, donde murió.

04.3 Gerardo Diego

Amor

GÓNGORA, 1927

Era el mes que aplicaba sus teorías
cada vez que un amor nacía en torno
cediendo dócil peso y calorías
cuando por caridad ya para adorno
en beneficio de esos amadores
que hurtan siempre relámpagos y flores.

Ella llevaba por vestido combo
un proyecto de arcángel en relieve.
Del hombro al pie su línea exacta un rombo
que a armonizar con el clavel se atreve.
A su paso en dos lunas o en dos frutos
se abrían los espacios absolutos [...]

Gerardo DIEGO. *Fábula de Equis y Zeda,* en *Obras completas.* Alfaguara

¿Qué rasgos de la poesía de Góngora imita Gerardo Diego en este fragmento?

Las dos notas sobresalientes de su poesía son la variedad y el perfeccionismo: la rica diversidad y versatilidad de la obra de Gerardo Diego le permitió componer poesía vanguardista (más concretamente ultraísta y sobre todo creacionista) y poesía clásica o tradicional, consiguiendo en ambas tendencias el dominio absoluto de la forma, cualquiera que sea el tipo de verso elegido.

Trayectoria poética

El mismo poeta clasificó su obra en **poesía absoluta** (de pura creación y de inspiración vanguardista) y **poesía relativa** (sustentada directamente en la realidad y de corte tradicional o clásico):

- **Poesía absoluta:** de su **poesía vanguardista** destacan *Imagen* (1922), *Manual de espumas* (1924) y *Fábula de Equis y Zeda* (1932). Mientras que *Imagen* y *Manual de espumas* revelan su adhesión al movimiento poético creacionista del poeta chileno Vicente Huidobro (aunque en el segundo también está presente el ultraísmo), en *Fábula de Equis y Zeda* destaca la utilización del estilo gongorino y la retórica barroca al servicio del vanguardismo.

  En sus poemas «absolutos», Gerardo Diego hace uso de la **imagen vanguardista**, el **verso libre**, la **sintaxis quebrada**, la **disposición visual de los versos** y las **asociaciones irracionales de ideas.**

- **Poesía relativa:** en la **poesía de corte tradicional y clasicista** destacan *El romancero de la novia* (1920), *Soria* (1923), *Versos humanos* (1925) y *Alondra de verdad* (1941). Los temas son variados: el paisaje, la religión, el amor, la música, los toros...

  Versos humanos y ***Alondra de verdad*** incluyen sonetos de gran perfección técnica, como «El ciprés de Silos», «Giralda», «Insomnio» o «Revelación» Además, se observa la gran presencia del romanticismo de Bécquer y el influjo modernista de Juan Ramón Jiménez y Antonio Machado.

GERARDO DIEGO (1896-1987)

Nació en Santander. Fue polifacético: profesor de instituto, crítico literario, musicólogo, pianista, pintor y poeta. Ejerció como catedrático de instituto de literatura en Soria, Gijón, Santander y Madrid. En 1927 promueve la *Antología poética en honor de Góngora: desde Lope de Vega a Rubén Darío.* En 1932 apareció su famosa antología ***Poesía española contemporánea,*** en la que se recogen composiciones y testimonios de sus compañeros de la generación del 27. En 1948 ingresó en la Real Academia Española. Son numerosos los premios que recibió: el Premio Nacional de Literatura en 1925 por *Versos humanos,* premio que comparte con Rafael Alberti y su *Marinero en tierra,* y el Premio Cervantes en 1979, compartido con Jorge Luis Borges. Murió en Madrid.

04.4 Vicente Aleixandre

El poeta se acuerda de su vida

Vivir, dormir, morir: soñar acaso
HAMLET

Perdonadme: he dormido.
Y dormir no es vivir. Paz a los hombres.
Vivir no es suspirar o presentir palabras que aún nos vivan.
¿Vivir en ellas? Las palabras mueren.
Bellas son al sonar, mas nunca duran.
Así esta noche clara. Ayer cuando la aurora,
o cuando el día cumplido estira el rayo
final, ya en tu rostro acaso.
Con tu pincel de luz cierra tus ojos.
Duerme.
La noche es larga, pero ya ha pasado.

Vicente ALEIXANDRE
Poemas de la consumación
Plaza & Janés

¿Hay relación entre las palabras de Hamlet y el contenido de estos versos de Aleixandre?

Vicente Aleixandre construye su obra en torno a tres pilares que giran alrededor de la noción de **poesía como acto de comunicación:**

- La lengua poética que se manifiesta a través de prodigiosas **imágenes (surrealistas, irracionales y cósmicas).**
- El **verso libre** que le permite dar cauce expresivo a su experiencia poética.
- El acto de comunicación poética es un acto de **conciencia solidaria con la condición humana.**

Trayectoria poética

Él mismo distinguió dos etapas: **una poesía «telúrica»,** apegada a la tierra y a la naturaleza, de inspiración surrealista; y otra **poesía «de la difícil vida humana»,** preocupada por la dimensión social e histórica de los hombres.

- **Primera etapa: poesía telúrica y surrealista** (1928-1953). La poesía como vía de conocimiento y fusión con la belleza de la naturaleza, del cosmos. *Ámbito* (1928) está influida por la poesía pura de Juan Ramón Jiménez, mientras que *Pasión de la tierra* (1928-1929, publicado en 1935), *Espadas como labios* (1932), *La destrucción o el amor* (1935), *Sombra del paraíso* (1944), *Mundo a solas* (1950) y *Nacimiento último* (1953) integran las **técnicas surrealistas** para exaltar con plena libertad creadora, el **amor,** en tanto fuerza cósmica que causa una **«muerte»** o **«destrucción»,** consistente en la total integración en el ser amado.
- **Segunda etapa: poesía «humana»** (desde 1954). En ella destacan *Historia del corazón* (1954) y *En un vasto dominio* (1962), donde depura el surrealismo y emprende una **profunda renovación temática y estilística** mediante el acercamiento a la **realidad cotidiana,** la **solidaridad con el dolor** y la necesidad llevar a todos los hombres la belleza y la poesía.

  En sus dos últimos libros, *Poemas de la consumación* (1968) y *Diálogos del conocimiento* (1974), Aleixandre considera la vida desde la perspectiva de la **vejez** y, consciente de la proximidad de la muerte, reflexiona sobre el **sentido de la vida.** Tal vez por ello, recupera las imágenes irracionales y surrealistas.

VICENTE ALEIXANDRE (1898-1984)

Nació en Sevilla, aunque pasó la mayor parte de su infancia en Málaga. Se trasladó a Madrid, donde estudió derecho. Desde 1925, llevó una vida de reposo y cuidados clínicos a consecuencia de una grave dolencia que le alejó de cualquier actividad profesional o social. Entregado por completo a la poesía, en 1933 obtuvo el Premio Nacional de Literatura con *La destrucción o el amor.* Es elegido miembro de la Real Academia Española en 1949. También conviene recordar su libro en prosa *Encuentros* (1958) una colección de semblanzas de escritores muy apreciados por Aleixandre: Baroja, Unamuno, sus compañeros y amigos más jóvenes. Con la obra *Poemas de la consumación* (1968) logró el Premio Nacional de la Crítica. En 1977 recibe el Premio Nobel de Literatura. Muere en Madrid.

04.5 Dámaso Alonso

La obra poética de Dámaso Alonso (1898-1990) comienza con *Poemas puros. Poemillas de la ciudad* (1921): aunque presenta rasgos evidentes de la poesía pura, influida poderosamente por Juan Ramón Jiménez, pero también por Antonio Machado, manifiesta su continua y honda preocupación religiosa que será fundamental en su **poesía de posguerra,** por su intenso contenido existencialista que se observa, sobre todo, en *Hijos de la ira* (1944), una de las obras clave de la poesía española del siglo XX (y que se verá en la unidad 11).

Posteriormente, Dámaso Alonso compuso *Oscura noticia* (1944, reeditado en 1959), *Hombre y Dios* (1955), *Gozos de la vista* (1981) y *Duda y amor sobre el Ser Supremo* (1985), donde la temática religiosa convive con las inquietudes existenciales y el compromiso social.

04.6 Rafael Alberti

La obra poética de Rafael Alberti se caracteriza por la destreza verbal y el virtuosismo formal con que se integran, con espontaneidad sorprendente, la lírica popularista, la poesía neogongorina y ultraísta, la poesía surrealista, la poesía social y política...

Por otra parte, en las obras albertianas, desde *Marinero en tierra,* hay **dos temas** que se repiten casi continuamente, como denominador común que aporta unidad a pesar de la diversidad de estilos:

El mar, ya sea como algo presente o ausente y contemplado con nostalgia y melancolía: las olas, la bahía de Cádiz, el color azul de las aguas, los barcos, los marineros...

El «paraíso perdido», la nostalgia o recuerdo de aquello que se ha perdido: en sus primeras obras, la infancia o el mar gaditano; en su etapa surrealista, la pérdida de la fe o de la identidad personal; y en el exilio, la pérdida de España.

RAFAEL ALBERTI (1902-1999)

Nacido en el Puerto de Santa María (Cádiz), a los quince años de edad llega con su familia a Madrid. Hasta 1923 se dedicó principalmente a la pintura, que cambiará pronto por la creación poética. En 1924 obtiene el Premio Nacional de Literatura por *Marinero en tierra.* En estos años entabla amistad con Dalí, Lorca, Buñuel y demás jóvenes talentos de la **Residencia de Estudiantes.** Desde 1931, afiliado al Partido Comunista, compone una poesía de contenido político-social. Acabada la Guerra Civil, se exilió primero en Argentina y, después, en Italia, hasta que en 1977 regresa definitivamente a España e incluso llega a ser diputado en las primeras cortes democráticas.

Trayectoria poética

En la poesía de Alberti se distinguen cuatro etapas:

- **Primera etapa: neopopularista.** Inspirada en el cancionero tradicional español y en el folclore andaluz. Suelen ser breves canciones donde se hermanan tradición y modernidad y constituyen quizás lo más logrado de Alberti.

  Marinero en tierra (Premio Nacional de Literatura en 1924 y publicado en 1925) se centra en la nostalgia de la bahía y de Cádiz (contemplados como «paraíso perdido») que se expresa compaginando los esquemas métricos de la poesía clásica o la popular con el uso vanguardista de las imágenes poéticas.

  En sus dos obras siguientes, Alberti continúa con la línea trazada en *Marinero en tierra.* En *La amante* (1926) recrea un viaje por tierras de Castilla y por el mar Cantábrico, mientras que en *El alba del alhelí* (1928) contrapone la Andalucía del interior a la marítima de su añorada Cádiz.

- **Segunda etapa: vanguardista.** En esta etapa confluye el **barroquismo neogongorino** con elementos vanguardistas diversos procedentes del **futurismo**, el **ultraísmo** y el **surrealismo.** Así, se observan a su vez tres momentos:

Cal y canto (1929)
Fruto de su admiración por Luis de Góngora, es un libro sin unidad temática ni formal: en él conviven el barroquismo de sonetos, tercetos, romances... con la estética futurista, como en el poema «Madrigal del tranvía».
Yo era un tonto y lo que he visto me ha hecho dos tontos (1929)
Obra de gusto vanguardista que combina futurismo y surrealismo y rinde culto a los grandes cómicos del cine mudo (Charlot, Buster Keaton, Harold Lloyd...) para insistir en la nostalgia por los paraísos perdidos de la niñez, el amor...
Sobre los ángeles (1929) y *Sermones y moradas* (1930)
El **surrealismo** está muy presente en estos libros. *Sobre los ángeles* presenta «ángeles» y «demonios» que son habitantes de un mundo urbano degradado, símbolos de la crueldad, la tristeza o la muerte, que también atormentan a Alberti en plena crisis vital y amorosa. Además, es un homenaje a Bécquer, cuyos versos cita en varias ocasiones. *Sermones y moradas* alterna los versículos con fragmentos de prosa de carácter hermético.

- **Tercera etapa: poesía republicana, social y política.** Coincidiendo con la proclamación de la Segunda República Española (1931), Alberti supera su crisis espiritual y amorosa y evoluciona hacia una poesía políticamente comprometida con la revolución comunista, evidente en *Un fantasma recorre Europa* (1933), *El poeta en la calle* (1931-1935), *13 bandas y 48 estrellas* (1935), *De un momento a otro* (1934-1939) y en la poesía «combativa» compuesta durante la Guerra Civil.
- **Cuarta etapa: poesía del exilio.** Es muy variada en temas, tonos y estilos. La nostalgia de la patria perdida está presente en *Entre el clavel y la espada* (1941), *Retornos de lo vivo lejano* (1952) o *Baladas y canciones del Paraná* (1953); el compromiso político continúa en *Coplas de Juan Panadero* (desde 1949); y el amor por el arte pictórico en *A la pintura* (1948) o *Los ocho nombres de Picasso* (1970). Por otra parte, el Alberti sarcástico aparece en *Roma, peligro para caminantes* (1968) y el más intimista en *Canciones del alto valle del Aniene* (1972).

> OTRAS OBRAS DE ALBERTI

Cabe destacar que Alberti es autor de memorias como *La arboleda perdida* (1942, 1959 y 1987), donde recuerda los hechos más notables de su biografía, de su generación y de la España que le tocó vivir. También fue un notable dramaturgo, con obras como *El hombre deshabitado* (1930), *El adefesio* (1944) y *Noche de guerra en el Museo del Prado* (1956).

Después de su vuelta a España, en 1977, Rafael Alberti publica *Fustigada luz* (1980), *Versos sueltos de cada día* (1982), *Los hijos del drago y otros poemas* (1986), *Golfo de sombras* (1986) y *Canciones para Altair* (1989).

04.7 Luis Cernuda

Al igual que Jorge Guillén, Cernuda agrupó su obra en un solo volumen titulado *La realidad y el deseo,* del que publicó dos versiones: hasta 1936, y la segunda y definitiva, aparecida póstumamente en 1964. El título da sentido al universo temático que subyace en su poesía: por un lado, la ***realidad,*** **las normas establecidas,** la hipocresía y **la intolerancia** de un **mundo cambiante y absurdo;** por otro lado, el ***deseo,*** la identidad personal que anhela **libertad, amor** vivido como acto gozoso o como sufrimiento y dolor, **belleza** y **armonía con la naturaleza.** Este conflicto explica que la **insatisfacción** y la **frustración,** la **soledad** y el hastío, la rebeldía y la nostalgia de la juventud perdida sean **temas constantes** en su **poesía.**

En sus poemas conviven el clasicismo renacentista, el romanticismo, el simbolismo y el surrealismo: coexisten **Garcilaso** y **Bécquer, Baudelaire** y **Mallarmé, Goethe** y **Hölderlin,** con el imaginismo de **T. S. Eliot,** el surrealismo e **incluso la poesía bíblica.**

En cuanto al **estilo,** Cernuda evitó siempre la rima y las galas retóricas del verso; prefería el **verso libre,** o de medida corta, pero lleno de **símbolos** e imágenes. En su madurez poética, prefería el versículo, la **lengua coloquial** e **incluso** la **prosa.**

Trayectoria poética

A pesar de la unidad temática de *La realidad y el deseo,* es posible distinguir en Luis Cernuda una **trayectoria o evolución poética:**

- **Primera etapa (hasta 1936 o 1938, cuando inicia el exilio),** en la que se observan tres momentos:
  - **Obras iniciales:** *Perfil del aire* (1927) y *Égloga, elegía y oda* (1928) constituyen la fase de formación de Cernuda como poeta; el primer título se inscribe en la **poesía pura** y el segundo, en la imitación de la lírica renacentista, sobre todo de Garcilaso y fray Luis de León.
  - **Surrealismo:** *Un río, un amor* (1929) presenta gran influencia de las imágenes visionarias del surrealismo, con las que expresa su rebeldía contra las convenciones sociales. *Los placeres prohibidos* (1931) continúa la línea anterior de defensa de la experiencia amorosa libre, aunque provoque vacío y soledad, al tratarse de un amor prohibido por el mundo.
  - **Romanticismo:** *Donde habite el olvido* (1934), cuyo título procede de la rima LXVI de Bécquer. A causa de un desengaño, vive el **amor** como una experiencia amarga que termina en soledad, un acto de olvido y, en cierto modo, de traición al ser amado. *Invocaciones a las gracias del mundo* (1934-1935) replantea la soledad y el destino del artista.
- **Segunda etapa (desde 1938, el exilio):** *Las nubes* (1940), *Como quien espera el alba* (1940), *Vivir sin estar viviendo* (1949), *Con las horas contadas* (1956) y *Desolación de la quimera* (1962) son libros de inmensa **tristeza,** a pesar de **breves instantes de serena felicidad** al evocar su adolescencia. En algunas composiciones aparece la Grecia clásica como referencia o precedente vital. Además, Cernuda insiste en la **nostalgia de la patria perdida,** aunque, a veces, rechaza todo posible regreso.

LUIS CERNUDA (1902-1966)

Nacido en una familia de rígidos principios, estudió derecho en la Universidad de Sevilla, donde fue alumno de Pedro Salinas. En los años veinte se traslada a Madrid, donde entra en contacto con los ambientes literarios de la generación del 27. Su condición de homosexual, que él nunca ocultó, le granjeó incomprensión, recelos e incluso algún desprecio. Estuvo un año como lector de español en la Universidad de Toulouse. Al proclamarse la República, colaboró con las tareas educativas de las Misiones Pedagógicas en 1934. En 1938 fue a dar unas conferencias a Inglaterra, de donde ya no regresó a España, iniciando un triste exilio como profesor de literatura en universidades británicas, norteamericanas y, desde 1952, en México hasta su fallecimiento.

04.8 Federico García Lorca

En su poesía confluyen tres elementos definidos por él mismo en la conferencia ***Teoría y juego del duende*** (1933): el **«ángel»** (la inteligencia), la **«musa»** (la inspiración) y el **«duende»** o amargura trágica que trasciende sus versos. Su combinación es clave para explicar su trayectoria poética, sus temas y su estilo.

Trayectoria poética

Se distinguen tres etapas en su poesía, fijadas en torno a su viaje a Nueva York (1929-1930), que marcó también la evolución de su obra teatral y su devenir vital.

Primera etapa (1921-1928)

Lorca reelabora materiales poéticos muy diversos en algo nuevo y original: el vanguardismo, la poesía pura de Juan Ramón Jiménez, Góngora, la poesía árabe, el cancionero popular...

- *Libro de poemas* (1921): libro juvenil que destaca por el dominio del lenguaje poético y los ecos de Bécquer, Rubén Darío, Machado y Juan Ramón Jiménez.
- *Poema del cante jondo* (publicado en 1931): cantes flamencos como la soleá, la seguiriya o la petenera expresan temas de amor y muerte ambientados en una Andalucía trágica y mítica.
- En *Canciones* (1927) y *Primeras canciones* (1936) destacan las canciones infantiles y el tono trágico de los temas y símbolos lorquianos.
- *Romancero gitano* (1928) es la **obra poética más conocida de Lorca.** Lejos de todo folclorismo, elige el romance como vehículo lírico, narrativo e incluso dramático, pero también imágenes vanguardistas y figuras retóricas clásicas, todo ello para llegar a su objetivo: la «Andalucía del llanto» y el mundo de los gitanos convertidos en míticos, marcados por un destino trágico («Romance de la pena negra», «Romance sonámbulo», «Reyerta», «Muerte de Antoñito Camborio» o el de «La casada infiel»).

Segunda etapa (1929-1930)

Poeta en Nueva York se publicó póstumamente en 1940. Lorca denuncia el capitalismo que todo lo subordina al dinero y al materialismo corrupto. El **lenguaje surrealista** y las imágenes irracionales realzan Nueva York como una ciudad inhumana que sepulta la naturaleza, el amor y la libertad en un mundo dominado por la maldad y el egoísmo, donde los negros de Harlem son vistos como seres míticos al igual que los gitanos del *Romancero gitano.*

En «Oda al rey de Harlem», «Oda a Walt Whitman» y «Grito hacia Roma», Lorca insiste en la soledad y la angustia como problemas colectivos de millones de personas.

Tercera etapa (1931-1936)

Tras la experiencia neoyorquina, Lorca se centra en el teatro. Durante los años treinta, su poesía busca nuevos caminos pero con formas métricas más tradicionales.

- ***Diván del Tamarit*** (publicado póstumamente en 1940), en el que recurre a la poesía arábigo-andaluza clásica (*gacelas* y *casidas,* que conoce gracias al gran arabista Emilio García Gómez) como modelo formal de una lírica intimista donde el deseo amoroso está próximo a la muerte.
- ***Llanto por Ignacio Sánchez Mejías*** (1935) es una elegía en homenaje al torero sevillano, buen amigo, mentor y mecenas de los poetas del 27.
- ***Sonetos del amor oscuro,*** publicados póstumamente en 1984, son once sonetos en los que el amor y la homosexualidad se expresan a través de formas clasicistas.

FEDERICO GARCÍA LORCA (1898-1936)

Cursó estudios de bachillerato en Granada y en 1915 comenzó filosofía y letras y derecho en la Universidad de Granada. En 1919 se trasladó a Madrid a la Residencia de Estudiantes, en la que vivirá hasta 1928; allí se relacionó con personajes importantes de las artes españolas (Juan Ramón Jiménez o Manuel de Falla) y trabó amistad con Dalí, Buñuel, Alberti y demás miembros del 27. Mantuvo una intensa relación con Salvador Dalí.

En 1929 viajó a Estados Unidos, donde escribirá *Poeta en Nueva York.* Durante la República, convertido en autor teatral de gran éxito, mantiene un compromiso político con la izquierda y dirige **La Barraca,** una compañía de teatro que viaja por los pueblos dando a conocer a los clásicos del Siglo de Oro. Al comienzo de la Guerra Civil, se refugia en Granada en casa del poeta Luis Rosales; es detenido y fusilado el 18 de agosto de 1936.

Canción de jinete

En la luna negra
de los bandoleros,
cantan las espuelas.

Caballito negro.
¿Dónde llevas tu jinete muerto?

...Las duras espuelas
del bandido inmóvil
que perdió las riendas.

Caballito frío.
¡Qué perfume de flor de cuchillo!

En la luna negra,
sangraba el costado
de Sierra Morena.

Caballito negro.
¿Dónde llevas tu jinete muerto?

La noche espolea
sus negros ijares
clavándose estrellas.

Caballito frío.
¡Qué perfume de flor de cuchillo!

En la luna negra,
¡un grito! y el cuerno
largo de la hoguera.

Caballito negro.
¿Dónde llevas tu jinete muerto?

Federico García Lorca. *Canciones (1921-1924)*, en *Obras completas I. Poesía* (ed. de Miguel García-Posada) Círculo de lectores

Consulta los significados de los símbolos lorquianos en la página 170 de este libro. ¿Cuáles están presentes en este poema?

Temas

Federico García Lorca, tanto en su obra poética como en la teatral, construye un universo temático centrado en el conflicto entre dos mundos contrapuestos y enfrentados: el deseo y la libertad individual, la pasión amorosa irrefrenable frente al poder social visto como una serie de fuerzas negativas y destructoras. A partir de este núcleo central, aparecen los siguientes temas:

- El **amor** como fuerza cósmica, que no excluye el deseo sexual.
- La **muerte** como consecuencia inevitable del choque entre amor y poder.
- La **frustración**, el **destino trágico:** es imposible consumar el amor a causa del poder social, la familia, el dinero, la intolerancia...
- La **solidaridad social** en favor de los seres marginados por el poder: los gitanos, los bandoleros, las mujeres de Andalucía y los negros del Harlem neoyorquino, por ejemplo.

Estilo

La poesía de Lorca brilla por la original combinación de **tres factores** que actúan conjuntamente y dan como resultado un estilo literario propio, irrepetible e inimitable:

La **incorporación de varias tradiciones poéticas:**

- El **neopopularismo:** seguidillas, coplas, romances, cantares y ritmos musicales del folclore andaluz.
- El **clasicismo:** versos endecasílabos, alejandrinos, sonetos...
- El **vanguardismo:** verso libre e imágenes irracionales del surrealismo.
- Los **ecos románticos** y del **modernismo simbolista.**

Bajo la influencia de la poesía barroca de Góngora primero y del vanguardismo surrealista después, Lorca gustó de los **símbolos y metáforas** para expresar elementos opuestos de la realidad a través de la distancia existente entre el término real y la imagen poética.

La intención creadora y expresiva donde la **cultura gitana y popular andaluza** se fusiona con elementos irracionales propios la **vida urbana contemporánea** para expresar la amargura trágica del conflicto universal del amor y la libertad frente al poder y la autoridad social.

04.9 Otros poetas del 27

¡Ven, Tristeza, mi hermana, que de mí misma vienes
engendrada de siglos, o tal vez de milenios,
ven a abrigar mis horas, no se sientan desnudas;
ven a esculpir en bronces la esencia de mis sueños!

Contigo veo el mundo, mejor, más verdadero;
tú no pones cristales a este sol de la vida
para que al reflejarse nos parezca el reflejo
una verdad solemne, siendo vana o suicida.

Concha Méndez. *Lluvias enlazadas*, en *Poetas del Novecientos: entre el Modernismo y la Vanguardia (Antología)* (ed. de José Luis García Martín)
www.cervantesvirtual.com

¿Qué cualidades observa Concha Méndez en la tristeza? ¿Qué le pide la voz poética a la tristeza?

En la nómina de la generación del 27 figuran algunos poetas que, a pesar de su relevancia, han sido menos conocidos y atendidos. Especialmente llamativo es el olvido que ha relegado a las mujeres que brillaron con luz propia dada la calidad de los versos que compusieron.

POETAS DE «TRANSICIÓN»

A la generación del 27 han sido vinculados en mayor o menor grado autores como **José Bergamín** y los poetas de «transición», es decir, situados por su edad entre la generación de 1914 y la del 27 (**José Moreno Villa, Fernando Villalón, Juan Larrea, Pedro Garfias…**).

Emilio Prados

Sus **primeros libros** se inscriben dentro de la **lírica popularista andaluza** al estilo de García Lorca o Rafael Alberti: *Tiempo* (1925), *Veinte poemas en verso* (1925), *Canciones del farero* (1926) y *Vuelta* (1927).

De estos años es también *Cuerpo perseguido* (escrito hacia 1927) que marca **su giro hacia la «rehumanización».** *Llanto subterráneo* (1936) es su gran aportación a la **poesía surrealista española,** mientras que a su **compromiso político activo** con la causa republicana responden *Llanto en la sangre* (1933-1937) y *Cancionero menor para los combatientes* (1938).

El **exilio mexicano** marca su **tercera etapa,** en la que evoluciona hacia el misticismo panteísta: *Mínima muerte* (1944), *Jardín cerrado* (1946), tal vez su libro más relevante, y ya en la recta final, *Río natural* (1957) y *Cita sin límite* (1965, póstumo).

EMILIO PRADOS (1899-1962)

Con Manuel Altolaguirre, fundó la imprenta Sur y la revista y editorial *Litoral* (1927-1929), donde publicaron sus versos buena parte de la generación del 27. Durante la Guerra Civil, participó activamente en el mundo de la cultura y destaca su edición del histórico *Romancero general de la guerra española.*

Manuel Altolaguirre

Era el poeta más joven de la generación del 27. En su corta producción están muy presentes san Juan de la Cruz y Garcilaso de la Vega, pero también Juan Ramón Jiménez, Pedro Salinas y Alberti. Su poesía trata temas como la **soledad,** la **muerte** o el **amor** en un lenguaje cercano al romántico y caracterizado por la musicalidad, los versos cortos y las estrofas de raíz tradicional.

Las islas invitadas y otros poemas (1926) es su primera obra. En su libro siguiente, *Ejemplo* (1927), se percibe ya la **influencia surrealista;** posteriormente, se publican *Soledades juntas* (1931), *La lenta libertad* (1936), *Nube temporal* (1939) y *Fin de un amor* (1949).

Altolaguirre escribió también un libro de memorias, *El caballo griego* (1958), numerosos artículos de crítica literaria, algunas traducciones y obras de teatro.

MANUEL ALTOLAGUIRRE (1905-1959)

Impresor y editor, en 1926 creó, junto a Emilio Prados, la revista *Litoral.* Marido de la poeta Concha Méndez, se exilió en Cuba y México, donde trabajó como guionista y cineasta. En 1950 regresa a España y muere en 1959.

Concha Méndez

Su amistad con Luis Buñuel y otros miembros de la generación del 27 la animó a iniciar su obra poética con *Inquietudes* (1926), *Surtidor* (1928) y *Canciones de mar y tierra* (1930), en las que aúna la herencia clásica y la popular con elementos vanguardistas. En su etapa de madurez, sus versos evolucionan hacia un tono más personal y autobiográfico (la maternidad, la muerte de un hijo, la guerra, la separación...): *Vida a vida* (1932), *Niño y sombras* (1936) y *Lluvias enlazadas* (1939).

En su exilio mexicano publica *Sombras y sueños* (1944), *El solitario (Soledad)* (1945), *Vida o río* (1979) y *Entre el soñar y el vivir* (1985). Además, es autora de unas *Memorias habladas, memorias armadas* (1991) fundamentales para conocer y comprender lo que significó la generación del 27.

CONCHA MÉNDEZ (1898-1986)

Gran amiga de Alberti, Cernuda y Federico García Lorca, se integró plenamente en la generación del 27. En 1926 funda el Liceo Club Femenino con María de Maeztu. Se casó en 1932 con Manuel Altolaguirre y editó junto a él poemarios y revistas poéticas. En su etapa como exiliada en México, se separa de Manuel Altolaguirre en 1944. Allí residirá hasta el final de su vida.

Juan José Domenchina

Domenchina fue el poeta más precoz del 27. Su estilo está vinculado al **conceptismo barroco** (Quevedo), también a Juan Ramón Jiménez, Paul Valéry y Miguel de Unamuno. Sus primeros libros son *Del poema eterno* (1917) y *Las interrogaciones del silencio* (1918), pero alcanza su madurez con *La corporeidad de lo abstracto* (1929), formado en su mayor parte por sonetos de lenguaje complicado y difícil. Sus siguientes obras, *El tacto fervoroso* (1930) y *Dédalo* (1932), reflejan su **evolución hacia el surrealismo** y las imágenes visionarias.

En el exilio su poesía se vuelve existencialista y recupera el clasicismo barroco, aunque sin rebuscamientos ni complicaciones: *Destierro* (1942), *Pasión de sombra* (1944), *La sombra desterrada* (1950) y *El extrañado* (1958) son sus obras más destacadas en esta etapa.

JUAN JOSÉ DOMENCHINA (1898-1959)

Discípulo predilecto de Juan Ramón Jiménez y esposo de la poeta Ernestina de Champourcín, es también novelista de vanguardia, periodista y crítico literario. Fue secretario de Manuel Azaña durante la República.

Ernestina de Champourcín

Discípula predilecta de Juan Ramón Jiménez, plasma su influencia en el uso de elementos simbólicos para buscar con afán la pureza y la belleza a través de bellos poemas amorosos: *En silencio* (1926), *Ahora* (1928), *La voz en el viento* (1931) y *Cántico inútil* (1936).

En su exilio mexicano, la temática de su poesía gira hacia el misticismo y la sincera inquietud religiosa, con obras como *Presencia a oscuras* (1952), *El nombre que me diste* (1960), *Cárcel de los sentidos* (1964), *Hai-kais espirituales* (1967), *Cartas cerradas* (1968) y *Poemas del ser y del estar* (1972).

A la vuelta del exilio, inicia una nueva etapa que se caracteriza por la evocación poética e intimista de tiempos y lugares pertenecientes a su juventud, como en *Huyeron todas las islas* (1988).

ERNESTINA DE CHAMPOURCÍN (1905-1999)

Incluída por Gerardo Diego en la segunda edición de su antología, se casó con Juan José Domenchina. Durante la Guerra Civil colaboró en Protección de Menores, en auxilio de los niños huérfanos o abandonados. Vivió exiliada en México hasta su regreso a España en 1972.

Josefina de la Torre

En 1927 publicaría su primer poemario, *Versos y estampas*, prologado por Pedro Salinas. Destaca *Poemas de la isla* (1930) por su sencillo lirismo interior y lenguaje popular. Sus últimos poemarios son *Marzo incompleto* (1968) y *Medida del tiempo* (1989).

JOSEFINA DE LA TORRE (1907-2002)

Mujer polifacética, fue compositora, soprano, concertista de piano y de guitarra. En el cine realizó tareas de doblaje, además de ser guionista y ayudante de dirección. Autora de dos novelas, fue actriz de cierto renombre y fundó su propia compañía de comedias.

ELABORA TU PROYECTO

LA RESIDENCIA DE ESTUDIANTES Y LA RESIDENCIA DE SEÑORITAS

Una residencia de estudiantes es algo más que el alojamiento donde obtienen alimento, cama y mesa para estudiar los jóvenes en proceso de formación académica. Las residencias también son un punto de reunión, de encuentro, diálogo e intercambio de experiencias, esperanzas, proyectos de futuro, etc.

Pero la **Residencia de Estudiantes** (1910-1936) no fue una residencia de estudiantes cualquiera. Allí residieron, por ejemplo, el poeta Federico García Lorca, el pintor Salvador Dalí, el cineasta Luis Buñuel y el científico Severo Ochoa. Allí pasaban temporadas Unamuno, Manuel de Falla, Juan Ramón Jiménez, Ortega y Gasset o Eugenio D'Ors y eran visitantes asiduos Pedro Salinas y Rafael Alberti. Allí impartieron conferencias, coloquios... Albert Einstein, Paul Valéry, Marie Curie, Igor Stravinsky, Henri Bergson, Le Corbusier o Menéndez Pidal.

El primer centro creado para fomentar la educación superior de las mujeres en España fue la **Residencia de Señoritas** (fundada en 1915), que sirvió de vivero de escritoras, diputadas, científicas, aviadoras o deportistas: todo un hito para las pioneras de los derechos y la libertad de la mujer española.

Pautas para la presentación del trabajo

En este proyecto tienes dos opciones de trabajo.

1. La primera opción consiste en elegir un tema para trabajar en grupos y elaborar un informe que posteriormente se expondrá en el aula. Los temas propuestos para buscar información y preparar el documento son:
   - Historia de la Residencia de Estudiantes.
   - La amistad de Salvador Dalí, Luis Buñuel y Federico García Lorca.
   - La Residencia de Señoritas.
2. La segunda opción es realizar una tertulia o debate moderado por el docente acerca del papel o la función de las residencias de estudiantes en la formación de la juventud y en el progreso de la sociedad.

Recursos

- Sobre la Residencia de Estudiantes:

→ www.residencia.csic.es/ o www.residencia.csic.es/pres/historia.htm.

→ www.edaddeplata.org/edaddeplata/Exposiciones/exposiciones/content.jsp?guid={9922442B-2F57-4181-8F7F-FF320F613402}

→ www.mecd.gob.es/cultura-mecd/dms/mecd/cultura-mecd/areas-cultura/patrimonio/mc/patrimonioeur/sello-de-patrimonioeur/historico/sitios-de-la-categoria-intergubernamental/bienes-declarados-en-espana/residenciae/ResidenciaEstudiantes_ESP.pdf

→ www.rtve.es/rtve/20101001/centenario-residencia-estudiantes-laboratorio-pais-laico-tolerante/352724.shtml

- Sobre Dalí, Buñuel y Lorca y su experiencia en la Residencia:

→ https://tucuscus.wordpress.com/2013/02/15/residencia-de-estudiantes/

- Sobre la Residencia de Señoritas:

→ http://mujeresparalahistoria.blogspot.com.es/2015/08/pioneras-figuras-de-la-residencia-de.html

→ www.mecd.gob.es/revista-cee/pdf/n11-capel-martinez.pdf

→ https://vimeo.com/125553288

ELABORA TU ORGANIZADOR VISUAL

Elabora el organizador visual de esta unidad incluyendo los siguientes conceptos.

VANGUARDIAS LITERARIAS EUROPEAS | MODELOS LITERARIOS

POETAS | TEMAS

ACTIVIDADES

1. Cronológicamente, las principales vanguardias europeas son…
   a. cubismo, futurismo, expresionismo, dadaísmo y surrealismo.
   b. surrealismo, impresionismo, futurismo y expresionismo.
   c. simbolismo, dadaísmo, neorromanticismo y surrealismo.
   d. futurismo, expresionismo, dadaísmo y modernismo.

2. Lee este texto y elige la alternativa adecuada con relación al vanguardismo hispánico.

> ¡Futurismo! ¡Insurrección! ¡Algarada! ¡Festejo con música wagneriana! ¡Modernismo! ¡Violencia sideral! ¡Circulación en el aparato venoso de la vida! ¡Antiuniversitarismo!
>
> Ramón GÓMEZ DE LA SERNA. «Proclama futurista a los españoles», en *Prometeo*, n.º 20, 1910

   a. Sobresalen figuras como Miguel Hernández o Gómez de la Serna y movimientos como el futurismo y el cubismo.
   b. Destacan el creacionismo, el ultraísmo, el neoclasicismo y Ramón Gómez de la Serna.
   c. Sobresalen Ramón Gómez de la Serna, el creacionismo, el ultraísmo y el surrealismo español.
   d. Destacan Ramón Gómez de la Serna, el dadaísmo, el impresionismo y el ultraísmo.

3. A la generación del 27 también pertenecen…
   a. Emilia Pardo Bazán (novelista), Rosalía de Castro y Concha Méndez (poetas), y Maruja Mallo (pintora).
   b. Rosa Chacel y María Teresa León (escritoras y narradoras), Concha Méndez y Ernestina de Champourcín (poetas), Maruja Mallo (pintora).
   c. María Guerrero (actriz), María Goyri (filóloga e historiadora de la literatura), Concha Méndez y Carolina Coronado (poetas).
   d. Concha Méndez y Ernestina de Champourcín (poetas), Maruja Mallo (pintora), Emilia Pardo Bazán (novelista) y María Zambrano (pensadora y filósofa).

4. Los modelos literarios de la generación del 27 fueron…
   a. la poesía pura, el conceptismo, la poesía vanguardista y el neoclasicismo.
   b. la poesía pura, el vanguardismo, el neopopularismo, el naturalismo y el mester de clerecía.
   c. la poesía vanguardista, la poesía pura, el neopopularismo, la poesía clasicista culta, el neorromanticismo y el simbolismo.
   d. la poesía realista, la poesía vanguardista, la poesía pura, el neopopularismo y el neoclasicismo.

5. El lenguaje poético del 27 se traduce en…
   a. la estilización poética de la realidad, la metáfora y la coexistencia de las estrofas clásicas con las formas tradicionales y los versículos.
   b. la estilización poética de la realidad, la sobriedad expresiva y el uso del soneto y el romance.
   c. la metáfora, el uso del soneto y el romance y la búsqueda de la musicalidad del verso.
   d. el barroquismo formal, la coexistencia de las estrofas clásicas con las formas tradicionales y los versículos, y la búsqueda de la musicalidad del verso.

6. Pertenecen a la etapa de madurez de los poetas del 27…
   a. *Campos de Castilla, Poeta en Nueva York, La dama del alba* y *Donde habite el olvido.*
   b. *Sobre los ángeles, Poeta en Nueva York, Espadas como labios* y *Donde habite el olvido.*
   c. *Sobre los ángeles, La deshumanización del arte, Poeta en Nueva York* y *Espadas como labios.*
   d. *Sobre los ángeles, Poeta en Nueva York, Cantos de vida y esperanza* y *Espadas como labios.*

7. En la poesía de Rafael Alberti…
   a. hay una etapa neopopularista *(Marinero en tierra)* y otra etapa de poesía pura *(Cántico).*
   b. hay una etapa republicana y política *(El poeta en la calle)* y otra etapa de poesía neorromántica *(Donde habite el olvido).*
   c. antes de la Guerra Civil, hay una etapa neopopularista *(Marinero en tierra),* una etapa surrealista *(Sobre los ángeles)* y otra republicana y política *(El poeta en la calle).*
   d. hay una etapa surrealista *(Sobre los ángeles)* y otra creacionista en el exilio *(Fábula de Equis y Zeda).*

8. La poesía de Federico García Lorca se caracteriza por…
   a. la fusión de la cultura gitana y andaluza con elementos irracionales propios de la vida urbana en obras como *Romancero gitano* y *Poeta en Nueva York.*
   b. la musicalidad de la poesía pura en obras como *Marinero en tierra,* el *Romancero gitano* y los *Sonetos del amor oscuro.*
   c. la intensidad de la poesía amorosa en *Los placeres prohibidos,* los *Sonetos del amor oscuro* y en obras como *Romancero gitano* y *Poeta en Nueva York.*
   d. el romanticismo de *Prosas profanas,* el neopopularismo del *Romancero gitano* y el surrealismo de *Poeta en Nueva York.*

09 LA NOVELA Y EL ENSAYO HASTA 1936

01 Introducción: pervivencia del realismo y el naturalismo

En la narrativa y el ensayo españoles del primer tercio del siglo XX, al igual que ocurre en la poesía o incluso en el teatro, coexisten tres generaciones o corrientes: la modernista-noventayochista, la generación de 1914 (novecentismo) y las vanguardias y la generación de 1927.

Sin embargo, en el caso de la narrativa española de principios del siglo XX conviene considerar que, a pesar de la elevada tasa de analfabetismo, se observa un crecimiento en la demanda de obras narrativas, debido a la migración del campo a la ciudad. También estuvo favorecida por el hecho de que los periódicos incluían en sus páginas y suplementos **novelas por entregas** de los autores más conocidos. Asimismo, cabe destacar la gran difusión de numerosas colecciones semanales de novelas cortas como *El Cuento Semanal, Los Contemporáneos, La Novela Semanal, La Novela de Hoy...*

Continúan la narrativa realista-naturalista de finales del siglo anterior autores como **Benito Pérez Galdós** y **Emilia Pardo Bazán**, quienes publican títulos importantes en pleno siglo XX. Sin embargo, los jóvenes narradores del nuevo siglo ponen en cuestión la novela realista y burguesa, al tiempo que emprenden la búsqueda de nuevos modelos y técnicas narrativas.

La sonrisa de Gioconda, de Jacinto Benavente, en la publicación *El Cuento Semanal*.

02 La narrativa finisecular: modernismo y noventayochismo

De manera similar a lo que significaron para la poesía lírica las innovaciones del fin de siglo, tanto en el modernismo propiamente dicho como en su variante noventayochista, para la narrativa, el fin de siglo supuso la superación del realismo decimonónico, a través, sobre todo, de dos aspectos:

- El **subjetivismo o individualismo:** la narración se centra en reflejar la conciencia y el mundo interior de los individuos que protagonizan una acción, más que en la reproducción exacta de la realidad.
- **Una preocupación artística** por renovar no solo el estilo literario y el léxico empleado, sino también las técnicas narrativas usadas en el relato.

De modo que en la prosa narrativa finisecular surgen:

La narrativa modernista canónica: los cuentos de **Rubén Darío** incluidos en *Azul*, **Valle-Inclán** en las cuatro *Sonatas* y los relatos de **Francisco Villaespesa**, entre otros.

La narrativa modernista noventayochista, que es la más sobresaliente: **Unamuno, Baroja, Azorín** y **Valle-Inclán** en su etapa de las novelas de la serie de *El ruedo ibérico* y *Tirano Banderas*.

Ambas tendencias narrativas modernistas coinciden en rechazar la estética realista, en renovar la lengua literaria y en incorporar nuevas técnicas narrativas. Sin embargo, difieren principalmente en los temas tratados y en la mayor sobriedad expresiva noventayochista frente al estilo decadentista y parnasiano del modernismo canónico.

Los nuevos modelos narrativos salen a la luz en 1902 con la publicación de cuatro novelas fundamentales: ***Amor y pedagogía,*** de Miguel de **Unamuno,** ***Sonata de otoño,*** de Ramón María del **Valle-Inclán,** ***Camino de perfección,*** de **Pío Baroja,** y ***La voluntad,*** de **Azorín.** A partir de aquí, puede deducirse que la novela finisecular se construye en torno a los siguientes pilares:

- **Las novelas se organizan en torno a un personaje central** que representa las ideas y preocupaciones existenciales del autor: el sentido de la vida, las dudas sobre la existencia del más allá y los conflictos psicológicos y morales del ser humano...

  En este sentido, tal y como se mencionó en la unidad sobre el modernismo, es notoria la influencia del pensamiento irracionalista y vitalista de autores como Schopenhauer, Nietzsche o Kierkegaard que reaccionan contra el positivismo y el materialismo racionalista burgués.

  Este **individualismo subjetivista** favorece el **perspectivismo:** el centro de interés no se sitúa en la acción externa sino en la «perspectiva» o **vida interior del protagonista, en las discusiones y conversaciones que mantiene con los otros personajes;** de ahí la importancia del diálogo en la estructura de las novelas noventayochistas.

- Es un tema fundamental **la preocupación por España:** el «desastre del 98», el atraso cultural, la pobreza, el caciquismo, etc. Buscaron en la historia, la tradición y la intrahistoria (la vida cotidiana de la gente) la esencia de los valores nacionales. En un primer momento, parten de posturas radicales e incluso revolucionarias anarquistas o socialistas (juventud del 98); después, de actitudes reformistas y de un escepticismo desengañado o conservador (madurez del 98). Valle-Inclán es una excepción, pues su evolución es a la inversa.

- En cuanto al estilo, la **renovación del lenguaje literario** hace que las fronteras entre géneros se difuminen **para dar cabida a lo ensayístico y al lirismo intimista.** El **subjetivismo narrativo** prefiere una **prosa impresionista** donde lo esencial es la sugerencia, la vaguedad simbolista, la tendencia a evocar lo inconcluso y fragmentario.

  Esto se observa en la **visión idealista de las descripciones paisajísticas.** El paisaje, sobre todo el castellano, es contemplado como una proyección espiritual por la que tratan de captar el alma de Castilla y de sus gentes.

Además del nihilismo, muy de moda a principios del siglo XX, el idealismo pesimista de Schopenhauer (1788-1860) y la reivindicación del individualismo basado en la acción y la voluntad de Nietzsche (1844-1900) están muy presentes en el arte europeo y en el pensamiento y en las novelas de Unamuno, Azorín, Baroja o incluso en la obra de Valle-Inclán.

Por el lecho de muerte (fiebre) I, Edvard Munch (1915).

03 Miguel de Unamuno

> Pero, ¿murió acaso Rosa? ¿Se murió de veras? ¿Podía haberse muerto viviendo él, Ramiro? No; en sus noches, ahora solitarias, mientras se dormía solo en aquella cama de la muerte y de la vida y del amor, sentía a su lado el ritmo de su respiración, su calor tibio, aunque con una congojosa sensación de vacío. Y tendía la mano, recorriendo con ella la otra mitad de la cama, apretándola algunas veces. Y era lo peor que, cuando recogiéndose se ponía a meditar en ella, no se le ocurrieran sino cosas de libro, cosas de amor de libro y no de cariño de vida, y le escocía que aquel robusto sentimiento, vida de su vida y aire de su espíritu, no se le cuajara más que en abstractas lucubraciones. El dolor se le espiritualizaba, vale decir que se intelectualizaba, y solo cobraba carne [...]. Y de todo esto sacábale una de aquellas vocecitas frescas que piaba: «¡Papá!». Ya estaba, pues, allí, ella, la muerta inmortal. Y luego, la misma vocecita: «¡Mamá!» [...].
>
> No, Rosa, su Rosa, no se había muerto, no era posible que se le hubiese muerto; la mujer estaba allí, tan viva como antes, y derramando vida en torno; la mujer no podía morir.
>
> Miguel de Unamuno. *La tía Tula*. Espasa Calpe

Aunque en este fragmento se reproduce el punto de vista de Ramiro y no el de la tía Tula, ¿a qué están asociadas la vida y la superación de la muerte? ¿Por qué se afirma que la mujer no puede morir? ¿Está presente en este fragmento la preocupación obsesiva de Unamuno por la muerte y la inmortalidad del alma? Justifica tus respuestas.

Su obra literaria trata los temas del modernismo noventayochista, como el problema de España, pero, en su caso concreto, se centra especialmente en el interés por entender el sentido de la vida. Para Unamuno, la vida es una continua *agonía* o lucha en busca de una paz inexistente en el mundo o en su propio espíritu. Esto le provoca frecuentes crisis existenciales en torno a la fe en Dios y a la inmortalidad del alma.

Unamuno renovó el género del ensayo en España. También fue autor de relatos cortos como *Tres novelas ejemplares y un prólogo* (1920) y de *Cómo se hace una novela* (1928), obra que mezcla la autobiografía con una supuesta novela que está componiendo al mismo tiempo.

Sin embargo, Unamuno sobresalió por sus **novelas de ideas,** basadas en la exploración **del mundo interior de los personajes,** en las que abundan antítesis, paradojas y contradicciones que expresan, en un lenguaje desgarrado, la existencia de elementos contrarios que luchan entre sí: la fe y la duda, la realidad presente y la historia, la razón y la pasión, España y Europa...

Por otra parte, denominó ***nivolas*** a muchas de sus novelas; con este nombre pretendía renovar el género narrativo mediante elementos como:

- **Personajes en continua angustia vital y lucha interior:** el protagonista vive apesadumbrado por sus preocupaciones internas y aterrorizado por la idea de la muerte inminente e inevitable. Cada novela es para Unamuno un intento de vivir la muerte, de pasar a través de ella, de verla ya desde el otro lado, es decir, consumada. En este sentido, conviene insistir en su valor autobiográfico.
- **Irrelevante ambientación espacial y temporal,** pues lo realmente significativo es la **acción agónica** que encarnan los personajes.
- **El diálogo y el monólogo son fundamentales,** en tanto vehículos expresivos de los conflictos existenciales.

Obras

Su primera novela fue *Paz en la guerra* (1897), de tema histórico, que trata el cerco de Bilbao de 1874 durante la guerra carlista. Su segunda novela, *Amor y pedagogía* (1902), es ya una novela *vivípara* y de ideas en la que satiriza la pretensión absurda de planificar de forma rigurosamente científica la vida humana para conquistar la felicidad.

Con ***Niebla*** (1914) inaugura el **subgénero** original unamuniano de la ***nivola***, que le permite expresar con entera libertad el tema de la angustia existencial y el anhelo de imposible inmortalidad. Lo novedoso de *Niebla* es que el Unamuno autor se convierte en un personaje de ficción con quien se enfrenta el protagonista, Augusto Pérez, porque, resuelto a suicidarse, descubre que es un ser de ficción y reclama ante su creador el derecho a su propio destino.

Para ello, Augusto Pérez alega palabras ya escritas y publicadas por Unamuno en su ensayo *Vida de don Quijote y Sancho* (1905): que los personajes de las novelas están más vivos que sus propios autores, como don Quijote respecto a Cervantes, pues los personajes crean, en cierto modo, a sus autores. Unamuno, el personaje-autor de *Niebla,* reacciona enojado y responde que lo «matará» esa misma noche.

En este sentido, la rebeldía existencial de Augusto Pérez conecta la nivola de Unamuno con otras obras europeas como el drama de Luigi Pirandello *Seis personajes en busca de autor.*

De las novelas posteriores, sobresalen *Abel Sánchez* (1917) y *La tía Tula* (1921). La primera versa sobre la envidia y el odio entre hermanos; mediante la confesión del protagonista (Joaquín Monegro), se reflexiona sobre dicotomías como ciencia y arte, egoísmo y altruismo, o la propia aceptación de las limitaciones de uno mismo. En la segunda, trata el tema de la maternidad: al morir su hermana Rosa, Tula (Gertrudis) decide ejercer de «madre» de sus sobrinos, pero rechaza casarse con su cuñado viudo, Ramiro. La actitud de la tía Tula es de rebeldía y protesta contra el destino impuesto a la mujer de matrimonio y maternidad como dos elementos indisociables.

En 1930 escribe Unamuno tres novelas cortas: *San Manuel Bueno, mártir, La novela de don Sandalio, jugador de ajedrez* y *Un pobre hombre rico.* La primera se publicó por primera vez en 1930. Las otras dos fueron publicadas, junto con la primera, en 1933.

En *San Manuel Bueno, mártir* (1930), a través de unas supuestas memorias de Ángela Carballino, se realza la figura de don Manuel, un cura de aldea que ha perdido totalmente la fe, pero mantiene a sus feligreses en la esperanza de la vida eterna. Unamuno se plantea en este breve relato la lucha entre fe y razón, sentimiento y ciencia, precisamente en los años previos a la polémica entre laicismo y catolicismo durante la II República.

La obra está considerada por la crítica y los lectores como la cumbre de su narrativa. La historia plantea una de las preocupaciones capitales del autor, la existencia de Dios. Aparecen, por consiguiente, algunos temas frecuentes en todos los escritos de Unamuno: el sentimiento «trágico» de la vida, el destino del hombre, la fe y la inmortalidad. Técnicamente, la obra ofrece una original organización de su estructura narrativa a través del perspectivismo. Debe destacarse, por último, el elemento simbólico, presente a lo largo de toda la novela.

NOVELAS OVÍPARAS Y NOVELAS VIVÍPARAS

Unamuno distinguió entre **novelas *ovíparas,*** de carácter realista, preocupadas por la acumulación de datos, y **novelas *vivíparas,*** que son como los mamíferos que nacen vivos (y no dentro de un huevo), que presentan contenido más acorde con los conflictos inherentes a la condición humana.

04 Ramón María del Valle-Inclán

Sonata de primavera

Aquella noche las hijas de la Princesa habíanse refugiado en la terraza, bajo la luna, como las hadas de los cuentos: rodeaban a una amiga joven y muy bella, que de tiempo en tiempo me miraba llena de curiosidad. En el salón, las señoras ancianas conversaban discretamente, y sonreían al oír las voces juveniles que llegaban en ráfagas perfumadas con el perfume de las lilas que se abrían al pie de la terraza. Desde el salón distinguíase el jardín, inmóvil bajo la luna, que envolvía en pálida claridad la cima mustia de los cipreses y el balconaje de la terraza donde, otras veces, el pavo real abría su abanico de quimera y cuento.

Yo quise varias veces acercarme a María Rosario. Todo fue inútil: ella adivinaba mis intenciones, y alejábase cautelosa, sin ruido, con la vista baja y las manos cruzadas sobre el escapulario del hábito monjil que conservaba puesto. Viéndola a tal extremo temerosa, yo sentía halagado mi orgullo donjuanesco, y algunas veces, solo por turbarla, cruzaba de un lado al otro. La pobre niña al instante se prevenía para huir: Yo pasaba aparentando no advertirlo. Tenía la petulancia de los veinte años. Otros momentos entraba en el salón y deteníame al lado de las viejas damas, que recibían mis homenajes con timidez de doncellas. Recuerdo que me hallaba hablando con aquella devota marquesa de Téscara, cuando, movido por un oscuro presentimiento, volví la cabeza y busqué con los ojos la blanca figura de María Rosario. La Santa ya no estaba.

Ramón María del Valle-Inclán. *Sonata de primavera.* Alianza

¿Observas en este relato de ambientación italiana elementos comunes al erotismo de poemas de Rubén Darío o incluso de Juan Ramón Jiménez en su etapa modernista?

El dramaturgo, poeta y novelista Valle-Inclán, al contrario que sus compañeros de generación, evoluciona ideológicamente de posiciones conservadoras en su juventud a posiciones muy críticas y radicales en su madurez; igual ocurrió en su literatura: del modernismo canónico evolucionó al expresionismo de los esperpentos.

- **Etapa modernista canónica** (hasta 1907, aproximadamente). Su primera obra, *Femeninas* (1895), es un conjunto de seis relatos amorosos en donde Valle-Inclán intenta crear un nuevo modelo narrativo basado en el modernismo y el decadentismo del italiano Gabriele D'Annunzio: lenguaje refinado y elegante, gusto por el color y la musicalidad.

  Entre 1897 y 1904 escribe *Epitalamio, Jardín umbrío, Corte de amor* y *Flor de santidad,* ambientadas en la Galicia primitiva y mítica, donde se mezclan realidad y leyenda, lo aristocrático y lo popular.

  Entre 1902 y 1905 compone Valle su tetralogía de las ***Sonatas: Sonata de otoño, Sonata de estío, Sonata de primavera*** y ***Sonata de invierno,*** en las que predomina el entusiasmo por un mundo decadente visto desde la nostalgia. Estas cuatro novelas constituyen la obra maestra de la narrativa modernista española; en ellas, a través de las memorias del marqués de Bradomín, definido por el mismo Valle-Inclán como «feo, católico y sentimental», se muestran las cuatro estaciones del año como símbolo de las cuatro edades del protagonista, desde la adolescencia de *Sonata de primavera* hasta la vejez de *Sonata de invierno.* Todo ello en un cuadro en el que se funden el erotismo, la religión y la muerte.

RAMÓN MARÍA DEL VALLE-INCLÁN (1866-1936)

Nació en Villanueva de Arosa (Pontevedra) y murió en Santiago de Compostela al comenzar la Guerra Civil. Su verdadero nombre era Ramón José Simón Valle Peña. Estuvo en México en su juventud como soldado y periodista.

Tras iniciar sus estudios universitarios de derecho en Santiago de Compostela, decidió dedicarse a la literatura y abandonó la carrera para marcharse a Madrid en 1890, donde tomó contacto con los poetas modernistas y entabló amistad con Rubén Darío. En Madrid se distinguió por su extravagancia en el vestir, sus grandes gafas, largas melenas y prolongadas barbas. Se erigió en la figura típica de la bohemia madrileña de principios del siglo XX.

Con su carácter vehemente, protestó durante los años de la dictadura de Miguel Primo de Rivera y fue detenido en 1929.

Durante la II República fue nombrado conservador general del Patrimonio Artístico y después director de la Academia Española de Bellas Artes en Roma, cargo que desempeñó hasta 1934. Se retiró por motivos de salud a Santiago de Compostela hasta su fallecimiento.

- **Etapa de transición** (1907-1920). A este periodo pertenece la trilogía novelesca de ***La guerra carlista*** (*Los cruzados de la causa, El resplandor de la hoguera* y *Gerifaltes de antaño*), escrita entre 1908 y 1909. Valle-Inclán se acerca al género de la novela histórica realzando el contraste entre el heroísmo romántico de las tropas carlistas y la protesta por la crueldad brutal de la guerra. En cuanto al estilo, aporta como principal novedad la convivencia del esteticismo modernista con el lenguaje desgarrado y rústico.
- **Etapa de los esperpentos** (1920-1936). A partir de 1920 la obra de Valle se centrará en lo que se definió como **esperpento** en su obra teatral ***Luces de bohemia*** (que veremos en la unidad 10). El esperpento deforma grotescamente la realidad con fines expresivos: los héroes nacionales son mostrados en espejos cóncavos, distorsionados sistemáticamente. El autor, ante un mundo infame y absurdo, selecciona y desintegra los hechos, presentando al público lo más escandaloso y sobrecogedor.

  El *DRAE* define ***esperpento*** como 'hecho grotesco o desatinado' y como 'persona o cosa notable por su fealdad, desaliño o mala traza'. En efecto, Valle-Inclán, en una entrevista publicada en el diario *ABC* en diciembre de 1928, declaró que un autor podía enfocar o plantear al héroe en las obras literarias desde tres posibles perspectivas:

  La perspectiva homérica (de rodillas), donde los héroes son superhombres.

  La perspectiva de Shakespeare (de pie), donde los personajes son tratados como de carne y hueso, pues son iguales al autor.

  La perspectiva demiúrgica o creadora (desde arriba), donde el autor contempla a sus criaturas como seres inferiores, con un punto de ironía y de burla de los valores que supuestamente representan.

  Valle emplea, por tanto, la perspectiva demiúrgica para elaborar el esperpento y convertir a mitos y héroes en hechos ridículos o figuras desaliñadas y de mala traza.

  - ***Tirano Banderas*** (1926) es un esperpento, ambientado en un México idealizado, que ridiculiza a un supuesto dictador. Valle-Inclán se anticipa a la novela hispanoamericana de dictador, convirtiéndose en modelo de relatos como *El señor Presidente* (1946), de Miguel Ángel Asturias, o *El otoño del patriarca* (1975), de Gabriel García Márquez. Pero lo más destacable de esta novela es el prodigioso dominio del idioma castellano y del léxico americano, fruto de sus viajes y estancias en tierras mexicanas.
  - La trilogía de ***El ruedo ibérico***, formada por *La corte de los milagros* (1927), *Viva mi dueño* (1928) y *Baza de espadas* (1932, incompleta), ofrece una imagen despiadada de la corte de Isabel II, combinando el humor descarnado con una prosa muy elaborada. La trilogía caricaturiza el Parlamento, la Corte, los toreros y los militares en burlescas situaciones que recuerdan a los *Disparates* de Goya o los cuadros de Gutiérrez Solana (1886-1945), pintor vinculado al expresionismo.

> JOSÉ GUTIÉRREZ SOLANA

Pintor, grabador y escritor expresionista español, la pintura de Gutiérrez Solana (1886-1945), de gran carga social y basada en el **feísmo** y el tenebrismo, muestra la miseria de una España degradada y grotesca. En cierto modo, responde a un espíritu crítico y rebelde, próximo al esperpento de Valle-Inclán.

El entierro de la sardina (1943).

05 Pío Baroja

El madrileño que alguna vez, por casualidad, se encuentra en los barrios pobres próximos al Manzanares, hállase sorprendido ante el espectáculo de miseria y sordidez, de tristeza e incultura que ofrecen las afueras de Madrid con sus rondas miserables, llenas de polvo en verano y de lodo en invierno. La corte es ciudad de contrastes; presenta luz fuerte al lado de sombra oscura; vida refinada, casi europea, en el centro, vida africana, de aduar, en los suburbios. Hace unos años, no muchos, cerca de la ronda de Segovia y del campillo de Gil Imón, existía una casa de sospechoso aspecto y de no muy buena fama, a juzgar por el rumor público. El observador...

En este y otros párrafos de la misma calaña tenía yo alguna esperanza, porque daban a mi novela cierto aspecto fantasmagórico y misterioso; pero mis amigos me han convencido de que suprima tales párrafos, porque dicen que en una novela parisiense estarán bien, pero en una madrileña, no; y añaden, además, que aquí nadie extravía, ni aun queriendo; ni hay observadores, ni casas de sospechoso aspecto, ni nada. Yo, resignado, he suprimido esos párrafos, por los cuales esperaba llegar algún día a la Academia Española, y sigo con mi cuento en un lenguaje más chabacano.

Sucedió, pues, que al día siguiente de la bronca en el comedor de la casa de huéspedes, la Petra, muy de mañana, despertó a Manuel y le mandó vestirse.

Pío Baroja. *La busca*. Caro Raggio

¿Es totalmente realista la descripción de Madrid? ¿Hay elementos subjetivos, irónicos, de crítica literaria?

Para Pío Baroja, la novela es un género abierto y permeable, en el que caben filosofía, aventuras, psicología, crítica social, humor... Sus novelas aparentan ser fruto de la improvisación y de la ausencia de un plan previo, pero constituyen el resultado de una elaboración literaria previa, basada en los siguientes **rasgos:**

- **Descripción impresionista de paisajes y ambientes.** Selección de los elementos necesarios y los detalles más significativos.
- La **exhaustiva observación de la realidad** convierte a sus novelas en auténticos documentos de una época de la vida española.
- **Diálogos realistas,** adaptados a los registros idiomáticos de los personajes.
- La crítica ha valorado la **caracterización de los personajes barojianos,** distinguiendo cuatro tipos:
  - **Personaje espectador** que ha fracasado en su intento de cambiar el mundo y se limita a observar pasivamente la realidad.
  - **Personaje abúlico,** sin voluntad de acción, incapaz de enfrentarse a su destino.
  - **Personaje nietzscheano,** contrario a los ideales igualitarios y partidario del dominio de los hombres «fuertes» en aras de la regeneración de la humanidad.
  - **Personaje aventurero,** de acción, que encarna el gusto barojiano por los marineros, contrabandistas, guerrilleros y conspiradores que pueblan sus novelas.
- **Lenguaje espontáneo,** deliberadamente antirretórico, con predominio de párrafos breves y frases cortas.

PÍO BAROJA (1872-1956)

Nació en San Sebastián, en una familia burguesa y culta. Estudió medicina, pero apenas la ejerció porque su vocación literaria era muy fuerte desde el principio. Frecuentó los círculos intelectuales y bohemios de comienzos de siglo y formó con Ramiro de Maeztu y Azorín el Grupo de los Tres, embrión del noventayochismo. En 1934 fue elegido miembro de la Real Academia Española. Durante la Guerra Civil fue arrestado y pasó cuatro años en el exilio francés. La invasión alemana le obligó a regresar a España, donde falleció en 1956.

Su obra es muy extensa, compuesta por más de setenta novelas, además de libros de cuentos, ensayos, memorias, obras teatrales, libros de viajes e incluso un poemario.

La amplia producción novelística de Baroja ha sido dividida en dos grandes etapas.

Primera etapa (hasta 1912)

En ella, compone novelas que reflejan la angustia existencial (influencia de Schopenhauer y Nietzsche) y el desengaño del ideal de regeneración social del país, superando su anarquismo juvenil pero conservando siempre sus creencias ateas.

Pío Baroja agrupó en **trilogías** muchas de estas novelas según el ambiente, los personajes o el tema tratado, aunque, en algunos casos, la agrupación parece algo arbitraria. Las novelas más importantes de esta etapa son:

- ***Camino de perfección*** (1902), una de las novelas fundacionales del noventayochismo. Fernando Ossorio es un joven intelectual rebelde y escéptico que emprende un viaje de Madrid a Levante con la intención de librarse de sus desequilibrios anímicos y su abulia, para encontrar la voluntad, la acción y el perdido contacto con la naturaleza.
- La trilogía de ***La lucha por la vida***, cuyo título alude a las ideas evolucionistas de Darwin sobre la lucha por la supervivencia. Baroja traslada este concepto al Madrid de principios de siglo. *La busca* (1904), la primera obra de la trilogía, presenta un panorama desolador de los suburbios madrileños. Su protagonista, Manuel, encarna la lucha por sobrevivir dignamente en este medio hostil: tras superar los ambientes marginales y delictivos (*Mala hierba,* 1904) y las ideas revolucionarias anarquistas (*Aurora roja,* 1905).
- ***Zalacaín el aventurero*** (1909) narra las peripecias de un típico hombre de acción vasco durante las guerras carlistas.
- ***El árbol de la ciencia*** (1911) es una novela en ciertos aspectos autobiográfica que resume el espíritu de Baroja, su búsqueda ideológica, sus contradicciones. Su tema central es la desorientación existencial de un joven inadaptado: Andrés Hurtado descubre dolorosamente, en el desenlace de la novela, su error al creer que la ciencia (la razón, el conocimiento) era la única solución a los males colectivos e individuales.

Segunda etapa (a partir de 1913)

En esta etapa, Baroja escribe las *Memorias de un hombre de acción,* una serie muy extensa, integrada por 22 novelas, cuyo protagonista es un aventurero, Eugenio de Avinareta. Esta obra nos ofrece un amplio retrato del siglo XIX español hasta constituir una especie de «episodios nacionales». También pertenecen a esta etapa novelas como *La sensualidad pervertida* (1920), *El gran torbellino del mundo* (1926) y *Los pilotos de altura* (1931).

Desde el final de la Guerra Civil hasta su muerte en 1956, no escribe prácticamente nada salvo sus memorias *(Desde la última vuelta del camino)* y algunas novelas que sufrieron la censura franquista como su trilogía ***Saturnales***, que refleja su dolorosa visión de la Guerra Civil: *El cantor vagabundo* (1950), *Miserias de la guerra* (2006) y *Los caprichos de la suerte* (cuya reciente edición fue presentada al público el 29 de octubre de 2015).

06 José Martínez Ruiz, Azorín

Hace cincuenta años se estableció en Yecla un colegio de escolapios; la instrucción —que no es precisamente la felicidad— es posible que se haya propagado; pero el colegio ha traído la ruina al pueblo. Antes del año 1860 todos los pequeños labradores dedicaban sus hijos a la agricultura; después de ese año todos los hacen bachilleres. ¡Cómo cuesta tan poco! Es decir no cuesta nada... Cincuenta años han bastado para formar en esta ciudad un ambiente de inercia, de paralización, de ausencia total de iniciativa y de energía.

Azorín. *La voluntad* (Epílogo II: Carta de José Martínez Ruiz a Pío Baroja). Castalia

Se respira en la ciudad un ambiente hostil a todo lo que sea expansión, elevación de espíritu, simpatía humana. El arte ha huido de Yécora, dejándolo en medio de sus campos que rodean montes desnudos, al pie de una roca calcinada por el sol, sufriendo las inclemencias de un cielo africano que vierte torrentes de luz sobre las casas enjalbegadas, blancas, [...] sobre sus calles rectas y monótonas y sus caminos polvorientos; le ha dejado en los brazos de una religión áspera, formalista, seca; entre las uñas de un mundo de pequeños caciques, de leguleyos, de prestamistas, de curas, gente de vicio sórdido y de hipocresías miserables. Los escolapios tienen allí un colegio y contribuyen con su educación a embrutecer lentamente al pueblo.

Pío Baroja. *Camino de perfección* (Capítulo xxxiii). Caro Raggio

Entre la ciudad de Yecla de *La voluntad* (1902), de Azorín, y la ciudad de Yécora de *Camino de perfección* (1902), de su amigo Baroja, hay algunas coincidencias. ¿Qué tienen en común la Yecla de Azorín y la Yécora de Baroja? ¿Hay noventayochismo en estos fragmentos?

Azorín compuso una **novela impresionista** para introducir sus sensaciones sobre los personajes, mediante **minuciosas descripciones de la naturaleza y abundantes monólogos y digresiones de tipo filosófico o existencial.**

Los **dos temas fundamentales** de sus novelas son el **paso del tiempo** y la **creación literaria,** de ahí su interés en **describir** estáticamente el mundo alrededor de sus personajes; así, a través del texto literario, consigue, aparentemente, detener el inexorable trascurso temporal de la vida.

En cuanto a su estilo, destaca por la **precisión** y la **claridad** de su prosa. Amante de la frase corta, emplea en las descripciones una técnica «**miniaturista**» de **rigurosa observación de los detalles,** por pequeños que sean.

En la obra novelesca azoriniana se observan **dos etapas** cronológicas:

- ***La voluntad*** (1902), ***Antonio Azorín*** (1903) y ***Las confesiones de un pequeño filósofo*** (1904) forman una trilogía, mediante la unidad que aportan el protagonista común, el **carácter autobiográfico** y la influencia del **pesimismo filosófico** de Schopenhauer, junto con el **vitalismo** de Nietzsche. Representa el amargo **desánimo** y el desaliento de su **ideario anarquista,** su lucha interior entre el afán revolucionario o radical de regenerar el país y, por otra parte, la necesidad de conservar sus tradiciones y valores culturales.
- ***Don Juan*** (1922) y ***Doña Inés*** (1925) forman parte de una segunda etapa de Azorín, en la que abandona las ideas revolucionarias, evoluciona hacia un pensamiento conservador y desplaza su interés hacia lo subjetivo y la preocupación por la brevedad de la vida. En *Don Juan* recrea el mito de don Juan Tenorio, pero el personaje es enfocado de modo muy diferente al de Zorrilla. En *Doña Inés,* Azorín se acerca a la *novela rosa* de tema sentimental.

JOSÉ MARTÍNEZ RUIZ, AZORÍN (1873-1967)

Azorín, seudónimo de José Martínez Ruiz, nació en Monóvar (Alicante). Dedicó toda su vida al periodismo y a la literatura, pues escribió ensayo, novela y teatro. En su juventud mantuvo una actitud radical próxima al anarquismo; junto a Pío Baroja y Ramiro de Maeztu, formó el Grupo de los Tres. Después evolucionó hacia posturas conservadoras y tradicionalistas. Fue diputado del partido conservador. Azorín publicó regularmente en medios como el *ABC* y *La Vanguardia.* En 1924 pasó a formar parte de la Real Academia Española. Durante la Guerra Civil vivió en París pero, acabada la contienda, regresó a España.

Retrato de *Azorín*, de Genaro Lahuerta López.

07 La narrativa de la generación de 1914

La **generación de 1914 o novecentismo**, además de en la poesía (Juan Ramón Jiménez como máximo exponente), destacó sobre todo en los terrenos del ensayo (Ortega y Gasset, Gregorio Marañón, Eugenio D'Ors...) y la narrativa.

En general, en la novela novecentista se observan dos grupos:

- Los narradores que practican una **novela cercana al realismo-naturalismo,** pero con diversos matices según los autores: **Ricardo León, Concha Espina, Manuel Ciges Aparicio.** En este grupo, sobresale la **novela humorística de Wenceslao Fernández Flórez.**
- Los narradores como **Gabriel Miró, Ramón Pérez de Ayala, Gómez de la Serna** o **Benjamín Jarnés** intentan llevar a cabo en la novela el ideario estético y literario novecentista, a partir de dos postulados:
  - **La huida del sentimentalismo:** D'Ors y Ortega lo explican como **predominio de lo apolíneo** (lo clásico, lo sereno) **frente a lo dionisiaco** (lo romántico y pasional). No se tiende a mostrar los sentimientos de los personajes, sino su pensamiento.
  - **El lenguaje debe ser depurado y exigente,** que despierte la imaginación del lector y lo aísle del mundo real. Se trata de un arte hermético, de **una literatura para minorías.**

> **OTRO AUTOR: WENCESLAO FERNÁNDEZ FLÓREZ**
>
> Debido a cierto descrédito del humor literario, Wenceslao Fernández Flórez (1886-1964) está considerado como un «novelista menor».
>
> Sus novelas más destacadas son: *Volvoreta* (1917), sentimental e irónica, de las más logradas; *Las siete columnas* (1926), una ingeniosa sátira de los siete «pecados» capitales; y *El bosque animado* (1943), su última obra importante. Se desarrolla en una *fraga* o bosque gallego y es destacable por su belleza y por el lirismo de su prosa. Podemos considerarla como un claro precedente del realismo mágico hispanoamericano. Ingresó en la Real Academia Española en 1934.

07.1 Gabriel Miró. La novela lírica

La producción narrativa de Gabriel Miró, formada por 22 obras entre novelas y colecciones de relatos breves, sobresale por dos factores:

La **descripción** de los aspectos sensoriales del paisaje, sobre todo el alicantino: la luz y el color, el olor o incluso sensaciones gustativas de los objetos descritos.

El **lirismo** impregnado de una tristeza vaga, lo que llevó a Dámaso Alonso a definir a Gabriel Miró como «gran poeta en prosa».

En su narrativa pueden distinguirse:

- Las **novelas «decadentistas» o modernistas** donde predomina el elemento descriptivo y sensorial. La más importante es *Las cerezas del cementerio* (1910), en la que unos amores adúlteros se enmarcan en un paisaje preciosista de cierto aire simbolista y trágico: las cerezas que crecen en el cementerio sobre las que pesa una triste leyenda.
- Los **relatos autobiográficos** protagonizados por **Sigüenza,** trasunto del propio autor, le sirven para ensalzar los campos, lugares y caminos levantinos: *El libro de Sigüenza* (1917) y *Años y leguas* (1928).
- **Las novelas novecentistas** *Nuestro padre San Daniel* (1921) y *El obispo leproso* (1926) componen, en realidad, un solo relato de la ciudad imaginaria de Oleza (símbolo de Orihuela), dominada por una religiosidad autoritaria y obsesionada con la idea del pecado, que condena el amor de María Fulgencia y Pablo, en la segunda novela. Miró narra descriptivamente la escasa acción distribuida en pequeños episodios.

> **GABRIEL MIRÓ (1879-1930)**
>
> El alicantino Gabriel Miró se educó en un colegio de jesuitas, lo cual le marcó profundamente, tal y como se refleja en algunas de sus obras. Se licenció en derecho y compaginó su actividad como funcionario en Alicante, Barcelona y Madrid con su vocación literaria y periodística.

Retrato de Gabriel Miró, de Luis Oroz.

07.2 Ramón Pérez de Ayala. La novela intelectual

Ensayista, poeta y narrador relevante en cuyas novelas coexisten el sentido denso y la ironía, lo culto y lo popular. Al igual que en Unamuno, la narración sirve de vehículo expresivo de inquietudes vitales.

En la obra de este autor se distinguen tres etapas según su evolución literaria e intelectual:

Novelas de contenido autobiográfico a través de su *alter ego* narrativo Alberto Díaz de Guzmán: la tetralogía sobre la crisis de la conciencia española desde el desastre de 1898 que incluye *Tinieblas en las cumbres* (1907), *A. M. D. G.* (1910), *La pata de la raposa* (1912) y *Troteras y danzaderas* (1913), en la que repasa, con espíritu crítico, descarnado y sincero, la educación religiosa (*A. M. D. G.* es el lema de los jesuitas: *Ad Maiorem Dei Gloriam*), las primeras experiencias amorosas o la vida bohemia en Madrid.

La segunda época está marcada por las **novelas poemáticas de la vida española** (1916), tres breves relatos de ideas (en parte, al modo de Unamuno): *Prometeo* (sobre la educación de los hijos), *Luz de domingo* (sobre el caciquismo) y *La caída de los limones* (el crimen y la maldad).

Novelas intelectuales de madurez, en las que lo filosófico predomina sobre la acción, que abordan grandes temas como: el lenguaje, la reflexión intelectual y la armonía (*Belarmino y Apolonio*, 1921); el amor y la educación sexual (*Luna de miel, luna de hiel* y *Los trabajos de Urbano y Simona*, 1923); y la condena del donjuanismo y del honor «calderoniano» (*Tigre Juan* y *El curandero de su honra*, 1926).

RAMÓN PÉREZ DE AYALA (1880-1962)

Estudió con los jesuitas y tuvo contacto con las ideas de la Institución Libre de Enseñanza en la universidad. Cursó derecho y fue alumno de Clarín. En 1928 fue nombrado miembro de la Real Academia. Fue embajador de España en Londres de 1932 a 1936. Tras la Guerra Civil se exilió a Buenos Aires y regresó a España en 1954.

07.3 Ramón Gómez de la Serna. La novela vanguardista

Pionero de las vanguardias en España y creador de las *greguerías* (definidas por él mismo como 'metáfora + humor'), fue un autor inclasificable. En prosa, cultivó casi todos los géneros: novelas extensas, relatos breves, biografías como *Goya* (1928), *Azorín* (1930) o *Valle-Inclán* (1942), además de su autobiografía, *Automoribundia* (1948). Intenta demoler el relato clásico e introduce en sus novelas imágenes, metáforas y continuos juegos de palabras.

Su **producción novelística** es muy extensa y de temática variadísima:

- **El humorismo** o la burla irónica oculta una visión crítica y cruda en *El doctor inverosímil* (1921). *El torero Caracho* (1926) es una grotesca parodia en la que los espectadores defienden a un toro contra el torero y el sexto toro mata a los dos toreros rivales y muere a manos de un espontáneo.
- **Novelas de contenido erótico** donde la muerte (o incluso el crimen) aparece como fondo inevitable: *Senos* (1917) *La viuda blanca y negra* (1918), *El chalet de las rosas* (1923), *La mujer de ámbar* (1927) y *La Nardo* (1930).
- **Novelas** donde reflexiona sobre los **límites entre realidad y ficción** como *El incongruente* (1922); o metanovelas sobre esta cuestión y la interacción entre autor y protagonista como *El novelista* (1924).

08 Otros autores

Entre 1925 y 1936 salen a la luz jóvenes narradores cuya trayectoria se verá truncada por el inicio de la guerra civil española. En ellos, se observan dos grandes tendencias:

- **La novela deshumanizada.** Los novecentistas, especialmente Ortega y su *Revista de Occidente,* ayudaron al lanzamiento de narradores como Francisco Ayala, Benjamín Jarnés y el también gran poeta Pedro Salinas, para quienes el arte de novelar pesa más que el relato de los problemas humanos.
- **La novela social** trata acontecimientos contemporáneos como la Revolución Soviética, la situación de obreros y campesinos o la guerra de Marruecos y denuncia la injusticia social y la degradación moral. Destacan Max Aub, César Muñoz Arconada, Corpus Barga y, sobre todo, Ramón J. Sender (1902-1982) con obras como *Imán* (1930) y *Mr. Witt en el Cantón* (Premio Nacional de Literatura en 1935).

Destacan también algunas narradoras que en estos años contribuyeron al esplendor y la difusión de la novela española:

- La almeriense **Carmen de Burgos** (1867-1932), pionera del feminismo español y compañera sentimental de Gómez de la Serna durante 20 años, fue la primera mujer redactora de un periódico (*Diario Universal,* desde 1903) con el seudónimo de **Colombine** y la primera corresponsal de guerra. Asimismo, fue autora de ensayos, manifiestos, artículos sobre los derechos de la mujer, cuentos, relatos breves como *Puñal de claveles* (1931) y varias novelas: *El tesoro del castillo* (1907), *Senderos de vida* (1908) y *El hombre negro* (1916).
- La madrileña **Concha Espina** (1869-1955) se encuadra en el grupo realista del novecentismo. En *La esfinge maragata* (1914), su novela más famosa, defiende la condición femenina en las duras tierras leonesas. Otras obras suyas son: *El metal de los muertos* (1920), novela social sobre una huelga justa de los mineros de Riotinto, *Altar mayor* (1926), *La flor de ayer* (1932) o *El más fuerte* (1947).
- La vallisoletana **Rosa Chacel** (1898-1994) colaboró en la *Revista de Occidente* y compartió las ideas de Ortega sobre la deshumanización del arte. *Estación. Ida y vuelta* (1930) se centra en un joven fracasado en sus estudios y *Teresa* (1941) en la amada de Espronceda, Teresa Mancha. Las demás obras escritas a partir de la década de 1940 se verán más adelante.
- La logroñesa **María Teresa León** (1903-1988) fue novelista, autora teatral, traductora, periodista cultural y guionista de radio y cine. En 1929 escribe sus primeros cuentos para niños, *Cuentos para soñar* y *La bella del mal amor.* Fundó con Alberti la revista *Octubre* (1933), que integrará notables escritores e intelectuales, y, más tarde, *El Mono Azul.* Sus vivencias se reflejan en dos novelas, *Contra viento y marea* (1941) y *Juego limpio* (1959). En 1968 publica su autobiografía, *Memorias de la melancolía.*

BENJAMÍN JARNÉS, UN PRECURSOR

Benjamín Jarnés (1888-1949) es un novelista de «transición» entre el novecentismo y la generación del 27, que ha sido catalogado indistintamente en ambos movimientos. Su obra narrativa se ajusta a la novela deshumanizada que Ortega y Gasset sostiene en *La deshumanización del arte* e *Ideas sobre la novela* (1925).

Sus novelas más destacadas son *Mosén Pedro* (1924), *El profesor inútil* (1926), *El convidado de papel* (1928) y *Lo rojo y lo azul* (1932) pero, sobre todo, *Locura y muerte de nadie* (1929), acerca del problema del sentido de la vida humana.

María Teresa León era sobrina de María Goyri (esposa de Menéndez Pidal) y fue compañera de Rafael Alberti durante cincuenta años.

09 El ensayo

Durante el primer tercio del siglo XX, el ensayo español experimenta una etapa de esplendor por la extraordinaria confluencia de pensadores, narradores, poetas y dramaturgos que lo utilizaban como vehículo expresivo de sus ideas. Además, el apogeo de la prensa escrita en estos años promovió la redacción y la difusión de estos textos en sus páginas.

09.1 El ensayo noventayochista

A raíz de la crisis de fin de siglo y el «desastre de 1898», surge una preocupación vital por el tema de España: en un afán regeneracionista, al inicio, analizan críticamente su identidad cultural, su historia, literatura y costumbres y, en su madurez, valoran el paisaje de Castilla, sus pueblos y sus gentes como símbolos de la verdadera esencia nacional, la cual debe ser conservada.

Miguel de Unamuno

Unamuno trató, en sus ensayos o en artículos periodísticos posteriormente publicados en libros, los siguientes temas:

España y la cultura y la historia nacionales		
En torno al casticismo (1895): movido por ideas regeneracionistas, plantea la *europeización de España*, pero fiel a la *intrahistoria* nacional (la tradición y las costumbres de la gente anónima).	*Vida de don Quijote y Sancho* (1905): analiza a don Quijote como símbolo del alma española. La decadencia y el atraso de España se deben a que ya no existen quijotes.	*Por tierras de Portugal y España* (1911) y *Andanzas y visiones españolas* (1922): interpreta el paisaje castellano y valora cómo interactúa la naturaleza con los pobladores de un lugar.

Reflexión religiosa y existencial sobre el sentido de la vida humana	
Del sentimiento trágico de la vida (1913) donde, por influencia de Kierkegaard, define la angustia que provoca la conciencia del carácter temporal de la vida humana: el corazón tiene «hambre de Dios» y de inmortalidad del alma, pero la razón niega la existencia de Dios.	*La agonía del cristianismo* (1925) reflexiona sobre la *agonía* (en griego, 'lucha') continua de la religiosidad cristiana: entre razón y fe, vida terrenal y vida eterna, pero sobre todo entre la apariencia de fe y su ausencia, el tema de su novela *San Manuel Bueno, mártir.*

José Martínez Ruiz, Azorín

Azorín, en sus ensayos, trata los mismos temas que en sus novelas, además de utilizar su personalísimo estilo impresionista:

- **Descripción impresionista de los paisajes y las gentes de España,** particularmente de Castilla: *Los pueblos* (1905), *La ruta de don Quijote* (1905), *Castilla* (1912), *El paisaje de España visto por los españoles* (1917).
- **Reinterpretación de los clásicos españoles** a partir de su preocupación por el paso del tiempo, en la que mezcla crítica literaria y evocación histórica de la vida cotidiana en sus épocas: *Lecturas españolas* (1912), *Clásicos y modernos* (1913), *Al margen de los clásicos* (1915).

GLOSARIO

Ensayo es un género literario en prosa de extensión variable, aunque normalmente breve, y de carácter subjetivo. Desde un punto de vista discursivo, predominan la exposición y la argumentación, en un lenguaje, por lo común, sencillo y claro. Su objetivo suele causar la reflexión por parte del lector, al que intentará persuadir de la validez de la interpretación personal del autor. Hay ensayos históricos, filosóficos, científicos, literarios, estéticos, etc.

EL REGENERACIONISMO: ÁNGEL GANIVET Y RAMIRO DE MAEZTU

El regeneracionismo, surgido a finales del siglo XIX, es un movimiento ideológico de las clases medias reformistas que busca la regeneración del país mediante soluciones prácticas concretas. En el noventayochismo, sus mejores representantes son:

- **Ángel Ganivet** (1865-1898): con *Idearium español* (1897) propugna la regeneración nacional sobre la base del individualismo y el espíritu combativo del pueblo español.
- **Ramiro de Maeztu** (1875-1936), miembro del Grupo de los Tres junto a Baroja y Azorín, evoluciona del regeneracionismo militante de *Hacia otra España* (1899) a posiciones ultraconservadoras y reaccionarias en obras como *Defensa de la hispanidad* (1934).

09.2 El ensayo novecentista

La generación de 1914 renovó el ensayo español del siglo XX desde un doble foco cultural (**Ortega y Gasset** en Madrid y **Eugeni d'Ors** en Barcelona) sobre tres pilares: **europeísmo, reformismo político** (republicano no extremista) y **perspectivismo,** basado en el racionalismo vital de Ortega: la razón ha de adaptarse a las circunstancias de la vida.

José Ortega y Gasset

Los ensayos de Ortega han sido agrupados según su materia:

Ensayos filosóficos

En *Meditaciones del Quijote* (1914) parte de su célebre «Yo soy yo y mis circunstancias» para analizar la tragedia, la comedia, la épica, la poesía y el Quijote como productos condicionados por las circunstancias históricas. *El espectador* (1916-1934) es una colección en ocho volúmenes de artículos periodísticos en los que expone su racionalismo vital y perspectivismo.

Ensayos sobre el tema de España

En *España invertebrada* (1921) y *La rebelión de las masas* (1930) analiza la invertebración de España causada por el separatismo y la indisciplina social de las masas en rebelión. La solución consistiría en «un proyecto sugestivo de vida en común» regido por una minoría selecta de intelectuales honestos.

Ensayos sobre estética y literatura

La deshumanización del arte e *Ideas sobre la novela* (ambos de 1925). En el primero, esencial en la evolución poética de la generación del 27, diserta sobre lo minoritario del arte nuevo, que divide al público en los que lo entienden y los que no. En el segundo, considera la novela un género agotado por su falta de temas nuevos y el excesivo realismo; el novelista debe dar prioridad a lo imaginativo, lo intelectual y un estilo más elaborado.

Otros ensayistas de la generación de 1914

Eugeni d'Ors (1882-1954) acuñó el término *novecentismo.* Concilia el clasicismo con la renovación y el casticismo con lo europeo en las ***glosas*** (colecciones de breves artículos escritos primero en catalán y después en castellano), en *Tres horas en el Museo del Prado* (1922), *Las ideas y las formas* (1928) y *Teoría de los estilos* (1941).

Manuel Azaña (1880-1940) fue ministro, presidente del Gobierno y jefe del Estado durante la II República, además de crítico literario, novelista (*El jardín de los frailes,* 1927) y ensayista político: *Estudios de política francesa: política militar* (1918), *El Idearium de Ganivet* (1921) y *La velada en Benicarló* (1937).

Salvador de Madariaga (1886-1978) escribe ensayos de psicología colectiva comparada, ensayos históricos (*España. Ensayo de historia contemporánea,* 1931), sobre crítica literaria (*Ensayos anglo-españoles,* 1922, y *Guía del lector del Quijote,* 1926) y tres biografías acerca de la colonización española en América (Cristóbal Colón, Hernán Cortés y Simón Bolívar).

Gregorio Marañón (1887-1960), ilustre médico y humanista, fue un gran biógrafo de personajes históricos (Tiberio, Enrique IV de Castilla o el conde-duque de Olivares) y mitos literarios (don Juan).

Américo Castro (1885-1972) y **Claudio Sánchez Albornoz** (1893-1984) destacan por su polémica en torno al origen y la esencia de la nación española en *La realidad histórica de España* (1954) frente a *España, un enigma histórico* (1956), respectivamente.

JOSÉ ORTEGA Y GASSET (1883-1956)

Nacido en Madrid, en el seno de una familia de periodistas, escritores y políticos, se licenció en filosofía y amplió estudios en Alemania. En 1910 obtiene la cátedra de metafísica en la Universidad de Madrid. En 1913 funda la «Liga para la Educación Política», en 1915 la revista *España* y, en 1923, la *Revista de Occidente,* gran portavoz de las nuevas corrientes europeas y españolas en el pensamiento y la creación. Al principio de la Guerra Civil se exilió; regresó en 1945 y continuó, despojado de su cátedra, su labor en el Instituto de Humanidades fundado por él.

ELABORA TU PROYECTO

EL «DESASTRE» DE 1898 Y LOS NOVENTAYOCHISTAS

La crisis de 1898 supuso la derrota ante la Marina de los Estados Unidos, la pérdida de las posesiones coloniales en Cuba y la cesión de Puerto Rico y las Islas Filipinas a los Estados Unidos.

Ante la indiferencia y el inmovilismo con que la población española acogió las noticias, los intelectuales noventayochistas sintieron la necesidad de enfrentarse a la derrota y a sus consecuencias nacionales. Sin embargo, los noventayochistas no adoptaron una postura activa acerca de la pobreza, el subdesarrollo y la injusticia social, sino que dieron una respuesta literaria, abstracta y filosófica al «problema de España».

Así lo cuenta Pío Baroja en este fragmento de su novela *Aurora roja* (1905):

> —¿Te parece poco? Se ha acabado el reinado de María Cristina —dijo el señor Canuto en voz alta—. Esta buena señora tendrá muchas virtudes; pero lo que es suerte, no nos ha dado muy buena a los españoles. ¡Vaya un reinado! Miles de hombres muertos en Cuba, miles de hombres muertos en Filipinas, [...] el pueblo muriéndose de hambre. Por todas partes sangre... miseria... ¡Vaya un reinado!...
>
> [...] Esto es la sociedad española, este desfile de cosas muertas ante la indiferencia de un pueblo de eunucos.
>
> El Libertario tenía una exaltación fría.
>
> —Aquí no hay nada —siguió diciendo burlonamente—; esto es una raza podrida; esto no es un pueblo; aquí no hay vicios ni virtudes, ni pasiones; aquí todo es m... —y repitió la palabra dos o tres veces—. Política, religión, arte, anarquismo, m...
>
> Pío BAROJA. *Aurora roja*. Caro Raggio

Pautas para la presentación del trabajo

En grupos de cuatro o cinco alumnos, vais a preparar una exposición de la siguiente forma:

1 Prepara tu proyecto

- Recoged toda la información posible sobre la crisis del 98 y sus consecuencias.
- Con el material recopilado (textos, datos, imágenes gráficas, vídeos...), elaborad un dosier a modo de borrador.

2 Realiza tu proyecto

Cada grupo preparará un documento audiovisual o, en su defecto, una presentación que sirva de apoyo a una exposición oral para explicar a alumnos de cuarto de Educación Secundaria lo que supuso la crisis de 1898 y sus consecuencias culturales, políticas, sociales...

Recursos

- Sobre la crisis del 98, sus causas y consecuencias:
  - → www.laguia2000.com/espana/el-desastre-del-98
  - → https://pitbox.wordpress.com/2011/02/06/la-guerra-de-cuba-desastre-de-1898-imperio-espanol/
  - → http://infoalain.over-blog.es/article-causas-y-consecuencias-de-la-crisis-del-98-103009571.html
- Vídeos:
  - → Sobre la influencia del contexto histórico en la generación del 98: www.youtube.com/watch?v=l9TDXngTEJw&list=UUYVF3mhGCFFbzevDatNSgWQ&index=13&feature=plcp
  - → Acerca del desastre del 98: www.youtube.com/watch?v=SWsGm7gegG4
  - → Sobre la guerra de Cuba: www.youtube.com/watch?v=NZ63b8J7sDc

ELABORA TU ORGANIZADOR VISUAL

Elabora el organizador visual de esta unidad incluyendo estos conceptos: modernismo, noventayochismo, novecentismo y vanguardias.

ACTIVIDADES

1 Unamuno fue un autor muy conocido por las obras…

a. *Del sentimiento trágico de la vida* y *Las confesiones de un pequeño filósofo.*

b. *Del sentimiento trágico de la vida* y *San Manuel Bueno, mártir.*

c. *La tía Tula, Del sentimiento trágico de la vida* y *Luces de bohemia.*

d. *Del sentimiento trágico de la vida* y *La deshumanización del arte.*

2 El pensamiento de Unamuno giró siempre en torno a…

a. la preocupación por la regeneración de España y la defensa a ultranza de la fe católica.

b. ideas anticlericales, el izquierdismo político y el sentimiento trágico de la vida.

c. el interés por la regeneración de la vida española, el gusto por el paisaje castellano y las dudas existenciales en torno a la fe en Dios y la inmortalidad del alma.

d. el gusto por el paisaje castellano y el conservadurismo católico.

3 ¿Con qué cuatro novelas se inicia la narrativa española del siglo XX en 1902?

a. *La voluntad*, de Azorín; *Camino de perfección*, de Pío Baroja; *Amor y pedagogía*, de Unamuno; y *Sonata de otoño*, de Valle-Inclán.

b. *La voluntad*, de Azorín; *Camino de perfección*, de Pío Baroja; *Cañas y barro*, de Vicente Blasco Ibáñez; y *Las cerezas del cementerio*, de Gabriel Miró.

c. *Tinieblas en las cumbres*, de Ramón Pérez de Ayala; *Camino de perfección*, de Pío Baroja; *Amor y pedagogía*, de Unamuno; y *Sonata de otoño*, de Valle-Inclán.

d. *La voluntad*, de Azorín; *Camino de perfección*, de Pío Baroja; *Amor y pedagogía*, de Unamuno; y *Luces de bohemia*, de Valle-Inclán.

4 ¿Qué evolución sigue la novela de Valle-Inclán?

a. Del pesimismo existencial de las *Sonatas* a la visión grotesca de los esperpentos.

b. Del modernismo canónico y decadente de las *Sonatas* a la visión grotesca de los esperpentos.

c. De la rebeldía bohemia y nihilista de las *Sonatas* al modernismo canónico y decadente.

d. De la visión grotesca de los esperpentos al pesimismo existencial.

5 ¿En qué consiste la perspectiva demiúrgica que adopta Valle-Inclán en el esperpento?

a. Elogiar los valores que encarnan los héroes y mitos clásicos.

b. Burlarse de la moral católica y de la ideología monárquica.

c. Ensalzar la cultura milenaria y mítica de su Galicia natal.

d. Convertir a mitos y héroes clásicos en figuras grotescas y de mala traza.

6 Según este fragmento de *El árbol de la ciencia*, se puede afirmar que…

> — No, ¡si estamos conformes! […] en todo lo que se refiere a la matemática y a la lógica, pero cuando nos vamos alejando de estos conocimientos simples y nos adentramos en el dominio de la vida, nos encontramos dentro de un laberinto, en medio de la mayor confusión y desorden […] La verdad es una brújula loca que no funciona en este caos de cosas desconocidas.
>
> Pío Baroja. *El árbol de la ciencia.* Caro Raggio

a. es una novela que refleja el irracionalismo y la desorientación existencial y vital del noventayochismo.

b. es una obra clave del novecentismo narrativo.

c. es un ensayo en el que Pío Baroja reflexiona sobre las relaciones entre la vida y el pensamiento científico.

d. es un antecedente del vitalismo de Ortega y Gasset.

7 Gabriel Miró, Ramón Pérez de Ayala, Gómez de la Serna y Benjamín Jarnés…

a. son narradores cercanos al realismo-naturalismo, pero con diversos matices.

b. son novelistas que comparten el ideario estético y literario de la generación de 1914.

c. fracasaron en su intento de construir una novela vanguardista.

d. representan la novela noventayochista tardía.

8 Ortega y Gasset fue…

a. promotor de la generación de 1914 y exponente del racionalismo vital y el perspectivismo en España.

b. un ensayista y pensador del regeneracionismo noventayochista.

c. filósofo, poeta y narrador cercano al modernismo.

d. un narrador y dramaturgo de vida bohemia.

10 EL TEATRO HASTA 1936

01 Panorama general

A comienzos del siglo XX los escenarios españoles viven una situación de anquilosamiento y atraso. Dos son los motivos fundamentales:

- El apego a la alta comedia de Echegaray. Aunque obsoleta, triunfa entre el público burgués y resulta muy productiva económicamente para los empresarios, cuyo interés por la renovación es escaso.
- La fuerza de la ideología y la estética tradicionales imperantes, que frena los intentos de innovación.

En Europa, en cambio, se produce un **gran desarrollo,** pues **la teoría y la práctica escénica van unidas:** en 1896 se estrena en París *Ubú rey,* de Alfred Jarry; Gordon Craig publica en Alemania en 1905 *El arte del teatro;* en París, desde 1913 en el teatro Vieux-Colombier se representaba según las técnicas de la *commedia dell'arte;* en Rusia, Stanislavski y Meyerhold innovan tanto en el campo de la representación como en el de la creación dramática... Todos ellos, junto a autores como Ibsen, Chejov, Pirandello y, más tarde, Bertolt Brecht, y teóricos como Artaud, contribuyen desde diversas ópticas a la construcción de un teatro de vanguardia.

Así pues, en España el continuismo y el conservadurismo propio de la Restauración serán las notas fundamentales del panorama cultural. Los escritores con deseos de renovación deberán plegarse a los gustos comerciales o resignarse a escribir para un público minoritario. El signo del nuevo siglo hasta 1939 estará marcado por esta dicotomía entre **teatro comercial** y **teatro renovador.** Dentro del primero se inscriben Benavente, el teatro cómico y el teatro en verso. Al segundo pertenecen figuras como Valle-Inclán y Lorca.

02 Teatro benaventino

Jacinto Benavente se inicia en el teatro con cierto afán rupturista con *El nido ajeno* (1894); sin embargo, su escasa acogida lo llevó a amoldarse a los deseos del público burgués.

En sus obras retrata, con condescendencia, la hipocresía y los convencionalismos de la clase alta. Bajo la consigna del teatro como medio de evasión e ilusión, consigue gran popularidad y éxito con obras como *La noche del sábado* (1903), *Rosas de otoño* (1905) y, sobre todas ellas, *Los intereses creados* (1907).

LOS PERIÓDICOS Y EL TEATRO

Periódicos como *ABC, El Heraldo de Madrid, El Sol* o *La Gaceta literaria* intentaron, sin éxito, calar en la sociedad española a través de la divulgación de las novedades dramáticas europeas y su eco en el teatro nacional.

JACINTO BENAVENTE (1866-1954)

Fue un autor muy prolífico y famoso con una temprana afición al teatro. En 1912 entró en la RAE y en 1922 se le concedió el Premio Nobel de Literatura. A pesar de que la crítica joven de su época lo consideró «ñoño y conservador», sus éxitos lo acompañaron incluso en la posguerra.

ARGUMENTO DE *LOS INTERESES CREADOS*

La obra trata sobre el poder del dinero. Dos pícaros, Leandro y Crispín, suplantan la personalidad de un señor y su criado para medrar socialmente. Leandro se enamora de Silvia, la hija de Polichinela, hombre rico y poderoso, que acaba aceptando el casamiento para encubrir su pasado picaresco. Benavente parte de un ambiente y unos personajes inspirados en la *commedia dell'arte* italiana (Colombina, Polichinela, Arlequín) para construir una farsa que encierra una visión cínica de los ideales burgueses.

La fatalidad conduce a un mundo de pasiones en dramas rurales de ambiente campesino y asfixiante, como *Señora ama* (1908) y *La malquerida* (1913).

Aunque su obra se enmarca dentro del teatro comercial, la importancia de Benavente estriba en haber conseguido superar la grandilocuencia de Echegaray con propuestas escénicas de ambientes y situaciones cotidianos y con una cierta visión desengañada, cinismo y mordacidad.

03 Teatro cómico

Dentro de esta tendencia del teatro comercial se encuentran los siguientes subgéneros y autores.

LA COMEDIA COSTUMBRISTA		
Sainete	Carlos Arniches	• Posee el lenguaje y los rasgos costumbristas propios del localismo madrileño. • Parte de la música y el baile del género chico. • Obra: *El santo de la Isidra* (1898).
	Serafín y Joaquín Álvarez Quintero	• Representan el costumbrismo y tipismo popular andaluz (tipos, ambientes, habla…) con una visión optimista y alegre de la vida. • Su producción carece de profundidad: se construye sobre escenas edulcoradas, típicas y superficiales. • Obras: *Mañana de sol* (1905) o *Malvaloca* (1912).
Tragedia grotesca	Carlos Arniches	• Se incluye en su producción a partir de 1916, fecha en la que Ramón Pérez de Ayala le da tal denominación. • Obras: *La diosa ríe* y *La señorita de Trevélez*, en la que una pesada broma engendra una ilusoria e imaginaria relación amorosa entre una mujer, ya madura y poco agraciada, y un joven; finalmente, la crueldad de la farsa es descubierta.
Astracán	Pedro Muñoz Seca	• Género creado por el autor. Su comicidad se basa en retruécanos, equívocos, dilogías y chistes. • Las obras son de escasa calidad, pero de gran popularidad. • Obra: *La venganza de don Mendo* (1918).

La venganza de don Mendo inaugura el género del astracán.

GLOSARIO

Commedia dell'arte: teatro surgido en el siglo XVI en Italia. Ofrece personajes-tipo, es de carácter popular, está cargado de comicidad e incorpora el elemento carnavalesco de la máscara. Aunque la finalidad es cómica, suele también encerrar crítica y sátira social y política.

Sainete: subgénero dramático breve, cómico y popular aparecido en el siglo XVIII que originariamente se representaba (como el entremés) en los entreactos de obras mayores. En esta época se concibe ya como obra independiente.

Género chico: subgénero teatral popular caracterizado por presentar asuntos intranscendentes, de tipo costumbrista, de carácter cómico y corta duración, que incluye música y bailes (zarzuela, opereta…).

Tragedia: desde la Antigüedad clásica, presenta terribles conflictos entre personajes de noble condición (héroes, reyes…) quienes, víctimas de grandes pasiones invencibles, luchan contra un destino fatal que siempre los vence, los lleva a su destrucción y, muchas veces, a la muerte.

Drama o tragicomedia: sus personajes luchan contra la adversidad, pero carecen de carácter heroico. Pueden intervenir elementos cómicos.

04 Teatro en verso o teatro poético

De raíz modernista por su lenguaje y sonoridad, intenta enlazar los géneros dramático y lírico. Cuenta con el apoyo institucional, pues exalta grandes hechos del pasado español y ensalza ideales nobiliarios como respuesta a la crisis espiritual de la época. Así, entronca por su acción con el teatro del Siglo de Oro y su tradicionalismo lo emparenta con el posromántico. Destacan Villaespesa con *Aben Humeya* (1914), los hermanos Machado con *La Lola se va a los puertos* (1929) y *En Flandes se ha puesto el sol* (1911), de Eduardo Marquina.

LA ZARZUELA

La **zarzuela** es otra manifestación del **teatro comercial**, dada la popularidad del «género chico» en este periodo. Se trata de un espectáculo de consumo que explota sus recursos y da lugar a diversas producciones: parodias de obras anteriores, operetas, revistas, vodevil, espectáculos diversos y *varietés* o variedades, procedentes de Francia, cuyos protagonistas (las *vedettes*) alternan números de diverso carácter mezclando canciones, bailes y acrobacias. En este género triunfan autores como Fernández Caballero, Federico Chueca o Amadeo Vives.

05 Teatro renovador

El inconformismo está en la base de la ruptura con la dramaturgia anterior. Con esta finalidad, el teatro vanguardista se sirve de avances técnicos como la electricidad o el cine.

La experimentación europea va unida a los manifiestos de las diferentes vanguardias, como el del futurismo (1909). La rebeldía y la lucha contra los convencionalismos aparecen en la ruptura textual de Jarry, ejemplo de nuevas formas escénicas. Se ve incluso la necesidad de sustituir al actor como forma de superar las trabas psicofísicas y disociar el cuerpo de la voz; surge así el interés por la marioneta, cuyos rasgos se vierten en los personajes.

España se hace eco de estas novedades. Pero también el teatro popular y las formas tradicionales de la sátira, farsa, teatro de titiriteros, etc., proporcionan un recurso importante para la renovación, visible ya en Benavente.

Los deseos de cambio se revelan tanto en el texto dramático como en la puesta en escena (decorados, iluminación...) de compañías dramáticas como La Barraca (dirigida por Lorca), donde obras clásicas alternan con formas del «teatro menor» como los entremeses.

La llegada de la II República favorece y potencia el desarrollo de un teatro ambulante, en ocasiones procedente de grupos universitarios como las **Misiones Pedagógicas**, para acercar la cultura al pueblo y renovar los escenarios. El cambio necesitaba además la aceptación del público y la iniciativa de los empresarios, reacios a arriesgar en «negocios» poco productivos. Por todo ello, gran parte de este teatro se sitúa entre la tradición y la vanguardia. La aventura renovadora se interrumpe por el inicio de la contienda civil y hasta la década de los sesenta no resurgirá un teatro experimental y de vanguardia.

El dibujo del cartel de la compañía teatral universitaria La Barraca, fundada en 1931 por Federico García Lorca y Eduardo Ugarte, fue realizado por Benjamín Palencia.

06 Ramón María del Valle-Inclán

Figura representativa del teatro renovador, su andadura teatral comienza, al igual que su prosa, con obras de estética **modernista**, donde asoma la ironía y la caricatura: *El marqués de Bradomín* (1906), *El yermo de las almas* (1908) y *Cuento de abril* (1909).

06.1 El ciclo mítico

El ambiente rural gallego le inspira el llamado **ciclo mítico**, constituido por la trilogía *Comedias bárbaras* (cuyo adjetivo hace alusión a la «barbarie» y crueldad de sus escenas) y *Divinas palabras* (1920). El espacio será una Galicia mítica, poblada de «almas rudas» gobernadas por instintos primitivos y dominadas por los vicios y la superstición. Algunos rasgos anticipan ya la estética del esperpento: la profusión de los personajes, los frecuentes y rápidos cambios de escena, la presencia de la crueldad y las acotaciones, cuya extensión y expresión trascienden su función dramática habitual.

- ***Comedias bárbaras:*** su protagonista —un mayorazgo gallego, vicioso y criminal—, don Juan Manuel de Montenegro, se mueve, como su familia y su concubina, por violentas y bajas pasiones. En un ambiente de superstición, oscuridad y misterio, se ve la degradación y el hundimiento de los privilegios feudales de la sociedad gallega.
  - *Águila de blasón* (1908).
  - *Romance de lobos* (1909).
  - *Cara de plata* (1922).
- ***Divinas palabras,*** subtitulada *Tragicomedia de aldea,* desarrolla la miseria y la marginalidad gallegas, con borrachos, jugadores, tullidos, brujas... Laureaniño, un enano hidrocéfalo, queda huérfano y al amparo de unos familiares (Marica del Reino, Mari Gaila y su esposo Pedro Gailo, sacristán) que lo tratan con crueldad y lo exhiben por turnos pactados en ferias para lucrarse. Rodeado de personas que se ríen mientras lo emborrachan, Laureaniño acaba muriendo cruelmente. Las «divinas palabras» pronunciadas en latín por Pedro Gailo al final de la obra («¡Quien sea libre de culpa tire la primera piedra!») impiden que el pueblo supersticioso e ignorante castigue a su adúltera mujer.

06.2 Las farsas

La farsa aporta a Valle-Inclán las raíces teatrales y las posibilidades festivas de las máscaras y el carnaval. Los bufones, los disfraces y las marionetas son la alternativa a los personajes y las situaciones reales del teatro comercial. Sobre el muñeco, símbolo de la debilidad humana y su impotencia frente al destino, se impone la sátira y la caricatura, lo ridículo y lo grotesco, y sirve a la crítica social, política y literaria.

Esta visión de los personajes «desde arriba» favorece el distanciamiento hacia unas vidas artificiales cuyos hilos mueve Valle-Dios. El Dios Creador como un titiritero y el gran teatro del mundo como un *Tablado de marionetas* se ve en este título, que engloba tres farsas de fechas distintas, pero con rasgos comunes: los personajes-marionetas, el mundo de la realeza y los príncipes (niños) como destinatarios de las farsas, algo irónico, pues no son infantiles.

***Tablado de marionetas para educación de príncipes* (1926)**
Farsa infantil de la cabeza del dragón (1910)
Cuento de hadas medieval en prosa, con ambiente modernista.
Farsa italiana de la enamorada del rey (1920)
Obra en verso ambientada en el siglo XVIII. La acción transcurre entre una venta y la corte.
Farsa y licencia de la reina castiza (1920)
Obra escrita en verso que critica y degrada la corte de Isabel II, en un ambiente de farándula. En ella predomina lo grotesco.
***La marquesa Rosalinda* (1912)**
Obra en verso de mayor raigambre modernista, que utiliza la fórmula del teatro dentro del teatro y personajes de la *commedia dell'arte* para construir una historia sobre el honor conyugal y los celos.

06.3 El esperpento

—Comenzaré por decirle a usted que creo hay tres modos de ver el mundo artística o estéticamente: de rodillas, en pie o levantado en el aire. Cuando se mira de rodillas (y esta es la posición más antigua en la literatura) se da a los personajes, a los héroes, una condición superior a la condición humana, cuando menos a la condición del narrador o del poeta. [...]

Hay una segunda manera, que es mirar a los protagonistas novelescos como de nuestra propia naturaleza, como si fueran nuestros hermanos, como si fuesen ellos nosotros mismos, como si fuera el personaje un desdoblamiento de nuestro yo, con nuestras mismas virtudes y nuestros mismos defectos. [...] Esto es Shakespeare, todo Shakespeare. [...].

Y hay otra tercera manera, que es mirar al mundo desde un plano superior, levantado uno en el aire, y considerar a los personajes de la trama como seres inferiores al autor, con un punto de ironía. Los dioses se convierten en personajes de sainete. Esta es una manera muy española, manera de demiurgo, que no se cree en modo alguno hecho del mismo barro de sus muñecos. Quevedo tiene esta manera. Cervantes, también. A pesar de la grandeza de don Quijote, Cervantes se cree más cabal y más cuerdo que él, y jamás se emociona con él.

Esta manera es ya definitiva en Goya. Y esta consideración es la que me llevó a dar un cambio en mi literatura y a escribir los esperpentos, el género literario que yo bautizo con el nombre de esperpentos. [...]

http://eltrabajogustoso.blogspot.com.es

¿Qué crees que supuso para la renovación teatral esta concepción dramática? ¿Qué es un *demiurgo*? Busca la definición de *esperpento* en el diccionario.

Toda la producción anterior desemboca en la creación del esperpento, cuya definición consciente no se produce hasta 1920 en *Luces de bohemia*. Son sus personajes quienes hablan en la escena XII de la nueva estética: «Los héroes clásicos reflejados en los espejos cóncavos dan el esperpento».

Valle-Inclán lo explica así en la entrevista publicada por el periodista Martínez Sierra en *ABC* el 7 de noviembre de 1928:

El grito, de Edvard Munch.

¿Qué es el expresionismo? Busca información sobre las «Pinturas negras» de Goya y reflexiona sobre sus rasgos expresionistas.

La esperpentización, degradación y caricaturización se consigue mediante los siguientes recursos:

- **Animalización, muñequización o cosificación** de los personajes para mostrar lo grotesco y miserable.
- **Ambientes y escenarios degradadores:** ventas, tabernas, burdeles...
- **El lenguaje:** con una técnica expresionista, se emplean todos los registros, desde el pedante y cursi hasta el propio del hampa, además de vulgarismos y coloquialismos, para quebrar los temas más nobles y humanos.
- **Las acotaciones** se alejan de la mera función informativa para adquirir importancia en la caracterización de personajes, actitudes, espacios, ambientes..., con rasgos esperpénticos a veces de difícil representación.
- Los **diálogos:** rápidos y ágiles, llenos de juegos de palabras e ironía.
- Los **contrastes:** sobre todo entre lo doloroso y lo grotesco, como en la escena XI de *Luces de bohemia*.
- **Anacronismos conscientes,** con una intención irónica y deformadora: en un cuento de resonancias modernistas *(La cabeza del dragón)* se habla de anarquismo.
- **Humor, crítica e ironía:** es un humor agrio que encierra una gran crítica mordaz, pero también dolor.
- **Parodias literarias.** Desde historias clásicas a más recientes: *Tristán e Isolda,* la escena de los sepultureros de *Hamlet* en *Luces de bohemia* (escena XIV), el personaje de don Juan...
- **Parodias de los órdenes tradicionales y de la tradición,** como la milicia en *Los cuernos de don Friolera.*

ELEMENTOS DEL GÉNERO TEATRAL

- **Acotaciones.** Indicaciones del autor en la obra, en cursiva o entre paréntesis, que dan informaciones diversas: entrada o salida de los personajes, actitud y posturas de los mismos, instrucciones en torno al decorado... En la obra dramática, las acotaciones constituyen el **texto secundario** frente al **texto principal** (acción y diálogo de los personajes).
- **Lenguaje no verbal.** El lenguaje proxémico muestra la distribución espacial de los personajes en función de sus relaciones: cercanía o lejanía, interacción, contacto...
- **Aparte.** Breve intervención de un personaje hacia el público o para sí mismo que los demás personajes fingen no oír.

Luces de bohemia (1920)

Truéquese en risa mi dolor profundo...
Que haya un cadáver más, ¿qué importa al mundo?

José Espronceda
«Canto a Teresa», en *El diablo mundo.* Alianza

Don Latino.—Bueno, pues que lo entierren. ¡Qué haya un cadáver más solo importa a la funeraria!

Ramón María del Valle-Inclán. *Luces de bohemia.* Espasa Calpe

Comparando los dos textos, ¿en qué consiste la esperpentización?

Luces de bohemia escenifica los últimos momentos de la vida de Max Estrella, poeta ciego. Acompañado de su amigo don Latino, recorre distintos espacios madrileños durante un paseo nocturno. En su «viaje», Max se enfrenta a la dolorosa realidad española a través del encuentro con diversos personajes, vende su capa para comprar un décimo de lotería (que finalmente cobrará don Latino) y es encarcelado. La obra termina con la muerte de Max y el suicidio de su familia. La imagen deformada vista a través de los espejos del callejón del Gato vuelve grotescos tanto el trágico destino individual de Max Estrella como el colectivo de la sociedad española.

EL CALLEJÓN DEL GATO

Calle popular madrileña donde había un comercio con espejos cóncavos que distorsionaban grotescamente las figuras, al igual que los espejos deformadores de las atracciones de feria.

Elementos de *Luces de bohemia*	
Personajes	Los personajes principales de la obra son **Max Estrella** (héroe trágico que ha de enfrentarse a su cruel destino; idealista, bohemio, pobre y antiburgués), **don Latino** (egoísta y ruin, representante de una bohemia parásita), **madama Collet** y **Claudinita** (esposa e hija de Max, respectivamente, que a la muerte de este acabarán suicidándose por las dificultades económicas). La **mayor parte de los personajes** son retratados y distorsionados como **seres miserables,** movidos por intereses personales. Muestran la degradación moral y social: políticos corruptos, ineptos y ridículos, Zaratustra, borrachos, ladrones, prostitutas, el mundo de la bohemia... Solo Mateo (el preso catalán defensor de la lucha de clases y la revolución) y la madre del niño muerto son vistos con conmiseración. Aparecen también personajes reales del mundo literario (como Rubén Darío, al que Valle-Inclán admiraba) o ficticios (como el marqués de Bradomín, personaje de sus *Sonatas*).
Espacio	En su descenso a los infiernos (como Dante con Virgilio), Max atraviesa lugares miserables y vulgares del inframundo madrileño (tabernas, prostíbulos...). Escenarios de la obra serán también su casa, la librería, la calle, el ministerio, la cárcel, el periódico, el cementerio...
Estructura	La obra tiene 15 escenas organizadas en dos partes: • **Escenas** I-XII: de estructura circular, pues la muerte une la primera escena y la última. Estas 12 escenas transcurren durante unas horas, desde el crepúsculo al amanecer del día siguiente. • **Escenas** XIII-XV: día siguiente a la muerte de Max. Epílogo final.
Título	De gran simbología y contraste: por un lado, remite al pasado modernista, bohemio y decadente y, por otro, a la iluminación nocturna (candilejas, velas...) de la ciudad, un claroscuro intencionado también distorsionador, que juega además con la «ceguera» del personaje, cuya lucidez (Estrella) va descubriendo la verdad.

En algunas novelas (como *Tirano Banderas* o *El ruedo ibérico*) Valle-Inclán emplea también la técnica del esperpento a través de elementos que no podían utilizarse en el género dramático, dada la dificultad de su representación.

REALIDAD Y FICCIÓN DE LOS PERSONAJES

La figura de Max Estrella está inspirada en el poeta **Alejandro Sawa,** quien se casó con una francesa, tuvo una hija, llevó una vida bohemia, fue modernista y murió pobre, olvidado y ciego. Mateo, el obrero catalán, se inspira en **Mateo Morral,** anarquista que atentó contra Alfonso XIII. Basilio Soulinake es **Ernesto Bark,** un refugiado eslavo amigo de Sawa. Zaratustra hace alusión al editor modernista Pueyo; don Gay Peregrino, al escritor Ciro Bayo...

Martes de carnaval (1930)

Esta obra incluye tres esperpentos: *Los cuernos de don Friolera* (1921) y *Las galas del difunto* (1926), parodias del tema del honor calderoniano y del mito de don Juan, respectivamente; y *La hija del capitán* (1927), una crítica social y política a la dictadura de Primo de Rivera oculta bajo el juicio sobre el Ejército español.

Máscaras en las afueras (Entierro de la sardina), de José Gutiérrez Solana.

Retablo de la avaricia, la lujuria y la muerte (1927)

Con propuestas escénicas innovadoras, el retablo presenta una estructura elaborada donde la simetría alcanza incluso al número de palabras. Las tablas laterales exteriores e interiores se relacionan a través de los subtítulos.

<table>
<tr><td rowspan="2">Ligazón, 1926
Melodrama para marionetas
↓
Parodia del sacramento del matrimonio</td><td colspan="2">El embrujado, 1913
Tragedia de tierras de Salnés</td><td rowspan="2">Sacrilegio, 1927
Melodrama para marionetas
↓
Parodia del sacramento de la confesión</td></tr>
<tr><td>La rosa de papel, 1924
Auto para siluetas</td><td>La cabeza del Bautista, 1924
Auto para siluetas</td></tr>
</table>

> El concepto de *retablo* encierra una dilogía: cuadros autónomos con una relación temática (los pecados capitales) y representación de alguna historia sagrada realizada con muñecos por titiriteros.

07 Otros autores y tendencias

Teatro desnudo de Unamuno

Su teatro presenta los conflictos humanos, tan esenciales en su obra. Son dramas de profundidad filosófica y diálogo denso donde la acción queda reducida e intensificada a favor de un único personaje. Destaca la austeridad en el decorado, el vestuario, la retórica, así como en cualquier otro recurso escénico. Sobresalen *Fedra* (1911), de tema clásico, y *El otro* (1927), sobre el problema unamuniano de la personalidad.

> Otros intentos renovadores en torno al 98, novecentismo y vanguardias ocupan la escena de fin de siglo hasta la llegada de Lorca.

Teatro experimental o superrealista de Azorín

En su intento renovador, José Martínez Ruiz incorpora elementos técnicos como el cine. Se interesó por el teatro europeo, al que consideraba modelo del español. La modernidad de sus ideas lo llevó a diferenciar entre el teatro como texto y como espectáculo. Sus estrenos —*Old Spain* (1926) y *Brandy, mucho brandy* (1927)— no tuvieron buena crítica ni acogida.

Jacinto Grau

Introdujo elementos vanguardistas. La farsa, el teatro de guiñol y las marionetas le sirvieron para dotar de nuevos significados y fuerza trágica a personajes y mitos de la tradición literaria como don Juan o Pigmalión. El primero lo trata en *Don Juan de Carillana* (1913) y *El burlador que no se burla* (1930). En *El señor de Pigmalión* (1921), obra cercana a la propuesta de Pirandello en *Seis personajes en busca de autor*, los personajes, deseosos de independencia, se rebelan contra su creador.

Ramón Gómez de la Serna

Como dramaturgo escribe, entre 1909 y 1912, *La utopía, El laberinto* y *Teatro en soledad*. La idea del arte como juego y la importancia que otorga a la incoherencia lo llevan a la consideración de un «antiteatro» donde el espectador ha de verse implicado y envuelto en la «ficción» escénica. Esta es la intención que encierra su única obra representada, *Los medios seres. Farsa fácil en un prólogo y tres actos* (1929), donde un matrimonio burgués —medios seres el uno para el otro— no ha encontrado la felicidad y busca completarse a través de un ideal.

08 Federico García Lorca

Las **labores poética y teatral** de Lorca **andan paralelas.** Su concepción del teatro como espectáculo total se manifiesta en la inclusión del lirismo, la música, la escenografía, la simbología... El dramaturgo es ante todo un poeta. Así, poesía y teatro comparten una serie de rasgos y símbolos en la trayectoria literaria del autor.

Federico García Lorca, de Gregorio Prieto.

Los **rasgos comunes** son los siguientes:

- Importancia de **lo popular** a través del lenguaje: canciones, música, bailes populares, en convivencia con la imagen surrealista cargada de simbolismo.
- **Temas** como el amor y el deseo sexual insatisfechos, frustrados, abocados a la muerte.
- **Forma:** emplea tanto la prosa como el verso.
- La **mujer** ocupa un lugar junto a los más desfavorecidos: niños, gitanos, negros...; por ello, representan la pureza, la inocencia, la pasión natural e instintiva.
- Los **personajes,** sobre todo mujeres, se enfrentan a una sociedad autoritaria aniquiladora de sus deseos de libertad y realización personal. A veces representan ideas o símbolos *(La Muerte, La Madre)* también en sus nombres: *Martirio, Angustias, Yerma*. El coro aumenta la intensidad trágica.
- **Lo poético y lo teatral unidos,** el lenguaje poético y la acción dramática; el elemento trágico, por su cotidianeidad, forma parte de la existencia.
- **Ambiente andaluz:** rural y plagado de tradiciones.

Los **símbolos** de raíz surrealista propios de la obra lorquiana se asocian con lo telúrico, los sentimientos e instintos humanos y su fatalidad, como también ocurre en el *Romancero gitano.*

Símbolos lorquianos
El arma blanca, cuchillo, navaja o puñal, se relaciona con el instrumento de sacrificio en las religiones arcaicas; aquí remite a muerte, venganza, cólera.
El agua: si fluye simboliza fecundidad y vida, como el resto de los elementos naturales según la mitología universal (tierra, fuego, luz, aire); si está estancada o en un pozo, se relaciona con la esterilidad y la muerte.
El caballo: es símbolo de vida, fuerza, virilidad, erotismo; a veces conlleva malos presagios y se relaciona con la muerte o con el fuego como elemento destructor.
La luna, el lirio, el nardo: se identifican con la muerte. La luna tiene un carácter maléfico y fatídico, es el símbolo de una mujer dadora de vida y de muerte, y se relaciona, además, con sus fases. En ocasiones, la luna simboliza también esterilidad o fecundidad.
La sangre: además de la connotación de vida y de su plasticidad como imagen, implica sufrimiento y muerte.
La tierra: es símbolo de fecundidad.
La sed, el calor: se identifican con el deseo.
El color blanco: se asocia con la pureza.
El bastón: representa el despotismo y la intransigencia.

Entrevista a Lorca (fragmento)

En este momento dramático del mundo, el artista debe llorar y reír con su pueblo. Hay que dejar el ramo de azucenas y meterse en el fango hasta la cintura para ayudar a los que buscan las azucenas.

Particularmente, yo tengo un ansia verdadera por comunicarme con los demás. Por eso llamé a las puertas del teatro y al teatro consagro toda mi sensibilidad.

Luis Bagaría. *El Sol*, 10 de junio de 1936, en www.andalucesdiario.es

Según estas palabras, ¿se puede afirmar que Lorca es un artista comprometido? Razona tu respuesta.

Tres son los momentos de su trayectoria teatral:

Primeros dramas y farsas	El teatro conceptual	La tragedia
Sus comienzos o primeros tanteos hasta los años veinte.	La experimentación y el vanguardismo de sus dramas en los años treinta.	Obras de los últimos años.

08.1 Primera etapa: dramas y farsas

En *El maleficio de la mariposa* aparece un tema crucial en Lorca: el amor imposible, en este caso entre un «cucaracho» y una mariposa. Después del fracaso de esta, con *Mariana Pineda,* obra en verso de tintes modernistas y lectura antidictatorial, llega su primer éxito. Desarrolla la historia de una heroína granadina que muere en 1831 por haber bordado una bandera liberal.

Su atracción por el teatro menor y popular lo adentra en la **farsa;** el teatro de títeres le interesa por su expresividad, no por lo grotesco como a Valle-Inclán:

Farsas para personas (ambas de 1929)	Farsas para muñecos
Tratan el tópico del viejo y la niña: • *La zapatera prodigiosa:* con final feliz, en esta obra los celos de un viejo zapatero lo llevan a abandonar durante un tiempo el hogar. • *Amor de don Perlimplín con Belisa en su jardín* presenta, en cambio, un amor trágico en que el viejo se venga de las infidelidades de su esposa encarnándose en un supuesto amante de esta, desconocido y misterioso, del que ella recibe cartas; Perlimplín finge matarlo y se suicida, momento en que Belinda descubre que el fallecido es realmente su marido.	En ellas vuelve a experimentar con el registro de lo farsesco: • *Los títeres de Cachiporra* (1922-1923). • El *Retablillo de don Cristóbal* (1931), guiñol que desarrolla el triunfo del amor y la libertad. 

08.2 El teatro conceptual o vanguardista

Como indagación de otras formas artísticas, surge un teatro en gran medida irrepresentable, surrealista y de gran simbolismo, que no se representó hasta décadas más tarde. Esta etapa encuentra su correlato poético en *Poeta en Nueva York* (1929), de estética e inquietudes sociales similares. En ***El público*** (1930) se manifiestan los conflictos internos del autor, se acusa al «público» que condena el amor homosexual y critica la pasividad ante la represión. Plantea Lorca un «teatro bajo la arena», esto es, un teatro con absoluta implicación del espectador, en el que el público (que somos todos) sube a escena.

> OTRAS OBRAS VANGUARDISTAS

También de tintes surrealistas es *Comedia sin título,* donde apuesta por un teatro revolucionario y comprometido. *Así que pasen cinco años* (1931) trata la frustración amorosa y el ansia de paternidad insatisfecha de un joven al ser abandonado por su novia.

08.3 Tercera etapa: tragedia y dramas

El teatro es la poesía que se levanta del libro y se hace humana. Y al hacerse, habla, grita, llora y se desespera. El teatro necesita que los personajes que aparezcan en la escena lleven un traje de poesía y al mismo tiempo que se les vean los huesos, la sangre. Han de ser tan humanos, tan horrorosamente trágicos y ligados a la vida y al día con una fuerza tal, que muestren sus tradiciones, que se aprecien sus olores, y que salga a los labios toda la valentía de sus palabras llenas de amor o de ascos.

Entrevista a Federico García Lorca,
en *La voz de Madrid*
7 de abril de 1936

¿Cómo debe ser el teatro según Lorca?

La tragedia aporta a Lorca un molde clásico para planteamientos de la realidad contemporánea, de donde extrae sus asuntos, y para recuperar antiguos valores teatrales en su lucha contra el anquilosado panorama dramático español.

Los conflictos que interesaban al autor (deseos y anhelos insatisfechos, libertad sexual...) encuentran la forma idónea en la tragedia, cuya definición se adecúa muy bien a la importancia que reciben la fuerza de los instintos, las pasiones, la tierra, las raíces y la tradición.

Bodas de sangre (1933)

La pasión desenfrenada e incontrolable de una mujer la empuja a fugarse con Leonardo, su amante, el mismo día de su boda, obviando todas las imposiciones sociales y morales. La muerte tiñe de sangre la tragedia y sus continuos presagios van anunciando el desenlace inevitable.

Esta tragedia de pasiones, odios familiares y envidias, escrita en prosa y verso, se inspira en un suceso real ocurrido en El Cortijo del Fraile (Almería).

Yerma (1934)

Cuenta la tragedia de una mujer que ansía ser madre. Odio, rabia, frustración, obsesiones y sentimientos violentos hacen de Yerma un personaje trágico, incontrolable y fuera de sí cuando se entera de que realmente su marido no desea hijos y queda condenada para siempre a la esterilidad cuando lo asesina: «Yo misma he matado a mi hijo».

Su ideología (sustentada en unas estrictas reglas morales, sociales y religiosas en un mundo artificial y arbitrario) la obliga a cumplir con la función de madre a la que la naturaleza la predispone y ante cuya imposibilidad se siente culpable.

Doña Rosita la soltera o el lenguaje de las flores (1935)

La sociedad, que condena a la mujer que no se somete a las reglas naturales y sociales del matrimonio, hace de Rosita una solterona para quien el tiempo se convierte en una eterna espera mientras aguarda el regreso de América de su novio. Rosita, que anhela amor y felicidad en vano, ve como pasan su juventud, su tiempo y su vida.

LORCA Y LA TRAGEDIA CLÁSICA

Para Lorca la grandeza trágica emanaba del espíritu interior de la obra, no de su forma externa. El paralelismo entre el pueblo andaluz (su historia, sociedad y conservadurismo rural) como heredero de la esencia trágica de la Grecia antigua y la polis griega se hace evidente en su obra: el *fatum* o destino ineluctable, los presagios, el coro, la muerte, las pasiones desmedidas abocan a los distintos personajes a un desenlace fatal... Y junto a ello, la catarsis: sentimientos de terror y piedad en la identificación de los espectadores con la situación de los personajes.

Cartel de la película *Yerma*, dirigida por Pilar Távora, 1998.

La casa de Bernarda Alba (1936)

Subtitulada «drama de mujeres en los pueblos de España», plantea problemas como la pasión carnal y la frialdad, el odio, la esterilidad, la arrogancia y la subyugación del individuo a la sociedad. En un ambiente autoritario, asfixiante y opresivo se desarrolla el conflicto de Bernarda y sus cinco hijas, a las que pretende condenar al encierro y al luto tras la muerte de su marido. Adela, personaje vital y mundano, es víctima del mundo que la rodea cuando, afirmando su individualidad oprimida, se rebela contra su madre, su miedo a las apariencias y los fuertes preceptos morales y sociales que esta representa; así, decide escaparse con Pepe el Romano, «ideal sexual de la mujer» (presente únicamente en los diálogos y pensamientos de las hermanas, pero ausente en la obra) y futuro marido de Angustias, la hija mayor.

Representación de *La casa de Bernarda Alba* en el Centro Cultural de la Villa, Madrid, dirigida por Amelia Ochandiano, 2007.

El asunto trasciende el caso concreto y se convierte en un conflicto entre la sociedad y el individuo: Bernarda o la sociedad y Adela o el individuo. Vence la sociedad, pues en una *fatídica* noche Adela, personaje trágico, se suicida al perder toda esperanza de huida de ese mundo que le niega sus derechos vitales de mujer.

En el desarrollo de la obra, nos vamos adentrando en la casa de Bernarda, así el desplazamiento físico y la acción discurren de forma paralela: en el acto I, la hipocresía de las relaciones sociales transcurre en una sala interior de paredes «blanquísimas»; en el acto II el blanco de los dormitorios denota aún la pretendida pureza y conocemos aspectos de la vida privada de los personajes; en el acto III, el patio interior se relaciona con el corazón de los conflictos de la familia, el color es «ligeramente azulado»; además la oscuridad de la noche envuelve simbólicamente la escena del desenlace.

09 Otras tendencias

Con el estallido de la guerra, la actividad teatral toma otros caminos. Ahora interesa un **teatro de urgencia** y militancia, al que contribuyen autores como **Alberti, Miguel Hernández o Max Aub.** Muchos de los intelectuales y literatos escriben **teatro en el exilio** como **Salinas, Alberti, Max Aub y Alejandro Casona.** Con la muerte de muchos dramaturgos como Unamuno, Lorca, Valle-Inclán... y el exilio de otros, España sufre un gran vacío cultural y literario, que se cubre con obras insustanciales y tradicionales en la línea del teatro de preguerra; tal es el caso de Torrente Ballester.

> Urge el «teatro de urgencia». Hacen falta estas obritas rápidas, intensas —dramáticas, satíricas, didácticas...— que se adapten técnicamente a la composición específica de los grupos teatrales. Una pieza de este tipo no puede plantear dificultades de montaje ni exigir gran número de actores. Su duración no debe sobrepasar la media hora.
>
> Rafael ALBERTI
> *Llamamiento en favor del «teatro de urgencia»,*
> citado en *El teatro durante la guerra civil española*
> Cuadernos *El Público*

ELABORA TU PROYECTO

LAS MISIONES PEDAGÓGICAS

Las Misiones Pedagógicas o compañías de teatro universitario como La Barraca, importantes dentro de un programa de divulgación cultural, pretendían acercar la cultura al pueblo. Se trata de una cultura ambulante que quiere democratizar y difundir la enseñanza, partiendo de la libertad, el respeto y la educación. Esta iniciativa contaba con el compromiso de unos intelectuales, como Lorca, conscientes de la situación de incultura y analfabetismo social. En este programa no solo se representan dramas, también se leen textos, se dan conferencias... Así, promovido por la II República, el teatro se convierte en una forma de paliar el alto grado de analfabetismo y la carencia cultural del país.

Pautas para la presentación del trabajo

El proyecto consiste en la elaboración de un texto expositivo-argumentativo que contenga lo siguiente:

1. Explicación de:
   - La finalidad de este programa de divulgación cultural.
   - La importancia que tuvo en la sociedad de la época.
   - Cómo se implicó el mundo intelectual.
   - Cómo era el público.
   - Qué tipo de obras se representaban.
   - Qué avances tecnológicos se empleaban.
2. Un comentario crítico que incluya:
   - Una comparación con respecto a la situación actual.
   - Una reflexión final.

Recursos

- Sobre La Barraca:

→ www.youtube.com/watch?v=-ySNNe2vbgo

→ www.youtube.com/watch?v=_5s_NRG71VI

→ www.rtve.es/noticias/20111224/tras-huellas-barraca/483682.shtml

- Sobre las Misiones Pedagógicas:

→ Fragmento del documental de Gonzalo Tapia sobre las Misiones Pedagógicas: www.youtube.com/watch?v=2KiGyzjLU2c

→ *Aprender y enseñar. Cortometraje documental:* www.youtube.com/watch?v=EyMQyKknQ9k

→ El artículo «Las enseñanzas de la República», de Carmen Morán, en *El País.*

Federico García Lorca y otros miembros de La Barraca en 1932.

ELABORA TU ORGANIZADOR VISUAL

Completa el organizador visual de la unidad a partir de este comienzo.

ACTIVIDADES

> Quien echase una ojeada a una nómina completa de los autores dramáticos contemporáneos, conquistadores y usufructuarios del favor público y de la fama literaria, advertiría bien pronto en ella dos sectores netamente distintos. No es la calidad artística, no es el género cultivado, lo que pudiera servir de frontera a las dos zonas aludidas, no. Es lo que llamaríamos el origen de los autores. Destino inevitable del teatro, tal y como lo formula la organización social moderna, es el traer a conciliación y acuerdo dos entes tan dispares y remotos como el artista, el creador de valores, que, como todo lo vitalmente artístico, se anticipa a su época, salta sobre ella mirando a lo por venir, y el público, condensador de costumbres y de tradición, defensor de un presente todo cargado de adherencias de lo que pasó.
>
> Pedro SALINAS. «Del género chico a la tragedia grotesca: Carlos Arniches», en *literatura española siglo XX*. Alianza

1. ¿De qué trata este texto?
   - **a.** El destino del teatro.
   - **b.** La situación del teatro en ese periodo.
   - **c.** El teatro renovador frente al comercial.
   - **d.** El origen de los autores.

2. El artista y el público...
   - **a.** van unidos trabajando conjuntamente.
   - **b.** tienen los mismos intereses.
   - **c.** deben encontrar un punto de acuerdo común.
   - **d.** necesitan al empresario y a las instituciones para trabajar.

3. ¿Qué autores y/o tendencias se encuentran dentro del teatro comercial?
   - **a.** Benavente, los hermanos Álvarez Quintero y Jacinto Grau.
   - **b.** Los hermanos Álvarez Quintero y Machado, Marquina y Benavente.
   - **c.** Max Estrella, Eduardo Marquina, los hermanos Álvarez Quintero, Benavente y Arniches.
   - **d.** El teatro de Benavente, la comedia costumbrista y el teatro poético.

4. Dentro del teatro renovador, destacan...
   - **a.** el teatro experimental de Unamuno, el teatro poético de Azorín y la tragedia lorquiana.
   - **b.** el teatro desnudo de Unamuno, el esperpento de Valle-Inclán y la tragedia de Lorca.
   - **c.** la tragedia grotesca de Lorca, el esperpento de Valle-Inclán y el teatro desnudo de Grau.
   - **d.** el esperpento de Valle-Inclán, los dramas de Lorca y el teatro desnudo de Azorín.

5. ¿En qué recursos se basa el esperpento?
   - **a.** Animalización, cosificación, parodias y humor.
   - **b.** Animalización, lo popular, la farsa y el humor.
   - **c.** La farsa, la animalización, el humor y los anacronismos.
   - **d.** Caricaturización, muñequización y deformación de la realidad.

6. ¿Qué es el sainete?
   - **a.** Un subgénero teatral creado por Pedro Muñoz Seca con finalidad humorística.
   - **b.** Un género teatral del siglo XVIII de finalidad humorística.
   - **c.** Un subgénero dramático representado en los entreactos de obras más largas.
   - **d.** Un subgénero teatral popular breve de carácter cómico.

7. La *commedia dell'arte* sirve de base para...
   - **a.** obras del teatro comercial como las de Benavente.
   - **b.** obras tanto del teatro comercial como del renovador.
   - **c.** *Los intereses creados* de Benavente o el astracán de Muñoz Seca.
   - **d.** Las obras cómicas de los hermanos Álvarez Quintero.

8. ¿Cuál fue el teatro de urgencia?
   - **a.** El teatro que se realizó durante el exilio.
   - **b.** El teatro que vino a sustituir al que se hacía antes de la guerra.
   - **c.** El teatro universitario representado durante la República para difundir la cultura.
   - **d.** El teatro de militancia, breve, de contenido didáctico y satírico.

9. El teatro de Lorca se caracteriza por...
   - **a.** el uso de elementos y símbolos surrealistas.
   - **b.** el uso del elemento trágico a la manera griega.
   - **c.** la unión de poesía y tragedia.
   - **d.** una temática donde lo telúrico contribuye a la tragedia.

11 LA POESÍA DESDE 1936

01 Contexto socio-histórico

01.1 De la Guerra Civil a 1970

El horror vivido durante la Guerra Civil (1936-1939) y la posterior dictadura del general Francisco Franco marcaron la sociedad y la vida cultural españolas por muchos factores:

- La represión política: los presos republicanos fueron represaliados; algunos fueron condenados a muerte y otros obligados a trabajar en la construcción de obras públicas.
- La ausencia de libertades y la imposición de una moral pública basada en el catolicismo.
- La censura de las manifestaciones culturales que no siguieran los principios del régimen.
- El exilio de muchos españoles a causa de sus ideas políticas.

La economía de España durante la época franquista se puede dividir en un primer periodo de autarquía, desde los años cuarenta hasta 1959 (debido a los principios económicos del régimen). Las desigualdades económicas y sociales, la larga y profunda depresión económica, la fuerte inflación, el atraso de la agricultura, la debilidad del tejido industrial o la falta de infraestructuras hicieron de España uno de los países más pobres de Europa occidental. Todo ello llevó también a un grave deterioro de las condiciones de vida de los ciudadanos. Nuestro país sufrirá además el aislamiento diplomático internacional durante cerca de una década.

En el escenario de la Guerra Fría, el anticomunismo del régimen franquista propició que España se fuera abriendo diplomática y económicamente. En 1955 será admitida como miembro de la Organización de las Naciones Unidas y, a partir de 1959, con el Plan Nacional de Estabilización, se irá produciendo el paulatino abandono de la autarquía. Comienza un periodo migratorio, tanto del campo hacia la ciudad como de trabajadores hacia los países desarrollados de Europa.

Los años sesenta vinieron marcados por el desarrollismo, propiciado por: el paso de una economía agraria a otra basada en la industria y los servicios, el aumento de la sociedad urbana —y con ello el de las clases medias— en detrimento de la rural, la paulatina secularización de la sociedad, el incremento de la mujer en el mundo del trabajo y en los estudios, el mayor tiempo disponible de ocio y la penetración en los hogares de información gracias sobre todo al cine y la televisión.

EUROPA TRAS LA GUERRA

Terminada la Segunda Guerra Mundial, Europa quedó dividida política e ideológicamente en dos bloques liderados por Estados Unidos y la Unión Soviética. Nacía de este modo la que se denominó *Guerra Fría*, así llamada por la hostilidad declarada y la gran tensión entre ambos bloques que nunca desembocó en un conflicto armado. Europa debía ser reconstruida y el Plan Marshall ofreció, en 1948, la oportunidad de iniciar una cooperación entre los países de Europa occidental y EE. UU.

Fotograma de la película *¡Bienvenido, Mister Marshall!*, de Luis García Berlanga. Esta crítica película narra lo que ocurre en el pueblo de Villar del Río cuando se les anuncia a sus habitantes que recibirán la visita de los «americanos», es decir, un comité del Plan Marshall que está de visita por España.

También influyeron el incremento del turismo, las inversiones extranjeras y la emigración interior, que provocaron una mejora de los salarios en la industria y la agricultura. No obstante, esta apertura económica no se corresponde con una apertura cultural y de pensamiento por parte de la dictadura.

01.2 De 1970 a nuestros días

En el **plano internacional**, entre 1972 y 1973 se produce la crisis del petróleo, cuando los principales países productores incrementaron su precio. Esto produjo el colapso de las economías occidentales que dependían de esta materia prima. Los países más pobres decidieron elevar el precio de sus materias primas (estancado durante décadas) para hacer frente al aumento de precio de los productos industriales de los países avanzados.

Esta crisis del petróleo provocó una gran recesión económica, alta inflación, paro, crisis fiscal y aumento de las deudas públicas. Los **acontecimientos políticos más relevantes** de estos años son la caída del muro de Berlín (1989), el final de la Guerra Fría y la desintegración de la Unión de Repúblicas Socialistas Soviéticas (URSS) en 1991. El capitalismo de libre mercado, hegemónico desde entonces, no ha atajado la pobreza y los problemas territoriales. Conceptos como globalización y sociedad del conocimiento o de la información aparecen a finales del siglo XX y principios del XXI, que comienza marcado por el auge del terrorismo internacional.

En **España**, la intensificación de la oposición al régimen en sus últimos años condujo a este a tomar una deriva represiva. En este contexto tiene lugar el asesinato a manos de la banda terrorista ETA del presidente del gobierno, Luis Carrero Blanco (1973).

Tras la muerte de Franco (1975), Juan Carlos I es nombrado jefe del Estado y se inicia la transición del régimen a una monarquía constitucional. Se produce una efervescencia económica y social ante la posibilidad del cambio político. Este proceso, dirigido por la élite reformista del régimen y los principales partidos de la oposición, que serán legalizados, culminará en un régimen de libertades similar al del resto de Europa.

Entre las medidas de mayor trascendencia de esta etapa, destacan la incorporación de España a la Organización del Tratado del Atlántico Norte (OTAN) en 1981 y a la Comunidad Económica Europea en 1986.

En los años siguientes se sucedieron gobiernos del PSOE y del PP.

El *Guernica*, de Pablo Picasso. El cuadro había sido encargado por el gobierno de la República al artista y se expuso en 1937 en París. Volvió a España, al Museo del Prado, desde el Museo de Arte Moderno de Nueva York, cuarenta y cuatro años después de que Picasso lo pintara. El artista se negó durante la dictadura de Franco a enviar la pintura a España.

Uno de los principales efectos de la llegada de la democracia para la cultura fue el fin de la censura, la vuelta de algunos exiliados (como Rafael Alberti, Claudio Sánchez Albornoz, María Zambrano…) y la restitución de obras como el *Guernica*.

02 Marco cultural

Después de la guerra, los valores del régimen (que utilizó muchos de los símbolos falangistas) y del ultracatolicismo se impusieron a la población. La sociedad era patriarcal e impedía la independencia de la mujer, siempre supeditada al varón, a los hijos y a los padres. La sección femenina impartía cursos de doctrina católica, labores domésticas y coros y danzas regionales.

El régimen franquista implantó una **censura ideológica y moral** y un aparato de propaganda que utilizó eficazmente los medios de comunicación de masas de la época, como el NO-DO y la Prensa del Movimiento, y controló de manera estricta las emisoras de radio y, desde 1956, la televisión. El régimen permitió solo aquellos productos culturales que no supusieran un desafío directo a la ideología que lo sustentaba. De esta forma, la cultura de la época se restringía a los toros, el fútbol, el cine y el teatro comerciales, los seriales radiofónicos, etc.

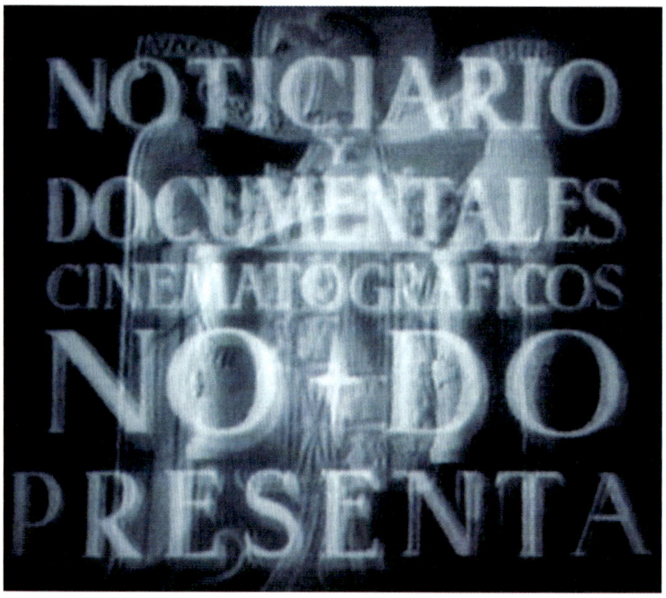

NO-DO (Noticiarios y documentales cinematográficos) era un organismo creado en 1942 que producía noticiarios semanales. Este noticiario era de exhibición obligatoria en todos los locales cinematográficos.

A partir de los **años sesenta**, con el cambio económico y las migraciones antes mencionados, se produce un aumento de la natalidad, una mejora del nivel de vida y un incremento significativo de la clase obrera y las clases medias. La sociedad se seculariza paulatinamente, las mujeres acceden progresivamente al mundo del trabajo y los estudios, y cobran importancia los medios de cultura de masas como el cine y la televisión.

En este contexto, algunos sectores de la sociedad (estudiantes e intelectuales, miembros de la Iglesia, organizaciones obreras y partidos políticos en la clandestinidad) se opusieron al régimen y comenzaron a reclamar las libertades básicas.

La ley de prensa de 1966 del ministro Manuel Fraga **suprimió la censura previa** y, aunque la libertad no era total, sí se percibió una **mayor tolerancia** y aparecieron nuevos medios de comunicación impresos.

Durante la **Transición**, que supuso la recuperación de las libertades y una importante transformación en la mentalidad de los españoles, se produjeron rápidos cambios en el ámbito cultural y social. La industria cultural experimentó un gran auge y el regreso de algunos exiliados supuso la recuperación de tendencias anteriores a la guerra. En los **años ochenta** surge la «movida», una corriente de cultura alternativa alejada del compromiso social y político, cuyo origen eran las corrientes contraculturales europeas.

A partir de 1980 la población aumentó (tendencia que se detuvo a partir de la crisis económica). Desde entonces, la sociedad se ha hecho más compleja. El acceso al mundo del trabajo de la mujer es mayor (se han hecho avances en la igualdad) y el nivel cultural ha aumentado. La sociedad se ha abierto al exterior. Desde el punto de vista cultural, quizás lo más destacado sean las nuevas formas de comunicación, las redes sociales, los avances tecnológicos, etc.

Cartel de las elecciones generales de 1977.

03 La poesía durante la guerra

Como se ha visto en la unidad sobre la generación del 27, hacia los años treinta, urgidos por la situación política y social en España, algunos de los autores comienzan a elaborar una poesía comprometida.

La Guerra Civil echará por tierra la «edad de plata» de la poesía española que se alcanzó en esos años previos.

Al igual que otros géneros literarios, durante la contienda la poesía se convierte en arma propagandística, utilizada por ambos bandos para atacar al contrario y exaltar a los protagonistas de la lucha. Escritores ya conocidos, como Antonio Machado o Rafael Alberti, por un lado, y Dionisio Ridruejo o Manuel Machado, por otro, compondrán poemas de este tipo.

La poesía tuvo un gran auge durante la guerra: se publican poemas en revistas, boletines, etc., también de autores ocasionales sin demasiada intención literaria.

04 Miguel Hernández

Llegó con tres heridas:
la del amor,
la de la muerte,
la de la vida.
Con tres heridas viene:
la de la vida,
la del amor
la de la muerte.
Con tres heridas yo:
la de la vida,
la de la muerte,
la del amor.

Miguel Hernández. «Llegó con tres heridas»
http://antologiapoeticamultimedia.blogspot.com.es/

¿Cuál es el tema del poema?

Miguel Hernández vivió menos de tres años tras concluir la contienda bélica; será puente entre las generaciones del 27 y la denominada generación del 36. Poeta autodidacta, sus abundantes lecturas compensaron su falta de estudios académicos.

Los tres **temas** fundamentales en la poesía de Miguel Hernández se reflejan en el poema «Llegó con tres heridas»: el amor, la muerte y la vida. También trata temas como el dolor, la solidaridad o la pena... Todos ellos, lejos de ser compartimentos estancos, aparecerán en las diferentes etapas de su obra.

En cuanto a su estilo, podemos decir que su sencillez expresiva y la espontaneidad persiguen la creación de una voz directa y transparente y esconden una trabajada búsqueda de perfección formal.

MIGUEL HERNÁNDEZ (1910-1942)

Nació en una familia humilde en Orihuela (Alicante) y trabajó desde muy joven como pastor. Sin embargo, sus abundantes lecturas de los clásicos lo convirtieron en un gran poeta y dramaturgo. Durante su infancia y juventud será muy importante su amigo y escritor Ramón Sijé.

Pronto comenzó a colaborar con diferentes publicaciones y, tras sucesivos viajes a Madrid, se estableció en la capital, donde entabló amistad con Lorca, Neruda y Aleixandre, y trabajó con José María de Cossío como redactor de su diccionario taurino.

Como consecuencia de su larga permanencia en más de doce cárceles, murió enfermo de tuberculosis en la prisión de Alicante antes de cumplir los treinta y dos años.

Retrato de Miguel Hernández, realizado por Antonio Buero Vallejo en la cárcel.

Su obra se puede dividir en tres etapas:

Primera etapa: aprendizaje
En este periodo se percibe la influencia de varios autores, desde Góngora a las vanguardias. Sus primeros poemas, como los de *Perito en lunas* (1933), son un homenaje a Góngora y están escritos en octavas reales. El paisaje y la naturaleza se alzan como protagonistas absolutos. Pertenece también a esta época *El silbo vulnerado,* que recoge una poesía ascética caracterizada por su registro religioso (el título procede de un verso del *Cántico espiritual* de san Juan de la Cruz), e *Imagen de tu huella,* donde el poeta va cambiando el medio natural y su amor por la naturaleza se convierte en amor por el ser humano. En *El rayo que no cesa* (1936) aparecen ya los tres temas fundamentales de su poesía. El amor (el rayo) es inalcanzable y siempre insatisfecho, lo que provoca el dolor del poeta. Aparece también la muerte, en poemas como la «Elegía a Ramón Sijé», dedicada a la muerte de su amigo. Las imágenes y las metáforas proporcionan a este poemario (escrito mayoritariamente en sonetos) gran fuerza expresiva.
Segunda etapa
Con la llegada de la Guerra Civil, cultiva una poesía bélica y comprometida que se refleja en *Viento del pueblo* (1937). Se esfuerza por trasladar a un lenguaje accesible los logros de la poesía culta y moderna sin romper con lo popular. *El hombre acecha* (escrito al final de la guerra, en 1939), muy diferente del poemario anterior, refleja la barbarie que ha presenciado en la guerra. Su título está presente en la «Canción primera»: «Hoy el amor es muerte, / y el hombre acecha al hombre».
Poesía tras la guerra
Cancionero y romancero de ausencias (escrito entre 1938 y 1941) será su obra cumbre, en la que eliminará buena parte de la retórica de sus obras anteriores y reflejará su dramática experiencia personal: la muerte de su hijo, la reclusión en diversas cárceles, el padecimiento de enfermedades... Es un poemario intimista, de intenso lirismo, en el que predominan las estrofas propias de la lírica tradicional (canciones, romances, coplas, romancillos, seguidillas...), que contrastan con la majestuosidad de las octavas reales y los sonetos de sus anteriores obras. También incluye algunas composiciones en versos de arte mayor, como los alejandrinos de «Hijo de la luz y de la sombra».

Miguel Hernández aporta una voz distinta en su época, cargada y pasional, inmediata y barroca, que pasa del testimonio católico de sus primeras obras a la poesía política, sin abandonar en ningún momento la poesía amorosa y la social. Su importante obra poética influirá en la poesía española posterior.

Miguel Hernández en el frente. Durante la Guerra Civil se alistó en el 5.º Regimiento Republicano de Zapadores.

05 La poesía en el exilio

Fuera de España **continúan publicando los poetas vivos del 27** y **Juan Ramón Jiménez.** Algunos de ellos, como se ha visto en la unidad 8, publicarán en el extranjero algunas de sus mejores obras; es el caso de Luis Cernuda (*Desolación de la quimera,* 1962), Pedro Salinas (*El contemplado,* 1946; *Todo más claro y otros poemas,* 1949; y *Confianza,* 1952), Jorge Guillén (*Clamor,* 1960) y Rafael Alberti.

Entre las **poetas vinculadas al 27** que también se exiliaron están Concha Méndez y Ernestina de Champourcín. Tras la guerra marcharon a México, donde siguieron con su actividad creadora, extensa y reconocida ya antes de la contienda.

León Felipe

En el exilio, la voz de León Felipe (1884-1968) adquiere gran fuerza y resonancia. Su obra, muy individualista, había comenzado antes de la guerra, pero resulta difícil de encuadrar en un grupo poético. Fue traductor y comentarista de Walt Whitman y reflejará en su poesía el tono seco y áspero, enérgico y muchas veces épico del poeta norteamericano. En su exilio mexicano publicará *Español del éxodo y del llanto* (1939), *Ganarás la luz* (1943), *Parábola y poesía* (1944) y *¡Oh, este viejo y roto violín!* (1965). En su obra se advierte un profundo y dolorido sentir de la existencia humana, junto con la experiencia amarga de la soledad y un hondo escepticismo.

LEÓN FELIPE (1884-1968)

Felipe Camino Galicia nació en Tábara (Zamora) y tuvo una juventud llena de vicisitudes: fue farmacéutico en varios pueblos de España y actor cómico en una compañía teatral, estuvo en la cárcel por motivos económicos y trabajó en Guinea Ecuatorial como administrador de hospitales. Finalmente, se trasladó a México en 1922, donde consiguió un puesto de bibliotecario y se introdujo en el ambiente cultural del país. También fue profesor de literatura española en Estados Unidos.

Tras una estancia de dos años en España durante la Guerra Civil, regresó definitivamente a México en 1938 como agregado cultural de la embajada de la República y allí residió hasta su muerte.

06 Los años cuarenta

La poesía de la primera posguerra está condicionada por el contexto histórico español. Frente al horror de la guerra y la nueva situación política, los autores tomaron diferentes posturas que Dámaso Alonso clasificó en dos tendencias:

- Tras la terrible guerra, algunos poetas buscan respuestas y, frecuentemente, realizan una poesía espiritualista y existencial que dirige a Dios sus lamentos, sus quejas, sus preguntas y, en ocasiones, la rebelión ante sus designios. Dámaso Alonso calificó esta tendencia de **poesía desarraigada.**
- Otros poetas escriben una poesía de corte clásico, preocupada más por la buena factura del poema que por la temática trascendente: la **poesía arraigada.**

No obstante, no se trata de dos bandos en completa oposición o aislamiento, ya que poetas como Dionisio Ridruejo irán evolucionando estéticamente, a la par que su postura ante la realidad. Estos poetas comenzaron su producción antes de la guerra y mayoritariamente pertenecían a la generación del 36.

En 1944 se publican dos libros que marcarán el comienzo de una nueva tendencia poética:

- En *Hijos de la ira,* de Dámaso Alonso, la repugnancia y el hastío de la existencia se abren paso entre el horror de una «ciudad de más de un millón de cadáveres».
- En *Sombra del paraíso,* de Vicente Aleixandre, el poeta recuerda con nostalgia un tiempo y unos espacios perdidos.

Vicente Aleixandre y Dámaso Alonso se convertirán en referentes de nuevos poetas. Ambos pertenecen a la rica generación del 27 y se sienten desarraigados en la nueva realidad.

Hijos de la ira y *Sombra del paraíso* influirán en la poesía posterior tanto por los temas tratados como por los recursos formales empleados.

06.1 Poesía arraigada

A esta tendencia pertenecen una serie de poetas que se agrupan en torno a la revista ***Garcilaso***, fundada en 1943 y dirigida por José García Nieto; son los poetas menos críticos con el régimen y se autodenominan «juventud creadora».

En la contraportada de la revista figuraba el verso de Garcilaso «Siempre ha llevado y lleva Garcilaso»; cultivan una lírica de corte clásico, con especial predilección por el soneto, buscan la belleza formal y sus temas preferidos son lo religioso, el amor dulcemente sentido, el paisaje visto con ojos embellecedores (un paisaje amable que contrastaba con el paisaje real, arrasado e inhóspito), etc.; ofrecen una visión optimista del hombre y el mundo y aspiran al orden, la perfección, la belleza y la claridad.

Estos poetas, junto con Miguel Hernández y algunos otros, se agruparán bajo la etiqueta de generación del 36. Todos empiezan su andadura antes de la guerra.

- **Luis Rosales** (1910-1992) presenta en sus inicios un elegante clasicismo, así como una ampliación de la temática lírica del momento; su primer libro, *Abril* (1935), ofrece una poesía amorosa que refleja la influencia de Garcilaso. Después publica, entre otras, *La casa encendida* (1949) y unas emocionadas *Rimas* (1951), que representan la culminación de la poesía arraigada; en ellas se deja llevar por las emociones del azar de cada día, según la esperanza y los impulsos de su corazón.

  En Rosales, sin embargo, se conjugan arraigo y desarraigo, perfección y existencialismo atormentado, en una obra que no puede ser considerada evasiva. En el trayecto que va desde *Abril* a *La casa encendida* su quehacer poético sufrirá una clara evolución: del clasicismo garcilasista de sus inicios pasa a una cierta experimentación vanguardista, de orientación surrealista, que supone una auténtica poética de lo cotidiano.

- **José García Nieto** (1914-2001) es autor de libros de poemas de gran perfección técnica, como *Tú y yo sobre la tierra* (1944) o *Del campo y soledad* (1946).

- La poesía de **Luis Felipe Vivanco** (1907-1975) responde a una actitud grave ante la vida y su misterio, expresada cada vez con mayor intensidad: *Cantos de primavera* (1936), *Tiempo de dolor* (1940), *Continuación de la vida* (1949) o *El descampado* (1957).

- **Leopoldo Panero** (1909-1962) fija su poesía en su propio mundo interior y en la expresión emocionada de lo biográfico (el paisaje natal, la familia, la experiencia religiosa...): *La estancia vacía* (1944), *Escrito a cada instante* (1949) o *Canto personal* (1953).

- **Dionisio Ridruejo** (1912-1975), exaltado falangista en sus inicios, poco a poco va cambiando hasta terminar rebelándose contra el régimen. Su poesía revela una extraordinaria riqueza de versificación en los moldes clásicos, con un gran virtuosismo formal. Tras los *Sonetos a la piedra* (1943), un canto a la geografía española contemplada con admiración y asombro, publicará *Elegías* (1943-1945), donde manifiesta su sentimiento de desengaño y amargura, su abierto pesimismo.

Se puede citar como precedente de *Garcilaso* la revista *Escorial* (1940), creada por Dionisio Ridruejo, donde tendrán cabida poemas de contenido religioso y optimista; incluso cuando aparecen el dolor y la tristeza, siempre se expresan de forma mesurada y contenida, sin aspavientos.

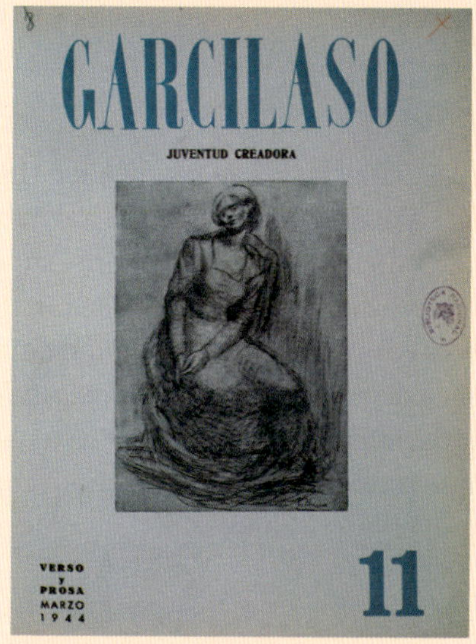

Portada de la revista *Garcilaso*, número 11, de marzo de 1944.

06.2 Poesía desarraigada

Denominada así por Dámaso Alonso, comprende la obra de los poetas que tras la guerra ven el mundo como caos y angustia, lejos de toda armonía y serenidad.

Otro hecho significativo para la poesía de la época (junto con la publicación de los libros de Dámaso Alonso y Vicente Aleixandre) es la edición de la revista ***Espadaña*** (León, 1944-1950), dirigida por Eugenio de Nora.

Esta suponía un grito de libertad contra las formas y contenidos que representaba *Garcilaso*. Frente a las estrofas clásicas y a los temas consagrados por la tradición renacentista, los poetas de *Espadaña* presentaban una temática alejada de lo clásico. Su deseo de nuevas formas estróficas los lleva a experimentar con otros metros, en especial el verso libre, empleado por Dámaso y Aleixandre.

Los poetas que se agrupan en torno a ella aportan una visión desarraigada del mundo, conflictivo e imperfecto, lleno de angustia y caos; es una poesía arrebatada, de agrio tono trágico.

Los poetas tratarán también otros temas, aunque el fundamental sea en definitiva el hombre y toda la problemática de su existencia.

Leopoldo de Luis, Victoriano Crémer, Ramón de Garciasol, José Luis Hidalgo o Carlos Bousoño son los principales representantes de esta tendencia.

No obstante, en la revista *Espadaña* comenzarán a publicar también poetas que después serán más afines a otros movimientos.

Dámaso Alonso

La obra estrictamente lírica de Dámaso Alonso (1898-1990) no es muy extensa:

- Junto con algunos poemas de adolescencia y primera juventud, su obra poética comienza con *Poemas puros. Poemillas de la ciudad* (1921), que responde a una etapa de poesía pura y presenta influencia de Juan Ramón Jiménez.

- Después de la guerra aparecerán sus libros fundamentales, *Oscura noticia* e *Hijos de la ira* (ambos de 1944), que comienzan su etapa existencial, en la que trata temas como la muerte o la injusticia.

  Hijos de la ira fue un libro insólito; en opinión del propio autor, se trataba de «un libro de protesta, escrito cuando nadie en España protestaba [...]. Protesta [...] contra todo. Es inútil quererlo considerar como una protesta especial contra determinados acontecimientos contemporáneos».

  En toda su obra aparece la necesidad de creer en Dios (a pesar de la injusticia y la existencia del mal), quien es asediado, interrogado, amado, pero, a la vez, acusado y negado.

- Después de diez años, publicará *Hombre y Dios* (1955) y compondrá *Gozos de la vista*, extenso poema que no se imprimiría en su totalidad hasta 1981.

  Su último libro es *Duda y amor sobre el Ser Supremo* (1985), cuyo tema es también existencialista.

DÁMASO ALONSO (1898-1990)

Nació en Madrid, estudió derecho y filosofía y letras, fue discípulo de Menéndez Pidal, y compañero en la Residencia de Estudiantes de los poetas de la generación del 27.

Compaginó su labor poética con la filológica en varias facetas. Fue profesor de lengua y literatura españolas en diferentes universidades españolas y extranjeras, y traductor de, entre otros, James Joyce. Maestro de la crítica literaria en España, realizó importantes estudios de poetas clásicos españoles y de lírica popular entre los que destacan sus análisis de la poesía de Góngora, san Juan de la Cruz y su libro *Poesía española: ensayo de métodos y límites estilísticos*.

Como director de la Real Academia Española, entre 1968 y 1982, trabajó por el encuentro entre academias americanas en favor de la lengua castellana. En esta institución se encuentra su biblioteca personal, que cuenta con cerca de cuarenta mil volúmenes y objetos personales. Fue también miembro de otras academias y asociaciones, y recibió el Premio Cervantes en 1978.

Retrato de Dámaso Alonso, de José Vento Ruiz.

Otros autores de poesía desarraigada

Camino hacia Francia, de Jesús Martí.

Victoriano Crémer (1906-2009)
Fue uno de los poetas que con más vehemencia se opusieron al garcilasismo. Lleva el lenguaje a límites violentos producto de su arrebatado apasionamiento, que refleja angustia por el miserable destino del hombre y dolor por los humildes. Sus principales obras son *La espada y la pared* (1949), *Nuevos cantos de vida y esperanza* (1952) o *Furia y paloma* (1956).
Carlos Bousoño (1923-2015)
Además de estudioso y crítico de la poesía, como poeta nos hace llegar una poesía emocionada y sincera, que manifiesta una conciencia profunda del mundo y la existencia: *Primavera de la muerte* (1946) es un canto a la victoria de lo vital sobre la muerte; la vida se presenta en todo su esplendor en un despliegue de fuerza, juventud y belleza. Con *Invasión de la realidad* (1962), derivará hacia los derroteros del intimismo existencial y una conflictiva relación con la divinidad, aunque, junto con su vertiente metafísica, también incluya la rebelión contra la injusticia. El tiempo, la sensación de «existencia precaria que la realidad posee», será el núcleo central de su poesía.
Eugenio García de Nora (1923)
Con *Pueblo cautivo* (1945) inicia una poesía testimonial y de denuncia que se verá reforzada más tarde con *España, pasión de vida* (1953), donde reivindica el valor histórico de un pueblo junto con la preocupación política y social.
Leopoldo de Luis (1918-2005)
Poeta de noble y grave inspiración: *Teatro real* (1957) y *Juego limpio* (1961).
José Luis Hidalgo (1919-1947)
Los muertos (1947) dio a su obra una honda y resignada melancolía; en él se siente cercano a conocer el gran misterio presentido. Su poesía manifiesta una marcada obsesión por la muerte, a la vez que un agudo desgarro religioso.
Vicente Gaos (1919-1980)
Su densa poesía, desde *Arcángel de mi noche* (1944) hasta *Profecía del recuerdo* (1956), es el fruto de una reiterada meditación de signo metafísico y religioso.
Ramón de Garciasol (1913-1994)
Sus obras *Defensa del hombre* (1950), *Tierras de España* (1955) y *Poemas de andar España* (1962) presentan una temática social y de amor al país, expresado con recia y apasionada voz, sin excluir la reflexión intelectual.

06.3 El postismo. Pablo García Baena y el grupo «Cántico»

El nombre ***postismo,*** abreviatura de *postsurrealismo,* hace alusión al último de todos los «ismos», que se autodefine como el surrealismo ibérico. Se trata de un movimiento que reivindica la libertad creativa, la imaginación y el sentido lúdico del arte, frente a la poesía de corte neoclásico y la existencialista de los desarraigados.

Se busca un tipo de lírica intimista que abarcara toda la actividad interior y exterior del hombre. Esta poesía apareció por primera vez en la revista *Postismo,* fundada por el gaditano Carlos Edmundo de Ory, que, por problemas con la censura, solo publicó un número (1945). En ella participan también Eduardo Chicharro y Silvano Sernesi.

Carlos Edmundo de Ory (1923-2010) se mantiene al margen de las corrientes poéticas de su tiempo, haciendo gala de un humor insólito en la época: llega incluso a satirizar en sus versos las preocupaciones existenciales en boga.

En la posguerra también hubo lugar para la poesía pura, de la mano de un grupo de poetas cordobeses que fundan en 1947 la revista ***Cántico*** («Hojas de poesía»).

El nombre de la revista rinde homenaje a la generación del 27 y, en especial, a la obra del poeta puro por excelencia en nuestra poesía, Jorge Guillén. También están muy influidos por la poética refinada y exquisita, muy personal e intimista, de Luis Cernuda.

Cántico supuso un rechazo de la normativa poética de los cuarenta (la «monotonía» de los garcilasistas) y, posteriormente, del realismo social. Puso su barroquismo lingüístico al servicio de un intimismo vital, partiendo de lo cotidiano para llegar, por medio de una primorosa elaboración artística, a un mundo mítico, muchas veces de inspiración religiosa.

Pablo García Baena (Córdoba, 1923) es el principal representante del grupo *Cántico*. El amor (habitualmente, prohibido) es su tema fundamental. Otros autores cordobeses que forman parte del grupo son: Juan Bernier, Ricardo Molina o Julio Aumente.

> REVISTAS POÉTICAS

Ya en los años cuarenta habían surgido en muchas ciudades otras revistas poéticas, además de *Espadaña*, *Escorial* o *Garcilaso*, como las revistas ***Corcel*** en Valencia y ***Proel*** en Santander. Esta última mantuvo siempre una postura de absoluta libertad. En su tiempo estuvo considerada como una **revista de vanguardia** por la enorme atención que prestaba a la evolución de la poesía y del arte.

07 La poesía social

Como se ha visto, la primera poesía de posguerra se caracteriza, frecuentemente, por un tono individualista. Los poetas alzan sus ojos a Dios para pedirle explicaciones acerca de lo que observan a su alrededor.

Poco a poco, se irá modificando esta tendencia inicial, de manera que **a finales de los cuarenta** surge en España una **poesía denominada social** en la que asistimos a una evolución paulatina del *yo* (protagonista de la lírica espiritualista de los años cuarenta) al *nosotros:*

- La poesía social evita los problemas individuales para centrarse en los colectivos.
- En esta preocupación por lo colectivo, el tema más recurrente será la idea de España, como ejemplifican los títulos de los libros *Que trata de España* (Blas de Otero), *Cantos iberos* (Gabriel Celaya), *España, pasión de vida* (Eugenio de Nora) o *Dios sobre España* (Carlos Bousoño).
- Otros temas relevantes son la injusticia, la alienación, el mundo del trabajo, el anhelo de libertad o la necesidad de un mundo mejor.
- Se rechaza el esteticismo y la poesía pura. Se pretende crear una poesía clara, para «la inmensa mayoría» (según la dedicatoria de Blas de Otero), que incluso emplea rasgos coloquiales en su afán de claridad. Se utiliza un lenguaje intencionadamente prosaico y su preocupación por los contenidos va en detrimento de la forma.

Los autores más representativos de este momento son José Hierro, Gabriel Celaya, Blas de Otero y Ángela Figuera Aymerich.

> OTROS POETAS

En una posición independiente respecto a las tendencias señaladas, se encuentran otros poetas difícilmente clasificables, como **José María Valverde y Gloria Fuertes.**

Gloria Fuertes (1917-1998) estuvo ligada al ***postismo*** en su reivindicación del humor y del sentido lúdico de la poesía, si bien tras la ironía y el humor encontramos temas tradicionalmente poéticos, como el amor, la muerte, la soledad o el dolor. Más tarde se relacionó con la corriente de poesía social, que también estuvo presente en su poesía. Sus principales obras son *Antología y poemas del suburbio* (1954), *Todo asusta* (1958), *Que estás en la tierra* (1962), *Sola en la sala* (1973) o *Mujer de verso en pecho* (1983).

Hay que destacar también sus obras de poesía infantil.

07.1 José Hierro

José Hierro (1922-2002), **fundador y director de la revista *Proel* en Santander**, es uno de los mejores poetas de la posguerra. Su poesía gira en torno al valor de la existencia iluminada por la alegría del canto, único elemento que da sentido a la vida y distrae al hombre del dolor y del ineludible paso del tiempo. Hierro se acerca a los problemas colectivos desde la experiencia individual, íntima. Emplea un lenguaje deliberadamente transparente, carente de artificio retórico, con sencillez y hondura: «Mi poesía es seca y desnuda, pobre de imágenes», dirá el propio poeta.

En sus primeros libros prevalece la temática existencial, como en *Alegría* (1947), con el que gana el Premio Adonáis, o en *Tierra sin nosotros* (1947), donde aborda el problema de la fugacidad del tiempo o el amor.

Dirigirá después sus versos hacia la poesía social en *Con las piedras, con el viento* (1950) o *Quinta del 42* (1952), aunque los límites no son precisos, pues la fusión o interrelación entre ambas tendencias marcará su obra. A esta tendencia pertenece también *Cuanto sé de mí* (1957).

Una nueva etapa se abre con el *Libro de las alucinaciones* (1964) y termina con *Cuaderno de Nueva York* (1998).

JOSÉ HIERRO (1922-2002)

Madrileño de nacimiento y santanderino de adopción, José Hierro tuvo que interrumpir sus estudios de perito industrial a causa de la Guerra Civil. Pasó cinco años en la cárcel, donde comenzó a interesarse por la poesía. Al salir se movió en los círculos literarios y participó en la fundación de las revistas *Corcel* y *Proel*, que marcaron el inicio de su andadura poética.

Como representante de la poesía social de posguerra, recibió el Premio Cervantes en 1998, entre otros muchos, y fue elegido miembro de la Real Academia Española en 1999, aunque no llegó a pronunciar su discurso de ingreso.

07.2 Gabriel Celaya

Poesía para el pobre, poesía necesaria
como el pan de cada día,
como el aire que exigimos trece veces por minuto,
para ser y en tanto somos dar un sí que glorifica. [...]

Maldigo la poesía concebida como un lujo
cultural por los neutrales
que, lavándose las manos, se desentienden y evaden.
Maldigo la poesía de quien no toma partido hasta mancharse. [...]

Gabriel Celaya. «La poesía es un arma cargada de futuro», en *Cantos iberos*. www.gabrielcelaya.com

¿Cómo concibe la poesía Celaya? ¿Con qué tipo de poesía anterior crees que no estaría de acuerdo?

La extensa obra de Celaya (1911-1991) comienza en 1935 con *Marea de silencio*. Su segunda obra, *La soledad cerrada*, escrita un año después, no se publicará hasta 1947. Ambos libros muestran ya desde sus títulos la vena de **poesía neorromántica** que los recorre.

La siguiente fase de su poesía es **existencialista:** *Tranquilamente hablando* (1947) o *Las cosas como son* (1949), publicado bajo el nombre de Juan de Leceta.

Una tercera etapa de **compromiso político** aparece en *Las cartas boca arriba* (1951), *Lo demás es silencio* (1952), *Paz y concierto* (1953) y, sobre todo, *Cantos iberos* (1955). El rechazo de la poesía escrita para una minoría cultivada lo lleva a defender una poesía que alcance al pueblo, una poesía para todos, como defiende en el célebre poema «La poesía es un arma cargada de futuro».

Aún abordará Celaya una cuarta etapa, **experimental**, en la que empleará nuevas formas y nuevos temas. De esta etapa son sus obras *Campos semánticos* (1971) o *Función de Uno, Equis, Ene* (1973).

GABRIEL CELAYA (1911-1991)

Rafael Gabriel Juan Múgica Celaya Leceta firmaba sus obras como Rafael Múgica, Gabriel Celaya o Juan de Leceta. Dejó su Guipúzcoa natal para estudiar ingeniería, y se instaló en la Residencia de Estudiantes de Madrid. Allí se empapó del ambiente intelectual y se decantó por la poesía, una poesía comprometida, o como diría más adelante, «un arma, una herramienta para transformar al mundo».

De la mano de su inseparable mujer Amparo Gastón, y tras su paso por la cárcel, dirigió la revista *Norte*. En su extensa obra confluyen la mayoría de las corrientes poéticas del siglo XX.

07.3 Blas de Otero

Se trata de un poeta religioso, amoroso, del pueblo, cuya obra ofrece una evolución desde el desasosiego casi místico y el existencialismo, hasta la entrega absoluta de su vida y su obra por la búsqueda de la paz para el hombre y la justicia. Su verso va desde el apasionamiento y la profundidad imaginativa a la técnica surrealista, con la que se burla del lector, de la poesía y de sí mismo.

Su primera obra, *Cántico espiritual* (1942), cuyo título deja clara su inspiración en san Juan de la Cruz, se puede inscribir en la corriente existencial. Las siguientes, Ángel fieramente humano (1950) y *Redoble de conciencia* (1951), sorprenden por su honda originalidad, su insatisfacción de lo humano, la frustración con lo divino y su existencialismo.

Según Francisco Rico, la aportación esencial del autor es «su profunda y personalísima renovación del lenguaje poético en todas sus dimensiones (juegos fonéticos, sintaxis entrecortada, riqueza léxica...), que tiene como resultado una afectividad expresiva sin parangón en la literatura española de posguerra». La angustia del hombre ante la vida y su conflictiva relación con un Dios al que no entiende y que no lo entiende se convierte en tema recurrente en estas obras, como sucede en el poema «Hombre», de *Ángel fieramente humano*.

En *Pido la paz y la palabra* (1955) sigue manteniendo su inquietud por el hombre, pero desaparecen las preocupaciones existencialistas y se vuelca en su preocupación por la injusticia y la desigualdad. El poeta dirige su poesía a la inmensa mayoría de los hombres y a la patria que los vio nacer, frustrado por la certeza de no ser leído por aquellos a quienes dirige sus versos: «Da miedo pensarlo, pero apenas me leen / los analfabetos, ni los obreros, ni / los niños». No obstante, no abandonará su preocupación por la palabra poética, por el «bien decir». En esta línea continúan sus obras *En castellano* (1960) y *Que trata de España* (1964), aunque simplificará su expresión poética.

Publicará aún otro libro, *Historias fingidas y verdaderas* (1970), en el que tomará otros derroteros temáticos (su propia vida) y formales (la prosa poética, la experimentación).

> Algunos autores de la generación siguiente, los llamados *poetas del 50* o *generación del medio siglo*, comenzarán su andadura escribiendo poesía con tintes sociales, como Ángel González *(Grado elemental, Palabra sobre palabra, Tratado de urbanismo)*, José Agustín Goytisolo *(Salmos al viento)*, Jaime Gil de Biedma *(Compañeros de viaje)*, José Ángel Valente *(A modo de esperanza, Palabras al viento)*, etc.

BLAS DE OTERO (1916-1979)

Tuvo una infancia feliz en Bilbao, en el seno de una familia burguesa. Cuando contaba nueve años, sin embargo, se arruinaron y se trasladaron a Madrid, donde comenzó a escribir. Pero enseguida su mundo se vino abajo con la muerte de su hermano y de su padre, hechos que perfilaron su carácter y originaron su obsesión por la muerte.

Para sacar adelante a su familia, de vuelta en Bilbao, tuvo que dedicarse a diversos empleos, que compatibilizaba con sus estudios de derecho. Esta situación le ocasionó constantes crisis depresivas y comenzó a refugiarse en la religión, la poesía y la amistad. Junto a varios amigos creó diferentes grupos poéticos, como Alea y Nuestralia.

Luchó en la Guerra Civil en ambos bandos y residió en diversas partes de España y del extranjero, y ya en 1952 se afilió al Partido Comunista y se dedicó por completo a la creación poética.

07.4 Ángela Figuera Aymerich

La poesía primera de Ángela Figuera Aymerich (1902-1984) se inscribe en la poesía desarraigada para llegar después a la social. Hablará como quien «grita con el dolor de todos y denuncia con la rabia de todos». En poemas como «Mujeres del mercado» reivindica y denuncia la situación de las mujeres y plasma su sufrimiento.

En sus poemas presenta motivos sencillos y cotidianos, exentos de tonos exaltados o grandilocuentes.

En su obra destacan *Mujer de barro* (1948), *Soria pura* (1949) y *Vencida por el ángel* (1950), obras más intimistas y existencialistas, y otras más cercanas a la preocupación social como *El grito inútil* (1952), *Belleza cruel* (1958, que debido a la censura será publicada en México y prologada por León Felipe) y *Toco la tierra* (1962).

08 La poesía en los años sesenta

Gorrión

No olvida. No se aleja
este granuja astuto
de nuestra vida. Siempre
de prestado, sin rumbo,
como cualquiera, aquí anda,
se lava aquí, tozudo,
entre nuestros zapatos.
¿Qué busca en nuestro oscuro
vivir? ¿Qué amor encuentra
en nuestro pan tan duro?
Ya dio al aire a los muertos
este gorrión, que pudo
volar, pero aquí sigue,
aquí abajo, seguro,
metiendo en su pechuga
todo el polvo del mundo.

Claudio Rodríguez
Alianza y condena, en *Desde mis poemas*
Cátedra

¿Cómo describe Claudio Rodríguez al gorrión? ¿El poeta se refiere solo al gorrión o encuentras algún otro significado en sus palabras? Si es así, ¿cuál?

A mediados del siglo xx irrumpe en el panorama literario un nuevo grupo de poetas que se aparta de la poesía social. Es la llamada ***generación del 50,*** poetas nacidos entre 1925 y 1936 que no participaron en la guerra: Antonio Gamoneda, Ángel González, José Ángel Valente, Francisco Brines, Jaime Gil de Biedma, Claudio Rodríguez o José Agustín Goytisolo. Dentro de esta generación, se puede señalar la siguiente evolución:

- Muchos de los autores de esta generación comienzan con una poesía social, heredera de la generación anterior y se continuarán preocupando por el futuro colectivo.
- Más tarde, esta preocupación girará de lo general hacia lo particular, el hombre. Se trata de una poesía inconformista y escéptica que duda de su propia capacidad para transformar el mundo, se centra en lo cotidiano, recupera el intimismo, profundiza en la propia personalidad del poeta y toma una postura ética. Al mismo tiempo, muestra un claro interés por la estética, por la forma.

Entre sus rasgos comunes se pueden señalar los siguientes:

- Actitud estética.
- Posición crítica ante la realidad (ética).
- Estilo personal que huye del prosaísmo.
- Depuración del lenguaje coloquial.
- Intimismo, humor, ironía, escepticismo...

- **Ángel González** (1925-2008), como indican los títulos de sus primeras obras, *Áspero mundo* (1956) y *Sin esperanza, con convencimiento* (1961), se sentirá desencantado y desilusionado ante la realidad que lo rodea y la soledad humana. Poco a poco irá incorporando a su obra la poesía social (*Palabra sobre palabra,* 1965; o *Tratado de urbanismo,* 1967), influido por el engaño que le supone la propia vida, verdadero «crisol donde se funden / contradicciones con contradicciones».

- **Jaime Gil de Biedma** (1929-1990) influirá mucho en las siguientes generaciones, sobre todo en la poesía «de la experiencia». La ironía y el coloquialismo, producto de una bien encubierta retórica, serán los ejes de su poética. En *Las personas del verbo* (1975), que recoge su obra, se puede observar la capacidad del poeta para el desdoblamiento, la creación de personajes poéticos en los que proyectarse irónicamente, (en poemas como «Contra Jaime Gil de Biedma» o «Después de la muerte de Jaime Gil de Biedma»). El escepticismo y los valores culturales serán también claves en su poética.

- **Francisco Brines** (1932) se mantiene al margen de las preocupaciones sociales y colectivas, por su talante contemplativo y su afán por generar bellas imágenes capaces de conmover al lector. Se trata de una poesía bellamente emotiva. Con *El otoño de las rosas* (1986) ganó el Premio Nacional de Literatura.

- **José Ángel Valente** (1929-2000), sigue una línea muy personal; en sus inicios se halla muy cercano a la poesía de la experiencia, basada en vivencias personales que luego son evocadas desde el paso del tiempo. Se desvinculará después de ella optando por una poética del silencio (donde las palabras sugieren más que dicen), casi misticista, o por la metapoesía (*Poemas a Lázaro,* 1960; *La memoria y los signos,* 1966). Su hermetismo y dificultad se intensifican a finales de los sesenta, a la vez que adquiere su poesía una dimensión metafísica (*Siete representaciones,* 1967; *Breve son,* 1968), para acabar en la intertextualidad y la tendencia a lo conceptual que hacen muy difícil su comprensión.

- **Claudio Rodríguez** (1934-1999) es un poeta de gran singularidad por su noción de «poesía como conocimiento», entendiendo como tal la capacidad del poema de crear territorios para el conocimiento muy alejados del razonamiento lógico de otros discursos y con pretensiones distintas. Entre sus obras cabe destacar *Don de la ebriedad* (1953), un libro que impresionó a Vicente Aleixandre, con quien mantuvo una estrecha amistad toda su vida, *Conjuros* (1958), *Alianza y condena* (1965) y *El vuelo de la celebración* (1976).

- En estas últimas, intenta hacer poesía a partir del conocimiento con los referentes de la realidad, convirtiéndolos en símbolos y alegorías, como la del alma en relación con la ropa lavada y tendida: «¿Qué lejía inmortal, y qué perdida / jabonadura vuelve, qué blancura?» (de *Conjuros*).

- En **José Agustín Goytisolo** (1928-1999) confluyen lo social y lo experimental, con un lenguaje irónico y coloquial: *El retorno* (1955), *Claridad* (1959), *Del tiempo y del olvido* (1980).

- **José Manuel Caballero Bonald** (1926), a pesar del lenguaje coloquial de su poesía, cuida al máximo la expresión, en la que expone sus principales inquietudes: *Las adivinaciones* (1952), *Laberinto de fortuna* (1983), etc.

09 La poesía en los años setenta: los novísimos

A principios de la década de los setenta, el crítico José María Castellet publica una antología titulada *Nueve novísimos poetas españoles*. Con este nombre agrupa a poetas nacidos tras la guerra, a quienes se llamó desde entonces **novísimos** y que, según el autor, se caracterizan por:

- Ruptura con la poesía anterior y deseo de renovación del lenguaje; se alejan de la preocupación social y de cualquier preceptiva.
- Influencia del modernismo, el vanguardismo y el simbolismo; ponen en práctica del llamado «exhibicionismo» cultural, con continuas referencias a obras y autores, en especial los de la literatura europea e hispanoamericana.
- Introducción de elementos exóticos y de artificiosidad, como el esteticismo, el culturalismo, la metapoesía y aspectos del modernismo que no habían tenido en cuenta las inmediatas generaciones anteriores.

  Dentro de la reflexión metapoética, la literatura y el arte quedan, en todo momento, por encima de la realidad.
- Recurrencia al verso alejandrino, rescatado, como el culturalismo, del olvidado modernismo.
- Absoluta libertad formal: utilización de la escritura automática y las técnicas de vanguardia en un afán de experimentación formal.
- Influencia de la cultura de masas: los medios de comunicación y el cine.

Muy influenciada por la cultura pop está la obra de **Manuel Vázquez Montalbán** —excelente autor, por otra parte, de novela negra—, con un fuerte componente lúdico y un marcado prosaísmo, desde *Una educación sentimental* (1967) hasta *A la sombra de las muchachas sin flor* (1973), *Praga* (1982) o *Pero el viajero que huye* (1990).

El cine y el género negro formarán parte de la poética de **Leopoldo María Panero**, quien intentará romper con el discurso literario tradicional por medio de la fragmentación y la deshumanización en *Por el camino de Swann* (1968) o *Teoría* (1963).

Los más culturalistas de este grupo serán sin duda **Guillermo Carnero** y **Pere Gimferrer**, cuya obra *Arde el mar* (1966) fue galardonada con el Premio Nacional de Poesía. El celebérrimo poema «Oda a Venecia ante el mar de los teatros» servirá, metonímicamente, para designar a estos poetas como *venecianos*.

María Victoria Atencia (1931) seguirá derroteros muy personales. Los quince años de silencio que transcurren entre *Arte y parte* (1961) y *Marta & María* (1976) pueden ser la causa de que no se la incluya en la nómina de los poetas del 50 (a la que por edad correspondería) o en la de los poetas de los años sesenta, con quienes coincide en gran parte en su forma de expresión. Su poesía se caracteriza por una parte por su condensación y brevedad y, por otra, por lo perturbador y sombrío; así ocurre en *La intrusa* (1992), *Las contemplaciones* (1997) o *El hueco* (2003).

>

Castellet incluye a los siguientes poetas: Manuel Vázquez Montalbán (1939-2003), Félix de Azúa (1944), Pere Gimferrer (1945), Guillermo Carnero (1947), Leopoldo María Panero (1948-2014), José María Álvarez (1942), Ana María Moix (1947), Vicente Molina Foix (1946) y Antonio Martínez Sarrión (1939). Su antología marca un hito en el desarrollo de la poesía española.

Sin embargo, no incluye en esta antología a autores con similar importancia como José Miguel Ullán, Antonio Colinas, Jaime Siles, Luis Alberto de Cuenca, Luis Antonio de Villena, Justo Jorge Padrón, etc., que también por esa época eran *novísimos* y culturalistas y esteticistas todos ellos, con acercamientos igualmente a la metapoesía.

10 La poesía en los años ochenta y noventa

Piedra y suelo

Cada vez que una piedra
se rompe, nunca vuelve
a soldarse.
Así desde el principio
de los tiempos ocurre
y todas son heridas
que no cierran.

Ya sé por qué a menudo
mientras voy paseando
no levanto los ojos
del camino.
No es misantropía.
De este modo las piedras
cada vez más pequeñas
y yo nos consolamos.

Andrés Trapiello. *Un sueño en otro.* Tusquets

¿Con quién se identifica el poeta?, ¿por qué?

Desde mediados de los años setenta se advierte una mayor variedad en la lírica española, muy intensa en su actividad, hecho que se ve reflejado en un gran número de publicaciones (libros, revistas, poemarios, antologías) y poetas. Siguen publicando los autores de generaciones anteriores, con frecuencia con nuevos estilos o poéticas distintas a las de sus inicios. Los novísimos irán abandonando sus supuestos estéticos.

En los años ochenta es patente la irrupción de un gran número de nombres que se caracterizan por la pluralidad de tendencias, entre las que se pueden diferenciar algunas.

Poesía de la experiencia

Se trata de la tendencia poética más característica de los últimos años. Conocida también como poesía figurativa e intimista, en ella los poetas expresan sus estados de ánimo y narran sus vidas y su cotidianeidad.

Utilizan un lenguaje muy elaborado y elegante, sin excesiva retórica, en el que sacan partido del potencial expresivo de lo coloquial. Los poemas expresan el punto de vista subjetivo a través de la primera persona, a modo de confesión, o de un personaje, cuyas circunstancias se corresponden con las del poeta.

Cultivan esta tendencia poética autores como Miguel d'Ors (*Curso superior de ignorancia,* 1987), Jon Juaristi (*Arte de marear,* 1988), Andrés Trapiello (*Un sueño en otro,* 2004), Luis García Montero (*Habitaciones separadas,* 1994), Felipe Benítez Reyes (*Trama de niebla,* 2003, selección de sus poemas), Luis Alberto de Cuenca (*Su nombre era el de todas las mujeres,* 2005), Carlos Marzal (*El corazón perplejo,* 2005), Javier Egea (*Paseo de los tristes,* 1982), Álvaro Salvador (*Suena una música. Antología,* 1996) o Vicente Gallego (*El sueño verdadero,* 2003).

En la poesía de estos años se encuentra una recuperación de lo vital, lo personal y lo emotivo en una clara vocación de rehumanización. La crítica ha puesto de manifiesto la recurrencia de estos poetas al diario como medio de comunicación: desde las *Páginas de un diario* (1981), *Elegías* (1984) y *Autorretratos* (1989) de Eloy Sánchez Rosillo, al *Diario abierto* (1990) de Dionisia García, pasando por el *Diario de un poeta recién cansado* (1985) de Jon Juaristi o el *Diario cómplice* (1987) de Luis García Montero.

El cineasta Pedro Almodóvar es una figura importante de la denominada *movida* madrileña, que tuvo lugar en los años ochenta.

Experimentalismo

Los poetas juegan y experimentan con la poesía basándose en antiguas técnicas vanguardistas, intentan llevar la expresividad más allá de los usos más corrientes del lenguaje, rompen con la disposición lineal, exceden las normas gráficas tradicionales, etc.

En muchos casos se trata de una poesía visual. Los principales autores son Fernando Millán (*Ariadna o la búsqueda,* 1996) y José Miguel Ullán (*Testículo del anticristo,* 1995).

Culturalismo

Los poetas introducen en el poema referencias culturales para enriquecer el significado que pretenden transmitir, por lo que buscarán su inspiración en el arte, el mundo clásico o la Edad Media.

Además de otros autores ya estudiados, emplean esta estética Aurora Luque, Julio Martínez Mesanza o Antonio Colinas, cuyo *Sepulcro en Tarquinia* (1975, Premio de la Crítica) puede servir de ejemplo de esta tendencia.

Neosurrealismo

Se recupera el surrealismo de la generación del 27, que basa su escritura en la asociación insólita e irracional, en el lenguaje oscuro que busca comunicarse no por la comprensión, sino a través de la sugerencia, tendencia en la que sobresalen las poetas Blanca Andreu, Ana Rossetti, Amalia Iglesias, Olvido García Valdés o Concha García. Se trata en ocasiones de una poesía fuertemente erótica que emplea motivos como el cuerpo, la noche o el mar y que aborda a veces el tema de la homosexualidad.

Neopurismo

También llamada poesía minimalista o conceptualista, está en clara relación con la poesía anterior de Jorge Guillén y José Ángel Valente. Andrés Sánchez Robayna, Julia Castillo, Álvaro Valverde, Amparo Amorós, Jaime Siles, Ada Salas o Antonio Gamoneda son en alguna etapa de su obra representantes de la misma.

Considerando la palabra como una «imperfección del silencio» (muchos críticos se denomina a esta corriente **«poética del silencio»**), un instrumento insuficiente para comunicar el sentimiento poético, la poesía se expresa en formas de gran concisión y brevedad.

Muchos de los poetas componen poesía metalingüística, que utiliza el propio poema para hablar sobre él.

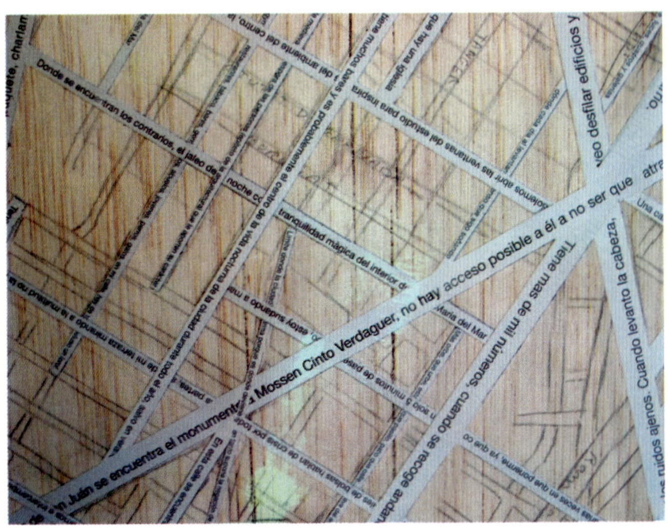

Territorio de la mente,
de Françoise Vanneraud.

Poesía clasicista

Se busca una perfección formal de estilo clásico, con metros y estrofas tradicionales (sonetos, tercetos, liras, estancias). Los principales autores son Antonio Carvajal y Luis Antonio de Villena.

Poesía de la conciencia

Está relacionada con el «realismo sucio» de los americanos Carver y Bukowski; en ella el poeta expresa con violencia lingüística su marginación y su rabia por el mundo que lo rodea, intentando que sus poemas supongan un aldabonazo en las conciencias de los lectores. Algunos autores de esta tendencia son Jorge Riechmann, Fernando Beltrán, Enrique Falcón y Antonio Méndez Rubio.

11 Últimos años

A finales del siglo XX aparecen grupos poéticos en ocasiones enfrentados. Es la llamada *poesía de la diferencia*, que reacciona ante el dominio de la poesía de la experiencia y lo que consideran la multiplicación de poetas muy similares. Algunos de estos poetas, como Enrique Morón, Fernando de Villena, José Lupiáñez, Antonio Enrique o Pedro Jesús de la Peña, aparecen recogidos en la antología *Elogio de la diferencia* (1997), de Antonio Rodríguez Jiménez, que también incluye sus propios poemas.

Se trata de un grupo muy heterogéneo que no responde a una única denominación o tendencia y cuya única coincidencia es la ruptura con la poesía anterior. Según Luis Antonio de Villena, «son plurales, como lo son todas [las generaciones], pero un sector importante coincide en una poesía irracionalista que pretende ser una reflexión sobre la realidad, la materia y la vida». También tienen en común su carácter minoritario, ya que se trata de una poesía alejada de los circuitos comerciales.

Algunos de estos autores son Juan Antonio González Iglesias, Luis Muñoz, Andrés Neuman, Elena Medel, Antonio Lucas, Isabel Pérez Montalbán, Javier Vela, Balbina Prior, Javier Rodríguez Marcos, Rafael Espejo, Carmen Camacho, Pablo García Casado o Esther Giménez.

Curso de submarinismo

Como anticipo a la pérdida,
un corazón que flota y sobrevive
a la riada de sueños encerrados en burbujas.

Como coraza contra la victoria,
agendas que no abandonan su jaula de jabón,
muertas sobre la placa de la ducha.

Hoy es epílogo
las horas construyen su ataúd junto a mi almohada.

Elena MEDEL
De vacaciones. El Gaviero

ELABORA TU PROYECTO

MUJERES POETAS

Durante el siglo XX, sobre todo durante la segunda mitad, las mujeres tendrán cada vez más presencia, también en el mundo de la literatura. Irán apareciendo antologías de mujeres poetas, suscitando el controvertido tema de la existencia de un arte *femenino*, con entidad propia y unos rasgos presumiblemente diferentes al *masculino*. Se propone un acercamiento a su poesía elaborando una pequeña antología de escritoras.

Pautas para la presentación del trabajo

1	En grupos de cuatro o cinco personas escoged una poeta de cada época que se haya analizado en la unidad. Debéis realizar un apunte biográfico de cada una y adscribirlas, si es posible, a su tendencia poética. Además, deberéis incluir al menos un poema de cada una.
2	Exponed las antologías en clase, como si de una feria del libro se tratase.
3	Realizad un coloquio sobre si es necesario elaborar antologías de mujeres y por qué.

Se proponen los siguientes nombres: Ángela Figuera Aymerich, Gloria Fuertes, María Victoria Atencia, Clara Janés, Ana Rossetti, Blanca Andreu, Olvido García Valdés, Esperanza López Parada, Aurora Luque, Almudena Guzmán, Ada Salas, Carmen Camacho, Elena Medel, Luna Miguel, Chantal Maillard.

Fresco con el supuesto retrato de la poeta griega Safo, siglo I, Pompeya.

Recursos

- *Las diosas blancas: antología de la joven poesía española escrita por mujeres* (1985), de Ramón Buenaventura.
- *Ellas tienen la palabra* (1997), de Noni Benegas y Jesús Munárriz.
- *Antología de poetas contemporáneas. Enésima hoja.* Cuadernos del Laberinto. En la página web de la editorial puedes consultar datos sobre las autoras y algunos poemas: www.cuadernosdelaberinto.com/Poesia/EnesimaHojaAntologiaMujeresPoetas.html
- También puedes encontrar información en Internet:

→ http://revistadeletras.net/la-poesia-femenina-actual-6-poemas-en-voz-de-mujer/

→ http://angelafigueraaymerich.gipuzkoakultura.net/angela_figuera_leon_felipe.php

→ amediavoz.com (antología de los principales poetas y sus mejores obras).

- Para los nuevos autores puedes buscar información en sus propias páginas web, blogs o redes sociales.
- En otros casos encontrarás información en páginas de librerías, editoriales, etc. Te proponemos las siguientes:

→ La bella Varsovia

→ La buena vida. Café del libro

ELABORA TU ORGANIZADOR VISUAL

Completa el mapa conceptual de la unidad incluyendo los siguientes conceptos.

POSTISMO | MIGUEL HERNÁNDEZ | POESÍA SOCIAL | NOVÍSIMOS

ACTIVIDADES

1. ¿A qué movimiento poético adscribirías a Gabriel Celaya?
   - a. Al realismo mágico.
   - b. A la poesía social y comprometida.
   - c. A la poesía experimental.
   - d. A la poesía cotidiana.

2. Carlos Edmundo de Ory...
   - a. pertenece al positivismo.
   - b. se adscribe a la poesía existencial.
   - c. escribe poesía social y crítica.
   - d. es un «novísimo».

3. ¿En qué década encuadrarías a María Victoria Atencia?
   - a. La década de los años cuarenta.
   - b. La década de los años cincuenta.
   - c. La década de los años sesenta.
   - d. La década de los años setenta.

4. ¿Qué tendencia no se da en la poesía de los años sesenta?
   - a. Actitud estética.
   - b. Posición crítica ante la realidad (ética).
   - c. Estilo personal que huye del prosaísmo.
   - d. Experiencias innovadoras.

5. ¿Cuál de estas características no se encuentra en los novísimos?
   - a. Ruptura con la poesía anterior (ruptura de vanguardia) y deseo de renovación (portadora de un nuevo lenguaje).
   - b. Introducción de elementos exóticos y de artificiosidad, el esteticismo, el culturalismo, la metapoesía.
   - c. Una absoluta libertad formal.
   - d. Desinterés por los medios de comunicación, el cine y la cultura de masas.

6. ¿Por qué se dice que un grupo de autores cultivan la «poética del silencio»?
   - a. Porque escriben y publican poco.
   - b. Porque la poesía se expresa en formas de gran concisión y brevedad.
   - c. Porque su poesía no es altisonante ni hecha para ser declamada al modo épico.
   - d. Porque su poesía está construida para ser leída en voz baja, como si de un susurro se tratara.

7. El neopurismo se relaciona con la poesía de...
   - a. Gabriel Celaya.
   - b. Jorge Guillén.
   - c. Amando de Miguel.
   - d. Pablo García Casado.

8. Dentro de la poesía del conocimiento, ¿a qué poeta incluirías?
   - a. Claudio Rodríguez.
   - b. José Hierro.
   - c. José Bergamín.
   - d. Emilio Prados.

9. La poesía en los años sesenta es una poesía...
   - a. que trata temas sociales.
   - b. que recupera el surrealismo de la generación del 27.
   - c. experimentalista, que en ocasiones es poesía visual.
   - d. una poesía intimista pero que se preocupa por la forma.

10. *Metapoesía* es un concepto que alude...
    - a. a la poesía que va más allá.
    - b. a un lenguaje que se refiere a sí mismo, autorreferencial.
    - c. a un lenguaje imaginativo y mágico.
    - d. a una poesía dura.

12 EL TEATRO DESDE 1936

01 El teatro durante la guerra

Con el estallido de la Guerra Civil, el teatro seguirá caminos diferentes a los que se habían iniciado antes de 1936. Surgirá en el contexto bélico el **teatro de urgencia**, un teatro de militancia, sin pretensión artística, utilizado como arma de propaganda política y escrito de manera rápida e incluso improvisada.

No interesa ahora el debate sobre las tendencias teatrales, aunque sigue existiendo interés por la renovación. En esta línea, escriben dentro del bando republicano autores como **Alberti** (*Los salvadores de España*, 1936), **Miguel Hernández** (*Pastor de la muerte*, 1938, y *Teatro en la guerra*, 1937) o **Max Aub** (*Pedro López García*, 1938).

Antes de la guerra, **Alberti** había estrenado *El hombre deshabitado* (1930), de corte surrealista, y *Fermín Galán* (1931), cerca ya de su literatura comprometida; durante la guerra escribe *De un momento a otro* (1938-1939).

Por su parte, **Miguel Hernández** comienza su obra teatral en 1934 con un auto sacramental: *Quién te ha visto y quién te ve y sombra de lo que eras*. También escribe otras obras, como *El torero más valiente* (1934) o *Los hijos de la piedra* (1935), pero, sobre todo, el drama social en verso *Labrador de más aire*, escrito entre la primavera y el verano de 1936, donde el impulso revolucionario se hace explícito; se trata de un drama de exaltación amorosa y campesina, una obra de plenitud, sólida y ágil, en la que alcanza su mayor perfección como dramaturgo.

En el bando de los sublevados o nacionales, destaca **José María Pemán**, que se había iniciado como dramaturgo poco antes de la contienda con obras combativas e ideológicas como *El divino impaciente* (1933), sin duda la más polémica y famosa, o *Cuando las Cortes de Cádiz* (1934).

> EL TEATRO Y LA DIFUSIÓN DE IDEAS

Tanto en la teoría como en la práctica, el teatro se considera una importante plataforma de difusión de ideas. Así, desde las instancias gubernamentales se promueven concursos de autos sacramentales modernos (que en 1938 gana Gonzalo Torrente Ballester) y compañías oficiales que difunden ideas de patriotismo y de defensa de la «Nueva España». En esta línea desarrollan su obra José María Pemán o Juan Ignacio Luca de Tena y también en este panorama siguen estrenando los hermanos Álvarez Quintero.

Narciso, dibujo para la obra de Max Aub.

02 El teatro en el exilio

Varios autores, algunos de los cuales habían comenzado a escribir antes de la guerra, desarrollarán su obra en el exilio. Entre ellos destacan:

- **Rafael Alberti** tiene como sus mejores obras una serie de piezas cortas posteriores a la guerra, como *El adefesio* (1944), una obra con rasgos expresionistas, y *Noche de guerra en el Museo del Prado* (1956), en la misma línea de militancia política que las anteriores.

- **Pedro Salinas** cultiva un teatro breve en tono de farsa y sainete en obras como *Los santos* (1946), *La isla del tesoro* (1944) o *La fuente del arcángel* (1946), donde se advierte una entusiasta asimilación tanto de la obra de Arniches como de la de los hermanos Álvarez Quintero, muy distinta de su producción lírica. Entre su producción teatral destacan dramas largos, como *El director* (1936), y obras en un acto como *La cabeza de Medusa* (1945) o *La estratosfera* (1945).
- **Max Aub** (1903-1972) defendió como dramaturgo un teatro vanguardista e innovador alejado de los gustos del público español. En su «teatro primero», anterior a la guerra, desarrolla el tema de la falta de comunicación humana y la incomprensión: *Crimen*, *Una botella* (ambas de 1931) y *Narciso* (1928), versión vanguardista del mito clásico. Ya en el exilio, sus obras abordan el destierro o la guerra y sus consecuencias. De entre la producción de esta temática, destaca *Deseada* (1950), drama psicológico.
- **Alejandro Casona** (1903-1965) desarrolla su labor dramática en el exilio a partir de 1937, fecha en la que escribe *Prohibido suicidarse en primavera*. Su obra más conocida es *La dama del alba* (1944), un drama poético cuyos rasgos principales son la recreación intemporal del paisaje de su natal Asturias y, sobre todo, el tratamiento lírico con que presenta a los distintos personajes. Uno de ellos es la Peregrina, un hábil símbolo de la ineludible muerte que viene a llevarse a su presa. El tono de misterio y fantasía y el acertado uso de la tensión dramática, junto con un lenguaje que más que explicar sugiere, colaboran en la construcción de su obra maestra.

  Más tarde, estrenará con éxito en Argentina *La barca sin pescador* (1945), continuación de *Otra vez el diablo* (1935). *La casa de los siete balcones* (1957) está emparentada con *La dama del alba*, tanto temática como estructuralmente. Ya de vuelta en España, publica *El caballero de las espuelas de oro* (1964), semblanza dramática de Quevedo.

Representación de *La dama del alba*, en Madrid, 1998.

03 El teatro burgués

Jacinto Benavente será el referente de una comedia burguesa de evasión que, en la medida de lo posible, intentaría soslayar la realidad circundante y la atrocidad que había supuesto la Guerra Civil, pero nunca con ánimo de innovar ni de romper con la tradición dramática inmediatamente anterior. Se trataba de construir **una pieza teatral al gusto del público**, pero **sin perder** por ello la **calidad literaria.** Al mismo tiempo que buscaban una sonrisa, pretendían hacer pensar, provocar en el espectador una cierta inquietud, pero siempre dentro de unos parámetros aceptados que no fueran subversivos ni escandalosos: eran obras correctas, que seguían unas pautas de comportamiento socialmente aceptadas por las clases pudientes que acudían a las representaciones, con una escenografía prevista y, por ello, a veces repetitiva en exceso. El público, más que reír a carcajada limpia, debía sonreír por la ironía y porque reconocían las situaciones que se planteaban sobre el escenario.

Autores de esta tendencia del teatro burgués serán José María Pemán, Juan Ignacio Luca de Tena, Joaquín Calvo-Sotelo, Víctor Ruiz Iriarte, Claudio de la Torre y José López Rubio.

- **José María Pemán** (1897-1981) escribió obras muy comprometidas con el régimen franquista de los primeros años y fue evolucionando hacia las primorosas comedias superficiales de sus últimos años: *Los tres etcéteras de don Simón* (1958) o *La coqueta y don Simón* (1960).
- **Juan Ignacio Luca de Tena** (1897-1975) logra, como los demás representantes de esta tendencia, comedias de buena factura, bien construidas, como *Don José, Pepe y Pepito* (1952), o dramas históricos como *¿Dónde vas, Alfonso XII?* (1957).
- **Joaquín Calvo-Sotelo** (1905-1993) es el autor de la comedia burguesa de evasión más ambiciosa. La nota predominante en sus obras es la cotidianeidad de los problemas planteados. Su producción abarca desde el teatro histórico (*El proceso del arzobispo Carranza,* 1964), hasta comedias intrascendentes pero bien escritas y planteadas, como *Una muchachita de Valladolid* (1957) y *La visita que no tocó el timbre* (1949). Con *La muralla* (1954) logra su mejor obra, que tuvo también un gran éxito.
- **Víctor Ruiz Iriarte** (1912-1982) presenta en sus obras un teatro muy parecido al de sus compañeros pero, quizás por influencia de Casona, más poético: *El puente de los suicidas* (1944), *El landó de seis caballos* (1952). A pesar de la perfección de su teatro, ciertas escenas muestran demasiado sentimentalismo o ternura, como en *Juego de niños* (1952).

Esta tendencia va a ser cultivada en la década de los **cincuenta** por otros autores más jóvenes y hasta cierto punto nuevos, como **Juan José Alonso Millán, Alfonso Paso, Jaime de Armiñán...,** que continúan la tradición de la comedia bien hecha, de tendencia humorística sobre todo, pero en algunos casos con una mayor cercanía a la realidad.

- **Juan José Alonso Millán** (1936) triunfó con un teatro caracterizado por situaciones disparatadas, con piezas de calidad literaria como *Las señoras primero* (1959), *El cianuro..., ¿solo o con leche?* (1963) o *Cuéntalo tú, que tienes más gracia* (1989), que muchas veces siguen las reglas del relato policíaco.
- **Alfonso Paso** (1926-1978) hace un teatro popular y español, un teatro de clase media, con la que en ocasiones el autor se identifica y retrata o a la que en otras satiriza. Presenta la preocupación por los problemas de la época desde la óptica de la burguesía media y critica algunos de sus vicios. Es autor de más de doscientas obras, como *La corbata* (1962).

  Sin embargo, no todo su teatro es intrascendente y ligero; en línea con Jardiel y Arniches escribe *Los pobrecitos* (1957) y *Una bomba llamada Abelardo* (1953).
- **Jaime de Armiñán** (1927), autor de una decena de comedias de éxito, obtuvo el Premio Calderón de la Barca en 1953 por *Eva sin manzana* y, tras montar *Sinfonía acabada,* su segundo estreno, volvió a resultar galardonado con el Premio Lope de Vega en 1956 por *Nuestro fantasma,* para poco a poco ir dejando el teatro por otras artes como el cine y la televisión.

OTROS AUTORES

- **Claudio de la Torre (1895-1973)**

  Antes de la guerra escribió dramas de clara tendencia simbolista, como *Un héroe contemporáneo* (1926), *Paso a nivel* (1930) o *Tic-tac* (1930), y después continuó con obras como *Tren de madrugada* (1946), *La cortesana* (1952) o *La caña de pescar* (1959).
- **José López Rubio (1903-1996)**

  Llega en sus obras casi a la perfección literaria en detrimento del aspecto dramático, de modo que parece un teatro más para ser leído que para ser representado: *Una madeja de lana azul celeste* (1951), *La venda en los ojos* (1954). Solo en *Celos del aire* (1950) parecen estar compensados el literario tema de los celos y el manejo de las situaciones. En sus obras hay poca acción, pero el lenguaje cuidado de sus personajes hace sonreír al espectador.

04 El teatro de humor

Junto a la alta comedia, adquiere una gran importancia en esta época el teatro de humor. Ya en 1927 comienzan su aventura teatral autores como Enrique Jardiel Poncela y Miguel Mihura. Por ello, se les puede relacionar con la generación del 27 y las vanguardias, aunque sus obras se desarrollan sobre todo durante la posguerra. Ambos intentan **alejarse de los estereotipos casticistas y locales en el teatro de humor.** Este se basa en lo inverosímil, que llega a lo absurdo. De hecho, hay quien piensa que presentan rasgos del teatro del absurdo (el que llevarán a cabo autores como Ionesco). Su producción evolucionará hacia un teatro más convencional, haciendo concesiones a los gustos del público.

> **TEATRO DEL ABSURDO**
>
> El teatro del absurdo intenta reaccionar ante la dramaturgia tradicional de corte realista, desmontando las estructuras del lenguaje, de la lógica y de las situaciones convencionales, con palabras y acciones que pueden desarrollarse de forma contradictoria para mostrar el sinsentido de la vida, la realidad oculta y amarga de la misma. Entre sus principales cultivadores se encuentran Samuel Beckett, Eugène Ionesco, Fernando Arrabal o Jean Genet.

04.1 Enrique Jardiel Poncela

En 1936, con *Cuatro corazones con freno y marcha atrás,* rompe con la estética del humor al uso, adentrándose en los terrenos de lo absurdo e inverosímil y criticando el costumbrismo y la tradición realista. Los protagonistas son dos parejas de enamorados con problemas económicos y amorosos que lograrán solventar gracias a un invento que les proporciona la vida eterna, planteando la inmortalidad en tono cómico.

Se observa en su teatro un doble aspecto, revolucionario y conformista, lo que puede verse perfectamente en una de sus obras más importantes, *Eloísa está debajo de un almendro* (1940), donde a un genial primer acto sucede una segunda parte más convencional y lógica, en la que se desmonta la inverosimilitud que ha sostenido toda la obra, aunque con un diálogo ingenioso y humorístico que nunca decae. También sucede en *Un marido de ida y vuelta* (1939), obra en la que Pepe, el marido muerto, se presenta ante su esposa por haberse casado con Paco, su amigo; el muerto se pasea por la casa —los criados se acostumbran a él y llegan a llamarlo «señor espectro»— y no puede haber solución, ya que la esposa no puede dividirse entre un vivo y un muerto. Cuando la esposa muere se marcha con el espectro, por lo que el final se encuadra en la inverosimilitud. Más coherentes, sin embargo, a pesar de la situación caótica que proponen, son *Los ladrones somos gente honrada* (1941) y *Los tigres escondidos en la alcoba* (1949).

> **ENRIQUE JARDIEL PONCELA (1901-1952)**
>
> Jardiel Poncela, nacido en Madrid, estudió en la Residencia de Estudiantes y más tarde con los padres escolapios. Aunque comenzó a estudiar filosofía y letras, la abandonó para dedicarse a la escritura, primero en la prensa y más tarde en el teatro. Durante su juventud trabó amistad con algunos grandes escritores como Manuel Machado y Gómez de la Serna, quienes lo apoyaron para que siguiera escribiendo. Tras alguna incursión como guionista en los Estados Unidos, regresó a España. En 1933 abandonó la escritura novelesca, como *Amor se escribe sin hache* (1928), *Espérame en Siberia, vida mía* (1929) o *Pero… ¿hubo alguna vez once mil vírgenes?* (1931), para centrarse en el teatro. Muchas de sus obras fueron llevadas con éxito al cine, algunos de cuyos guiones escribió: *Usted tiene ojos de mujer fatal, Angelina o el honor de un brigadier* o *Los ladrones somos gente honrada.*

Entre las **características** de su teatro, se encuentran:

- **Escenografías complicadas y costosas,** que sitúan la **acción** en: un vagón de ferrocarril, la cubierta de un barco, el patio de butacas de un cine...
- **Renovación de los temas,** muchos de ellos ilógicos e irracionales: personajes que rejuvenecen y no mueren, muertos que andan por la escena, etc.
- **Dinamismo** en escena, con frecuentes entradas, salidas y cambios.
- **Personajes** que pertenecen a los ambientes burgueses representados; aparece tanbién la figura del criado.
- **Humor verbal** que no cae en el chiste fácil y que se basa en los juegos de palabras, retruécanos, paradojas...
- **Parodia de los géneros literarios en uso;** principalmente, ironiza con el tema del amor.

04.2 Miguel Mihura

Su primera obra, *Tres sombreros de copa,* fue escrita en 1932, pero su ácida crítica impidió que fuera representada hasta veinte años después, de la mano del Teatro Español Universitario, con enorme éxito. En ella cuenta cómo Dionisio, de veintisiete años, tras siete de noviazgo, va a casarse con Margarita, una joven de buena posición. La noche anterior a la boda se hospeda en un hotel de provincias, donde coincide con una compañía de revista. Una de las integrantes, Paula, traba amistad durante esa noche con él y se enamoran; ella le descubrirá un mundo desconocido para él, más libre de ataduras e imaginativo. Sin embargo, cuando Dionisio debe decidir entre una de ellas, entre dos mundos totalmente opuestos y enfrentados, elegirá a su novia de siempre por miedo a la incertidumbre de lo nuevo. La presión de la sociedad y sus convenciones prevalecerá.

A pesar de que sus asuntos y personajes son burgueses, las situaciones humorísticas nuevas, con su ingrediente crítico y satírico, propiciaron una **nueva forma de hacer teatro.** En estas piezas la mujer obtiene un tratamiento psicológico extraordinario, destacando en un entorno mediocre y agobiante, como ocurre en *El caso de la señora estupenda* (1953), sobre una mujer confundida con otra, o en *Sublime decisión* (1955), en torno a la mujer que quiere liberarse mediante el trabajo. En *Melocotón en almíbar* (1958), expone una situación equívoca que caricaturiza el género policíaco y pone en relación a una monja entrometida con un grupo de ladrones inocentes. Los tipos femeninos, extraídos a veces de sectores marginados, como en *Maribel y la extraña familia* (1959), están trazados con maestría, incluso en comedias más intrascendentes como *Ninette y un señor de Murcia* (1964).

El **humor** en la obra de Mihura se basa, aparte de en las situaciones inverosímiles, en la explotación exhaustiva de las posibilidades humorísticas del lenguaje: chistes verbales, ni groseros ni manidos, basados en repeticiones, equívocos, exageraciones, juegos de palabras, comparaciones y metáforas, en frases inadecuadas o equívocas que rompen con la experiencia, la lógica y el sentido común, siempre por inesperadas e imprevisibles.

MIGUEL MIHURA (1905-1977)

Su niñez y su juventud transcurrieron en un ambiente totalmente teatral, ya que su padre era actor, autor y empresario. Tras el fracaso que supuso que no se estrenara su primera obra, escribió diálogos y guiones de cine. En 1942 fundó y dirigió la revista *La Codorniz,* cuyo tipo de humor se había puesto de moda entre la juventud. Antes había dirigido *La ametralladora* (1936-1939), que popularizó en España un nuevo tipo de humor, satírico, escéptico, imaginativo y revisionista. Por ello, sus obras empezaron a calificarse como «codornicescas». Además de muchas otras obras de teatro (algunas escritas en colaboración con otros autores, como *El caso de la mujer asesinadita,* en colaboración con Álvaro de Laiglesia) también fue autor de numerosos guiones de cine. Fue elegido miembro de la Real Academia Española en 1976.

ARGUMENTO DE *MARIBEL Y LA EXTRAÑA FAMILIA*

En esta obra, Mihura reúne las vidas de una «extraña familia» —tradicional, de ahí la ironía del título—, a la que pertenece Marcelino, con un grupo de prostitutas entre las que se halla Maribel. Si se produce un final feliz, a pesar de las convenciones sociales, es porque ninguno de los protagonistas pertenece realmente al grupo social al que cree pertenecer.

05 El teatro social

En los años cincuenta surge, como ocurre con la poesía y la novela, una **corriente realista y social:** es un teatro comprometido con los problemas del ser humano que se inicia con el estreno en 1949 de *Historia de una escalera,* de Buero Vallejo. En 1953 el drama *Escuadra hacia la muerte,* de Alfonso Sastre, continuará este camino.

Las obras de estos autores suponen el nacimiento del moderno drama español, aunque abordan de diferente forma su compromiso social. Buero Vallejo se decanta por el «posibilismo», es decir, por realizar la denuncia que permitan las condiciones políticas del momento (la dictadura y la censura), un teatro «en situación». Sastre propugna un teatro de agitación, que sea un elemento de cambio, sin ningún tipo de autocensura, «momentáneamente imposibilitado».

OTROS AUTORES DEL TEATRO DE HUMOR

Dentro de este teatro también se halla la dramaturgia de **Edgar Neville** (1899-1967), autor de la pieza magistral *El baile* (1952) y **Antonio de Lara, Tono** (1896-1978), colaborador de Mihura, dibujante y autor de divertidas piezas como *Crimen pluscuamperfecto* (1956).

A esta tendencia se suman algo más tarde **otros autores:** José Martín Recuerda, José María Rodríguez Méndez, Ricardo Rodríguez Buded, Lauro Olmo y Carlos Muñiz, que escribirán un teatro realista de contenido eminentemente social, que tendrá ciertas dificultades con la censura política, pero afirmará la línea social que se caracteriza por la crítica de las injusticias sociales.

05.1 Antonio Buero Vallejo

Su obra se puede dividir cronológicamente en **tres etapas**, que, en general, se relacionan con los temas desarrollados por el autor.

Etapa realista (realismo simbólico y existencial; 1949-1957)	
Características	Algunas obras
• Crítica de la sociedad española del momento (su tema central). • Teatro realista tradicional. • Diálogo con el público como reflejo de la sociedad. • Lugares concretos aunque insólitos: (escalera, azotea de una casa…).	*Historia de una escalera* (1949) *En la ardiente oscuridad* (1950) *La tejedora de sueños* (1951) *Madrugada* (1953)
Etapa más histórica (parábolas históricas; 1958-1969)	
Características	Algunas obras
• Referencias directas al poder y al modo de ejercerlo; teatro más social. • Las acciones del pasado arrojan luz sobre el presente. • Algunas acciones están situadas en los siglos XVII y XVIII (aparecen personajes como Velázquez, Esquilache…). • Variación en la estructura dramática (distinto modo de entender espacio y tiempo: cuadros que dan saltos en ambos planos y ruptura de la linealidad).	*Un soñador para un pueblo* (1958) *Las meninas* (1960) *El concierto de San Ovidio* (1962) *La doble historia del doctor Valmy* (1967) y *El tragaluz* (1967): son obras que pueden considerarse de transición.
Última etapa (teatro experimental, mayor complejidad técnica; 1970-1999)	
Características	Algunas obras
• Búsqueda de una fórmula teatral que transmita eficazmente lo que se propone. • Aproximación al teatro épico de Brecht (técnicas de distanciamiento del espectador). • Teatro total: fusión del espacio escénico externo y el mundo de los personajes en una relación simbólica. • Presentación del conflicto dramático desde varias perspectivas (puntos de vista subjetivos).	*El sueño de la razón* (1970) *La llegada de los dioses* (1971) *La fundación* (1974) *La detonación* (1977) *Diálogo secreto* (1984) *Misión al pueblo desierto* (1999)

ANTONIO BUERO VALLEJO (1916-2000)

Empezó estudios de pintura en la Escuela de Bellas Artes de Madrid, pero los interrumpió por la guerra. Su padre fue fusilado durante los primeros momentos de la misma; luego, él fue condenado a muerte por su «adhesión a la rebelión». Pasó seis años y medio en la cárcel (donde conoce a Miguel Hernández). A su salida, sin abandonar la pintura, comienza a escribir teatro. En 1949 gana el Premio Lope de Vega con su obra *Historia de una escalera*, considerada desde su primera representación como fundamental.

Su producción abarca cincuenta años de estrenos ininterrumpidos, cuya influencia social y estética lo convierten en uno de los mayores dramaturgos del siglo XX. Su última obra, *Misión al pueblo desierto* (1999, apenas un año antes de morir) recoge elementos autobiográficos que recuerdan su labor en el salvamento del patrimonio artístico durante la Guerra Civil. Fue elegido miembro de la Real Academia Española en 1971 y recibió el Premio Cervantes en 1986.

Entre las obras de Buero hay algunas que merecen un comentario aparte.

- *Historia de una escalera* supone una reflexión sobre la mediocre vida material y espiritual de varias familias, vecinos de un portal y una escalera, a lo largo de treinta años (1919-1949), historia que tendrá un final abierto pero presumiblemente pesimista, puesto que sus sueños se basan en ilusiones que no llegarán a cumplirse. Supone el primer drama lúcido, trascendental, del teatro español de posguerra.

Estreno en 1949 de *Historia de una escalera*, dirigida por Cayetano Luca de Tena e interpretada por Gabriel Llopart y Elena Salvador.

- En *El concierto de San Ovidio* dramatiza hechos históricos acontecidos en el siglo XVIII, cuando un café de la Feria de San Ovidio de París ofreció, como espectáculo, una orquestina bufa compuesta por músicos ciegos. Alguno de los protagonistas se rebela por considerarse ofendido, abordando de esta forma también el tema social.
- En *El tragaluz,* dos científicos del futuro que aparecen en momentos clave de la representación regresan desde su época al mundo español de la posguerra a través de un experimento que les ha permitido reconstruir las vidas de los integrantes de una familia de aquella época. Los personajes son un padre, loco a consecuencia de la Guerra Civil, una madre y sus dos hijos; uno de ellos, triunfador, participa activamente en el bando de los vencedores; el otro se niega a toda colaboración con ellos. Viven en un sótano desde el que tan solo se ve la calle a través de un tragaluz. El diálogo final de la pareja de científicos resume con claridad la moral de la obra y la intención del autor: el mundo estaba lleno de injusticia, guerras y miedo, pero se ha aprendido de esos errores.
- En *La fundación,* el público cree junto con Tomás, el protagonista, mentalmente desequilibrado, que una celda en la que esperan varios condenados a muerte es una lujosa fundación.
- *La detonación* transcurre en el breve espacio de tiempo en el que el periodista Mariano José de Larra reflexiona sobre su vida antes de acabar con ella.
- Su última obra, *Misión al pueblo desierto,* presenta el tema de la legitimidad de la guerra a través del enfrentamiento entre dos visiones del conflicto. En la Guerra Civil, Plácido y Damián chocan durante el intento por salvar un cuadro de El Greco.

Los **temas claves** del teatro de Buero Vallejo son el paso del tiempo y su acción destructiva, el sentido de la vida, los valores morales, la solidaridad, la frustración por distintos motivos (incomprensión, ceguera, incomodidad con el mundo circundante...), la búsqueda de la verdad y la necesidad de rebeldía: el hombre agónico, en constante lucha y tensión.

Los **personajes** de Buero Vallejo presentan limitaciones físicas o psíquicas que adquieren **valores simbólicos**, como la ceguera *(El concierto de San Ovidio, En la ardiente oscuridad)*, la sordera *(Hoy es fiesta)*, la mudez *(Las cartas boca abajo)*, la locura o el desequilibrio psíquico *(El tragaluz, El sueño de la razón)* o la fealdad *(Casi un cuento de hadas)*... También destaca la utilización de la historia para reflexionar sobre el presente. Se trata de un teatro que une la ética con la estética.

> **BERTOLT BRECHT Y EL TEATRO ÉPICO**
>
> Bertolt Brecht fue un dramaturgo y teórico alemán que escribió un **teatro épico (llamado también político o de alienación)** que se alejaba del realismo intensificando el uso de la ilusión para que el espectador se distanciara de lo representado y adoptara un juicio crítico. Para ello, utilizaba un ritmo lento, reflexivo, con recursos técnicos tomados del cine y la televisión, un carácter episódico, a veces narrativo, e interrupciones con carteles, anuncios, música...

05.2 Alfonso Sastre

Este autor concibe el teatro como un medio de concienciación y de agitación. Piensa, al contrario que Buero Vallejo, que el escritor debe actuar como si no existiera un teatro imposible de estrenar, como si hubiera libertad absoluta.

Además de dramaturgo, Sastre es teórico del teatro y escribe algunos ensayos en los que explica su concepción del género (*Drama y sociedad,* 1956; *Anatomía del realismo,* 1965; *La revolución y la crítica de la cultura,* 1970). Su producción está marcada por las dificultades para estrenar sus obras y por su incesante intento de experimentación, de cambio, tanto en los temas como en la forma.

En 1945 fundó, junto con otros autores, el grupo teatral Arte Nuevo, cuyo principal objetivo era la renovación de la escena española. A partir de ese momento, fue gestándose la idea de un teatro político hasta que en 1950 firmó, con José María de Quinto, un «**Manifiesto del TAS** (Teatro de Agitación Social)». En este documento se da la primera definición formal del teatro como *arte social* en dos sentidos:

- El teatro no se debe reducir a la contemplación estética de una minoría, sino presentar una gran proyección social.
- Dicha proyección social no puede ser ya meramente artística, sino que debe ser una categoría superior a ella.

Por tanto, se propone como urgencia una «agitación de la vida española» y que esta llegue a todas las esferas de la vida.

En cuanto a los **temas,** Sastre aborda la investigación sobre la condición del ser humano en la sociedad del momento y pretende examinar sus relaciones con esta; en torno a estos asuntos, elabora un teatro trágico, de protesta, que lleve a reflexionar sobre la necesidad de un cambio social.

Escuadra hacia la muerte (1953) fue su estreno como dramaturgo; se trata de un drama que plantea una propuesta antimilitarista por debajo de una situación existencialista. En él, un grupo de soldados, con su mando, espera la muerte en una tercera guerra mundial. Han sido enviados a una misión suicida y saben que no lograrán sobrevivir; la reacción ante la muerte es distinta para cada uno de los soldados: suicidio, deserción, espera, asesinato. Con ello, el drama pone de manifiesto la responsabilidad del individuo ante esta; ante la colectividad.

> **ALFONSO SASTRE (1926)**
>
> 
>
> Nació en Madrid, en una familia acomodada. El impacto que le causó la guerra cuando tenía diez años aparece reflejado en toda su obra. En 1945, tras empezar diferentes carreras universitarias, cofundó el grupo Arte Nuevo para terminar con el teatro burgués y comenzó a escribir teatro de corte existencialista. En 1950 firma el Manifiesto del Teatro de Agitación Social, cuyo objetivo es reformar la sociedad mediante el teatro, y en 1960, el Manifiesto del Grupo de Teatro Realista, por un teatro de calidad. En ese mismo año fundó la revista *Primer acto.*
>
> Es autor de numerosas obras de teatro, ensayos, poesía, novela e incluso cuentos de terror, y ejerce también de crítico literario y social, así como de colaborador en diferentes periódicos.

Representación de la obra *Cargamento de sueños* (fotografía Teatro Español).

En *Cargamento de sueños* (1948), el protagonista, Manfred (posible trasunto del ser humano), cuenta su vida a un misterioso personaje, Jeshoua (que podría ser Jesús, un sueño o la realidad). Le cuenta cómo salvó a una mujer que se iba a suicidar, después la amó y por último la asesinó. Le pide a este personaje que le devuelva la fe para poder morir, pero está solo. En su lugar se presenta la muerte para jugar con él una partida de ajedrez que el protagonista perderá. Inconformismo, angustia, protesta y nihilismo son los temas de este drama.

Poco a poco se va interesando por problemas sociales: *Prólogo patético* (1952), *La mordaza* (1954) y *Muerte en el barrio* (1953) tuvieron muchos problemas con la censura. En ellas, Sastre reflexiona sobre la revolución, cómo llevarla a cabo y cuáles pueden ser sus efectos. Por ejemplo, *La mordaza* presenta el dilema de una familia que tiene que decidir entre denunciar o no al tiránico cabeza de familia, que ha cometido un asesinato. Su nuera le denunciará, lo que causará la muerte de este.

Posteriormente, escribe dramas inspirados en la estética brechtiana y en el teatro documento de Peter Weiss, a los que Sastre llama «tragedias complejas»: *La sangre y la ceniza* (1978) y *Crónicas romanas* (1974).

No todo el teatro de Sastre es combativo, crítico o testimonial. Hay algunas obras en las que predomina lo experimental, como *Ana Kleiber*, escrita en 1955, en la que el autor se convierte en personaje para construir desde dentro la pieza, correlato de *Cómo se hace una novela*, de Unamuno; o *El cuervo*, escrita en 1956 y estrenada en 1957, en la que un mismo asunto —el asesinato de Laura y su investigación— se produce a un ritmo distinto para los protagonistas que para los testigos: el tiempo transcurre mucho más lento para ella y el asesino que para los observadores. Una de sus últimas obras es *¿Dónde estás, Ulalume, dónde estás?* (1990), sobre el último viaje del escritor norteamericano Allan Poe.

Entre los elementos que caracterizan el teatro de Alfonso Sastre están su **sentido de la acción directa**, la creencia de que el hombre no es una pasión inútil, su sentimiento de que es necesario un **cambio en la sociedad** y que esta actúe sin máscaras, de forma descubierta, y un **lenguaje incisivo, tenso, directo.**

PETER WEISS Y EL TEATRO DOCUMENTO

Peter Weiss (1916-1982) fue un escritor alemán nacionalizado sueco. Su teatro, llamado de información o teatro documento, renuncia a toda invención y se sirve de material real (cartas, actas, entrevistas, estadísticas, reportajes, declaraciones, etc.) al que únicamente da forma. Su compromiso político lo lleva a desarrollar temas como el desarraigo, la angustia, el exilio interior y exterior. Su principal obra es *Marat/Sade*, donde ofrece un ejemplo de teatro dentro del teatro.

TRAGEDIAS COMPLEJAS

Con el término *tragedias complejas*, Sastre trata de superar el teatro épico y el teatro del absurdo, añadiendo dosis del esperpento de Valle-Inclán, mediante la revisión de un momento histórico preciso, en el que el individuo vivía sometido a las injusticias del poder, y el establecimiento de un vínculo entre la época histórica tratada y la presente que se está viviendo. Así, por ejemplo, en *La sangre y la ceniza* se escenifican las investigaciones de Servet y la persecución a que se vio sometido por la Inquisición, en el siglo XVI.

05.3 Otros autores realistas

Otros autores que pueden mencionarse en esta tendencia realista son los siguientes.

- **Lauro Olmo** (1922-1994), escritor de novela social, alcanzó un gran éxito con la obra teatral *La camisa* (1962), drama social que conecta con la tradición previa en el que presenta una acción colectiva, la de un grupo de obreros que luchan por encontrar trabajo para no verse obligados a emigrar. Otras obras suyas son *La pechuga de la sardina* (1963, sobre la prostitución), *El cuerpo* (1966), *English Spoken* (1968) o *José García* (1979). Bajo el título *El cuarto poder* (1964) se agrupan varias piezas breves de carácter plástico, visual, en las que incluye elementos paraverbales procedentes de otras artes.

  Las obras de Lauro Olmo, dramas populares y obreros, cuyos personajes pertenecen a las clases más bajas, utilizan un lenguaje crudo, naturalista, y profundizan en los aspectos más duros de la realidad social.

- **José Martín Recuerda** (1926-2007) empezó su carrera dramática con piezas de corte lorquiano, situadas en su Andalucía natal, sobre la crueldad humana, el gran tema de su producción.

  Entre sus principales obras destaca *Las salvajes en Puente San Gil* (1963), sobre un caso de violencia sexual; y *Las arrecogías del Beaterio de Santa María Egipciaca* (1970), en torno a la prisión y muerte de la célebre heroína granadina Mariana Pineda, condenada sin proceso.

- **Carlos Muñiz** (1927-1994) es autor de obras que se inscriben también en la crítica social, aunque presentan la particularidad de que tienden hacia un expresionismo muy bien construido. Entre sus títulos destacan *Telarañas* (1956), *El grillo* (1956) y, sobre todo, *El tintero* (1961), *Un solo de saxofón, El caballo del caballero,* (ambas obras breves de 1965) y piezas históricas (*Miserere por un medio fraile,* 1969, sobre san Juan de la Cruz; y *Tragicomedia del Serenísimo Príncipe don Carlos,* 1971, sobre el hijo de Felipe II).

  Su obra en conjunto se centra en la denuncia de la represión, la intransigencia y las imposiciones de la sociedad.

- **José María Rodríguez Méndez** (1925-2009) inicia su producción con *Vagones de madera* (1958). *Los inocentes de la Moncloa* (1960) refleja el mundo de los opositores en la posguerra, un mundo absurdo de acceso a determinados puestos profesionales y la única salida de estos estudiantes.

  Su teatro trata temas de actualidad, siempre con tono trágico y pesimista. Sus mejores piezas transcurren sobre un fondo histórico: *Flor de Otoño* (1973), centrada en la figura de un anarquista travesti en la Barcelona de los años veinte, y *Bodas que fueron famosas del Pingajo y la Fandanga* (1965), que revive la época del «desastre». Su estilo es directo, bronco, fuerte, sin concesiones líricas.

OTROS AUTORES

Ricardo Rodríguez Buded (1928)

Este dramaturgo también escribe obras de corte crítico, entre el realismo y la farsa: *La madriguera* (1960), *Un hombre duerme* (1962) o *El charlatán* (1962).

Representación de la obra *Bodas que fueron famosas del Pingajo y la Fandanga*, en Madrid, 1972.

06 El teatro experimental y renovador

Los nuevos autores abandonarán el realismo en un intento por conectar con la vanguardia escénica. Se trata de un teatro abierto a la escena mundial, que rompe con los anteriores modelos realistas y se plantea sobre unos presupuestos estéticos y puramente dramáticos o escenográficos; es decir, aunque la obra es tanto texto literario como texto espectacular, ahora tomará relevancia la puesta en escena, la representación.

La falta de éxito comercial de este teatro se debe a que no es aceptado por la sociedad, por el mundo empresarial o por el propio Estado, por las dificultades para su representación y por algunos de los aspectos que lo definen, como son:

- Se sigue ocupando de temas sociales y existenciales, pero su formalización es muy distinta.
- Destrucción interna del personaje: los protagonistas son portavoces de una idea, son personajes tipo.
- Acción y lenguaje simbólicos: su significación siempre va más allá.
- Al texto se incorporan otros elementos (sonoros, visuales, gestuales, etc.), con una función simbólica, pero que realmente no se corresponden con la acción.
- La acción se constituye en «ceremonia», ritual (necesidad gestual de los personajes, que han de actuar según una regla o convención).
- La representación olvida la «cuarta pared»: el espacio deja de estar dividido en escenario y patio de butacas. El público llega a ser un componente más de la representación.
- Se recupera el aspecto lúdico del teatro.
- Los montajes son «imposibles» (una piscina con un submarino dentro, por ejemplo).

06.1 Fernando Arrabal

Este dramaturgo se separó a finales de los años cincuenta de la estética realista y, debido al fracaso de su primera obra, se exilió en París, donde su producción es más conocida que en España. Es un autor muy personal y polifacético al que es difícil encuadrar en un movimiento. Ha cultivado la novela, el ensayo, la pintura y ha dirigido también algunas películas.

La obra de Arrabal es muy amplia. Con *Pic-Nic* (1952) hace un alegato contra la guerra. Con *El triciclo* (1953), toma postura decidida en favor de la estética de vanguardia. Su teatro implicaba en su momento una revolución total. Su obra está, en un principio, emparentada con el «postismo» y el surrealismo (sobre todo en lo que al lenguaje se refiere), el teatro del absurdo y el esperpento. Su teatro niega toda realidad o naturalismo tal y como se entendía en el teatro social.

A partir de su estancia en París y de la fundación del «teatro pánico», su escena se vuelve onírica, cruel y crítica con cualquier régimen político. El término *pánico* viene del griego *pan* ('todo') y del dios Pan, que «en su infancia era un bufón, andando el tiempo asustaba a los hombres con sus bruscas apariciones».

EL TEATRO *UNDERGROUND*

A principios de la década de los setenta, un crítico norteamericano, George Welwarth, escribe un libro sobre una serie de autores prácticamente desconocidos para el público español: *Spanish Underground Drama*, título significativo de la condición marginal de todos los autores citados por él.

Entre los antecedentes de esta tendencia se encuentran Artaud, Grotowski, el Living Theatre, Valle-Inclán…

OTROS AUTORES

Los autores más significativos de esta etapa son José María Bellido, Ángel García Pintado, Antonio Martínez Ballesteros, Manuel Martínez Mediero, Luis Matilla, Alberto Miralles, Domingo Miras, Francisco Nieva, Luis Riaza, Miguel Romero Esteo, José Ruibal…

FERNANDO ARRABAL (1932)

Nacido en Melilla, al finalizar la guerra se instaló en Madrid con su madre. Con 17 años se fue a Guipúzcoa, donde estudió en la Escuela Teórico-Práctica de la Industria y el Comercio del Papel. Allí escribió sus primeras obras teatrales. Empezó a estudiar derecho en Madrid en 1952. Allí estuvo en contacto con los poetas postistas. Se trasladó a estudiar a París. El fracaso de su obra *Los hombres del triciclo* lo empujó a residir definitivamente en París. Allí fundó con Jodorowsky y Topor el «movimiento pánico» en 1963.

Fue juzgado y encarcelado en 1967 durante la dictadura por insultos a la patria en una dedicatoria de una obra suya. Finalizada la dictadura, pudo estrenar sus obras en Madrid.

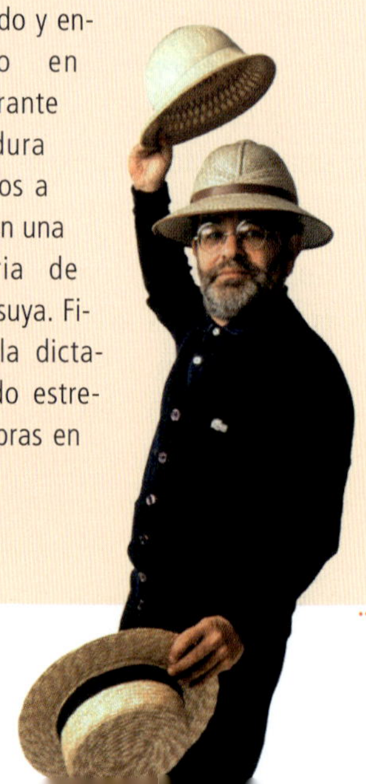

Arrabal se refiere al teatro pánico como «una manera de ser presidido por la confusión, el humor, el terror, el azar y la euforia» (de ahí el título de una de sus obras, *Arrabal celebrando la ceremonia de la confusión,* 1966). En definitiva, en el teatro pánico se encuentra el rechazo al orden y a la perfección, el caos, lo grotesco y el rechazo total al sistema autoritario.

Arrabal muestra la inocencia y la bondad de unos personajes que viven al margen de la sociedad y de toda realidad: *Fando y Lis* (1955) desarrolla el tema mítico del laberinto y *El cementerio de automóviles* (1957) escenifica el conflicto entre la inocencia y la bondad y el orden que impone artificiosas convenciones.

El gran teatro de la ceremonia, donde se concentra su revolución dramática, se materializa en obras como *La coronación* (1963), *El gran ceremonial* (1966) y, quizás la mejor, *El arquitecto y el emperador de Asiria* (1966), donde reúne los temas predilectos de su teatro: la crítica de lo religioso, la soledad y la incomunicación del hombre, la política, la liberación de los tabúes sexuales, la exaltación de la libertad y la muerte.

06.2 Francisco Nieva

Conocido en España como escenógrafo antes que dramaturgo, Nieva realizó algunos de los montajes más vanguardistas del teatro español y destacó como escenógrafo, grabador, director de teatro...

Su afán de renovación constante le llevó a una línea rupturista en la que la inspiración surrealista y postista, junto con sus lecturas de Beckett, Ionesco, Genet o Artaud —principales figuras del teatro europeo—, forjan su concepción del teatro, las situaciones absurdas e inverosímiles y su naturaleza maldita. A estos antecedentes hay que añadir la influencia de las raíces hispánicas: *La Celestina,* las piezas breves como el entremés y el sainete, el drama barroco, Quevedo, Valle-Inclán o Gómez de la Serna.

El mismo Nieva ha establecido una clasificación de su producción dramática, en función de cómo percibe su propio crecimiento:

Un **«teatro de farsa y calamidad»**, con un argumento entramado, cierta intriga, lineal, con la magia y el sueño como ideales propios del héroe romántico. Incluye obras como *Malditas sean Coronada y sus hijas* (1952), *Tórtolas, crepúsculo... y telón* (1953) o *La señora tártara* (1970).

Su **«teatro furioso»**, que posee una acción esencial y concentrada, es de carácter coral y se caracteriza por la rapidez de acción, la retórica burlona y la sorpresa. Destacan *Pelo de tormenta* (1962) y *Es bueno no tener cabeza* (1966).

Y las **«reóperas»**, modalidad de teatro breve, susceptibles de ser ampliadas por el director: *El combate de Ópalos y Tasia* (1953), *El fandango asombroso* (1961) y *La carroza de plomo candente* (1971).

En todas ellas se advierte una prodigiosa mezcolanza de elementos populares, del arte *kitsch,* el teatro romántico, la ópera, etc., en un ambiente de verbena y fiesta. Partiendo del lenguaje popular, mediante técnicas del surrealismo y del absurdo, consigue un estilo peculiar tanto en el léxico como en las construcciones sintácticas. Entre sus **temas** destacan el sexo y la religión, las convenciones sociales, el humor, los mitos y la muerte, siempre tratados desde un punto crítico.

FRANCISCO NIEVA (1924)

Es un originalísimo dramaturgo, escenógrafo, director de escena, narrador, ensayista y dibujante nacido en Valdepeñas (Ciudad Real). Atraído desde muy joven por el mundo de las artes, estudió en la Real Academia de Bellas Artes de San Fernando y en 1945 se adscribió al postismo como autor plástico.

Vivió en París durante más de diez años, donde se empapó del ambiente bohemio y de las influencias artísticas de la época. De vuelta en España, se instaló en Madrid y, como escenógrafo, montó zarzuelas, óperas y *ballets.* Compaginó esta labor con la de autor de teatro y colaborador en diferentes publicaciones.

Es miembro de la Real Academia desde 1990.

Representación de la obra *Coronada y el toro,* en Madrid, 1998.

06.3 Otros autores

Los siguientes autores del teatro experimental tienen en común la importancia de la forma y la representación teatral y temas como la opresión del poder, el sexo, etc.

- **Miguel Romero Esteo** (1930). Sus obras están al margen de las convenciones del teatro comercial y en ellas mezcla géneros y estéticas. Él mismo califica sus obras, de larguísima duración, como «teatralomaquias» o «grotescomaquias», cuyos antecedentes están en los misterios medievales y en *La Celestina*.

  De difícil clasificación, se encuentra en sus obras un espíritu de parodia: critica las instituciones tradicionales, satiriza la Iglesia, la sociedad burguesa... Destacan *Patética de los pellejos santos y el ánima piadosa* (1970), *Pasodoble* (1974) o *El vodevil de la pálida, pálida, pálida rosa* (1978).

- **José Ruibal** (1925) se caracteriza más por sus ideas teatrales que por la plasmación de ellas en sus obras, de excesivo alegorismo (con animales personificados) y abstracción, con montajes imposibles: *El asno* (1962), *Los mutantes* (1969) o *El hombre y la mosca* (1968).

- **Luis Riaza** (1925). El carácter ceremonial y ritual se acentúa en sus obras, como *El desván de los machos y el sótano de las hembras* (1974) y *Retrato de dama con perrito* (1976), en las que el mensaje pierde importancia frente a la forma.

- **Luis Matilla** (1938) presenta un teatro que oscila entre el absurdo y la farsa grotesca: *El adiós del mariscal* (1968).

- **Antonio Martínez Ballesteros** (1929) se caracteriza por su afán didáctico, casi moralista, apoyado en todos los elementos de la vanguardia. Sus obras más importantes son: *En el país de Jauja* (1962), *Farsa de marionetas* (1964), en las que la burocracia, como situación política represiva, así como la dimensión humana del enfrentamiento del individuo contra el sistema, son los temas fundamentales.

> OTROS AUTORES

- **José María Bellido** (1922): *Fútbol* (1963), *Esquina a Velázquez* (1975).
- **Juan Antonio Castro** (1927-1980): *Plaza de mercado* (1966).
- **Manuel Martínez Mediero** (1938): *El último gallinero* (1969).

07 El teatro independiente

En los años setenta aparecen importantes grupos teatrales independientes, herederos de los grupos de teatro universitario, como **Tábano, La Cuadra, Els Joglars, Els Comediants...**, a los que se unirá en los ochenta **La Cubana.**

Este teatro independiente se caracteriza por:

- La representación de conflictos esenciales, trascendentes.
- El lenguaje solo es un apoyo del espectáculo; se incorporan lenguajes nuevos para la creación de uno original.
- La unión entre teatro y vida.
- Se concede gran importancia al repertorio como expresión del grupo.

- La superioridad del trabajo colectivo frente al individual. El proceso de creación consiste en investigar, ensayar y montar para obtener la versión definitiva, cuyo resultado será una labor de conjunto.
- El espectador es un elemento más en este concepto colectivo del espectáculo.
- La mayor importancia del público, para el cual se configura y adapta el espectáculo.

Entre finales de los setenta y principios de los ochenta surge el **teatro de calle,** modalidad que se caracteriza por sus espectáculos itinerantes (desfiles, pasacalles, comedia del arte...), que rompe las fronteras entre emisor y receptor y en el que predominan los elementos plásticos (sonoros, musicales, atrezo...) frente a la palabra y se utilizan diversos espacios urbanos.

Representación de *Ubú president*. Estrenada en 1995, se representó hasta 1997.

Grupos teatrales independientes	
Els Joglars	Creado en 1962 por Albert Boadella, trata de dotar a su trabajo de un rigor y una calidad profesionales. Realiza un trabajo experimental en el terreno de la expresión corporal y en la promoción de actividades artísticas y pedagógicas. Entre sus representaciones destacan *El joc* (1970), *Cruel Ubris* (1971) o la fatídica *La torna* (1977), que provocó el procesamiento de sus componentes y una reacción a escala nacional e internacional en su defensa. *Ubú president* (1995), inspirada en la obra de Jarry, es una sátira de la política del momento.
Tábano	Su nombre se debe a una cita de Sócrates: «Dios me puso sobre la ciudad, como el tábano sobre el caballo, para que no se adormezca ni se amodorre». El éxito del grupo se debió a *Castañuela 70* (1970), un espectáculo colectivo, algunos de cuyos temas fueron censurados. Sin perder el tono burlesco, utilizaron técnicas de la revista y el sainete.
Comediants	Fundado en 1971, sus representaciones van más allá del puro hecho teatral en un intento de rememorar las raíces festivas asociadas a este espectáculo. Para ello, intentan provocar al público, en sus diversos ámbitos (frente a la realidad, frente al tiempo, frente al presente...), lo que podría resumirse en la frase de Joan Fonts, su director: «al circo de la muerte y a la fiesta de la vida» (en *Perséfone*, un musical inspirado en las *varietés*).
La Cuadra	Fundado en Sevilla en 1969 por Salvador Távora, con representaciones como *Quejío* (1972), *Andalucía amarga* (1979) o, más recientemente, *Carmen* (1996) y *Memorias de un caballo andaluz* (2013), ha alcanzado un enorme prestigio.
La Fura dels Baus	Creada en 1979, busca la gran espectacularidad en un contexto dramático de creación colectiva. Partiendo de las tendencias del teatro independiente, evoluciona hacia un estilo propio («espectáculos de lenguaje furero»), en el que se produce la destrucción sistemática de todos los espacios dramáticos, empezando por el del público, al que provoca a la par que invita a participar. En el *Manifiesto canalla* de 1983 se definen como «organización delictiva dentro del panorama actual del arte».

08 La transición y los años ochenta

El **teatro en la transición** se caracteriza por su variedad: además de las compañías vanguardistas, se representan comedias burguesas, obras realistas y las de los autores vanguardistas anteriores que no se habían podido representar. Entre los autores de la transición que siguen la línea del realismo se encuentran:

- **Adolfo Marsillach** (1928-2002) cuenta con una interesante producción, uno de cuyos mayores aciertos fue *Yo me bajo en la próxima, ¿y usted?* (1981), cercana a la línea ácida del teatro-cabaret. Bajo su dirección se crea en 1983 la Compañía Nacional de Teatro Clásico.
- El actor **Fernando Fernán Gómez** (1921-2007) se da a conocer como dramaturgo con *Las bicicletas son para el verano* (1982), obra situada en la Guerra Civil, que impide al protagonista, Luisito, tener la ilusión de su vida, una bicicleta. Es autor también de obras sobre el género picaresco, una versión monologada del *Lazarillo de Tormes* (1990) y *Vida de Lucas Malara* (1992).
- **Antonio Gala** (1936) ha desarrollado una oscilante carrera con dramas a medio camino entre el realismo y la elevación poética. Su primera obra, *Los verdes campos del Edén* (1963), es precisamente un drama poético. *El sol en el hormiguero* (1966) y *Noviembre y un poco de yerba* (1967) se alejan sin embargo de esta línea. A partir de 1972, con *Los buenos días perdidos,* tragicomedia un tanto esperpéntica, su teatro **se diversifica:** parodia histórica (*Anillos para una dama* o *¿Por qué corres, Ulises?,* ambas de 1970), estilo poético (*Las cítaras colgadas de los árboles,* 1974) o interpretación simbólica de la realidad española (*Petra regalada,* 1979; o *La vieja señorita del paraíso,* 1980).
- **Ana Diosdado** (1938-2015), con *El okapi* (1972), expuso un problema generacional situando la acción en una residencia de ancianos. En *Usted también podrá disfrutar de ella* (1973) presenta una visión ácida de la sociedad de consumo y *Los ochenta son nuestros* (1988) le granjeó definitivamente la fama.

En **los ochenta** predomina un **teatro neorrealista,** que trata los problemas sociales (paro, drogas, problemas de la juventud...) y algunos aspectos de la Guerra Civil desde distintos puntos de vista. Triunfan en estos años:

José Sanchis Sinisterra (1940)	José Luis Alonso de Santos (1942)	Ignacio Amestoy (1947)	María Manuela Reina (1958)
Pronto recibiría importantes premios, siendo conocido también por su labor pedagógica en el campo teatral y por su renovación de la escena española, aunque su aparición fue tardía. Obtuvo un gran éxito con *¡Ay, Carmela!* (1986), ambientada en el mundo del teatro en la Guerra Civil. Presta gran atención al lenguaje literario como parte fundamental de la representación. Otras obras son *Ñaque o de piojos y actores* (1980) y *El lector por horas* (1999).	Comenzó a trabajar desde muy joven en el Teatro de la Zarzuela, llegó a fundar en 1971 la Asociación Teatro Libre y formó parte del Teatro Experimental Independiente. Trata los problemas juveniles o la droga de forma realista con ciertos tonos burlescos. Destacan *La estanquera de Vallecas* (1980), *Bajarse al moro* (1985) y *Los conserjes de San Felipe* (2012).	Profundo conocedor del teatro y de los clásicos, comienza su andadura con *Mañana aquí, a la misma hora* (1979). Una de sus mejores obras es *Cierra bien la puerta* (2000). Son constantes en su obra el tema de la mujer y su interés por la realidad vasca.	Aunque se inició con relatos, pronto se decantó por el teatro de temática histórica con *La libertad esclava* (1987). Evoluciona hacia la comedia con ciertas dosis de crítica social (*Alta seducción, La cinta dorada,* ambas de 1989; y *Reflejos con cenizas,* 1991), para abandonar la escena a mediados de los noventa.

09 Los últimos años

En los últimos años el teatro entra en una etapa de crisis por diversos motivos: cuestiones económicas (el cierre de salas teatrales o su reconversión en cines), falta de nuevos autores y obras de calidad, escasez de ayudas oficiales, competencia con nuevas formas de ocio, etc. Aunque existen premios teatrales de prestigio, como el Lope de Vega, y se exige la representación de obras nuevas, en las carteleras de las grandes ciudades conviven reposiciones de obras clásicas o «de garantía» (*Voces de gesta,* de Valle-Inclán, *El público,* de Lorca, o *La venganza de don Mendo,* de Muñoz Seca) con musicales o piezas extranjeras de reconocido éxito.

En este panorama destacan los siguientes dramaturgos:

- **Agustín García Calvo** (1926-2012), autor polifacético (ensayista, filósofo, filólogo, dramaturgo), reduce su poética a luchar contra el orden social dominante y la injusticia. Entre sus obras teatrales destacan la primera de ellas, *Iliu Persis. Tragicomedia musical en una noche* (1976), *Baraja del rey don Pedro* (Premio Nacional de Literatura Dramática en 1999) y *Loco de amor* (2010).
- **Paloma Pedrero** (1957) participó como coautora en varias obras de carácter minoritario. En 1984 estrenó la microtragedia en un acto *La llamada de Lauren,* sobre la frustración de una esposa ante la homosexualidad de su marido. Más tarde, *Invierno de luna alegre* (1985), sobre el tópico del triángulo amoroso entre un viejo torero y una joven pareja, *Noches de amor efímero* (1987-1988) y *Cachorros de negro mirar* (1995).
- **Juan Antonio Mayorga** (1965) es uno de los jóvenes autores que más éxito ha cosechado. Su dramaturgia es comprometida en su teatro de tesis, pero da cabida también a comedias, obras poéticas, piezas breves y adaptaciones de clásicos. Se inicia con *Siete hombres buenos* (1989) y su producción no ha dejado de crecer hasta el presente: *Famélica* (2014) y *El Golem* (2015).

Durante estos años se da también el auge del **microteatro,** espectáculo que se representa durante un corto espacio de tiempo (aproximádamente un cuarto de hora), por un mínimo número de actores (tres o cuatro a lo sumo) y en una sala de espacio reducido. A veces pueden desarrollarse varias obras simultáneamente y en sesión continua.

Relacionada con las compañías de las décadas anteriores, en 1996 se funda **Animalario,** nacida con vocación de equipo entre todos sus integrantes. En su teatro es clave la cercanía entre espectáculo y espectador. Sus obras se representan en los espacios más dispares, desde el propio Centro Dramático Nacional a salones de bodas o edificios singulares, e intentan unir al espectáculo otros lenguajes, como el audiovisual.

Representación de *Penumbra,* obra de Juan Cavestany y Juan Mayorga, por la compañía Animalario en 2011.

ELABORA TU PROYECTO

INFLUENCIAS DE LAS DRAMATURGIAS EXTRANJERAS

Autores que renovaron el teatro de la posguerra española, como Antonio Buero Vallejo y Alfonso Sastre, recibieron influencias de otros dramaturgos europeos. En la concepción humanística del hombre de ambos autores, el contenido existencial de sus obras y su compromiso político-social son notables las huellas del dramaturgo y teórico alemán Bertolt Brecht.

Otros autores, como el francés Alfred Jarry, autor de *Ubú rey;* el rumano Eugène Ionesco, uno de los principales dramaturgos del teatro del absurdo; o el también francés Antonin Artaud, creador del denominado teatro de la crueldad, influyeron en los movimientos vanguardistas.

En este proyecto, se propone un acercamiento a la obra de algunos dramaturgos europeos del siglo XX, y su huella en la producción teatral española.

Pautas para la presentación del trabajo

1. En grupos de cuatro o cinco personas, escoged una de las siguientes opciones:
   - La relación de Bertolt Brecht con otras manifestaciones artísticas europeas. El concepto de «teatro épico» y su repercusión en otros dramaturgos españoles.
   - El teatro del absurdo (Artaud, Ionesco, Beckett), sus características, antecedentes e influencias. Su repercusión en otros dramaturgos españoles.
2. Buscad información sobre los autores elegidos y preparad una exposición en formato de presentación digital (diapositivas) con el resultado de la investigación.
3. Realizad una exposición sobre vuestras conclusiones.

Representación de la obra *El rinoceronte*, de Eugène Ionesco, en París, 2013.

Recursos

- Sobre el teatro en el siglo XX:
  - → Revisión histórica del teatro (que llega al siglo XXI): www.youtube.com/watch?v=KMfg8Mzw9TY
- Sobre Bertolt Brecht, el teatro épico, el teatro de vanguardia:
  - → http://labohemia4.blogspot.com.es/2014/07/escena-teatral-el-teatro-epico-de.html
  - → www.nexoteatro.com/Bertolt%20Brecht.htm
  - → *Teatro épico, teatro dramático, teatro de vanguardia. Discurso didáctico sobre la triple raíz de un teatro futuro,* de Alfonso Sastre. Disponible en la Biblioteca Virtual Miguel de Cervantes: www.cervantesvirtual.com
  - → www.revistadeartes.com.ar/xiv-teatro-brecht.html
- Sobre el teatro del absurdo:
  - → https://arteescenicas.wordpress.com/2010/03/28/dramaturgos-del-absurdo-ionesco-y-beckett/
  - → Eugène Ionesco: www.youtube.com/watch?v=f-JV2KkHWzQ
  - → Samuel Becket: www.youtube.com/watch?v=N6lIZS2BYec y www.youtube.com/watch?v=PmrW8VOHpF8

ELABORA TU ORGANIZADOR VISUAL

Sintetiza los contenidos de la unidad elaborando un mapa mental. Para ello debes incluir los siguientes conceptos.

TEATRO EN EL EXILIO | TEATRO DE HUMOR | TEATRO INDEPENDIENTE | ALFONSO SASTRE

ACTIVIDADES

1 ¿Cuándo se escribe el «teatro de urgencia»?
a. En los años ochenta.
b. Durante la década del realismo.
c. En el contexto de la Guerra Civil.
d. Con el teatro experimental e innovador.

2 ¿Qué autor se ve obligado a desarrollar su producción en el exilio?
a. Miguel Mihura.
b. Miguel Hernández.
c. Max Aub.
d. José Luis Alonso de Santos.

3 ¿Cuál es la finalidad del Teatro de Agitación Social?
a. Crear un teatro de divertimento.
b. Difundir un teatro artístico y poético.
c. Producir un teatro de proyección social.
d. Dar a los escenarios obras de carácter realista.

4 ¿Qué autor escribe autos sacramentales, propios de los siglos XVI y XVII, en el teatro de la posguerra?
a. Miguel Hernández.
b. Alfonso Paso.
c. Luis Cernuda.
d. Mariana Pineda.

5 ¿A qué tendencia adscribirías la obra titulada *La camisa*?
a. Al realismo.
b. Al teatro experimental de vanguardia.
c. Al teatro burgués de posguerra.
d. Al teatro colectivo.

6 ¿Por qué es crucial para el teatro español el año 1949?
a. Por el nacimiento de María Manuela Reina.
b. Por el estreno de *Historia de una escalera* y la ruptura con la tradición anterior.
c. Por la fundación del grupo La Cuadra y sus innovaciones experimentales.
d. Por la apertura de España hacia el exterior y la recepción de obras extranjeras.

7 ¿Cuál de estos autores no pertenece al teatro experimental y vanguardista?
a. Francisco Nieva.
b. Fernando Arrabal.
c. Miguel Romero Esteo.
d. Antonio Buero Vallejo.

8 ¿Cuál de estas obras es de Fernando Arrabal?
a. *Las bicicletas son para el verano.*
b. *Anillos para una dama.*
c. *Los ochenta son nuestros.*
d. *El triciclo.*

9 *La dama del alba*, de Alejandro Casona, es...
a. un drama poético.
b. un drama realista.
c. un drama experimental.
d. teatro de calle.

10 El teatro de Buero Vallejo se caracteriza por...
a. el tratamiento explícito de la sexualidad.
b. la subversión de los valores y las convenciones sociales.
c. tratar el tema del paso del tiempo, el sentido de la vida y los valores morales.
d. el teatro de confrontación social.

13 LA NOVELA Y EL ENSAYO DESDE 1936

01 La novela durante la Guerra Civil

La guerra civil española detiene, si no totalmente, sí en gran medida la actividad artística, aunque durante los años de la contienda se puede constatar la publicación de gran número de novelas por parte de uno y otro bando. En 1938 **José Herrera Petere** (1909-1977) conseguirá el Premio Nacional de Literatura con *Acero de Madrid*. El mismo año se publica también *El asedio de Madrid*, de **Eduardo Zamacois** (1873-1972). En el bando nacional destacan las novelas *Retaguardia* (1937), de **Concha Espina** (1869-1955), *Eugenio o la proclamación de la primavera* (1938), de **Rafael García Serrano** (1917-1988), o *Madrid de corte a checa* (1938), de **Agustín de Foxá** (1903-1959).

La guerra será recordada en novelas posteriores según la posición ante el conflicto de sus autores, aunque conforme avance el tiempo empezará a tratarse con más distancia: **José María Gironella** (1917-2003) alcanzará un gran éxito con su trilogía *Los cipreses creen en Dios* (1953), *Un millón de muertos* (1961) y *Ha estallado la paz* (1966), así como **Juan Goytisolo** (1931) con *Duelo en el paraíso* (1955).

Aunque se puede abordar el estudio de la narrativa posterior a la Guerra Civil segmentándola por décadas, la producción de muchos escritores (Camilo José Cela, Gonzalo Torrente Ballester, Miguel Delibes, Juan Goytisolo...) no se circunscribe a una estética precisa ni a un periodo determinado.

>

Tras la Guerra Civil, seguirán publicando narradores de generaciones anteriores como Pío Baroja o Wenceslao Fernández Flórez, y autores que se habían visto abocados al exilio como Rosa Chacel, Ramón J. Sender, Max Aub o Francisco Ayala. Pero la obra de estos escritores apenas influirá en el panorama literario español ya que la censura no permitió su publicación.

Estos autores se exiliarán fundamentalmente en México, Argentina, los Estados Unidos o Europa, y padecerán durante mucho tiempo el desconocimiento de sus compatriotas. Algunos de ellos contaban ya con una obra importante antes de abandonar España, mientras que otros comenzarán a publicar a raíz de su marcha.

02 Los autores exiliados

Francisco Ayala

La obra de este autor granadino (1906-2009) está comprometida con el ser humano y con la sociedad y tiene una profunda carga intelectual. Es autor de novelas como *Muertes de perro* (1958), sobre el tema del dictador hispanoamericano, o *El fondo del vaso* (1962), secuela de la anterior.

Son muy interesantes sus colecciones de relatos breves, como *Los usurpadores*, *La cabeza del cordero* (ambas de 1949) y *El jardín de las delicias* (1971), en las que abundan las referencias culturales, literarias, pictóricas...

Sus ensayos tratan temas relacionados con el proceso de la escritura, la literatura y la sociología: *Ensayo sobre la libertad* (1944), *El escritor y su imagen* (1975) o *Contra el poder y otros ensayos* (1992).

Ramón J. Sender

Escritor comprometido y realista de gran fuerza creadora, Ramón J. Sender (Huesca, 1901-1982) había publicado antes de la guerra *Imán* (1930), *O.P.* (1931), *Siete domingos rojos* (1932), *Mr. Witt en el cantón* (1936) y *Contraataque* (1938), novela de clara militancia republicana. Después de la guerra publicará:

- *Epitalamio del prieto Trinidad* (1942), que narra la rebelión de unos presos en Hispanoamérica.
- *Réquiem por un campesino español* (1953). En un pueblo de la España ancestral, un cura, Mosén Millán, va a celebrar una misa por la muerte de Paco, un campesino ejecutado por los fascistas. Mientras espera a los feligreses, recuerda episodios de la Guerra Civil y de la trágica muerte del muchacho.
- *Crónica del alba* (1942-1966), conjunto de nueve novelas muy desiguales inspiradas en su autobiografía.
- *La tesis de Nancy* (1962) es una mirada humorística, pero también crítica, de una sorprendida estudiante norteamericana, de la España de la época.

Max Aub

La narrativa de Max Aub (París, 1903-México, 1972) es testimonial, crítica y comprometida con el ser humano y la sociedad, al igual que su teatro.

Su obra más interesante es el ciclo histórico-novelesco sobre la Guerra Civil que recibe el título genérico de *El laberinto mágico* (publicado entre 1943 y 1965), sobre la tragedia que supuso la guerra. Está formado por los llamados *campos,* que se refieren a distintos aspectos de la guerra: *Campo cerrado* (sobre la situación del país en 1936), *Campo de sangre* (sobre la guerra misma), *Campo del moro* (sobre el fin de la guerra) y *Campo francés* (sobre el exilio).

Es un importante precursor del microrrelato con su obra *Crímenes ejemplares* (1957), un género que será cultivado en España por novelistas de prestigio.

Rosa Chacel

Los temas principales de la obra de Rosa Chacel (1898-1994) son la razón, la soledad y la libertad. En su cuidado estilo se aúnan la ética y la estética y destaca el interés por el estudio psicológico de los personajes. Se puede describir su obra como psicológica e intelectual, puesto que priman estos aspectos de la existencia sobre las vivencias concretas y anecdóticas.

Teresa (1941) es la biografía novelada de Teresa Mancha, amante del poeta Espronceda, en la que se reviven el aislamiento y los desengaños que sufrió en su relación. *Memorias de Leticia Valle* (1946), con tintes autobiográficos, trata sobre una adolescente con un talento extraordinario y una sorprendente madurez. En *La sinrazón* (1960), es el azar el protagonista absoluto de la obra.

Barrio de Maravillas (1976), que forma parte de la trilogía *Escuela de Platón,* es una especie de introspección autobiográfica en la que la autora se sumerge en la infancia que pasó en este barrio madrileño. En 1985 publica su diario personal, *Ida y vuelta.*

OTROS NARRADORES EN EL EXILIO

- **María Dolores Boixadós (1917-2008)**

  Participó en la primera convocatoria del Premio Nadal con *Aguas muertas,* en 1944; después, publicó *Identidades perdidas* (2004) y *Balada de un músico* (1968).
- **Luisa Carnés (1905-1964)**

  Publicó, entre otras, *Peregrinos de calvario* (1928) y *Juan Caballero* (1956), novela que toma el título de su protagonista, un guerrillero andaluz.
- **Arturo Barea (1897-1957)**

  Su obra cumbre, *La forja de un rebelde* —trilogía integrada por *La forja* (1941), *La ruta* (1943) y *La llama* (1946), que fueron publicadas antes en inglés que en español—, no verá la luz en España hasta 1978.
- **Corpus Barga (1887-1975)**

  Escribió sus memorias con el nombre genérico de *Los pasos contados.* Su labor como periodista y ensayista fue muy importante.
- **Manuel Andújar (1913-1994)**

  La trilogía *Vísperas,* realista, parece querer dilucidar las causas de la guerra, recreando el panorama previo a esta en un pueblo manchego (*Llanura,* 1947), en la mina jiennense (*El vencido,* 1949) y en el mundo pequeñoburgués de Málaga (*El destino de Lázaro,* 1959).

Rosa Chacel.

03 La década de los cuarenta

Durante la década de los cuarenta se pueden distinguir varias tendencias. Por un lado, la continuidad con una narrativa de carácter tradicional, tendencia que aparece representada por autores como **Ignacio Agustí** (*Mariona Rebull, El viudo Rius*, etc.) o **Juan Antonio de Zunzunegui** (*El chiplichandle, ¡Ay... estos hijos!, La quiebra...*); la tendencia al escapismo de **Carmen de Icaza**, con novelas de puro entretenimiento muy alejadas de la realidad circundante; o la temática de la guerra, como en *La fiel infantería*, de **Rafael García Serrano.**

Por otra parte, se abandonan las tendencias experimentales anteriores y en la temática de la narrativa se da un giro hacia la realidad y las preocupaciones metafísicas, como consecuencia lógica del conflicto vivido con la guerra civil recientemente.

La publicación de *La familia de Pascual Duarte* (1942), de Camilo José Cela, y de *Nada* (1945), de Carmen Laforet, obra ganadora del primer Premio Nadal, marcará un cambio en la literatura, con dos diferentes interpretaciones de la realidad.

La primera de ellas se ha denominado **tremendismo**, así calificada en el momento de su aparición por pensarse que mostraba una visión extremadamente sórdida de la realidad y que se detenía en aspectos desagradables; protagonizada por personajes marginados y cuyas tramas incluyen la violencia, su lenguaje era duro y expresivo.

Por todo ello, se considera que sus antecedentes se encuentran en la picaresca barroca (de donde proceden la selección de los hechos más crudos de la realidad y la forma de autobiografía) y en el naturalismo decimonónico (por su fuerte determinismo y fatalismo, y por la presencia de ambientes bajos, lúgubres, tabernarios...).

En esta línea se inscriben también obras como *Lola, espejo, oscuro* (1950), de Darío Fernández Flórez, donde se narra la turbulenta historia de la protagonista, Lola, una prostituta; *La sombra del ciprés es alargada* (1948), de Miguel Delibes; o *Los Abel* (1947), de **Ana María Matute** (1925-2014).

03.1 Camilo José Cela

Como ya se ha comentado, *La familia de Pascual Duarte* supuso un punto de inflexión en la literatura de posguerra.

Esta novela entronca directamente con la picaresca, algunas de cuyas técnicas se recogen en ella. Precisamente, otra de las obras de Cela se titula *Nuevas andanzas y desventuras de Lazarillo de Tormes* (1944).

Pascual Duarte es un campesino condenado a muerte que escribe su historia para justificar su conducta. Una persona encuentra el manuscrito de este hombre y decide sacarlo a la luz pública.

Este artificio del manuscrito encontrado había sido utilizado ya en el Quijote, donde el narrador manda traducir unos papeles de Cide Hamete Benengeli que continúan la historia del hidalgo.

REPRESENTANTES DE OTRAS TENDENCIAS

En esta década encontramos también una literatura humorística y fantástica. De la primera es digno representante Wenceslao Fernández Flórez, cuyo humor basado en la deformación de los hechos y orientado por una intención crítica tiene fiel reflejo en *El bosque animado* (1943) o *El sistema Pelegrín* (1949).

En la narrativa fantástica destaca Álvaro Cunqueiro, con obras como *Merlín y familia* (1957; publicada en gallego en 1955) o *Las crónicas del Sochantre* (1959; publicada en gallego en 1956), que presentan insólitos mundos plagados de fantasmas, sortilegios y mucha erudición.

CAMILO JOSÉ CELA (1916-2002)

Camilo José Cela Trulock, nacido en Iria Flavia (A Coruña) y afincado en Madrid, se aficionó a la lectura durante su internamiento en un sanatorio a causa de una enfermedad. A pesar de haber iniciado los estudios de medicina y derecho y haber frecuentado la Facultad de Letras, no llegó a terminar ninguna carrera.

En la facultad entró en contacto con Pedro Salinas, Alonso Zamora Vicente, María Zambrano y Miguel Hernández, entre otros intelectuales de la época, y decidió dedicarse a la literatura.

Su primera gran obra, *La familia de Pascual Duarte*, y *La colmena* fueron prohibidas en España poco después de ser publicadas.

Miembro de la Real Academia Española desde 1957, Cela representó un papel importante en la transición, al ocupar un escaño en el Senado de las primeras Cortes democráticas, y tomó parte en la revisión del texto constitucional elaborado por el Congreso.

Su obra, que pasa por muy diversos estilos, le valió importantes reconocimientos, como el Premio Nobel de Literatura, en 1989, y el Cervantes, en 1995.

> Yo, señor, no soy malo, aunque no me faltarían motivos para serlo. Los mismos cueros tenemos todos los mortales al nacer y, sin embargo, cuando vamos creciendo, el destino se complace en variarnos como si fuésemos de cera y en destinarnos por sendas diferentes al mismo fin: la muerte. Hay hombres a quienes se les ordena marchar por el camino de las flores, y hombres a quienes se les manda tirar por el camino de los cardos y de las chumberas. Aquellos gozan de un mirar sereno y al aroma de su felicidad sonríen con la cara del inocente; estos otros sufren del sol violento de la llanura y arrugan el ceño como las alimañas por defenderse. Hay mucha diferencia entre adornarse las carnes con arrebol y colonia, y hacerlo con tatuajes que después nadie ha de borrar ya.
>
> Nací hace muchos años —lo menos cincuenta y cinco— en un pueblo perdido por la provincia de Badajoz; el pueblo estaba a unas dos leguas de Almendralejo, agachado sobre una carretera lisa y larga como un día sin pan, lisa y larga como los días —de una lisura y una largura como usted, para su bien, no puede ni figurarse— de un condenado a muerte.
>
> Camilo José Cela. *La familia de Pascual Duarte*. Destino

¿Cuál crees que es la intención del narrador al contarnos su vida? ¿Encuentras alguna similitud con el comienzo del *Lazarillo*? ¿Quién puede ser el destinatario en ambos casos?

Pascual es aparentemente perseguido por un encadenamiento fatal de circunstancias (posible influencia del determinismo naturalista), convirtiéndose en una personalidad trágicamente compleja. Parece debatirse entre su propia moral y su complicada relación con su madre, a la que terminará dando muerte.

El final trágico del protagonista combina una acusación social y cierto existencialismo: a Pascual se lo condena por una serie de crímenes de los que él es ejecutor, pero es a la vez víctima de unos condicionamientos sociales, de la miseria, de la forma de pensamiento ancestral de algunos sectores rurales.

La obra se caracteriza por la fuerza de su argumento, no exento de cierta truculencia, y por su prosa trabajada y expresiva.

La novela tenía una intención crítica, como el propio autor expresaría de modo abierto en el prólogo a su versión definitiva, donde señala la existencia del vacío y la injusticia bajo la capa del orden. Su intención era la protesta contra la estructura socioeconómica que llevó a España a una guerra civil.

La visita del obispo, de José Gutiérrez Solana (Museo Reina Sofía), obra que muestra la España tétrica del momento.

La colmena

En *La colmena* (1951), la narración se desarrolla en diversos **espacios** del Madrid de los años cuarenta (entre los que destaca el café de doña Rosa) a lo largo de **dos días de diciembre más la mañana de tres o cuatro días después.** La obra ofrece una visión panorámica y desoladora de las gentes que fueron víctimas de la guerra e intentan subsistir en la posguerra.

El protagonista individual es sustituido por un **protagonista colectivo:** unos trescientos personajes pueblan la novela. Sus vidas se cruzan como las abejas de una colmena: casi todas son obreras, unas pocas, reinas, y algunos zánganos. Predominan los personajes de clase media baja, una burguesía venida a menos, con un futuro incierto en la miseria de la posguerra.

Esta novela, además de una visión crítica de la sociedad, supone un catálogo de **novedades formales:**

- En la trama se produce **una ruptura cronológica,** el relato no sigue un orden lineal: frecuentemente las escenas son simultáneas, lo que contribuye a crear sensaciones de estancamiento y monotonía propias de unas vidas sin esperanza.
- No hay un único **argumento,** sino muchos y sutilmente entrelazados: una visión fragmentada de la vida madrileña en la inmediata posguerra.
- El **narrador** deja hablar a sus personajes para lograr la **objetividad,** pero en ocasiones interviene para expresar los pensamientos más íntimos de estos y aportar su opinión o parece estar dentro del relato. No es puramente conductista u objetivista.
- El **tema** es «la incertidumbre de los destinos humanos», según el crítico Gonzalo Sobejano, en clara relación con el título de la trilogía que Cela tenía prevista: *Caminos inciertos.*
- El **lenguaje,** en consonancia con el objetivismo, es espontáneo e intenta reproducir el habla real, escondiendo un cuidadoso perfeccionamiento; se trata de un lenguaje brillante que utiliza **la ironía** en muchas ocasiones.

Podría clasificarse *La colmena* como novela porque refleja las condiciones de vida y las relaciones entre las personas, y existencial, por mostrar a un puñado representativo de personajes en su lucha cotidiana por la existencia.

> **MARTÍN MARCO**
>
> Aunque no hay un personaje principal, alguno adquiere cierto protagonismo, como Martín Marco. Es el hilo conductor, un personaje itinerante que se relaciona más que ninguno con los demás. Se trata de un antihéroe: no tiene casa, vive de prestado en la de un amigo, duerme en un burdel y, cuando puede, come en casa de su hermana.

Otras obras

Tras estas obras, Cela evolucionó, tanto en el lenguaje como en la técnica, al ritmo al que se producían cambios en las corrientes literarias. Destacan:

- **Libros de viajes:** viajero impenitente, recogió sus andanzas en obras como *Viaje a la Alcarria* (1948), cuya prosa muestra su dominio del lenguaje, *Del Miño al Bidasoa* (1952) o *Viaje al Pirineo de Lérida* (1965).
- *Oficio de tinieblas 5* (1973), en la que el autor deja fluir su conciencia sin ningún reparo, acumulando reflexiones, aforismos o monólogos, en los que son constantes el pesimismo y la obsesión sexual.
- *Mazurca para dos muertos* (1983), novela dialógica en la que se mezclan múltiples voces que juegan con el tiempo y el espacio.

> En la misma línea que *La colmena* se encuentra *La noria* (1951), de Luis Romero, en la que los personajes de cada barquilla de la noria enlazan con los de la siguiente en un ritmo continuado de relaciones.

03.2 Carmen Laforet

La novela *Nada* (1945), de Carmen Laforet (1921-2004), ganó la primera convocatoria del Premio Nadal.

El relato en **primera persona** de la protagonista, la joven Andrea, abarca desde su llegada en octubre de 1939 a Barcelona para estudiar filosofía hasta septiembre de 1940. Allí se alojará en casa de unos familiares en la calle Aribau y encontrará dos mundos opuestos: el cerrado, lúgubre y decrépito de aquella casa y sus habitantes; y el de la universidad, exterior, abierto, liberador y juvenil. Representan el pasado frente al futuro esperanzador que desea. Al final, Andrea abandonará Barcelona y cerrará una etapa de desilusión, pero también de maduración. Con un estilo sobrio y sencillo, Laforet recrea perfectamente el ambiente social de la época, sobre el que todavía planea la sombra de la guerra y la violencia vivida recientemente.

La obra tiene un tinte **existencialista** y cierto carácter **autobiográfico**. Es sin duda una novela pesimista, pero no desesperanzada, pues Andrea tiene la oportunidad de rehacer su vida marchándose de allí.

PREMIO NADAL Y CARMEN LAFORET

La importancia del Premio Nadal, uno de los más prestigiosos de las letras españolas, radica en que tuvo como principal objetivo descubrir nuevos talentos «en el yermo y desolado paisaje de la novelística española de posguerra», en frase de Antonio Vilanova, que fue secretario del concurso.

Carmen Laforet recibió el Premio Nadal con tan solo veinticuatro años. Posteriormente, publicó otras obras, como *La isla y los demonios* (1952), *La mujer nueva* (1955), *La insolación* (1966) y la póstuma *Al volver la esquina* (2004).

03.3 Miguel Delibes

Quizás lo que caracteriza la obra de Delibes sea su tratamiento de los **ambientes rurales** y de las **pequeñas ciudades** de provincia.

Sus primeras obras encajan en las corrientes existencial y social de los años cuarenta y cincuenta, con un realismo de base tradicional que irá evolucionando e incorporando técnicas innovadoras. Su extensa obra es muy personal y difícil de clasificar en las corrientes literarias de cada momento; no obstante, puede dividirse en varias etapas:

Primeros años

En 1947 gana el Premio Nadal con *La sombra del ciprés es alargada*, cuyo tema principal es la muerte, que corta los hilos de la ilusión humana; Pedro, el protagonista, es un muchacho al que la muerte temprana de un compañero le hace refugiarse en la soledad. Junto con *La colmena*, supone el inicio de la nueva narrativa de posguerra que entronca con el llamado tremendismo y con el realismo existencial.

Segunda etapa

Con *El camino* (1950), se inicia en la corriente del realismo social, desgarrado y amargo, en un ambiente rural que estará presente en muchas de sus obras (*Diario de un cazador*, 1955).

Mi idolatrado hijo Sisí (1953) y *La hoja roja* (1959) se desarrollan en espacios urbanos y en ellas critica a la burguesía provinciana y el aislamiento en el que vive.

En *Las ratas* (1962), que destaca por la sobriedad de su estilo y el uso del rico léxico del mundo rural, aporta la visión trágica y dura de un pueblo castellano en el que el medio geográfico y social parece determinar de modo decisivo la existencia de sus personajes. Nini, un niño que caza ratas para sobrevivir, intenta rebelarse contra el mundo sórdido en el que vive.

MIGUEL DELIBES (1920-2010)

Nació y murió en Valladolid, tierra a la que estuvo siempre muy apegado. Su «preferencia por las gentes primitivas, por los seres elementales» lo lleva a escribir novelas de personaje, desde donde reivindica la sencillez del mundo rural.

Considerado uno de los principales referentes de la literatura en lengua española, nunca se consideró a sí mismo un intelectual, sino un «hombre de pueblo». Desde la publicación de su primera novela compaginó su labor como novelista con la de profesor de derecho mercantil y director del diario *El Norte de Castilla*.

Con el tiempo, su obra adquiere una creciente mirada crítica, en especial a la pequeña burguesía, a las injusticias sociales y a la falta de autenticidad de la vida urbana.

En 1973 ingresó en la Real Academia Española y recibió premios importantes como el Príncipe de Asturias en 1982, y el Cervantes, en 1993.

Tercera etapa

En ella experimenta con nuevas técnicas:

- En *Cinco horas con Mario* (1966), Delibes juega con el tiempo, incorpora el *tú* narrativo para aproximar al lector y utiliza el discurso continuo en forma de monólogo interior con un lenguaje coloquial. Carmen, viuda de Mario, vela el cadáver de su marido durante cinco horas en las que los recuerdos llegan a su mente mientras establece un desordenado monólogo del que se deduce el compromiso y la actitud crítica que tuvo Mario frente a la superficialidad y el conservadurismo de Carmen. Se trata de una crítica de la sociedad del momento en la que se enfrentan dos mentalidades opuestas.
- *Parábola del náufrago* (1969) presenta una sistemática destrucción de los elementos formales del relato e incluso del lenguaje, pues, según el protagonista, que propone el movimiento «Por la Mudez a la Paz», «cuantas menos palabras pronunciemos y más breves sean estas, menos y más breves serán la agresividad y la estupidez flotantes en el mundo». La novela es una sátira contra la sociedad de consumo, el culto a la personalidad, la crueldad, la crisis de los derechos humanos, etc.

Entre sus últimas obras destacan *Señora de rojo sobre fondo gris* (1991) y *El hereje* (1998).

Sus **temas fundamentales** son la infancia, la experiencia de la guerra, el amor a la naturaleza, la soledad, la muerte, la denuncia de los totalitarismos y las injusticias, el desamparo, la enfermedad, el prójimo...; en definitiva, el ser humano y su existencia. En la mayor parte de su obra traslada estos temas a la Castilla rural y urbana de la segunda mitad del siglo xx.

Su repertorio de **estructuras formales** es muy diverso: desde la narración tradicional (en primera o tercera persona), a los monólogos continuados, el formato de diario, los relatos oníricos, las novelas dialogadas o las epistolares. En todas ellas hay una novelización del punto de vista del personaje, es decir, aunque se narre en tercera persona, esta será acorde al punto de vista del personaje.

> OTRAS OBRAS DE MIGUEL DELIBES

- *El príncipe destronado* (1973), rememoración de su infancia.
- *Los santos inocentes* (1981): de ambiente rural, supone una denuncia de las oligarquías terratenientes.
- *Madera de héroe* (1987), sobre la infancia y la guerra.
- *Señora de rojo sobre fondo gris* (1991): historia de un amor en carrera desenfrenada hacia la muerte. La novela se convierte en elegía con la sobrecogedora semblanza de un personaje femenino, su mujer.
- *El hereje* (1998): novela histórica, ambientada en el siglo XVI, en defensa de la libertad y la tolerancia religiosa.

04 La década de los cincuenta

Se producen ciertos cambios socioeconómicos que influirán en la producción literaria, como las migraciones del campo a la ciudad que provocan el hacinamiento de la población en barrios obreros y suburbios. La narrativa intentará reproducir esa realidad a través del realismo, en un intento de denunciar las desigualdades sociales y despertar la conciencia del lector. Dentro de este realismo social se encuentran dos tendencias:

- El **realismo objetivista:** el narrador se limita a plasmar escenas, personajes y sucesos sin dar su opinión sobre ellos. Su máxima expresión es el **conductismo,** en el que se pretende la desaparición del narrador o, al menos, reducir al máximo sus intervenciones. Se caracteriza por:
  - Objetivismo en las descripciones (como una cámara fotográfica).
  - Narración de tiempos simultáneos pero dentro de una linealidad narrativa.
  - Importancia del entorno y de los objetos para situar a los protagonistas.
  - Predominio del diálogo (para atenuar la presencia del narrador): los personajes se caracterizan por lo que dicen, sus hechos y sus actitudes.
  - Condensación espacial (la acción se desarrolla en muy pocos espacios, incluso solo en uno) y temporal (en cortos periodos y en presente).
  - Protagonistas singulares que representan a una clase social.

> EL REALISMO OBJETIVISTA

Este realismo objetivista tiene como modelos la narrativa conductista norteamericana, en la que la conducta, el comportamiento humano, se interpreta como una serie de respuestas a ciertos estímulos externos —por ello, solo prestará atención a acciones y palabras—; y el *nouveau roman* francés, que rechaza la interpretación de los personajes intentando suprimir al narrador y actuar con la misma objetividad que una cámara fotográfica.

- El **realismo crítico:** el narrador muestra su opinión sobre las injusticias sociales a través de sus explicaciones y análisis; hay una intención de crítica social más explícita, aunque comparte algunos rasgos del objetivismo como la condensación espacio-temporal y la narración lineal.

En la mayoría de las obras de ambas tendencias el protagonista es colectivo: obreros urbanos, emigrantes, la burguesía ociosa, etc.

El estilo sencillo de estos autores intenta reflejar el lenguaje real y la ausencia de retórica está puesta al servicio de la objetividad.

No siempre resulta fácil distinguir entre los escritores de una u otra tendencia, porque difícilmente se logra la objetividad plena y porque en todos ellos hay una intención crítica más o menos explícita.

Los **temas** de esta novelística son muy diversos:

La vida del campo	*Los bravos* (1954), de Jesús Fernández Santos; *La zanja* (1961), de Alfonso Grosso; *Dos días de septiembre* (1962, sobre la vendimia), de José Manuel Caballero Bonald; o *El fulgor y la sangre* (1954), de Ignacio Aldecoa.
La vida en el mar	*Gran sol* (1957), de Ignacio Aldecoa.
El mundo del trabajo	*La mina* (1960), de Armando López Salinas; o *Central eléctrica* (1958), de Jesús López Pacheco.
La ciudad	*La colmena* (1951), de Cela; *Las afueras* (1958), de Luis Goytisolo; *La noria* (1951), de Luis Romero; *La resaca* (1958), de Juan Goytisolo; o *Entre visillos* (1958), de Carmen Martín Gaite.
La vida de la burguesía	*Juegos de manos* (1954) y *Fin de fiesta* (1962), de Juan Goytisolo; o *Nuevas amistades* (1959) y *Tormenta de verano* (1962), de Juan García Hortelano.
La Guerra Civil	*Duelo en el paraíso* (1955), de Juan Goytisolo; o *Primera memoria* (1959), de Ana María Matute.

Rafael Sánchez Ferlosio

Su libro *El Jarama* (1955) es un buen ejemplo del realismo objetivista. La obra relata lo que ocurre a unos jóvenes de clase modesta en una excursión al río Jarama un domingo de agosto, donde coinciden con otros excursionistas. La acción se desarrolla en unas dieciséis horas (se sabe por la información que ofrecen los personajes) y el espacio es la orilla del río y la taberna cercana. La tranquilidad de la jornada se rompe cuando una de las jóvenes excursionistas se ahoga, lo que aporta a la novela cierto toque existencial. El lenguaje que utilizan estos jóvenes contrasta con el de otros excursionistas mayores que también acuden al cercano merendero.

El narrador es prácticamente inexistente; la obra se construye sobre los intranscendentes diálogos de los jóvenes (convertidos en protagonista colectivo), aunque de ellos se desprende una visión crítica de la vida social española, sin grandes metas ni esperanzas.

Otras obras de este autor, pero de carácter fantástico, son *Industrias y andanzas de Alfanhuí* (1951) y *El testimonio de Yarfoz* (1986). También ha cultivado el género del ensayo, del que se convirtió en uno de sus principales representantes.

Portada de la obra *El Jarama*, que obtuvo el Premio Nadal en 1955.

> Aquel invierno había cumplido diecinueve años. Sabía —pero jamás recordó cuándo, ni en qué circunstancias— que salió de caza, que estaba cansado y que se había tendido en la recién nacida hierba, muy cerca de la vertiente que descendía hacia el río. Aún había zonas de hielo y nieve sin derretir en las sombrías hendiduras, junto a la espesura que a la otra orilla del Oser iniciaba la selva.
>
> Para todos los habitantes de la región, el origen del río era un misterio. El manantial de su nacimiento brotaba en la espesura norte, allí donde nadie se adentraba. Solamente su nombre —llegado a ellos no sabían cómo— les estremecía igual que la palabra de un libro prohibido o como la huida de algún reencuentro que nadie deseara y cuyo solo presentimiento les turbara.
>
> Ana María MATUTE
> *Olvidado rey Gudú*
> Destino

Ana María Matute.

Ana María Matute

Entre las obras de Ana María Matute (1925-2014) destacan *Los Abel* (1948), *Fiesta al noroeste* (1952), *Pequeño teatro* (1954) y la trilogía *Los mercaderes* (*Primera memoria*, 1959; *Los soldados lloran de noche*, 1964; y *La trampa*, 1969). Son obras realistas y de intención social, pero con un tono poético (se ha calificado de «realismo lírico») en la presentación de los ambientes y los personajes. En el ámbito de lo mítico y fantástico se sitúan *Olvidado rey Gudú* (1996), novela repleta de fábulas y fantasías en un paisaje simbólico, y *Aranmanoth* (2000).

Ignacio Aldecoa

Aldecoa (1925-1969) destaca por sus relatos breves y cuentos, ejemplos de expresividad y concisión narrativa. Publicó cuatro novelas: *El fulgor y la sangre* (1954), sobre las angustiadas meditaciones de las mujeres de los guardias civiles; *Con el viento solano* (1956), acerca del mundo de los gitanos; *Gran sol* (1958), sobre la vida de los pescadores de altura, que presenta un protagonista colectivo y temporalidad simultánea; y *Parte de una historia* (1967), que puede entenderse como un ensayo de narración existencialista.

Según el propio autor, en todas sus narraciones busca reflejar la vida cotidiana, la «épica de los pequeños oficios». Apostando por los más humildes, Aldecoa refleja una toma de postura moral y una preocupación social.

Carmen Martín Gaite

Tras la publicación en 1957 de *Entre visillos*, novela dialogada donde muestra la vida mediocre de unos personajes de provincias, se orienta hacia los problemas íntimos en *Retahílas* (1974) y *El cuarto de atrás* (1978), para terminar incrementando la tendencia digresiva en obras como *Nubosidad variable* (1992), *La reina de las nieves* (1994) o *Lo raro es vivir* (1996). En *Caperucita en Manhattan* (1990) reelabora el tradicional cuento.

CARMEN MARTÍN GAITE (1925-2000)

Se licenció en filosofía y letras (filología románica) en la Universidad de Salamanca, en su ciudad natal, donde conoció a Ignacio Aldecoa y participó como actriz en varias obras de teatro. En 1950 se traslada a Madrid y empieza a frecuentar los círculos literarios. En 1955 publicó su primera novela, *El balneario*, por la que obtuvo el Premio Café Gijón. Escribió varias obras de teatro, como *La hermana pequeña* (1959), pero siguió escribiendo novelas. Se doctoró en 1972 con la tesis *Usos amorosos del* XVIII *en España*, presentada en la Universidad de Madrid.

Ejerció como periodista en distintos diarios y revistas, dedicándose a la crítica literaria y a la traducción. También es autora de poesías, ensayos, artículos, y colaboró en guiones de series para Televisión Española, como en *Santa Teresa de Jesús*, en 1982.

Con *El cuarto de atrás*, fue la primera escritora en obtener el Premio Nacional de Literatura, en 1978. Además, recibió varios galardones, como el Príncipe de Asturias, en 1988, y el Premio Nacional de las Letras, en 1994.

05 La década de los sesenta

En los años sesenta se produce una etapa de renovación y experimentación con las técnicas de la novela, producto del agotamiento del realismo anterior.

Se habla de **literatura experimental** por el uso que se hace de nuevos modos expresivos: renovación de la estructura, el lenguaje y el estilo de los textos literarios, que se manifiesta en los siguientes aspectos:

- Ruptura del orden cronológico (*flashbacks* y anticipaciones prospectivas; se evita el relato lineal).
- Cambios en la estructura: estructuras laberínticas, sin progresión lineal y a menudo abiertas.
- La trama se difumina con una acción mínima.
- El espacio tiende a concentrarse o reducirse (incluso se convierte en un marco impreciso).
- Perspectivismo: empleo flexible de las personas narrativas y fluctuante punto de vista, **múltiple y cambiante en función de la voz narrativa.**
- Uso de elementos paraverbales.
- Lenguaje rico en recursos retóricos: léxico rebuscado, rupturas sintácticas, oraciones largas y complejas frente a frases breves, telegráficas.

Se considera 1962 como la fecha de inicio de esta nueva etapa en la narrativa por la publicación de *Tiempo de silencio,* de Luis Martín Santos.

> La publicación en España de *La ciudad y los perros*, de Mario Vargas Llosa, fue también importante. El novelista peruano ganó en 1963 el Premio Biblioteca Breve y el de la Crítica con esta novela que reflejaba la infancia del autor en un colegio militar y que participa también de novedades formales.

Luis Martín Santos

Su obra *Tiempo de silencio* supone una exploración social que va desde las clases intelectuales acomodadas al lumpen proletario, pasando por una burguesía decadente.

Entre las técnicas que Martín Santos utiliza se encuentran la ironía, los desajustes entre realidad y ficción, cierta discordancia cronológica, el uso de las tres personas narrativas, abundancia de elementos metafóricos, descripciones, diálogos, monólogos, digresiones, variedad de registros (metafórico, literario o técnico-científico), mezcla de distintos géneros (folletinesco, costumbrista, policíaco...), riqueza y dominio del lenguaje y abundancia de figuras retóricas (comparaciones, imágenes, hipérboles, perífrasis, cultismos, neologismos...).

> **LUIS MARTÍN SANTOS (1924-1964)**
>
> Nació en Larache (Marruecos). Hijo de médico militar, se trasladó muy pronto a San Sebastián, donde pasó la mayor parte de su vida. Cursó estudios de medicina y se especializó en psiquiatría. En 1964 murió en un accidente de circulación, por lo que su novela *Tiempo de destrucción* (continuación de *Tiempo de silencio*), quedó inconclusa.

Juan Goytisolo

Juan Goytisolo (1931) comenzó su carrera literaria en los cincuenta, dentro del realismo social y el compromiso político, con obras como *Juegos de manos* (1954), *Duelo en el paraíso* (1955) o *Fin de fiesta* (1962). Pero *Señas de identidad* (1966) explorará formas narrativas experimentales: uso de puntos de vista diferentes, narración en segunda persona, ruptura de la temporalidad lineal (saltos atrás, elipsis) y las normas de puntuación, entrecruzamiento de distintos textos, incluso en diferentes idiomas, etc. En ella, Álvaro Mendiola, exiliado en Francia, regresa a España tras diez años para buscar sus raíces y conocerse, indagando en su propio pasado.

> ***TIEMPO DE SILENCIO***
>
> Su trama es sencilla: la del fracaso de Pedro, un joven investigador que se ve envuelto en un aborto ilegal que causa la muerte a la hija del Muecas, un pobre hombre que le suministraba ratas para sus experimentos de laboratorio. Tras salir bien parado de la investigación policial, decide abandonar su trabajo y retirarse a la práctica de la medicina rural.

La obra continúa en una especie de trilogía con *Reivindicación del conde don Julián* (1970) y *Juan sin Tierra* (1975). Las siguientes narraciones revelarán su interés por la cultura árabe, como *Makbara* (1980) o *En los reinos de Taifa* (memorias, 1986).

Son muchos los temas que aparecen en la obra de Goytisolo; aparte de la crítica a la burguesía, se puede señalar su versión satírica de la sociedad mecanizada y tecnológica, el escepticismo hacia la retórica de la política, el amor por la cultura árabe y el idealismo, y la esperanza por una utopía que nunca se producirá, proyectados en todas sus novelas.

Otros autores

Gonzalo Torrente Ballester (1910-1985)
Se había iniciado en la literatura en los años cuarenta con *Javier Mariño* (1943). En 1969 publica *Off-side*, extensa novela que refleja un fresco coral del Madrid de los sesenta (por la gran cantidad de personajes); es una crítica al objetivismo anterior, con un narrador representado en el discurso, que introduce y describe las acciones acotándolas como si de una voz teatral se tratara. También dentro del experimentalismo se inscribe *La saga/fuga de J.B.*, paradigma de esta nueva literatura. La trilogía *Los gozos y las sombras* (que será adaptada a la televisión) dará gran fama a Torrente Ballester.
Juan Benet (1927-1993)
Otro destacado novelista experimental, con complejas novelas como *Volverás a Región* (1967; *Región* es un país sumido en la ruina posterior a una guerra civil, atravesado por eternos rencores y pasiones, trasunto de España), que quizás suponga la más radical ruptura con la tradición anterior; *Saúl ante Samuel* (1980) o los tres volúmenes de *Herrumbrosas lanzas* (1983-1986).
Juan Marsé (1933)
Empezó su carrera dentro del realismo objetivo con *Encerrados con un solo juguete* (1960); con *Últimas tardes con Teresa* (1966) sigue la senda trazada por Martín Santos en cuanto a la aportación de notorias novedades técnicas (superación del objetivismo, reaparición del autor omnisciente con sarcásticas intervenciones, uso del monólogo interior, empleo del humor, la ironía y la parodia...). Ubicada en Barcelona, en ella Marsé utiliza la relación amorosa entre dos personajes pertenecientes a distintas clases sociales (Teresa, burguesa, idealista, progre; y Manuel, «Pijoaparte», atractivo delincuente de baja estofa) para hacer una crítica de la burguesía. En *La oscura historia de la prima Montse* (1970) de nuevo vuelve a aparecer el conflicto entre las distintas clases sociales. *Si te dicen que caí* (1973) continúa en el camino de la experimentación. Otras obras suyas son *Un día volveré* (1982); *Ronda del Guinardó* (1984); *Teniente Bravo* (1986); *El amante bilingüe* (1990); *El embrujo de Shanghai* (1993); *Rabos de lagartija* (2000); *Canciones de amor en Lolita's Club* (2005) y *Caligrafía de los sueños* (2011).
Luis Goytisolo (1935)
En su tetralogía *Antagonía* (1976-1981), un ambicioso proyecto novelístico, hace una reflexión sobre la propia novela, en la que sobresale el virtuosismo técnico y experimental.

Retrato de Gonzalo Torrente Ballester, realizado por Álvaro Delgado.

06 La década de los setenta

Entre finales de los sesenta y la primera mitad de los setenta, una serie de escritores, educados y formados durante el franquismo, comienza a escribir. Son la generación del 68 (el Mayo francés), del 66 (por la Ley de Prensa de dicho año) o del 75 (el fin de la dictadura).

Estos autores que comienzan a escribir en torno al final de la dictadura vuelven, en general, a cierto **realismo**, con un nuevo interés por la historia (aunque encontraremos algunos intentos de experimentación). La **influencia de los medios de comunicación** (como ocurría en la poesía de los novísimos) se puede rastrear en su obra. La **variedad** en estos autores abarca desde los **temas**, a la estilística y los **géneros** que frecuentarán. Los principales autores son:

- **Francisco Umbral (1932-2007).** Magnífico estilista, de lenguaje ágil, variado y expresivo, publica en 1972 *Memorias de un niño de derechas*, a la que seguirán *Mortal y rosa* (1975, novela lírica escrita a raíz de la muerte de su hijo), *Las ninfas* (1976) o *Las señoritas de Avignon* (1995). Sus temas recurrentes son la política, la vida social y cultural, la infancia, el erotismo... Cultivó el ensayo y fue un excelente articulista.
- **Manuel Vázquez Montalbán (1939-2003).** Aparte de ser uno de los nueve «novísimos», reavivó el género policíaco al estilo americano con la serie dedicada al detective Pepe Carvalho (*Yo maté a Kennedy*, 1972; *Los mares del Sur*, 1979; *La rosa de Alejandría*, 1984) y alguna que otra incursión en el género histórico con *O César o nada* (1998) o *Galíndez* (1990).
- **Eduardo Mendoza (1943).** *La verdad sobre el caso Savolta* (1975) continúa con el experimentalismo al unir la intriga tradicional con las técnicas experimentales, investigando diversos géneros y estilos: folletín, parodias de diversos estilos (periodístico, judicial...), con recortes breves aparentemente inconexos... Continuará con obras paródicas y humorísticas del género policíaco como *El misterio de la cripta embrujada* (1978), *El laberinto de las aceitunas* (1982) o *La aventura del tocador de señoras* (2001). Otra obra humorística es *Sin noticias de Gurb* (sobre las andanzas de un extraterrestre en Barcelona). Son también relevantes *La ciudad de los prodigios* (1986) o *Riña de gatos. Madrid, 1936* (2010). Su estilo se nutre del uso de ingredientes de subgéneros novelísticos populares (novela de aventuras, policíaca, rosa...) que trata con humor e ironía.
- **Juan José Millás (1946).** Hace su aparición en 1975 con una obra muy influenciada por Cortázar y el experimentalismo, *Cerbero son las sombras*, a la que siguen *Visión del ahogado* (1977), *El desorden de tu nombre* (1988) o *El Mundo* (2007). Destaca su trabajo en la narrativa breve, como los *Cuentos de adúlteros desorientados* (2003).
- **José María Merino (1941).** Conjuga en sus relatos el gusto por narrar con la experimentación técnica en *Novela de Andrés Choz* (1976) y *El caldero de oro* (1992), relato de un tiempo mítico que sirve de amarga denuncia del desarraigo de la España rural). Es también importante su literatura infantil y juvenil, sobre todo la trilogía formada por *El oro de los sueños, La tierra del tiempo perdido* y *Las lágrimas del sol* (1986-1989), en la que cuenta los avatares del protagonista con la estructura de una novela histórica muy bien documentada.

> OTROS AUTORES

- **José María Guelbenzu (1944)**

  Su experimentalismo narrativo se hace patente en *El mercurio*, 1967. Hace una reflexión sobre el arte de escribir en *El río de la luna* (1981). Son muy populares sus novelas policíacas protagonizadas por la juez Mariana de Marco.
- **Félix de Azúa (1944)**

  Las lecciones de Jena (1972) con un lenguaje impostado adedre de los románticos alemanes, *Mansura* (1984) o *Historia de un idiota contada por él mismo o el contenido de la felicidad* (1986).
- **José María Vaz de Soto (1938)**

  Reivindica la importancia del diálogo en la novela. Publica en 1971 *El infierno y la brisa*, a la que seguirán *Diálogos del anochecer* (1972) y *Diálogos de la alta noche* (1982).
- **Miguel Espinosa (1926-1982)**

  Autor de *Escuela de mandarines* (1974), en la que se aúnan la dura crítica social con el experimentalismo narrativo.
- **Esther Tusquets (1936-2012)**

  Fundadora y directora durante 40 años de la editorial Lumen, publicó en 1978 *El mismo mar de todos los veranos*, novela que critica la moral tradicional que sigue rigiendo nuestra sociedad.

07 De los ochenta a la actualidad

En estos años, novelistas intelectualmente formados en los últimos años del franquismo y en las libertades de la España democrática, acentúan el abandono del experimentalismo e inician una novela interesada por incluir preocupaciones culturales así como una reivindicación de la intriga, la historia, lo fantástico y lo psicológico.

La mezcla de varias generaciones ha propiciado tal variedad de formas narrativas y de tendencias que es difícil establecer cuáles son las predominantes.

En un intento de sistematizarlas, la crítica ha reconocido algunos de los siguientes modelos, con la salvedad de que algunos de los títulos citados podrían clasificarse en varias tendencias simultáneamente:

- **Novela especular o metanovela.** La narración misma es el centro de atención del relato, la novela se vuelve sobre sí misma y el texto narrativo ofrece la finalidad al mismo tiempo que el camino que ha llevado hacia él, es decir, los problemas planteados en su creación; se trata de una novela metaliteraria. Algunos representantes y obras son: **Luis Landero** (*Juegos de la edad tardía*, 1989; *El guitarrista*, 2002), **Juan José Millás** (*La soledad era esto*, 1990; *El desorden de tu nombre*, 1988), **José María Merino** (*La orilla oscura*, 1985; *El centro del aire*, 1991), **José María Vaz de Soto** (*Diálogos de la alta noche*, 1982).
- **Novela de intriga o policíaca.** En la tendencia iniciada por Eduardo Mendoza con *La verdad sobre el caso Savolta* podemos situar al jiennense **Antonio Muñoz Molina** (*Beatus ille*, 1986; *Beltenebros* 1989; *El invierno en Lisboa*, 1987; *El jinete polaco*, 1991) autor que aúna la intriga y la hábil construcción de la trama; **Arturo Pérez Reverte** (*El maestro de esgrima*, 1988; *La tabla de Flandes*, 1990; *La piel del tambor*, 1995; o *La carta esférica*, 2000); **Juan Madrid, Alicia Giménez Bartlett, Lorenzo Silva** (creador de la pareja de guardia civiles, el teniente Bevilacqua y la sargento Chamorro en *El lejano país de los estanques*, 1998; *El alquimista impaciente*, 2000; *La niebla y la doncella*, 2002) o **Andrés Trapiello** (*Los amigos del crimen perfecto*, 2003).
- **Novela histórica.** Difiere de la novela histórica decimonónica tanto en sus características estructurales y formales (como el uso de un discurso novelístico contemporáneo: monólogos interiores, dialogismo, uso de la parodia, multiplicidad de los puntos de vista), como en la percepción de que la historia es una realidad compleja, problemática, ambigua. Se puede citar a **Eduardo Alonso** (*El insomnio de un día de invierno*, 1986; *Palos de ciego*; 1997), **Arturo Pérez-Reverte** (*Cabo Trafalgar*, 2004; *El Asedio*, 2010; *Un día de cólera*, 2007; *Hombres buenos*, 2015, etc.), **Juan Eslava Galán** (*En busca del unicornio*, 1987); **Lourdes Ortiz** (*Urraca*, 1982).

Las escritoras serán más visibles en esta época que en anteriores gracias al cambio operado en esta nueva sociedad, más aperturista. Algunas de ellas son, por ejemplo, Soledad Puértolas, Cristina Fernández Cubas, Rosa Montero, Marina Mayoral, Adelaida García Morales, Paloma Díaz-Mas y Lourdes Ortiz.

ANDRÉS TRAPIELLO (1953)

Nació en Manzaneda de Torío (León) y se marchó a vivir a Madrid cuando su padre, falangista, descubrió las revistas de *Mundo Obrero* que escondía. Posteriormente comenzó a estudiar filosofía y letras en Valladolid, y a escribir en diferentes publicaciones locales. De ahí emigró de nuevo a Madrid, donde vive actualmente, para trabajar como redactor de una revista de arte e incluso en un programa literario de televisión.

En 1980 dirigió, junto a Juan Manuel Bonet, la revista *Entregas de la Ventura*, y en solitario, la revista de poesía *Número*.

Su obra en marcha *Salón de pasos perdidos* cuenta ya con 19 volúmenes. Se trata de una colección de diarios, novelas, anotaciones y ensayos que comenzó en 1990 y que mantiene viva hasta hoy, movido por la curiosidad por las vidas ajenas.

Es también autor de una continuación del *Quijote: Al morir don Quijote* (2004) y *El final de Sancho Panza y otras suertes* (2015).

Poesía, novelas y ensayos constituyen la obra de este escritor infatigable que mantiene, además, el blog *Hemeroflexia* desde hace años.

- **Novela de autoficción.** Se caracteriza por utilizar la vida real del escritor como materia novelable. En estos relatos autobiográficos se difumina la frontera entre realidad y ficción: **Javier Cercas** (*Soldados de Salamina,* 2001), **Javier Marías** (*Negra espalda del tiempo,* 1998), **Enrique Vila-Matas** (*París no se acaba nunca,* 2003).
- **Novela psicológica e intimista.** Manifiesta la preocupación por la introspección y estudio de los caracteres; destacan **Adelaida García Morales** (*El sur,* 1985); **José Luis Sampedro** (*La sonrisa etrusca,* 1985).
- **Novela lírica y estilística.** Existe una gran preocupación por la forma y el lenguaje sugerente. **Julio Llamazares** (*La lluvia amarilla,* 1988; *Luna de lobos,* 1985), **Javier Marías** (*Mañana en la batalla piensa en mí,* 1994), **Luis Mateo Díez** (*Las horas completas,* 1990; *La fuente de la edad,* 1986).
- **Novela culturalista.** La evocación de ambientes de épocas pasadas o presentes se vincula con la postmodernidad y la creación estética: recrean motivos literarios, legendarios, mitológicos, el mundo del cómic, técnicas cinematográficas. En esta tendencia encontramos a **Lorenzo Silva** (*El blog del inquisidor,* 2008) o **Juan Manuel de Prada** (*Las máscaras del héroe,* 1996; o la novela gráfica de asunto vampírico *Penúltima sangre,* 2006).

07.1 Los últimos años

A finales del siglo xx cinco generaciones de escritores están en activo, cada uno con sus propias formas de narrar, como se ha visto. Aparece una nueva generación de narradores agrupados con el nombre de generación X.

Representantes de esta estética serían, entre otros, Almudena Grandes, Beatriz Pottecher, Martín Casariego, Lola Beccaria, Luisa Castro, Begoña Huertas, Lucía Etxebarría, Marta Sanz, Daniel Múgica, Ray Loriga, Marta Rivera de la Cruz y Juan Manuel de Prada.

Los rasgos comunes de esta tendencia podrían ser los siguientes:

- Magisterio de los **escritores anglosajones** (Salinger, Kerouac, Ginsberg, Bukowski, Carver) y su cultura: cine negro, cómic, *rock and roll, blues...*
- Su público lector está **alejado de la Guerra Civil y de la posguerra** franquista por cuestiones de edad y falta de referentes históricos (mientras las generaciones anteriores escribían desde una poética de la memoria individual sentimental que tenía como referencia esos años de la posguerra).
- **Parodia de los productos de los medios de comunicación** (anuncios, concursos, culebrones, etc.).
- Entre sus **temas** fundamentales se encuentran el problema del paro y sus consecuencias en una sociedad en la que el consumismo parece legitimar al propio sistema. Para reflejar dicha circunstancia hacen uso del diálogo externo entre los personajes (que refleja el lenguaje jergal) o de narraciones subjetivadas por medio de monólogos, a los que se unirá el intimismo psicologista junto al costumbrismo.
- Conjunción de **calidad** en sus textos con **la mercadotecnia,** a fin de llegar a un público más amplio.

JAVIER MARÍAS (1951)

El madrileño Javier Marías pasó parte de su infancia en Estados Unidos, a donde se trasladó su familia tras prohibírsele a su padre dar clases en la universidad por ser republicano.

Estudió filología inglesa y fue profesor de Literatura Española y Teoría de la Traducción en Oxford, Estados Unidos y Madrid.

En su extensa producción narrativa se entremezclan el vanguardismo culturalista de los sesenta, el gusto por contar historias de las décadas posteriores y el cuidado desarrollo de unos personajes de compleja vida interior. Es, probablemente, el escritor español actual que ha alcanzado un mayor reconocimiento internacional. Traductor, articulista, ensayista y novelista, sus opiniones son muy influyentes en España y Latinoamérica.

Es miembro de la Real Academia Española desde 2008, y ostenta el cargo de rey del Reino de Redonda, territorio ficticio que concede títulos nobiliarios a personajes destacados de las artes y las letras.

ALMUDENA GRANDES (1960)

Nació en Madrid y estudió geografía e historia en la Universidad Complutense de Madrid. Sus primeros trabajos fueron en el sector editorial como redactora y correctora y también coordinó una colección de guías turístico-culturales. Es colaboradora habitual de *El País* y contertulia de algunos programas de radio.

Desde su primera novela, *Las edades de Lulú* (1989), destacó como novelista erótica; su obra posterior se configuró en novelas totales, que enmarcan la vida de los personajes dentro de su época histórica (finales del siglo xx) mediante técnicas realistas e introspectivas. Sus últimas obras, sin embargo, se han centrado en la guerra civil española, que considera el origen de muchos de los conflictos de la España actual.

Bajo el nombre de ***Afterpop*** o Generación «Nocilla» (debido al título de los libros del principal representante de esta tendencia, Agustín Fernández Mallo: *Nocilla experience, Nocilla dream*, y *Nocilla lab)* aparece un nuevo grupo de autores que comienzan a publicar ya en el siglo XXI.

En su estética se produce una huida de la literatura convencional y el uso de las nuevas tecnologías, criticando la saturación de la cultura pop y haciendo uso de la fragmentación, la interdisciplinariedad, el *collage* y la apropiación de textos ajenos, demostrando que toda cultura es capaz de generar su propio culturalismo.

Se consideran integrantes de la generación Nocilla: Vicente Luis Mora, Jorge Carrión, Eloy Fernández Porta, Javier Fernández, Milo Krmpotic, Mario Cuenca Sandoval, Lolita Bosch, Javier Calvo, Domenico Chiappe, Gabi Martínez, Álvaro Colomer, Harkaitz Cano, Juan Francisco Ferré, Germán Sierra y Fernández Mallo.

08 Las narraciones breves

Aunque el relato breve siempre es el gran olvidado al estudiar la narrativa de cualquier época, hay que señalar que este género conoció un gran desarrollo en la posguerra y ha sido muy cultivado en las últimas décadas del siglo.

La mayoría de los novelistas citados han recurrido a los relatos o las novelas cortas en su obra: Carmen Laforet, Camilo José Cela, Delibes, Rosa Chacel, Ignacio Aldecoa, Jesús Fernández Santos...

El cuento sigue una trayectoria similar al de la novela. Tras la Guerra Civil, continúa el estilo decimonónico, con cierta preferencia por los aspectos tremendistas de la realidad. Hay una intencionalidad moralizante.

En los años cincuenta, los autores ven en el cuento, por su brevedad y barata distribución, el vehículo idóneo para poner de manifiesto la situación del país, como herramienta testimonial. Se incrementan en esta época las antologías que recogen la producción de distintos autores.

En los sesenta, el cuento, acorde con la estética de la novela, se hará más complejo, lo que hará que descienda su popularidad.

Pero en las siguientes décadas vuelve a renacer el interés por él (todos los autores lo cultivarán), sobre todo por influencia de la publicación en España de los grandes maestros del cuento hispanoamericano (Borges, Cortázar, Rulfo, Monterroso) y su temática se diversificará: desde el cuento fantástico, al de misterio o policíaco, pasando por el surrealista... La heterogeneidad será la característica principal del cuento contemporáneo. Podemos encontrar todas las tendencias, temáticas y estilos. Muchos narradores jóvenes comienzan su producción por este género, en tanto que otros son ya verdaderos maestros: Cristina Fernández Cubas *(Todos los cuentos)*, Juan Bonilla *(El que apaga la luz)*...

EL MICRORRELATO

Este se caracteriza por reducir el texto a su mínima expresión, siendo el elemento fundamental la evocación de sensaciones en el lector. Siguiendo la estela de *Crímenes ejemplares* (1957) de Max Aub, hay que citar las *Historias mínimas* (1988) de **Javier Tomeo;** *Misterios de las noches y los días* (1992), de **J. E. Zúñiga;** *Un dedo en los labios* (1996) de **José Jiménez Lozano;** o *Los males menores* (1993), de **Luis Mateo Díez**.

Retrato de Ignacio Aldecoa, realizado por Manuel Mampaso Bueno.

09 El ensayo de posguerra

Tras la Guerra Civil este género también ha producido brillantes y abundantes obras. Los principales ensayistas son filósofos, pero también hay literatos consagrados que se han dedicado a él.

Durante los años cuarenta y principios de los cincuenta los principales temas que se tratan son los de España desde la perspectiva ideológica de la dictadura, ya que el pensamiento de los ensayistas está marcado por las crecientes consecuencias de la contienda: Pedro Laín Entralgo, Antonio Tovar, José Antonio Maravall, María Zambrano son representantes de esta etapa.

Niños en la era, de Antonio López Torres.

» **María Zambrano** (1904-1991), discípula de Ortega y difusora de su pensamiento, elabora en el exilio una filosofía muy personal que combina en la belleza de su prosa la filosofía y la lírica, abordando los más dispares temas: *Pensamiento y poesía en la vida española* (1939), *Filosofía y poesía* (1939), *Claros del bosque* (1977).

En los años cincuenta, una cierta apertura ideológica permite que se vayan asimilando las lecturas de los autores extranjeros. Se produce, por tanto, cierta reacción intelectual. Enrique Tierno Galván, Juan Marichal o Julián Marías son algunos de sus principales representantes.

» **Enrique Tierno Galván** (1918-1996) estudió a autores tan dispares como Maquiavelo o Marx; desarrolló una labor crítica en el campo de las ideas y en la investigación sobre temas culturales *(Humanismo y sociedad,* 1962; *Democracia, socialismo y libertad,* 1977).

Durante las décadas de los sesenta y de los setenta varios acontecimientos culturales propiciaron que el género ensayístico obtuviera un gran impulso: se fundan nuevas revistas (*Revista de Occidente,* 1963) y aparecen editoriales que se consagrarán a la publicación de obras de este género (Anagrama, Paidós). Además, cierta relajación de la censura hace que circulen las nuevas corrientes intelectuales europeas, que el ensayo recogerá.

Especialmente en los setenta se difunden por medio del ensayo corrientes como las del estructuralismo, la semiótica o el marxismo (Manuel Sacristán, *Sobre el lugar de la filosofía en los estudios superiores*).

Con la llegada de la democracia se vuelve a cultivar el ensayo político, en muchos casos heterodoxo y antidogmático, desde las páginas de los periódicos.

Durante los años ochenta y noventa el ensayo se preocupa por los cambios en la sociedad. Se utiliza un lenguaje cercano al divulgativo para ser entendido por cualquier tipo de público lector.

Ética para amador (Fernando Savater), *Las semillas de la violencia* (del psiquiatra Luis Rojas Marcos), *El planeta americano* (del sociólogo Vicente Verdú), *El bucle melancólico* (Jon Juaristi), o *Ética para náufragos* (José Antonio Marina) son algunos de los últimos ensayos y autores.

ELABORA TU PROYECTO

LITERATURA Y CINE

Las relaciones entre la literatura y el cine siempre han existido. En la mayor parte de las ocasiones, la relación consiste en adaptar una obra literaria al cine. En el siglo xx, en nuestra literatura, esa relación se ha dado en muchas ocasiones. Os proponemos que investiguéis esta relación en la segunda mitad de este siglo.

Pautas para la presentación del trabajo

Investigad qué novelas escritas desde 1936 han sido adaptadas al cine. Podéis dividiros en grupos de cuatro o cinco personas y asignar una época o tendencia a cada uno.

1. Buscad las películas y recoged la información esencial en la ficha técnica.
2. Junto con los datos de la ficha técnica, escribid un breve comentario en el que expliquéis quién es el autor, a qué generación pertenece y cuáles son sus principales obras.
3. Ordenad las fichas recogidas cronológicamente, de forma que podáis ofrecer un recorrido por la literatura por medio de las películas. Podéis guardar el resultado en un blog, incluyendo los carteles de las películas.
4. Compartid el trabajo hecho por cada grupo y elegid entre todos una película para ver en clase.
5. Después, realizad un cinefórum.

Recursos

- En esta página hay un listado de películas ordenadas por su fecha de realización:

→ www.uhu.es/cine.educacion/cineyeducacion/literatura%201986-2010.htm

- En esta otra página podéis encontrar las obras y un modelo de ficha técnica:

→ www.cervantesvirtual.com/portal/alece/

ELABORA TU ORGANIZADOR VISUAL

Realiza un organizador visual que recoja el contenido que has estudiado en la unidad. Incluye estos conceptos.

NOVELA | **NARRACIONES BREVES** | **ENSAYO**

ACTIVIDADES

1. El estilo de Delibes se caracteriza por…
   a. su complejidad.
   b. su experimentalismo.
   c. su riqueza de vocabulario rural.
   d. su inverosimilitud.

2. El realismo crítico aparece en…
   a. la década de los cuarenta.
   b. la década de los cincuenta.
   c. la década de los sesenta.
   d. la década de los setenta.

3. ¿En qué consiste el objetivismo?
   a. En una descripción dura de la realidad.
   b. En la fantasía llevada a su objeto último.
   c. En la reproducción de la realidad.
   d. En la consideración del individuo como objeto.

4. ¿Qué corrientes puedes señalar como antecedente de *La colmena*?
   a. La novela psicológica.
   b. El naturalismo de finales del XIX.
   c. La picaresca.
   d. El esperpento de Valle-Inclán.

5. ¿A qué movimiento adscribirías *La saga/fuga de J.B.* de Gonzalo Torrente Ballester?
   a. A la novela tremendista.
   b. Al experimentalismo.
   c. A la novela social.
   d. A la novela realista.

6. La generación *After pop* también se conoce como…
   a. el realismo social.
   b. el experimentalismo.
   c. la Generación Nocilla.
   d. la novela de los 90.

7. *Tiempo de silencio* se conoce por…
   a. iniciarse con ella el realismo crítico.
   b. ser el último caso de tremendismo en la novela española.
   c. ser una novela experimental.
   d. reiniciar el género de la picaresca.

8. La poesía de Dámaso Alonso es a la poesía desarraigada lo que…
   a. Zunzunegui a la novela fantástica.
   b. Carmen Laforet a la novela experimental.
   c. *Off-side* a la novela experimental.
   d. *Nocilla dream* a la novela experimental.

9. *Crímenes ejemplares*, de Max Aub, es…
   a. una colección de cuentos.
   b. una novela.
   c. un conjunto de microrrelatos.
   d. una colección de artículos.

10. ¿A qué escritor de los siguientes situarías en la generación X?
    a. A Agustín Fernández Mallo.
    b. A Carmen Laforet.
    c. A Germán Sierra.
    d. A Almudena Grandes.

14 POESÍA Y NARRATIVA DEL SIGLO XX EN HISPANOAMÉRICA

01 Panorama histórico

En general, en la producción literaria hispanoamericana se observan los siguientes **periodos históricos:**

- **Literatura prehispánica** (desde el inicio de las culturas amerindias hasta la conquista de América a comienzos del siglo XVI). Incluye la producción literaria de los aztecas, mayas e incas, que crearon un sólido corpus de mitos, leyendas y tradiciones.
- **Literatura colonial** (entre los siglos XVI y XVIII). Constituye una simple extensión de las corrientes y temas literarios de España. Durante el siglo XVI destacan prosistas y cronistas de Indias como **fray Bartolomé de las Casas** y **el Inca Garcilaso de la Vega;** en la poesía mística sobresale **sor Juana Inés de la Cruz.**
- **Literatura de la independencia** (primera mitad del siglo XIX), de tema patriótico. Destaca la primera novela local, ***El Periquillo Sarniento*** (1816), del escritor mexicano **José Joaquín Fernández de Lizardi.**
- **La literatura de consolidación** (segunda mitad del siglo XIX hasta 1910) adopta sucesivamente las principales corrientes literarias europeas: romanticismo, costumbrismo, realismo, naturalismo y modernismo.

  En la narrativa destacan: *María* (1867), del colombiano **Jorge Isaacs,** los relatos cortos contenidos en *Tradiciones peruanas* (1872) de **Ricardo Palma** y el extenso poema narrativo de tema gauchesco *Martín Fierro* (1872), del argentino **José Hernández.**
- **Literatura del siglo XX** (desde 1910, inicio de la Revolución mexicana). La literatura hispanoamericana adquiere características distintivas y celebridad universal gracias a narradores como Jorge Luis Borges, Julio Cortázar, Gabriel García Márquez o Mario Vargas Llosa, entre otros muchos, y a poetas como César Vallejo, Pablo Neruda y Octavio Paz.

Una pareja bailando (1983), de Fernando Botero.

Algunas **características** de las diferentes literaturas de Hispanoamérica son:

- **Heterogeneidad cultural y universalismo:** se asumen como propias tradiciones distintas, como la española, la indígena, la francesa, la inglesa o la norteamericana, que coexisten simultáneamente.
- **Unidad idiomática:** el uso del castellano (español de América) proporciona cierta unidad idiomática a la literatura hispanoamericana.

- **Telurismo:** la naturaleza será idealizada en mitos, leyendas y utopías, que no impiden la descripción realista de su grandeza y rica extensión.
- **Compromiso político-social:** por el que se denuncian las injusticias y se ofrecen soluciones democráticas.
- **Asincronismo:** se producen desajustes temporales, **peculiaridades y variantes autóctonas.**

02 La poesía hispanoamericana en el siglo XX

En general, se observa la siguiente evolución en la poesía hispanoamericana del siglo XX:

- **Modernismo** (de 1880 a 1910, aproximadamente).
- **Posmodernismo** (de 1910 a 1920).
- **Vanguardismo** (de 1920 a 1945, aproximadamente).
- **Poesía desde la segunda mitad del siglo XX,** en la que se observan varias tendencias.

02.1 El modernismo

El modernismo, nacido en Hispanoamérica hacia 1880, incorporó la nueva espiritualidad romántica y las tendencias europeas de fin de siglo (parnasianismo, simbolismo...). Además, existen factores históricos y culturales como:

- Un **sentimiento anticolonialista e indigenista** que reivindica lo nativo y autóctono. En este sentido, resulta clave el ensayo *Ariel* (1900), de **José Enrique Rodó,** en el que se advierte del peligro del materialismo expansionista de los Estados Unidos y se defienden los valores tradicionales hispánicos e indigenistas. De esta obra surge el **mundonovismo** o **arielismo,** fundamental en los últimos años del modernismo hispanoamericano.
- Cierto desprecio hacia el mercantilismo y la vulgaridad de la sociedad burguesa.

Los modernistas tomaron de los parnasianos el anhelo de perfección formal, el exotismo, el escapismo y el gusto por lo sensorial; de los simbolistas, el arte de sugerir, basado en la polisemia y los efectos rítmicos, y el tono melancólico.

En el modernismo americano, además de la figura indiscutible de su líder **Rubén Darío,** (ya estudiada en la unidad sobre el modernismo), sobresalen los precursores **José Martí** (cubano), **Manuel Gutiérrez Nájera** (mexicano) y **José Asunción Silva** (colombiano), así como **Leopoldo Lugones** (argentino), **Julio Herrera y Reissig** (uruguayo), **Amado Nervo** (mexicano) y **José Santos Chocano** (peruano).

Mural en el Palacio de Gobierno, Tlaxeala, México (1961), de Desiderio Xochitiotzin.

02.2 El posmodernismo

Noche

Las montañas se deshacen,
el ganado se ha perdido;
el sol regresa a su fragua:
todo el mundo se va huido.

Se va borrando la huerta,
la granja se ha sumergido
y mi cordillera sume
su cumbre y su grito vivo.

Las criaturas resbalan
de soslayo hacia el olvido,
y también los dos rodamos
hacia la noche, mi niño.

Gabriela Mistral
Lagar, en *Poesías completas*
(ed. de Margaret Bates)
Aguilar

Salvando las distancias, ¿observas una preocupación por el paso del tiempo en medio de la naturaleza simbólica similar a la que aparece en Juan Ramón Jiménez o Antonio Machado?

Coincidiendo con la Primera Guerra Mundial y la Revolución mexicana, el modernismo como movimiento literario va a desaparecer. La poesía evoluciona en otras direcciones, como un mayor intimismo, un acento social o dando protagonismo al amor y a los elementos de la vida cotidiana.

En esta línea, sobresale la poesía de mujeres como las uruguayas **Juana de Ibarbourou** (1895-1979) y **Delmira Agustini** (1886-1914), la chilena **Gabriela Mistral** (1889-1957), Premio Nobel en 1945, la argentina **Alfonsina Storni** (1892-1938) y la cubana **Dulce María Loynaz** (1902-1997).

02.3 Vanguardias

Los movimientos europeos como el futurismo, el dadaísmo, el cubismo o el surrealismo calaron en Hispanoamérica con fuerza y difusión diferentes. Los poetas hispanoamericanos emplearon las técnicas y teorías vanguardistas, pero las modificaron o las desarrollaron de un modo personal. Las principales vanguardias desarrolladas en Hispanoamérica fueron el **creacionismo**, el **ultraísmo** y el **surrealismo.**

Creacionismo

Vicente Huidobro (chileno, 1893-1948), fundador del **creacionismo,** elabora una poesía que se presenta como aniquiladora del mundo real, porque la misión del poeta no es imitar la realidad y la naturaleza, sino un acto de creación absoluta. «El Poeta es un pequeño Dios» dirá Huidobro. De su amplia obra destacan *Ecuatorial* (1918), *Poemas árticos* (1918) y su libro más celebrado, *Altazor o El viaje en paracaídas* (1931).

> [...]
> Por qué cantáis la rosa, ¡oh Poetas!
> Hacedla florecer en el poema;
> Solo para nosotros
> Viven todas las cosas bajo el Sol.
>
> El Poeta es un pequeño Dios.
>
> Vicente Huidobro
> «Arte poética»,
> en *Espejo en el agua*
> www.vicentehuidobro.uchile.cl

Ultraísmo

Jorge Luis Borges (argentino, 1899-1986), Premio Cervantes (1979), fue conocido también como narrador y ensayista. En España entró en contacto con el **ultraísmo** y lo introdujo en Argentina a su regreso en 1921. El ultraísmo de Borges se sitúa en la línea deshumanizada de temas maquinistas y deportivos; recurre también a los caligramas. A partir de los años sesenta, Borges comenzó a publicar nuevos poemarios en los que están presentes las mismas obsesiones metafísicas y existenciales de su narrativa: la lucha contra el paso del tiempo, el sentido del universo, la personalidad del hombre. Sus poemarios ultraístas son *Fervor de Buenos Aires* (1923) o *Luna de enfrente* (1925); y *El hacedor* (1960), *El otro, el mismo* (1964), *Elogio de la sombra* (1969) o *La rosa profunda* (1975) pertenecen a su poesía intelectual y metafísica.

Surrealismo

¡Cuídate, España, de tu propia España!
¡Cuídate de la hoz sin el martillo,
cuídate del martillo sin la hoz!
¡Cuídate de la víctima a pesar suyo,
del verdugo a pesar suyo
y del indiferente a pesar suyo!
¡Cuídate del que, antes de que cante el [gallo,
negárate tres veces,
y del que te negó, después, tres veces!
¡Cuídate de las calaveras sin las tibias,
y de las tibias sin las calaveras!
¡Cuídate de los nuevos poderosos!
¡Cuídate del que come tus cadáveres,
del que devora muertos a tus vivos!
¡Cuídate del leal ciento por ciento!
¡Cuídate del cielo más acá del aire
y cuídate del aire más allá del cielo!
¡Cuídate de los que te aman!
¡Cuídate de tus héroes!
¡Cuídate de tus muertos!
¡Cuídate de la República!
¡Cuídate del futuro!

César Vallejo
España, aparte de mí este cáliz,
en *Obra poética completa*. Alianza

¿Qué sentimientos se ocultan en el compromiso humanitario y social de César Vallejo durante la guerra civil española?

César Vallejo compagina la poesía humanizada y comprometida con las formas más arriesgadas de los vanguardismos, que lo llevan a una exploración constante del lenguaje poético.

Los heraldos negros (1918), su primera obra, refleja la influencia modernista y simbolista, siguiendo el modelo de Rubén Darío y Julio Herrera y Reissig, pero enfocado desde un contenido solidario con el destino del hombre. Su siguiente poemario es ***Trilce*** (1922), que supone una ruptura lingüística cercana al hermetismo y a la escritura automática surrealista: los versos quiebran la sintaxis al formar enunciados ilógicos e irracionales, ininteligibles, que presentan una visión desolada de la realidad y un sentimiento de protesta por la injusticia imperante en el mundo.

Sus últimos libros, *Poemas humanos* y *España, aparta de mí este cáliz,* fueron publicados póstumamente; en el primero, compuesto durante su estancia en París, abandona el hermetismo vanguardista en favor de una intensa humanización y de un sentimiento dolorido de compromiso social hacia los más desfavorecidos y humildes. En el segundo, manifiesta su solidaridad revolucionaria con el bando republicano durante la guerra civil española.

Pablo Neruda es autor de una extensa obra difícilmente clasificable. Dentro de sus variados registros, siempre se caracteriza por ser un poeta romántico, elegíaco y comprometido social y políticamente. En su trayectoria poética es posible distinguir varias etapas:

- **Etapa juvenil** (1919-1924): de tonos intimistas posmodernistas, en ella prepondera una visión melancólica y triste mediante la cual evoca el amor y la soledad como en *Crepusculario* (1923) y *Veinte poemas de amor y una canción desesperada* (1924), poemario que le lanzó a la fama poética.

CÉSAR VALLEJO (1892-1938)

Nació en Santiago de Chuco, en la zona andina al norte del Perú. Estudió en la Universidad de Trujillo, ciudad donde conoció la bohemia local de periodistas, escritores y políticos rebeldes. En 1920 se ve envuelto en unos disturbios que lo llevarán a la cárcel durante unos tres meses, lo cual se refleja de modo muy directo en varios poemas de su libro *Trilce* (1922). Al año siguiente, parte para París, donde permanecerá (salvo algunos viajes a la Unión Soviética, España y otros países europeos) hasta el fin de sus días.

- **Etapa de madurez poética:** de clara influencia vanguardista (principalmente del surrealismo). *Residencia en la tierra* (1925 y 1935) presenta una poesía hermética y experimental, llena de imágenes surrealistas, que plantea una visión apocalíptica del hombre y del mundo. Esta obra tuvo una gran repercusión en los poetas españoles del 27. *Tercera residencia* (1947), por otra parte, marca la evolución hacia su siguiente etapa de compromiso político y social, a partir de la experiencia de la guerra civil española (sobre todo en la IV parte, titulada «España en el corazón»).

- **Etapa de compromiso social y político:** a partir de *Tercera residencia,* con la conciencia política y la denuncia de la injusticia social y la opresión de los pueblos, así como la reivindicación de lo «chileno» y lo «americano» como epopeya, en *Canto general* (1950). En su obra posterior, recupera el tema amoroso pero totalmente compatible con la lucha política y la reivindicación social en *Los versos del capitán* (1952), que deja al margen relativamente en *Cien sonetos de amor* (1959), mientras que en los tres volúmenes de *Odas elementales* (1954) canta los objetos sencillos de la vida cotidiana a los que eleva a la categoría de tema poético.

  Finalmente, sus memorias, *Confieso que he vivido* (1974), aparecidas póstumamente, constituyen una obra clave para conocer lo más relevante de la vida y la obra del poeta chileno.

PABLO NERUDA (1904-1973)

El chileno Pablo Neruda, seudónimo de Ricardo Eliezer Neftalí Reyes Basoalto, fue hijo de un ferroviario y huérfano de madre; se inició en la literatura por Gabriela Mistral y escribió poesía desde muy joven (apenas tenía dieciséis años). Neruda fue incorporado al cuerpo consular chileno y, entre 1927 y 1944, representó a su país en ciudades de Asia, Hispanoamérica y también en España. Su estancia aquí fue decisiva para la evolución de sus amigos poetas del 27. De ideas políticas izquierdistas, fue miembro del Partido Comunista chileno y senador entre 1945 y 1948. En 1971 recibió el Premio Nobel de Literatura y el Premio Lenin de la Paz en 1972.

Las vidas

¡Ay qué incómoda a veces
te siento
conmigo, vencedor entre los hombres!

Porque no sabes
que conmigo vencieron
miles de rostros que no puedes ver,
miles de pies y pechos que marcharon conmigo,
que no soy,
que no existo,
que solo soy la frente de los que van conmigo,
que soy más fuerte
porque llevo en mí
no mi pequeña vida
sino todas las vidas,
y ando seguro hacia delante
porque tengo mil ojos,
golpeo con peso de piedra
porque tengo mil manos
y mi voz se oye en las orillas
de todas las tierras
porque es la voz de todos
los que no hablaron,
de los que no cantaron
y cantan hoy con esta boca
que a ti te besa!

Pablo Neruda
Los versos del capitán, en *Obras completas I*
RBA-Instituto Cervantes

¿Con qué vincula Pablo Neruda su beso de amor? ¿Es un amor egoísta?

La poesía de la negritud

Nació en las Antillas como movimiento poético promovido por los descendientes de los esclavos africanos que reivindica las tradiciones y los mitos negros, adaptando los ritmos africanos al castellano. El cubano **Nicolás Guillén** (1902-1989), en versos llenos de sensual vitalidad, protesta contra la marginación social y la opresión que sufren negros y mulatos. De su amplia obra destacan *Motivos del son* (1930) y *Sóngoro cosongo* (1931), que imitan la musicalidad de los ritmos ceremoniales antillanos mediante palabras africanas, deformaciones fónicas y sintácticas, onomatopeyas...

02.4 La poesía desde la segunda mitad del siglo XX

La poesía busca nuevas formas expresivas que aúnen el compromiso social y político nacional con la universalidad de los sentimientos poéticos. Esto se observa en las diversas tendencias (surrealismo, existencialismo, intelectualismo, denuncia social... y en poetas como **Octavio Paz, Nicanor Parra, Mario Benedetti, Álvaro Mutis** y **Juan Gelman.**

Intelectualismo

El mexicano **Octavio Paz** (1914-1998), Premio Cervantes (1981) y Premio Nobel (1990), es un referente esencial de la poesía y el ensayo hispanoamericanos contemporáneos. Su obra evoluciona de un posmodernismo cargado de sentimental musicalidad a un surrealismo metafísico que expresa su angustia vital y que concluye en una poesía existencialista alrededor de temas como la soledad y la incomunicación.

Su primera obra es *Luna silvestre* (1933), libro de poemas vanguardistas. Durante la guerra civil española escribió *Bajo tu clara sombra y otros poemas de España* (1937). En su mejor etapa creativa, fusiona la mitología azteca con el **surrealismo** (que conoció como diplomático en Francia) y publica *Libertad bajo palabra* (1960), donde aúna el amor, la soledad, la muerte y los problemas sociales.

En los años cincuenta y sesenta, sus destinos diplomáticos en Japón y en la India le permiten entrar en contacto con la cultura y el pensamiento asiáticos. En *Semillas para un himno* (1954) los enriquece con la experimentación vanguardista y en *Blanco* (1967), *Topoemas* y *Discos visuales* (1968), y *Ladera este* (1969) con el uso de las palabras como acto lúdico de creación.

Antipoesía

Su mayor representante es el chileno **Nicanor Parra** (1914) en *Poemas y antipoemas,* donde la expresión literaria rompe con los cánones tradicionales de la lírica mediante un lenguaje cotidiano y directo, basado en la ironía y el humor.

Poesía realista crítica. Los «poetas comunicantes»

Esta corriente, movida por el compromiso con la realidad social y política, concibe la poesía como instrumento de comunicación y de lucha, escrita en tono coloquial.

El uruguayo **Mario Benedetti** (1920-2009) en *Poemas de oficina* denuncia, crítico y a veces sarcástico, la mentalidad burguesa de la sociedad uruguaya. Su crítica cobra más intensidad en el exilio: *La casa y el ladrillo* (1977), *Cotidianas* (1978-1979) y *Viento del exilio* (1981). En *Canciones del más acá* (1988) los poemas se adaptan al mundo de la canción.

El argentino **Juan Gelman** (1930-2014), Premio Cervantes (2007), sobresale con obras como *Violín y otras cuestiones* (1956), *El juego en que andamos* (1959), *Gotán* (1962), *Los poemas de Sidney West* (1962) y *Mundar* (2007), entre otras. *El emperrado corazón amora* (2011) y *Hoy* (2013) son sus últimos poemarios.

> TOPOEMAS

Los topoemas son poemas visuales que buscan el símbolo en el plano espacial y no en el temporal.

> UN CASO ESPECIAL: ÁLVARO MUTIS

El colombiano **Álvaro Mutis** (1923-2013), Premio Príncipe de Asturias (1997) y Premio Cervantes (2001), cultivó la poesía, la narrativa y el periodismo. En 1953 publicó *Los elementos del desastre*, un libro de poemas donde aparece por primera vez **Maqroll el Gaviero**, personaje que nunca abandonaría: aparece en los poemas recogidos desde 1948 a 1970 en *Summa de Maqroll el gaviero* (1973) y es el protagonista en novelas como *La nieve del almirante* (1986), *Ilona llega con la lluvia* (1988), *Un bel morir* (1989), *La última escala del Tramp Steamer* (1990), *Amirbar* (1990) y *Abdul Bashur, soñador de navíos* (1991).

03 La narrativa hispanoamericana en el siglo XX

Durante la primera mitad del siglo XX, el cultivo de la narrativa tuvo mucha menor relevancia que el de la poesía lírica, tal vez debido al impulso para la renovación de la expresión poética que supusieron el modernismo y las vanguardias. Sin embargo, aunque tardó en llegar, fue tan intensamente creadora que situó la narrativa hispanoamericana a la cabeza de la mundial.

Se observan, en general, las siguientes etapas:

Hasta 1940	De 1940 a 1960	De 1960 a 1980	La última narrativa
Pervivencia del realismo decimonónico.	El realismo mágico.	Apogeo o *boom* de la novela hispanoamericana.	

03.1 La narrativa hasta 1940

La narrativa hasta 1940 se caracteriza por una estética claramente arcaizante basada en los principios del realismo decimonónico o incluso con elementos románticos, sin apenas renovación formal, salvo la incorporación de algunos recursos lingüísticos propios del modernismo.

Sin embargo, destaca una renovación temática, que adapta la narrativa a la realidad americana del momento. Entre los temas predominantes se pueden distinguir:

- **La naturaleza americana** descrita en toda su inmensa grandeza y variedad, con estas variantes principales:
  - La **novela de la selva o novela de la tierra,** donde la naturaleza aparece como una fuerza todopoderosa e incontenible: *La vorágine* (1924), del colombiano **José Eustasio Rivera**, novela de la selva amazónica, y *Los cuentos de la selva* (1918), del uruguayo **Horacio Quiroga.**
  - La **novela regionalista,** que se centra en las peculiaridades locales de cada zona. *Doña Bárbara* (1929), de **Rómulo Gallegos,** ambientada en el latifundio venezolano. Dentro de esta variante destaca el relato de gauchos o **novela gauchesca:** *Don Segundo Sombra* (1926), del argentino **Ricardo Güiraldes,** quien toma como modelo el poema épico del siglo XIX *Martín Fierro,* de José Hernández.
- **Los problemas políticos,** como las dictaduras y las revoluciones. En esta temática, destacan los relatos ambientados en la **Revolución mexicana,** como *Los de abajo* (1915), de **Mariano Azuela.**
- **Los problemas sociales:** se reflejan la injusticia y la explotación que sufren indígenas y mestizos en las haciendas o como obreros de las poderosas compañías bananeras o caucheras. Es la **novela indigenista:** *Huasipungo* (1934), del ecuatoriano **Jorge Icaza,** y *El mundo es ancho y ajeno* (1941), del peruano **Ciro Alegría.**

  Un caso especial, por su renovación formal y estética, es la novela histórica ambientada en la época de la independencia venezolana de **Arturo Uslar Pietri,** *Las lanzas coloradas* (1931).

EL ENSAYO EN HISPANOAMÉRICA EN EL SIGLO XX

El ensayo hispanoamericano en el siglo XX también ha brillado con luz propia, aunque sin tanta resonancia como la poesía o la narrativa. En general, cabe distinguir dos grandes variantes:

- Los ensayos en torno a la compleja realidad social americana. Destacan *Nuestra América* (1891), de **José Martí,** *Ariel* (1900), de **José Enrique Rodó,** y más recientemente *El laberinto de la soledad* (1950), de **Octavio Paz.** Por la repercusión sociopolítica que tuvieron en su momento, sobresalen *Las venas abiertas de América Latina* (1971) y la trilogía de *Memoria del fuego* (1982-1986), de **Eduardo Galeano.**
- Aspectos muy variados de la cultura, el pensamiento, el arte y la literatura han sido tratados por autores como **Jorge Luis Borges** en *Inquisiciones* (1925), **Alfonso Reyes, Pedro Henríquez Ureña** y **Octavio Paz** en *El arco y la lira* (1956), *Las peras del olmo* (1957), *Cuadrivio* (1965) y *La llama doble* (1993).

La reivindicación de lo indígena, la defensa de los derechos de los indígenas y mestizos, es una constante de la cultura y el arte hispanoamericanos.

Vendedora de flores (1949), Diego Rivera.

03.2 La narrativa de 1940 a 1960. El realismo mágico

A lo largo de los años cuarenta se produce el inicio de una gran renovación de la narrativa que se caracteriza por la combinación de tres aspectos:

- El realismo.
- Lo fantástico y sobrenatural, observable en la propia naturaleza hispanoamericana.
- Los ambientes urbanos como escenario de problemas y preocupaciones existenciales.

En esta renovación son fundamentales el influjo del surrealismo, los narradores europeos y norteamericanos (sobre todo Faulkner, pero también Kafka y Joyce) y las teorías irracionalistas y existencialistas (Sartre, Heidegger, etc.).

En esta narrativa es posible distinguir algunas variantes según la temática predominante.

Narrativa metafísica o realismo fantástico

En ella sobresale la obra del argentino **Jorge Luis Borges** que, además de impulsor de las vanguardias en Argentina y partícipe del ultraísmo en España, es autor de relatos breves donde son constantes la presencia de mitos clásicos, el uso de símbolos, el gusto por las paradojas y los juegos intelectuales y filosóficos: la colección de relatos breves *Historia universal de la infamia* (1935) es la primera obra narrativa de Borges. La gran capacidad imaginativa y la combinación de la filosofía con la literatura fantástica convierten a *Ficciones* (1944) y *El Aleph* (1949) en obras maestras de uno de los escritores más singulares en lengua castellana. En *El informe de Brodie* (1970), abandona el esoterismo de etapas anteriores para componer unos relatos de lenguaje lineal y directo. *El libro de arena* (1975) recrea uno de los temas recurrentes de su ficción narrativa: el infinito.

Narrativa existencial

Los problemas existenciales propios del siglo XX repercuten en la narrariva hispanoamericana. Brillan autores como:

- **Juan Carlos Onetti** (Uruguay, 1909-1994) destaca por el dominio de la narrativa breve: *El pozo* (1939) se enmarca en el pensamiento existencialista de Sartre y Camus. A la misma línea pertenece *Tierra de nadie* (1941). *La vida breve* (1950) supone una evolución importante en la narrativa de Onetti, pues introduce un tema recurrente en sus obras: la imaginación como válvula de escape de una realidad vulgar y mediocre. Esto es lo que plantea su mejor novela, *El astillero* (1961), que recrea una ciudad imaginaria en donde impera un ambiente mezquino de soledad, rutina y dinero.
- **Ernesto Sábato** (Argentina, 1911-2011) enfoca desde una perspectiva existencialista y psicológica el impacto del pensamiento científico en el mundo contemporáneo y las injusticias sociales. Sus obras centrales son *El túnel* (1948), en la que el autor reflexiona sobre la locura para comprender por qué el protagonista mata a la mujer amada, quien era su único camino de salvación; *Sobre héroes y tumbas* (1961) y *Abaddón el exterminador* (1974), que continúan el personal enfoque narrativo de Sábato.

JORGE LUIS BORGES (1899-1986)

El poeta, narrador y ensayista argentino vivió en Europa entre 1914 y 1921 acompañado de su familia. Formado en la tradición de las lenguas española e inglesa, tuvo contacto con las vanguardias literarias (sobre todo con el ultraísmo español y el expresionismo alemán). Cuando regresó definitivamente a Argentina, fundó y dirigió las revistas *Prisma* y *Proa*, fue periodista literario, director de la Biblioteca Nacional de Buenos Aires (1955-1973) y profesor de literatura inglesa en la Facultad de Filosofía y Letras. Se quedó ciego en 1956. A partir de los años sesenta es reconocido como uno de los autores más originales de la literatura del siglo XX y en 1979 obtiene el Premio Cervantes.

Realismo mágico

Juan Preciado conversa con Dorotea

—¿Y tu alma? ¿Dónde crees que haya ido?

—Debe andar vagando por la tierra como tantas otras; buscando vivos que recen por ella. Tal vez me odie por el mal trato que le di; pero eso ya no me preocupa. He descansado del vicio de sus remordimientos. Me amargaba hasta lo poco que comía, y me hacía insoportables las noches llenándomelas de pensamientos intranquilos con figuras de condenados y cosas de ésas. Cuando me senté a morir, ella rogó que me levantara y que siguiera arrastrando la vida, como si esperara todavía algún milagro que me limpiara de culpas. Ni siquiera hice el intento: «Aquí se acaba el camino —le dije—. Ya no me quedan fuerzas para más». Y abrí la boca para que se fuera. Y se fue. Sentí cuando cayó en mis manos el hilito de sangre con que estaba amarrada a mi corazón.

Juan Rulfo. *Pedro Páramo*. Cátedra

¿Quién es, en realidad, Dorotea? ¿En qué consiste «lo mágico» de este fragmento?

Mediante la combinación de elementos fantásticos, legendarios y maravillosos propios de Hispanoamérica con elementos realistas que dan al conjunto la sensación de verosimilitud, se construye un modelo narrativo diferente del agotado realismo europeo.

Los principales representantes del realismo mágico son:

- **Miguel Ángel Asturias** (Guatemala, 1899-1974), Premio Nobel en 1967, es un claro ejemplo de convivencia entre la América maravillosa, la denuncia social y las formas vanguardistas con *Leyendas de Guatemala* (1930), una colección de cuentos y leyendas mayas). Su mejor obra es *El señor Presidente* (1946), una **novela de dictador** que retrata al tirano a modo de caricatura grotesca, pero que enfoca el tema como una lucha entre las fuerzas de la luz y las de las tinieblas según los mitos latinoamericanos. Este tema mítico aparece nuevamente en *Hombres de maíz* (1949).
- **Alejo Carpentier** (Cuba, 1904-1980) es uno de los novelistas que más contribuyó a la renovación de las estructuras y del lenguaje de la novela hispanoamericana mediante lo «real maravilloso» que, unas veces, se manifiesta por la presencia de lo mítico y lo mágico y otras, por el planteamiento poético de la acción, los personajes o los ambientes.

  Su primera novela es *¡Ecué-Yamba-O!* (1933), en la que hace un homenaje a la negritud. *El reino de este mundo* (1949) es una novela histórica que se basa en las sublevaciones negras de Haití en el siglo XVIII, proyectadas en el presente. *El siglo de las luces* es una novela en la que mezcla la historia (la Revolución francesa de 1789 en las Antillas) con la ficción.
- **Juan Rulfo** (México, 1918-1986) compone *El llano en llamas* (1933), libro de relatos con protagonistas violentos que viven la miseria llenos de culpa. Su obra cumbre es la novela breve *Pedro Páramo* (1955): un conjunto de secuencias narrativas que relatan la búsqueda que realiza Juan Preciado de su padre, Pedro Páramo, por el desolado paisaje de Comala, lugar poblado de muertos que dialogan «de tú a tú» con los vivos en un mundo en el que se confunden lo real y lo imaginario.

El velorio o día de los muertos (1944), de Diego Rivera. El realismo mágico también se manifestó en la pintura.

03.3 La narrativa de 1960 a 1980: apogeo o *boom* de la novela hispanoamericana

En los años sesenta la narrativa hispanoamericana vive una etapa de máximo apogeo. El término inglés *boom* alude a su gran éxito y difusión masiva: desde 1961 comienzan a publicarse y traducirse en editoriales americanas, españolas y europeas, por ejemplo, *La muerte de Artemio Cruz*, de **Carlos Fuentes**, *Rayuela*, de **Cortázar** o *La ciudad y los perros*, de **Mario Vargas Llosa**, mientras que en 1967 sale a la luz *Cien años de soledad*, de **Gabriel García Márquez.**

Sin embargo, los autores del *boom* no buscaron solamente el éxito comercial. También se comprometieron con los conflictos y problemas sociales de sus respectivos países, en un contexto histórico caracterizado por la Revolución cubana de 1959 o las dictaduras militares en Chile o Argentina.

En sus obras denuncian los abusos de las oligarquías, la represión política y la desigualdad social que produce el contraste entre la riqueza de la burguesía urbana y la pobreza del resto de la población. Por ello, muchos son perseguidos o publican desde el exilio.

Por otra parte, estos nuevos narradores hispanoamericanos continuaron la línea innovadora del **realismo mágico**, al que enriquecen con nuevos recursos:

- **Mayor presencia de elementos fantásticos** con los que se cuestiona la hegemonía de lo real, mediante lo mágico, lo absurdo, lo exagerado o el humor desmitificador.
- **Replanteamiento de algunos temas de la etapa anterior:** insistencia, por ejemplo, en la problemática individual y social de la vida urbana contemporánea, así como en la importancia del sexo y el erotismo en la conducta humana.
- **Renovación de las técnicas narrativas.** Tal vez, esta es una de las características más definitorias del *boom* y abarca varios niveles:
  - **La figura del narrador y el punto de vista narrativo:** hay relatos enfocados desde la perspectiva de múltiples narradores —técnica del caleidoscopio— o en los que se cambian las personas narrativas, mientras que en otros el narrador es como una cámara cinematográfica que tan solo cuenta lo que ve.
  - **Estructuración del relato:** en muchas narraciones, **secuencias separadas por espacios en blanco** sin numerar sustituyen a los capítulos tradicionales.

    A menudo no se respeta el orden lineal y se usa el **contrapunto** (presentar varias historias que se combinan y alternan), o bien de forma deliberada se desordena cronológicamente la acción.
  - Se reducen los diálogos en favor del **estilo indirecto libre** y el **monólogo interior.**
- **El lector «cómplice»: Julio Cortázar** usó esta palabra para definir la necesidad de un lector activo que debe recomponer, organizar y dar sentido a la historia narrada.

Vamos a contarlo despacio, ya se irá viendo qué ocurre a medida que lo escribo. Si me sustituyen, si ya no sé qué decir, si se acaban las nubes y empieza alguna otra cosa (porque no puede ser que esto sea estar viendo continuamente nubes que pasan, y a veces una paloma), si algo de todo eso... Y después del «si», ¿qué voy a poner, cómo voy a clausurar correctamente la oración? Pero si empiezo a hacer preguntas no contaré nada; mejor contar, quizá contar sea como una respuesta, por lo menos para alguno que lo lea.

Roberto Michel, franco-chileno, traductor y fotógrafo aficionado a sus horas, salió del número 11 de la rue Monsieur-Le-Prince el domingo 7 de noviembre del año en curso (ahora pasan dos más pequeñas, con los bordes plateados). Llevaba tres semanas trabajando en la versión al francés del tratado sobre recusaciones y recursos de José Norberto Allende, profesor en la Universidad de Santiago. Es raro que haya viento en París, y mucho menos un viento que en las esquinas se arremolinaba y subía castigando las viejas persianas de madera tras de las cuales sorprendidas señoras comentaban de diversas maneras la inestabilidad del tiempo en estos últimos años.

Julio CORTÁZAR
«Las babas del diablo»,
en *Las armas secretas*
Suma de letras

En este relato fantástico breve de Julio Cortázar (llevado al cine por Antonioni, en la película *Blow-Up*), se cambia de tipo de narrador. Localiza el cambio de punto de vista narrativo en este fragmento. ¿De quién escribe, en realidad, el narrador?

Entre los autores más representativos del *boom* de los años sesenta están:

- **Augusto Roa Bastos** (Paraguay, 1917-2005). Sus novelas muestran Paraguay y la cultura guaraní como bases para la reflexión social, política, estética y metafísica, como en *Hijo del hombre* (1960) y, sobre todo, en *Yo el Supremo* (1974), acerca de un «Dictador Supremo de la República del Paraguay» en el primer tercio del siglo XIX.
- **Julio Cortázar** (Argentina, 1914-1984) nació en Bruselas, pero desarrolla su actividad literaria e intelectual entre París y Buenos Aires, que constituyen, además, el espacio vital en el que se mueven los personajes de su novela más destacada, *Rayuela* (1963). Se trata de una obra totalmente innovadora en cuanto a la concepción técnica narrativa, que admite distintas lecturas, según el orden en que se lean los capítulos del libro. Cortázar se centra en la vida cotidiana de personajes urbanos, generalmente asediados por la soledad y la incomunicación, ocasionalmente rescatados de su fracaso existencial por el amor y la amistad. En sus novelas posteriores continúa las novedades formales y estructurales: *62, modelo para armar* (1968), *El libro de Manuel* (1973), etc.

  Cortázar también es mundialmente conocido como un extraordinario creador de narraciones breves. Sus cuentos sorprenden porque lo real cotidiano es sometido a situaciones inesperadas y fantásticas pero innegablemente posibles y creíbles: *Bestiario* (1951), *Las armas secretas* (1959), *Todos los fuegos, el fuego* (1966), etc. Tampoco elude lo fantástico, pero cercano y reconocible: *Historias de cronopios y de famas* (1962), obra surrealista inclasificable, y *La vuelta al día en ochenta mundos* (1967).
- **Carlos Fuentes** (México, 1928-2012) es un ejemplo de narrador comprometido con la historia de su país. En *La muerte de Artemio Cruz* (1962) reconstruye la historia de uno de los muchos oportunistas surgidos al calor de la Revolución mexicana. En esta obra, Fuentes emplea el recurso experimental conocido como «identidades fragmentadas», en el que el narrador-protagonista emplea tres personas a lo largo de su relato para referirse a sí mismo: *yo, tú, él*.

  Otras de sus obras destacadas son: *La región más transparente* (1958) —novela urbana que ofrece un dinámico mosaico de la sociedad mexicana moderna a través de los pensamientos, sueños y vicios de sus miembros—, *Zona sagrada* (1967), *Cambio de piel* (1967), *Terra Nostra* (1975) y *Gringo viejo* (1985), sobre las complejas relaciones entre México y los Estados Unidos.

> OTROS AUTORES

Otros autores pertenecientes a esta etapa son:

- El chileno **José Donoso** (1924-1996) denuncia a través de sus novelas la decadencia de las clases aristocráticas y la alta burguesía, como en *Coronación* (1957) y *El obsceno pájaro de la noche* (1970).
- Los cubanos **José Lezama Lima** (1910-1976), que en *Paradiso* (1966) consigue crear un denso mundo mitológico de complejidad neobarroca, y **Guillermo Cabrera Infante** (1929-2005), que recrea La Habana de su juventud en ingeniosas novelas como *Tres tristes tigres* (1965) y *La Habana para un infante difunto* (1979).

Gabriel García Márquez

García Márquez practica la narración realista (como una crónica periodística) de acontecimientos sucedidos en un espacio y en un pasado mágicos que condicionan la conducta de los personajes. El título *Cien años de soledad* define el tema recurrente en toda su narrativa: la **soledad** como rasgo existencial de sus personajes e inherente a la sociedad hispanoamericana. De ahí que su otra constante sea el compromiso político y moral en favor de los más desfavorecidos y de la democracia.

En torno a *Cien años de soledad* (1967), se puede dividir su obra en las siguientes grandes etapas:

- **Primera etapa:** tras escribir cuentos muy influidos por narradores norteamericanos y europeos (Faulkner, Hemingway, James Joyce, Virginia Woolf), desde 1955, al margen de *Relato de un náufrago,* publica relatos breves en los que utiliza el **realismo mágico:** *La hojarasca* (1955), *El coronel no tiene quien le escriba* (1961), la colección *Los funerales de la Mamá Grande* y *La mala hora* (1962). En algunos de estos relatos anticipa dos elementos centrales de *Cien años de soledad:* la imaginaria Macondo y, al menos, uno de sus protagonistas, el coronel Aureliano Buendía.

- **Segunda etapa:** tras *Cien años de soledad,* abandona el referente mítico de Macondo, busca nuevos caminos y publica un volumen de cuentos, *La increíble y triste historia de la cándida Eréndira y su abuela desalmada* (1972); *El otoño del patriarca* (1975), novela de dictador narrada bajo el prisma del realismo mágico; y *Crónica de una muerte anunciada* (1981), en la que coexisten la crónica periodística y la novela policíaca.

  Tras recibir el Premio Nobel (1982), publica *El amor en los tiempos del cólera* (1985), donde muestra el amor como una fuerza destructiva que consume al ser humano como la enfermedad del cólera. Además, escribe dos novelas históricas: *El general en su laberinto* (1989), sobre los últimos días de Simón Bolívar, y *Del amor y otros demonios* (1994), ambientada en el siglo XVIII, con elementos del realismo mágico. En *Noticia de un secuestro* (1996), recrea los secuestros de varias figuras prominentes de Colombia. Finalmente, publicó su autobiografía *Vivir para contarla* (2002) y *Memoria de mis putas tristes* (2004), novela sobre el amor obsesivo de un nonagenario hacia una joven.

GABRIEL GARCÍA MÁRQUEZ (1928-2014)

Gabriel José de la Concordia García Márquez (Aracataca, Colombia) aunque estudió derecho, se dedicó muy pronto al periodismo. Sus viajes por América y Europa y sus crónicas como corresponsal de prensa fueron fundamentales en su formación literaria; también el exilio por sus problemas con los gobernantes colombianos, que censuraron su reportaje periodístico novelado *Relato de un náufrago* (1955). Su amor por el cine le hizo participar en algunas experiencias cinematográficas. En 1982 obtiene el Premio Nobel de Literatura. Falleció en México D. F. en 2014.

+ *CIEN AÑOS DE SOLEDAD*

Cien años de soledad (escrita en el exilio mexicano y publicada en Buenos Aires) se centra en el pueblo **Macondo,** desde su fundación hasta su extinción, y en la **familia Buendía** hasta su último miembro: un niño con cola de cerdo, fruto de una relación incestuosa, que cumple, así, una maldición contra su familia.

El narrador omnisciente es el gitano Melquíades (un mágico amigo de José Arcadio Buendía, fundador de Macondo), quien escribe en sánscrito un pergamino que será descifrado cien años después por Aureliano Babilonia.

El **universo temporal de Macondo es circular** y en él se producen sucesos fantásticos: pestes de insomnio, diluvios de más de cuatro años, epidemias de olvido, apariciones espectrales... Además, refleja la historia colombiana desde su independencia hasta los años treinta: guerras civiles, grandes compañías comerciales, el ferrocarril, huelgas...

Portada de la primera edición de *Cien años de soledad.*

Mario Vargas Llosa

Urania Cabral, desde Nueva York, regresa a Santo Domingo, 38 años después, para atender a su padre Agustín «cerebrito» Cabral, antiguo colaborador del dictador Trujillo.

[Agustín Cabral] Parece que entiende y que, interesado, no osa mover un músculo para no interrumpirla. Está inmóvil, su pequeño pecho moviéndose acompasado, los ojitos pendientes de sus labios. En la calle, de rato en rato cruza un automóvil, y pasos, voces, jirones de conversación, se acercan, suben, bajan y se pierden a lo lejos.

—Mi departamento de Manhattan está lleno de libros —retorna Urania—. Como esta casa, cuando era niña. De derecho, de economía, de historia. Pero, en mi dormitorio, solo dominicanos. Testimonios, ensayos, memorias, muchos libros de historia. ¿Adivinas de qué época? La Era de Trujillo, cuál iba a ser. Lo más importante que nos pasó en quinientos años. Lo decías con tanta convicción. Es cierto, papá. En esos treinta y un años cristalizó todo lo malo que arrastrábamos, desde la conquista. En algunos de esos libros apareces tú, como un personaje. Secretario de Estado, senador, presidente del Partido Dominicano. ¿Hay algo que no fuiste, papá?

Mario Vargas Llosa
La fiesta del chivo. Alfaguara

¿Cuál es la actitud de Urania Cabral hacia su padre? ¿Está de acuerdo con el pasado que él simbolizó?

El hispano-peruano Mario Vargas Llosa es uno de los escritores más sobresalientes del *boom* hispanoamericano en los sesenta y setenta.

Su obra evoluciona del realismo mágico al realismo crítico que refleja el agitado mundo social peruano y latinoamericano.

Después de su primera obra, *Los jefes* (1959), una colección de cuentos de violento ambiente urbano, se han señalado tres etapas en su trayectoria narrativa:

- **Primera etapa.** En la década de 1960, presenta una visión crítica de la sociedad peruana contemporánea:
  - En *La ciudad y los perros* (1963), que gana el importante Premio Biblioteca Breve, de Barcelona, denuncia cómo la crueldad, la violencia e incluso el asesinato predominan en un colegio militar de Lima.
  - *La casa verde* (1966) refleja la degradación moral y sexual de un prostíbulo.
  - *Los cachorros* (1967) es una novela corta que reflexiona sobre el machismo adolescente.
  - *Conversación en la Catedral* (1969) analiza la dictadura de Odría (1948-1956) mediante la conversación en un modesto cabaré entre un periodista amarillo y un chófer.
- **Segunda etapa.** En los años setenta se aleja de las posiciones ideológicas de su primera etapa en dos novelas humorísticas: *Pantaleón y las visitadoras* (1973), sobre un plan secreto del ejército para que una red de prostitutas «visite» a la tropa, y *La tía Julia y el escribidor* (1977), que narra su relación sentimental con su tía Julia, entremezclada con «culebrones» radiofónicos de un compañero del «escribidor».
- **Tercera etapa.** A partir de los años ochenta, Vargas Llosa recupera la mirada crítica sobre la sociedad hispanoamericana, pero lejos de su izquierdismo juvenil y con una visión pesimista y escéptica de la condición humana. Destacan obras como *La guerra del fin del mundo* (1981), sobre una sangrienta revuelta brasileña a finales del siglo XIX; *Lituma en los Andes* (Premio Planeta, 1993), sobre el grupo terrorista Sendero Luminoso; *La fiesta del chivo* (2000), una trama de tres historias en torno al asesinato del dictador dominicano Trujillo en 1961; y *El sueño del celta* (2010), acerca de la esclavitud durante la época colonial en el Congo Belga.

MARIO VARGAS LLOSA (1936)

Nació en Arequipa, Perú, y estudió letras y derecho en Lima. En 1959 viajó a París y luego a Madrid, donde se doctoró y publicó su primer libro, *Los jefes*, una colección de cuentos. Pasó un largo tiempo en el exilio voluntario, residiendo en París, Barcelona y Londres. En 1993 obtuvo la ciudadanía española. En 1994 es nombrado miembro de la Real Academia Española y ese mismo año gana el Premio Miguel de Cervantes; posteriormente, es reconocido doctor *honoris causa* en numerosas universidades. Su obra ha sido traducida a más de 30 idiomas y, además, es colaborador habitual en el diario *El País* y en la revista cultural *Letras Libres*. En 2010 gana el Premio Nobel de Literatura.

03.4 La narrativa hispanoamericana de las últimas décadas

A mediados de la década de 1970 surge la llamada «novísima literatura», a la que hay que sumar los autores de la generación siguiente. Forman un grupo heterogéneo: algunos de ellos continúan las tendencias literarias propias del *boom*, pero otros reaccionan contra su excesiva experimentación y artificiosidad y exploran nuevas formas basadas en la posmodernidad, en la fragmentación estética y en la identidad cultural hispanoamericana.

Principales autores del panorama literario hispanoamericano	
Augusto Monterroso (Guatemala, 1921-2003)	Autor de microrrelatos como *La oveja negra y demás fábulas* (1969), la colección de ensayos y aforismos *Movimiento perpetuo* (1972) y la novela *Lo demás es silencio* (1978).
Jorge Edwards (Chile, 1931)	Autor de novelas críticas con su entorno político y social, como *Persona non grata* (1973), *El museo de cera* (1981), *El inútil de la familia* (2004) y *La muerte de Montaigne* (2011).
Fernando del Paso (México, 1935)	Premio Cervantes 2015, cuyas «novelas totales», como *José Trigo* (1966), *Palinuro de México* (1977) y *Noticias del Imperio* (1987), integran historia, ficción y mito.
Alfredo Bryce Echenique (Perú, 1939)	Traza en *Un mundo para Julius* (1970) un retrato irónico de la burguesía limeña. En *Tantas veces Pedro* (1977) y *La vida exagerada de Martín Romaña* (1981), analiza la intelectualidad latinoamericana en Europa. Más recientemente escribe *Las obras infames de Pancho Marambio* (2007) y *Dándole pena a la tristeza* (2012).
Antonio Skármeta (Chile, 1940)	Debe su fama internacional a *Ardiente paciencia* (1985), obra más conocida como *El cartero de Neruda* a raíz de su versión cinematográfica. Sus últimas novelas son *El baile de la Victoria* (2003), *Un padre de película* (2010) y *Los días del arcoíris* (2011).
Isabel Allende (Chile, 1942)	Autora de *La casa de los espíritus* (1982), próxima al realismo mágico, que recrea las peripecias de la saga familiar de los Trueba. *De amor y de sombra* (1984) trata el drama de los «desaparecidos» durante la dictadura de Pinochet. Otras obras son *Eva Luna* (1987) o *El plan infinito* (1991). Es autora de *best sellers* como *La isla bajo el mar* (2009), *El cuaderno de Maya* (2011), *El juego de Ripper* (2014) y *El amante japonés* (2015).
Ángeles Mastretta (México, 1949)	Reivindica la liberación de la mujer oprimida que logra tener control sobre su propio destino en *Arráncame la vida* (1985). Más tarde, publica el libro de cuentos *Mujeres de ojos grandes* (1990) y las novelas *Mal de amores* (1996), *Maridos* (2008) y *La emoción de las cosas* (2013).
Laura Esquivel (México, 1950)	Obtuvo un gran éxito internacional con *Como agua para chocolate* (1989), que sigue el modelo del realismo mágico. Sus últimas novelas son *Malinche* (2006), sobre la amante de Hernán Cortés, y *A Lupita le gustaba planchar* (2014), sobre una mujer policía, con humor negro.
Laura Restrepo (Colombia, 1950)	Aúna la crónica periodística y política con el intenso análisis del alma humana: *Dulce compañía* (1995), *La novia oscura* (1999), *Delirio* (2004) y *Hot sur* (2012).
Roberto Bolaño (Chile, 1953-2003)	Es autor de destacadas novelas como *Estrella distante* (1996), *Los detectives salvajes* (1998) y *2666* (2004).

LA «NOVÍSIMA» NARRATIVA

Algunos rasgos generales de la «novísima» narrativa son los siguientes:

- Mayor presencia de lo urbano popular y juvenil, así como de los **registros coloquiales y regionales.**
- **Aumento de novelas de tema histórico** que incluyen la parodia grotesca y desmitificadora.
- **Auge** de la **novela testimonio** en primera persona que documenta fielmente experiencias individuales.
- Nueva visión del amor y la sexualidad en la novela, que coincide con un notable incremento de la narrativa femenina.

ELABORA TU PROYECTO

LA NOVELA HISPANOAMERICANA DE DICTADOR

Durante el siglo XX, aunque también hay ejemplos del siglo XIX, los dictadores americanos han sido protagonistas y ejes centrales de sobresalientes obras narrativas, hasta tal punto que ha dado lugar a la existencia de un género narrativo conocido como «novela de dictador». Muchas de estas obras presentan como dictadores a personajes de ficción, pero desgraciadamente son el espejo de una realidad que durante décadas marcó el continente americano.

Se propone como actividad la realización de una investigación sobre la novela de dictador y la elaboración de un mapa de Hispanoamérica en el que se incluya en cada país qué novela de ese género se ha publicado. Como conclusión al proyecto, se hará una mesa redonda.

Pautas para la realización del trabajo

1	Por grupos, recoged documentación acerca de las novelas y relatos de dictador, así como de sus autores más destacados.
2	Cada grupo recopilará también información sobre el contexto histórico de las dictaduras hispanoamericanas en el siglo XX.
3	Con la información obtenida, realizad un mapa de Hispanoamérica en el que incluiréis las novelas de dictador en el país al que cada título hace referencia.
4	Con el material elaborado, celebrad una mesa redonda en la que el portavoz de cada grupo expondrá oralmente sus conclusiones, dando paso a una tertulia abierta a todo el aula, moderada por el docente.

Recursos

- Para hacer un repaso de las características de la novela de dictador y de algunas de las obras más representativas:

→ www.wikiwand.com/es/Novela_del_dictador

→ http://ebox.nbu.bg/cel/lit02_en.html

→ http://es.slideshare.net/santi_perez_isasi/las-novelas-de-dictador

- Puedes buscar en Internet el discurso de aceptación de Gabriel García Márquez del Premio Nobel, titulado *La soledad de América Latina.*

El día y la noche (1964), mural de Rufino Tamayo.

ELABORA TU ORGANIZADOR VISUAL

Elabora el siguiente mapa mental sobre la poesía y la narrativa del siglo XX en Hispanoamérica.

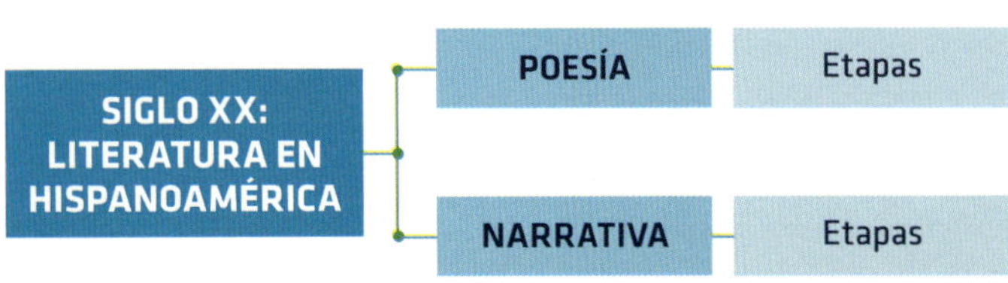

ACTIVIDADES

1. Los periodos de la literatura hispanoamericana son…
   a. literatura prehispánica, literatura colonial, literatura de la independencia, literatura de consolidación y literatura del siglo XX.
   b. literatura prehispánica, literatura colonial, romanticismo, realismo y literatura del siglo XX.
   c. literatura prehispánica, literatura barroca colonial, literatura de la independencia, realismo mágico y vanguardismo.
   d. literatura prehispánica, literatura colonial, literatura de la independencia, literatura de la negritud y literatura del siglo XX.

2. ¿Cuáles son los grandes poetas del vanguardismo hispanoamericano?
   a. Rubén Darío, Jorge Luis Borges, Pedro Salinas, César Vallejo y Pablo Neruda.
   b. Jorge Luis Borges, Mario Vargas Llosa, César Vallejo y Vicente Huidobro.
   c. Vicente Huidobro, Jorge Luis Borges, César Vallejo y Pablo Neruda.
   d. Rubén Darío, Leopoldo Lugones, César Vallejo y Mario Benedetti.

3. Las obras más importantes de César Vallejo son…
   a. *Prosas profanas* y *Poemas humanos.*
   b. *Los heraldos negros, Trilce* y *Poemas humanos.*
   c. *Sonetos del amor oscuro, Residencia en la tierra* y *Cantos de vida y esperanza.*
   d. *Los heraldos negros, Trilce* y *Arias tristes.*

4. *Veinte poemas de amor y una canción desesperada, Residencia en la tierra* y *Canto general* son tres obras de…
   a. Gabriel García Márquez.
   b. Mario Benedetti.
   c. Octavio Paz.
   d. Pablo Neruda.

5. El realismo mágico es…
   a. la mezcla de elementos realistas y fantásticos en la narrativa hispanoamericana.
   b. literatura de ciencia ficción.
   c. literatura costumbrista que refleja fielmente los problemas de los indígenas americanos.
   d. una escuela poética hispanoamericana.

6. ¿Qué es el *boom* hispanoamericano?
   a. La novela hispanoamericana a comienzos del siglo XX.
   b. La explosión de géneros literarios a lo largo del siglo XX.
   c. El auge de la narrativa hispanoamericana moderna en la segunda mitad del siglo XX.
   d. La reacción airada de los escritores hispanoamericanos contras las dictaduras.

7. Son autores y obras significativas del *boom* hispanoamericano…
   a. Gabriel García Márquez con *Cien años de soledad,* Octavio Paz con *Libertad bajo palabra,* Rómulo Gallegos con *Doña Bárbara* y Mario Vargas Llosa con *La ciudad y los perros.*
   b. Gabriel García Márquez con *Cien años de soledad,* Mario Vargas Llosa con *La ciudad y los perros,* Julio Cortázar con *Rayuela* y Carlos Fuentes con *La muerte de Artemio Cruz.*
   c. Octavio Paz con *Libertad bajo palabra,* Rómulo Gallegos con *Doña Bárbara,* Mario Vargas Llosa con *La ciudad y los perros* y Vicente Huidobro con *Altazor.*
   d. Julio Cortázar con *Rayuela,* Carlos Fuentes con *La muerte de Artemio Cruz,* Juan Goytisolo con *Señas de identidad* y Horacio Quiroga con *Cuentos de la selva.*

8. En la narrativa hispanoamericana posterior al *boom* destacan…
   a. autores como Bryce Echenique y Antonio Skármeta y narradoras como Ángeles Mastretta, Laura Esquivel, Isabel Allende y Laura Restrepo.
   b. Ricardo Palma con su obra *Tradiciones peruanas* y narradoras como Ángeles Mastretta, Laura Esquivel, Isabel Allende y Laura Restrepo.
   c. autores como Bryce Echenique y Antonio Skármeta, las novelas de dictador y el realismo mágico.
   d. Ricardo Quiroga, Ciro Alegría y narradoras como Gabriela Mistral, Isabel Allende y Laura Esquivel.

9. En el ensayo hispanoamericano sobresalen autores y obras como…
   a. Juan Rulfo *(El llano en llamas),* Antonio Skármeta *(El cartero de Pablo Neruda)* y Alejo Carpentier *(El reino de este mundo).*
   b. Octavio Paz *(El arco y la lira),* Carlos Fuentes *(La región más transparente)* y Eduardo Galeano *(Las venas abiertas de América Latina).*
   c. César Vallejo *(España, aparta de mí este cáliz),* Jorge Luis Borges *(Inquisiciones)* y Eduardo Galeano *(Las venas abiertas de América Latina).*
   d. Jorge Luis Borges *(Inquisiciones),* Octavio Paz *(El laberinto de la soledad* y *El arco y la lira)* y Eduardo Galeano *(Las venas abiertas de América Latina).*

PRINCIPALES FIGURAS LITERARIAS

01 Figuras de dicción

Se trata de los recursos utilizados para distanciar la lengua literaria de la lengua común. Sc modifica el sentido tanto de términos concretos como de toda la frase.

Basadas en la repetición de sonidos

- **Aliteración:** reiteración de uno o varios fonemas o sonidos consecutivos o cercanos dentro de una estrofa, un verso o cualquier periodo.

  En el **s**ilencio **s**olo **s**e e**s**cuchaba
  un **s**u**s**urro de abeja**s** que **s**onaba.

  Garcilaso DE LA VEGA

- **Paronomasia:** se fundamenta en la semejanza fonética de palabras o grupos de palabras.

  Un **hombre** a **hombros** del miedo

  Blas DE OTERO

  Vendado que me has **vendido**

  Luis DE GÓNGORA

- **Similicadencia:** utilización de dos o más palabras con el mismo accidente gramatical (tiempo y persona, caso, número, género), lo cual produce un efecto rítmico.

  De carne nacemos, en carne vivimos, en la carne moriremos.

  Fray Antonio DE GUEVARA

Basadas en la repetición de palabras

- **Anáfora:** repetición de una o varias palabras al comienzo de dos o más versos o unidades sintácticas.

  No perdono a la muerte enamorada,
  no perdono a la vida desatenta,
  no perdono a la tierra ni a la nada.

  Miguel HERNÁNDEZ

- **Epífora** o **conversión:** repetición de palabras al final de los versos o unidades sintácticas.

  [...] porque ignoraba que el deseo es una pregunta
  cuya respuesta **no existe,**
  una hoja cuya rama **no existe,**
  un mundo cuyo cielo **no existe.**

  Luis CERNUDA

- **Reduplicación** o **geminación:** repetición de palabras que están en contacto.

  Sueña, sueña mientras duermes.
  Lo olvidarás con el día.

  Juan Ramón JIMÉNEZ

- **Anadiplosis:** repetición de un elemento o palabra al final de un verso o cláusula y al principio del siguiente. Se llama **concatenación** cuando se repiten varias anadiplosis consecutivas.

  Aunque me veas por la calle, también yo tengo **mis rejas, mis rejas** y mis rosales.

  Antonio MACHADO

ALITERACIÓNALITERACIÓNALITERACIÓN

- **Epanadiplosis:** repetición de palabras al comienzo y al final de un verso o de un enunciado.

  Verde que te quiero **verde.**

  Federico GARCÍA LORCA

  Fuera menos penado si no **fuera**
  nardo tu tez para mi vista, **nardo.**

  Miguel HERNÁNDEZ

- **Paralelismo:** idéntica disposición sintáctica de dos o más unidades diferentes.

  Cuando los trigos encañan
  y están los campos en flor.
  Cuando canta la calandria
  y responde el ruiseñor.
  Cuando los enamorados
  van a servir al amor.

  Romance del prisionero, ANÓNIMO

- **Polisíndeton:** repetición de nexos sintácticos (conjunciones o preposiciones).

  Y sueña. **Y** ama. **Y** vibra. **Y** es hija del sol.

  Rubén DARÍO

- **Pleonasmo:** redundancia innecesaria, repetición de algo ya dicho.

  Bésame con **besos** de tu boca.

- **Calambur** y **diáfora:** repetición de palabras que divididas forman otras (calambur) o de una misma palabra (diáfora) con sentidos muy diferentes o incluso contrarios.

  A partir de la homonimia o de la polisemia de palabras que designan varios tipos de monedas y también títulos nobiliarios, Góngora construye estos versos donde aparecen la **diáfora** y el **calambur:**

  Cruzados hacen **cruzados**
  escudos pintan **escudos,**
  y tahúres muy desnudos
  con dados ganan **condados;**
  ducados dejan **ducados,**
  y coronas, Majestad.
  ¡Verdad!

Basadas en la supresión de palabras

- **Elipsis:** supresión de elementos de la oración que quedan sobrentendidos; es muy frecuente en el refranero.

  En abril, aguas mil.
  Año de nieves, año de bienes. (Supresión del verbo)

- **Asíndeton:** omisión de nexos sintácticos entre oraciones o sintagmas.

  Llegué, vi, vencí.

  Julio CÉSAR

  Desmayarse, atreverse, estar furioso,
  áspero, tierno, liberal, esquivo,
  alentado, mortal, difunto, vivo,
  leal, traidor, cobarde y animoso.

  Lope DE VEGA

Basadas en un cambio en la disposición de la frase

- **Hipérbaton:** alteración del orden normal o lógico de los elementos sintácticos de un enunciado.

  Volverán las oscuras golondrinas
  en tu balcón sus nidos a colgar,
  y, otra vez, con el ala a sus cristales
  jugando llamarán.

  Gustavo Adolfo BÉCQUER

  Pasos de un peregrino son, errante,
  cuantos me dictó versos dulce Musa
  en soledad confusa,
  perdidos unos, otros inspirados.

  Luis de GÓNGORA

  (Orden lógico: 'Pasos de un peregrino errante (perdidos, unos; hallados, otros) son cuantos versos [todos los versos que] me dictó [la] dulce Musa en soledad confusa'.)

02 Figuras de pensamiento

Estas primeras figuras afectan al sentido de la frase, a las ideas contenidas en un enunciado.

- **Antítesis:** oposición de dos ideas, pensamientos, expresiones o palabras contrarias.

  Fue la noche de Santiago
  y casi por compromiso
  se apagaron los faroles
  y **se encendieron** los grillos.

  Federico GARCÍA LORCA

- **Oxímoron:** en una construcción o frase coinciden dos conceptos de significado opuesto, lo cual genera un nuevo sentido.

  CELESTINA.—Es un fuego escondido, una **agradable llaga,** un sabroso veneno, una **dulce amargura,** una **delectable dolencia,** un **alegre tormento,** una **dulce y fiera herida,** una **blanda muerte.**

  Fernando DE ROJAS

- **Paradoja:** se unen en un solo juicio varias ideas opuestas en apariencia irreconciliables.

  Vivo sin vivir en mí
  y tan alta vida espero
  que muero porque no muero.

  Santa Teresa DE JESÚS

- **Ironía:** se da a entender algo diferente o lo contrario de lo que en apariencia se dice. Se utiliza mucho en el habla cotidiana.

  «Es un niño muy estudioso». (Dicho de un estudiante que ha suspendido todas las asignaturas).

- **Lítotes:** relacionada con la ironía, consiste en afirmar una idea mediante la negación de su contrario. Al igual que la ironía, es muy frecuente en la lengua coloquial.

  «No es un hombre afortunado». (Tiene mala suerte).
  «No está muy lejos de aquí». (Está cerca de aquí).

Las siguientes figuras dan relieve a los sentimientos del autor o a su intención de conmover al público.

- **Exclamación retórica:** manifestación en forma exclamativa de sentimientos o juicios con el fin de añadir expresividad al texto.

  Hoy la he visto..., la he visto y me ha mirado...
  ¡Hoy creo en Dios!

  Gustavo Adolfo BÉCQUER

- **Interrogación retórica:** pregunta que se expresa sin intención de encontrar respuesta, ya que esta se sobrentiende. Aporta tensión emotiva al texto.

  ¿No es más poderosa la virtud que el vicio?

- **Apóstrofe:** la voz del autor interpela con vehemencia a su destinatario, que puede estar presente o ausente, o ser animado o inanimado, real o imaginario.

  ¿Qué es poesía?, dices mientras
  clavas en mi pupila tu pupila azul.
  ¡Qué es poesía! ¿Y tú me lo preguntas?
  Poesía... eres tú.

  Gustavo Adolfo BÉCQUER

- **Hipérbole:** exageración excesiva, en aumento o en disminución, de acciones, cualidades, hechos, etc.

  Por tu amor me duele el aire, el corazón y el sombrero.

  Federico GARCÍA LORCA

  Te lo he dicho mil veces.

- **Prosopopeya o personificación:** se atribuyen cualidades humanas a objetos inanimados o animales.

  La ciudad era rosa y sonreía dulcemente. Todas las casas tenían vueltos sus ojos al crepúsculo. Sus caras eran crudas, sin pinturas ni afeites.

  Rafael SÁNCHEZ FERLOSIO

03 Los tropos

Se trata de figuras por las cuales se emplean palabras con un sentido distinto al que les corresponde habitualmente. Se producen mediante la sustitución y el desplazamiento del significado de una palabra. Entre ellos destacan los siguientes:

- **Símil o comparación:** consiste en comparar dos términos, uno real y otro imaginario, entre los cuales se coloca un nexo comparativo.

  Dientes como perlas.

- **Sinestesia:** atribución de cualidades sensitivas a realidades a las que no corresponden; es decir, se mezclan deliberadamente sensaciones distintas como «dorada música» o «amarga blancura».

  Con el **silencio oscuro**, el ave triste
  vuela, y en el volar muestra su mengua...

  Francisco DE ALDANA

  El **amarillo olor** del cloroformo.

  Ramón María DEL VALLE-INCLÁN

- **Metáfora:** se construye mediante el desplazamiento del significado habitual de un término a otro figurado estableciendo una relación tácita de semejanza.

  Su luna de pergamino
  Preciosa tocando viene.

  Federico GARCÍA LORCA

  (Metáfora: luna de pergamino = pandero.)

  Coged de vuestra alegre **primavera**
  el **dulce fruto** antes que el tiempo airado
  cubra de nieve la **hermosa cumbre.**

  Garcilaso DE LA VEGA

  (Metáforas: primavera = juventud; dulce fruto = amor; cubrir de nieve = envejecer, cubrir de canas; hermosa cumbre = cabeza.)

- **Símbolo:** consiste en expresar mediante una realidad perceptible por los sentidos otra realidad de carácter espiritual o abstracto. Los símbolos suelen estar vinculados a culturas concretas (para los hebreos, la serpiente simbolizaba el mal y el pecado; para las cultura occidental actual, la paloma blanca es símbolo de la paz).

  Este **buitre** voraz de ceño torvo que me devora las entrañas fiero.

  Miguel de UNAMUNO

  (Símbolo: el término *buitre* se asocia con la angustia.)

- **Alegoría:** es una sucesión de metáforas que se refieren a una realidad o idea compleja. Habitualmente, se encuentra en textos relativamente extensos (muy a menudo de tipo narrativo).

  Este mundo es el camino
  para el otro, que es morada
  sin pesar,
  mas cumple tener buen tino
  para andar esta jornada
  sin errar.

  Partimos cuando nacemos
  andamos, mientras vivimos,
  y llegamos
  al tiempo que fenecemos
  así que cuando morimos
  descansamos.

  Jorge MANRIQUE

- **Metonimia:** consiste en utilizar un término en lugar de otro con el que guarda una relación, que puede ser de causa o procedencia, de efecto o consecuencia, el continente por el contenido, etc.

  «Respeto tus **canas**», «Bebí un **rioja**».

  Bañó con sangre enemiga
  su corbata carmesí,
  pero eran cuatro puñales
  y tuvo que sucumbir.

  Federico GARCÍA LORCA

  (Metonimia: los cuatro *puñales* (armas) es una metonimia que alude a los cuatro primos que mataron a Antoñito el Camborio.)